ma cuisine maison

Jehane Benoit

ma cuisine maison

Publié expressément pour
Premium Readers Club
Division Maclean Hunter Ltd.

ÉDITIONS HÉRITAGE
MONTRÉAL

Photos couverture et intérieures : René Delbuguet

© Les Éditions Héritage Inc. 1987
Tous droits réservés

Dépôts légaux : 2e trimestre 1987
Bibliothèque nationale du Québec
Bibliothèque nationale du Canada

ISBN : 2-7625-5896-4   Imprimé au Canada

LES ÉDITIONS HÉRITAGE INC.
300, Arran, Saint-Lambert, Québec J4R 1K5
(514) 672-6710

Sommaire

Introduction

Écrire ce livre fut pour moi un retour à mes sources, à travers souvenirs et plaisirs de table. Il me fallut jeter un regard un peu nostalgique vers un passé heureux rempli de bons moments. Malgré tous les changements d'habitudes alimentaires que j'ai observés en cinquante ans, j'ai la conviction qu'il y en aura encore beaucoup d'autres, et qui seront encore plus passionnants.

J'ai clairement senti de quelle manière ce passé mettait en valeur le présent, et combien les vues tellement élargies de ce présent présageaient des possibilités de l'avenir. Et une fois de plus, je me suis demandée comment il me serait possible d'oublier mon grand monde gourmand !

Dans la vie de chacun vient un moment où on sent qu'il faut faire un certain arrêt pour jeter un regard en arrière, un arrêt qui nous permette d'apprécier à leur juste valeur les êtres et les choses qui nous ont influencés et qui bien souvent ont même changé le cours de notre vie. Ce moment est venu pour moi. Une leçon que m'apprit mon grand-père Patenaude, lorsque j'avais 6 ou 7 ans, joua un rôle déterminant dans ma vie. Un jour que je voulais prendre une pomme dans le pommier, sautillant pour la rejoindre, il m'arrêta et me fit monter sur une chaise. Là, il me fit tenir tranquillement entre mes deux mains la pomme qui me tentait, sans toutefois la détacher de l'arbre. J'ai dû en percevoir la pesanteur en comparant avec d'autres pommes du pommier, pour apprendre, me dit-il, de quelle manière détecter si une pomme est mûre et juteuse, c'est-à-dire prête à être cueillie. Inutile d'ajouter que moi j'étais prête depuis un bon moment à cueillir et à croquer la belle pomme, mais je dus ensuite en sentir une et une autre, ici et là dans l'arbre, et cueillir celle que je trouvais la plus parfumée. Ce jour-là, j'ai découvert que sur le même pommier, le parfum des pommes pouvait varier. «Pourquoi?» demandai-je. « Parce que, me répondit mon grand-père, celles qui ont plus de soleil que les autres sont forcément plus parfumées. » Ensuite, il m'apprit comment cueillir « ma pomme » sans meurtrir son « arbre-porteur », comme il disait. Eh bien! c'est une leçon que j'ai mille fois appliquée dans ma vie, de toujours chercher l'aliment parfait au moment parfait.

Vous avez, sans nul doute, compris que mon grand-père était un perfectionniste, sûrement difficile à ses heures. L'avantage que j'avais avec lui sur les adultes qui l'entouraient, c'est que j'étais une enfant exubérante et affectueuse, alors il s'est dit qu'il m'apprendrait à être comme lui, perfectionniste. Ce qui pour moi est bien amusant, c'est que ma sœur est vraiment perfectionniste bien qu'elle n'ait pas connu son grand-père, alors que moi je suis toujours l'exubérante, amoureuse de la bonne table.

Et puis, il y avait mon autre grand-père qui m'apprit ce que je sais sur le pain, et par le fait même m'enseigna la valeur de l'amour dans le travail et le côté sensuel de la table. Mon grand-père Cardinal était un représentant typique de « l'intellectuel canadien-français des années 1900 ». Il ne lisait que le français, et encore là, que les classiques, Voltaire était son grand favori, ce qui horrifiait ma grand-mère, très catholique. Elle prenait bien soin de cacher les livres de mon grand-père, de peur que les enfants qui la visitaient n'y mettent le nez. Inutile peut-être d'ajouter que nous connaissions ses cachettes, et que nous ne résistions pas au fruit défendu, nous empressant de lire ces ouvrages ici et là. Je vous avoue que pour ma part, étant en pension dans un couvent, je trouvais ce monsieur Voltaire quelque peu ridicule, et je préférais de beaucoup un autre fruit défendu les poèmes d'amour de Sully Prudhomme ou les livres de cuisine de ma grand-mère.

Une autre différence amusante de tempérament entre mes deux grand-pères est le fait que grand-père Patenaude était d'une abstinence totale, son seul breuvage favori était une portion de sirop d'érable dans un grand verre d'eau de puits bien fraîche. Jamais et sous aucun prétexte, on ne servait quelqu'alcool que ce soit dans sa maison. Bien au contraire, chez mon grand-père Cardinal, à chaque occasion de fête, c'était la danse, les chants, les rires, et le tout bien arrosé de vin, de gin hollandais et de bière. L'hiver, on mettait une bien petite cuillerée de gin dans un verre, on y brassait un peu de sucre et le grand verre était bien rempli d'eau chaude. C'était la portion des enfants. Nous nous demandions pourquoi les grands en avaient une telle dose, en la comparant à notre petite cuillerée ; ce qui toutefois, je m'en souviens si bien, ne nous empêchait pas de nous croire aussi importants que les « grandes personnes », même si nous avions un verre d'eau chaude, qui ne goûtait pas grand'chose. Je suis convaincue que mon amour de la vie à la campagne, et le plaisir renouvelé que je ressens chaque année lorsque j'aperçois nos moutons dans les prés tout verts, tient à l'héritage sanguin du côté de mon grand-père Patenaude.

Il importa d'Écosse les premiers moutons Hampshire, au Canada, ce que j'appris d'un professeur d'agriculture lorsque nous avons décidé de faire l'élevage de l'agneau, et pour une raison que je ne pouvais m'expliquer, ce furent toujours mes agneaux préférés. Dès lors, j'ai su pourquoi... Je trouve formidable que le hasard nous apprenne ce genre de faits pertinents juste au moment approprié. Mon grand-père ne voulait pas qu'aucun de ses six garçons soit fermier, mais il disait que lui-même ne laisserait jamais son coin de terre, dans les Cantons de l'Est, et il tint parole. Et pourtant, je n'ai jamais connu mon grand-père à l'œuvre, car à cette époque, un homme qui pouvait se le permettre ne travaillait plus après 40 ans.

Et puis vint ma mère, qui n'avait aucune inclination pour la cuisine et ne comprit jamais très bien mon enthousiasme pour le sujet. Quant à mon père, sa vie était centrée sur ma mère et la table, mais je n'ai jamais su laquelle des deux avait le dessus. Mon père était plus gourmand que gourmet, alors que ma mère s'efforçait de lui faire plaisir avec de bons repas. Elle était assez bonne cuisinière, mais ne se renouvelait pas, par manque d'intérêt.

Je me souviens de nos petits déjeuners incroyables, pendant lesquels on discutait de ce qu'il y aurait pour le déjeuner, et à midi, le repas du soir était le sujet de conversation favori.

À cette époque, les femmes prenaient grand soin de conserver les traditions. La plus vieille des filles, que j'étais, avait le devoir sacré de transmettre ces mêmes traditions à la génération qui la suivait, et que d'orgueil il y avait dans l'accomplissement de ce devoir.

Je me souviens d'un petit cahier noir, appartenant à ma grand-mère maternelle, qui était rempli de ses recettes, ou de celles de ses amies ou de ses ancêtres, que pour la plupart je ne connaissais pas. Je lisais et faisais ces recettes avec tant de bons résultats, qu'un jour je décidai d'en faire un petit bouquin que j'ai appelé «Les Secrets du cahier de ma grand-mère», où je donnais les recettes qu'on pouvait encore faire, en les transposant dans le langage d'aujourd'hui, sans toutefois leur faire perdre complètement leur ton «terroir». C'est dans ce cahier que j'ai trouvé sa recette favorite de fèves au lard, celles que j'avais si souvent mangées dans ma jeunesse et dont je n'avais jamais su le secret, ni ma mère d'ailleurs qui les préparait pourtant de la même manière. Le couvercle du pot était remplacé par des pommes remplies de sucre naturel, qui formaient une espèce de caramel pendant la cuisson. En les sortant du four, on versait sur le tout un bon verre de rhum. Comment puis-je oublier ces délicieuses fèves, que nous avions pour le petit déjeuner du vendredi matin, alors servi à 8 heures, une heure plus tard qu'à l'habitude, car il fallait que quelqu'un aille chercher le pot, rempli de fèves toutes chaudes, qui avait passé la nuit dans le four du boulanger. On enveloppait ce pot dans une couverture de laine tissée à la main, ce qui gardait les fèves bien chaudes pendant le trajet. Le pot était ensuite placé sur une jolie planche de pin avec bordure taillée à la main par un artisan. Les fèves étaient accompagnées d'une miche de pain, toute chaude aussi, tout juste rapportée de chez le boulanger, et d'un bol de sauce chili maison, car on ne voyait jamais de bouteille de ketchup commercial à cette époque. Le reste des fèves était servi le dimanche matin avec de minces tranches de jambon froid.

Et maintenant, je pense aux petits déjeuners d'hiver, pendant ma jeunesse : de la soupane, crémeuse et chaude, ayant mijoté toute la nuit à l'arrière du poêle à bois, servie avec du « sucre du pays » râpé, et de la crème épaisse. Les piles de grandes tranches de pain maison, grillées sur les ronds chauds du poêle, un goût que j'ai toujours conservé, du beurre doux, baratté à la maison, du miel de sarrasin comme on n'en voit plus : on l'achetait chez le marchand de fromage, c'était une boule de miel qui ressemblait à une grosse ruche. À l'aide d'un grand couteau, le marchand nous en coupait une tranche, selon la pesanteur demandée. Même après tant d'années, il m'arrive encore de désirer goûter une fois de plus la finesse et la texture crémeuse de ce miel de sarrasin. Le tout était accompagné d'un morceau de fromage « canadien », et d'une bonne tasse de thé vert bien chaud.

Il est presque incroyable de s'imaginer qu'il était possible de bouffer de tels petits déjeuners, et pourtant c'était la coutume entre 1910 et 1920, mais encore plus incroyable est le fait que tous les membres de la famille étaient présents à table à 7 heures, et déjà tout bichonnés. Les deux habitudes de jeunesse que je n'ai jamais perdues sont le petit déjeuner très matinal et le fromage avec mon pain grillé, mais, hélas, dans le grille-pain !

Tellement de bonnes choses à manger ont fait les délices de ma jeunesse, que j'aimerais beaucoup essayer de retrouver avec vous, la variété et la saveur de chacune. J'ai quelquefois le regret de ne pouvoir travailler avec un bon beurre maison, tout frais baratté, ou avec de la crème épaisse, prise sur le dessus des terrines de lait, avec une grande cuillère d'argent, que j'ai encore d'ailleurs, dans ma cuisine, de ne pouvoir goûter le lard salé maison, les jambons fumés à l'érable, les œufs pris chaque matin dans les nids, les légumes frais du jardin, l'eau pure du puits, pour faire le thé — il me restera toujours une certaine nostalgie de toutes ces choses. Bien que je sois née à la ville et que j'y aie vécu de longues années, je n'ai jamais perdu le goût de la campagne, car toute ma jeunesse j'ai vu mon grand-père Patenaude nous apporter toutes sortes de si bonnes choses bien fraîches de la campagne. Cela explique peut-être notre premier geste à mon mari et à moi lorsque nous avons acheté notre ferme Noirmouton, premier geste qui fut d'avoir des poules et un jardin, et encore aujourd'hui nous allons chercher nos œufs dans les nids, et toujours nous apprécions leur texture et leur saveur.

Pendant l'été et l'automne, nous passons d'un délice à l'autre, en nous disant chaque fois que rien n'égale un bon légume frais cueilli, oubliant les rigueurs de l'hiver sur le jardin, et tout le dur travail du printemps — Ainsi va la vie !

À 15 ans, je rencontrai les deux frères Basil. Ils avaient un magasin rempli de choses délicieuses venant de tous les coins du monde : des grains de tous genres, des fruits exotiques, frais ou séchés, des noix, etc., des légumes qui ne se voyaient jamais chez nos épiciers ou dans nos jardins. Je passais des heures chez les Basil. Ils étaient Grecs. C'étaient de beaux grands hommes, à la voix douce, et qui avaient une patience admirable pour répondre à toutes mes questions, et même m'expliquer d'où venait telle ou telle chose, et de quelle manière on la mangeait dans tous ces pays, qui me semblaient alors hors de portée.

Ce fut le moment de ma vie où j'eus une conception nette de l'étendue du monde de la table, que je vis aussi vaste que notre planète. Je me rendis compte que tous les humains à travers le monde cuisinaient et mangeaient les mêmes grains de riz ou de blé, etc., chacun les cuisinant selon ses traditions et sa culture, ce qui donnait un goût et une texture totalement différents, quoique le même produit de base fut utilisé par tous.

Fascinée par cette découverte, je décidai alors que la table serait mon monde et le travail de ma vie.

Un jour, je connus l'homme qui eut la plus grande influence sur ma carrière : le docteur Édouard de Pomiane-Pozerski, mieux connu sous le simple nom de Pomiane. Né à Paris d'un père polonais et d'une mère russe, c'était un homme aux multiples talents, il jouait du violon et peignait, le tout d'une manière professionnelle. Il écrivit son premier livre de cuisine pendant la première guerre et l'intitula *Bien manger pour bien vivre*. Ce livre n'a pas vieilli d'un jour, souvent je l'ouvre et je suis toujours surprise de constater qu'il est encore tout à fait d'aujourd'hui.

En 1901, il commença ses études en médecine à l'Institut Postan — c'est à ce moment qu'il fut fasciné par la science de la psychophysiologie de la digestion, qu'il découvrit que l'équilibre de l'organisme dépendait d'une part de la psychologie et des effets de l'application pratique de ses phénomènes sur un organe humain, et d'autre part des changements physiques des aliments pendant leur préparation et leur cuisson. C'est entre les deux guerres qu'il donna ses cours renommés de « cuisine raisonnée », expliquant tous les changements physiques s'opérant dans les aliments au contact du feu, du froid, du gras, de l'eau, etc., pour finalement arriver dans l'estomac.

Pour tous ses élèves, il représentait la science même. C'était aussi un homme attrayant, avec des cheveux blancs et une moustache bien noire, il était toujours vêtu d'une grande redingote blanche, portant sur la tête une petite toque bien ronde, aussi de toile blanche, toujours impeccable.

Ses collègues avaient beaucoup de mal à comprendre comment un « docteur en sciences » et un « docteur en médecine » pouvait s'abaisser à donner des leçons de cuisine. Il leur répondait : « La cuisine est une technique spécifique, inventée par l'homme pour flatter une partie de ses sens, tels que le goût, l'odorat et les yeux. Je ne pourrai jamais assez accentuer l'importance d'être parfaitement qualifié dans la science de la chimie alimentaire, ce n'est que par ce chemin qu'il nous est possible d'arriver à comprendre le mystère de la transformation des aliments et ce qui en résulte pour nos corps, et notre santé. »

De Pomiane écrivit vingt-sept livres, donnant dans chacun des recettes, tout en expliquant les difficultés qu'il était possible de rencontrer au moment de la préparation ou de l'exécution. En somme, en tout temps, il demeura professeur. Souvent, pendant les cours, il nous disait qu'un jour il n'y aurait pas plus de distance entre les pays qu'entre A et B, et qu'il serait alors très facile de connaître les cuisines du monde. Les avions et l'électronique ont rendu cette prédiction plus que vraie. Est-il inutile que j'ajoute que de tels commentaires me fascinaient et n'ont jamais cessé de m'enthousiasmer. Une grande partie de mes études avec cet homme extraordinaire, je les appliquais dans un de mes premiers livres, l'Encyclopédie de la cuisine.

Mes années à l'Institut d'hygiène alimentaire à Paris, et de longs voyages à travers la France, m'ont appris la manière de mettre à profit ma curiosité de la table et la manière de l'apprécier à sa juste valeur. C'est vraiment à cette époque que j'ai découvert, non seulement les plaisirs de la bonne table, mais aussi combien j'aimais cuisiner, et qu'une seule vie ne serait pas suffisante pour tout apprendre.

Maintenant, me voici arrivée à la génération de ma fille Monique, qui devra établir la continuation de l'héritage familial, tout comme moi je l'ai fait pour ma famille. En somme, elle est ma meilleure amie et une compagne merveilleuse. De plus, j'ai la veine qu'elle habite aussi la campagne, tout près de moi. Elle a des doigts de fée, rien ne semble être à son épreuve, elle passe du petit point à la pose du papier tenture, ou elle recouvre une table à café de jolies tuiles, ou tricote en douze heures d'adorables foulards. À Noël, elle présenta à chacun une tuque qu'elle avait elle-même tricotée et dessinée. Elle étaient toutes plus ravissantes les unes que les autres. Mais cuisine-t-elle?, me direz-vous. Oui, et même elle est très bonne cuisinière. Très tôt, je lui appris la manière économe de faire ses emplettes, elle a bien dépassé son professeur puisque aujourd'hui ce qui me coûte $5 ne lui en coûte que $3. Elle fait vraiment partie de ma «vie culinaire». Il n'y a personne avec qui j'aime mieux cuisiner, qu'avec Monique. Ensemble, nous travaillons au même tempo; nous avons les mêmes goûts et toujours nous nous amusons. Nous l'appelons souvent «Chop-Chop», parce que je déteste émincer, je manque de patience, et Monique le fait à la perfection. En cuisine, elle préfère les plats et les repas vite faits et cherche plutôt le chemin facile pour s'y rendre, ce que je trouve très bien. Cela prouve qu'elle est de son temps. Un autre petit côté amusant, les noms qu'elle donne à ses créations culinaires. En somme, pour elle créations et innovations culinaires sont les plaisirs de sa table et sa famille approuve avec enthousiasme « les plats du jour».

Pendant quelques années, elle eut son programme culinaire à la télévision de Sherbrooke : *La bonne cuisine*, où elle eut beaucoup de succès, enseignant surtout ses raccourcis et innovations culinaires. Mais, c'est une vie qui ne répondait pas à ce qu'elle préférait accomplir, alors malgré les succès, elle abandonna.

Quoique ni Monique, ni moi-même n'hésitions à être quelquefois «anciennes», nous sommes très ouvertes en cuisine aux technologies modernes. Vous trouverez ses recettes favorites ici et là à travers ce livre, puissent-elles vous plaire!

Maintenant, c'est à la fille de Monique, ma petite-fille Susan, qu'il incombera de faire vivre le précieux héritage. Récemment mariée, son bien-aimé nous dit la trouver excellente cuisinière. Elle va sans hésiter de sa cuisinière à son four micro-ondes, de son batteur à main à son mélangeur-coupeur, etc. Elle fait partie de la jeune génération touchée par la technologie moderne, qui en somme a rendu le travail à la cuisine rapide, facile et efficace, mais il est toujours valable d'y mettre sa touche personnelle, puisque après tout la créativité et le goût sont indispensables pour réussir dans l'art de la cuisine.

Susan et une de ses amies ont ouvert à Sutton un salon de thé et une boutique artisanale, au joli nom de « La Causerie ». Rien n'est commercial, car Susan fait les douceurs qui accompagnent une bonne tasse de thé ou de café. La grand-maman, que je suis, aime bien y faire son petit tour.

Il y a aussi mon petit-fils Ian, qui a un flair naturel pour la cuisine. J'ai cru que, peut-être, il suivrait mes traces, mais non, les moutons ont gagné la partie — ce qui ne l'empêche pas d'être bon cuisinier... quelquefois. Comme il est né sous le signe de la vierge, bergerie, musique et poésie sauront sans nul doute le rendre heureux.

Pour fermer ce chapitre familial, je devrais peut-être dire un mot sur les chiens de mon mari et mes chats, puisqu'en somme les nourrir est pour chacun de nous un rituel journalier. Si quelqu'un arrive à la porte, il est reçu par une avalanche de grosses bêtes noires, qui se bousculent pour entrer les premiers. Il y a Malin, le chef et l'autoritaire ; l'amical Pogo, et la soyeuse noire et blanche, Pâtouche. Une fois dans la maison, il y a encore un accueil beaucoup plus calme de mes chats : Froufrou II, ma chatte siamoise, indépendante, intelligente, entêtée et indispensable, ensuite Tinkerbell, qui court après les oiseaux, donc décoré de la cloche qui avertit ses « amis » ailés de sa présence, et puis vient « Bosse-mère », qui se bat sans cesse avec son fils « Petit Bonhomme ». Je me demande pourquoi, puisqu'il est le plus affectueux de tous, adore mon mari, qui bien souvent voudrait le voir loin !

Ce qui semble le plus important à leur vie de chat et de chien, c'est le petit déjeuner du matin, où chacun a son coin et son bol bien rempli ; puis le soir, où ils écoutent nos voix ou la musique.

Je me suis souvent demandée comment il était possible dans une vie, pour l'être humain, d'accomplir tant de choses. Pour ma part, j'eus d'abord une école de cuisine dans les débuts des années 30, qui dura jusqu'à la guerre. J'écrivais aussi pour *La revue moderne*, maintenant disparue. C'est à ce moment que je fis mon tout premier livre « *Mes meilleures recettes* », édition de poche, et je faisais de la radio : l'émission *Fémina*, avec Louise Simard, l'émission *Lettre à une Canadienne*, avec Marcelle Barthe, et même *Au petit train du matin*, avec Méville Couture... Que de souvenirs !

C'est en 1956, que j'ai commencé ce que j'appelle ma carrière anglaise. J'écrivis pour le *Canadian Homes and Gardens*, et ensuite pour le *Canadian*, publié à travers le Canada,Chaque semaine. Pendant vingt ans, je fis de la télévision à CBC, sur le réseau national, participant aux émissions : *Living, Open House* et *Take 30*, et je publiai plusieurs livres en français et en anglais. Quelquefois, lorsque je regarde cette montagne de dossiers accumulés avec les ans, je me dis : « En effet, le monde de la table n'a pas de fin. » Comme nous disait de Pomiane, il est aussi vaste que notre planète.

Et maintenant, quand je croyais que le dernier chapitre était écrit, me voilà repartie pleine d'enthousiasme pour la cuisine à micro-ondes, sujet sur lequel j'ai écrit un livre. Cette méthode est chez nous pour y rester, elle répond si bien aux nécessités présentes de notre vie. C'est, en somme, un mode de cuisson nous offrant l'application parfaite des transformations physico-chimiques que j'appris il y a tant d'années avec le docteur de Pomiane, et je me dis que tout s'amène et se crée de longue haleine.

J'espère que vous partagerez à la lecture de ce livre, mon enthousiasme et ma curiosité pour le bel art de la cuisine, qui depuis de si longues années fait partie de ma vie.

J'espère que mon petit monde vous apportera de bons moments, et à tous : Bon appétit !

Les épices et les herbes aromatiques

Que d'histoires, que d'âge et que de romances dans ces deux mots, herbes et épices. L'extraordinaire histoire des épices remplie d'aventures et de piraterie sur toutes les mers du monde a duré jusqu'au XIXe siècle. Elles furent pendant ces siècles aussi précieuses que l'or, et pourtant de nos jours elles sont devenues l'accompagnement, même du plus modeste plat.

Les herbes aromatiques ont aussi une longue histoire, mais sans heurt et sans aventure.

Les herbes d'abord sauvages étaient pour l'homme une tisane, un encens, un parfum, un onguent ou même un cosmétique, ou un bouquet rempli de pouvoirs magiques lorsqu'elles étaient manipulées par le devin de la tribu.

Plus tard, elles furent cultivées avec un soin gourmand, pour donner un goût fin ou relevé aux plats cuisinés.

Une note historique intéressante est celle du grand empereur byzantin, Le Paléologue, qui se rendit à Florence pour y visiter « Médicis le Magnifique », apportant avec lui des tonnes de cadeaux, parmi lesquels se trouvaient des bâtons de cannelle, des clous de girofle et les précieux filaments de safran. À cette époque, il n'y avait que les rois et ceux qui avaient accès à la cour qui pouvaient se permettre d'en utiliser.

Un épisode de l'histoire qui nous touche de plus près est celui où Christophe Colomb découvrit l'Amérique, en cherchant une nouvelle route pour ramener un précieux chargement d'épices sans être attaqué par les pirates turcs. Presque avec ironie, cinq à six siècles plus tard, c'est l'Amérique du Nord qui contrôle le marché des épices. L'Orient produit presque toutes les épices, l'Asie nous donne le poivre, la cannelle, le clou de girofle, le gingembre, la cardamome, le curcuma, la muscade et le macis. Il est intéressant de remarquer qu'à lui seul, le poivre représente plus d'un quart du marché mondial. Des pays tropicaux nous viennent le quatre-épices, la vanille et les chilis. Ce sont les pays méditerranéens, l'Afrique du Nord et le Levant qui furent les premiers à nous faire connaître les herbes aromatiques, telles que les feuilles de laurier, la coriandre, le cumin, le fenouil, le romarin, le thym, les graines de moutarde, la sauge, l'estragon, etc. Jamais, on ne pense, en regardant les sages petites bouteilles d'herbes et d'épices bien rangées dans la cuisine, combien elles ont coûté d'intrigues, de prestige, de fortunes, de dangers, de souffrances, et même de morts, à travers leur longue histoire. Les Orientaux, les Espagnols, les Hollandais, les Anglais furent tous à un moment ou l'autre de l'histoire aux prises avec les problèmes causés par l'achat et le transport des épices.

Un petit fait amusant de l'histoire est celui des îles Moluques, où les Hollandais avaient le monopole exclusif des épices. Un jour, les oiseaux des îles transportèrent les graines dans les îles environnantes, ce qui fit qu'après un certain temps les Hollandais perdirent ce contrôle absolu. Quelle leçon intéressante pour les humains qui voient de petits oiseaux, appréciant la saveur des épices et profitant de la liberté que donnent leurs ailes, transporter une denrées là où il leur plaît, l'homme n'y pouvant rien.

Quelle est donc la différence entre les épices et les herbes aromatiques? Les épices donnent aux aliments du piquant et une saveur très prononcée. Les herbes aromatiques parfument un plat pour lui donner un goût fin et relevé.

Les herbes aromatiques sont des plantes à base de graines de semence, annuelles ou vivaces, qui ne forment pas de branches, comme le font les arbustes et les arbres à longue vie qui nous donnent les épices et qui peuvent vivre jusqu'à deux cents ans.

Il y a donc une différence bien établie entre les deux, une, délicate et légèrement parfumée, l'autre forte et piquante.

Voilà pourquoi il n'est pas nécessaire de suivre aveuglément les indications d'une recette lorsqu'il s'agit d'épices ou d'herbes; plutôt suivre votre goût personnel, autant pour la quantité que pour la variété. C'est ce que j'ai fait tout au long de ma vie culinaire; et encore aujourd'hui, je découvre de nouvelles combinaisons, que je note chaque fois, ce qui me permet de ne pas oublier une bonne trouvaille.

Voici quelques idées : frottez un poulet à rôtir avec un peu de gingembre, surtout si vous râpez de la racine de gingembre fraîche, ou bien du gingembre en poudre. Résultat : une saveur bien différente dans les deux cas. Une pincée de curcuma saupoudrée sur les oignons frits et ils seront dorés et savoureux. Aujourd'hui, on parle beaucoup plus des herbes et des épices. Le sujet semble intéresser de plus en plus, on les recommande même pour remplacer le sel dans les diètes sans sel, ce qui permet de bien aromatiser les aliments pour compenser l'absence du sel.

Mon dernier mot à tout ceci : utilisez-les souvent pour apporter de nouveaux plaisirs à votre table.

Parfumez votre cuisine

Les herbes aromatiques peuvent transformer un plat sans intérêt en un plaisir de gourmand, et je vous assure qu'il n'y a pas de secrets bien cachés dans la manière de les utiliser. Il vous faut tout simplement une petite mesure de curiosité, un brin d'intérêt à votre cuisine et un bon nez.

À partir du moment, dans votre vie culinaire où vous apprendrez à vous servir des herbes aromatiques, vous ne saurez vous en passer.

Commencez par en utiliser trois ou quatre, de base, telles que le thym, la sarriette, les feuilles de laurier et le persil. Bien vite, vous aurez la curiosité d'augmenter votre savoir. Et maintenant, elles sont faciles à trouver sur les tablettes des magasins d'alimentation. Quelle quantité utiliser? C'est la première question posée. Un fait est certain, on commence par une pincée, on goûte et on ajoute à volonté, car il est facile d'en ajouter, mais impossible d'en retirer.

Quelles herbes utiliser avec quoi? Voilà la seconde question. Ceci est tout à fait une question de goût personnel. J'utilise toutes sortes d'herbes avec toutes sortes de plats, laissant mes caprices du moment ou mes goûts personnels décider. En prenant note des combinaisons qui vous plaisent, vous saurez bien vite quelles sont vos préférences.

Si vous êtes novice ou peu habituée à vous servir des herbes, voici une façon d'apprendre graduellement à les connaître. Il y a les herbes plus courantes : feuilles de laurier, thym, basilic, marjolaine, menthe, sauge, sarriette, persil et ciboulette.

Les feuilles de laurier : elles sont vendues sèches. On juge leur qualité par la couleur, plus elles sont vertes, mieux elles sont. Une ou deux feuilles de laurier et quelques tranches de citron non pelées ajoutées à un poulet mijoté au beurre ou cuit au four intriguent quant à la saveur. Le laurier peut remplacer tout autre herbe demandée dans une recette, sa saveur plaît généralement à tous.

Le thym : il fut une des premières herbes utilisées en cuisine, sa saveur est légèrement sucrée et pénétrante, son parfum est assez piquant, ce qui fait qu'on doit l'utiliser avec modération. Une pincée suffit pour aromatiser toutes sortes de viandes, légumes et soupes. J'aime le combiner avec beaucoup de persil frais dans une farce au pain pour poulet ou poisson, ou dans la farine utilisée pour enfariner les filets de poisson ou le foie avant de le frire. Je le trouve indispensable avec le veau rôti, en ragoût ou braisé.

Une pincée ajoutée à une soupe au poisson ou à une chaudrée; je mélange 1/4 de c. à thé (1 mL) de thym (frais, si possible) avec 1 c. à thé (1 mL) de zeste de citron.

Le basilic: il a un parfum vivant et léger. L'herbe par excellence pour les plats de cuisine italienne, donc dans toutes les sauces servies avec les pâtes. Parfaite avec des tomates en salade, aussi bien que cuites, l'herbe pour l'agneau, agréable avec les pommes de terre, concombres, fruits de mer et salades de tous genres. Une pincée ajoutée aux œufs brouillés en fait un plat spécial, ou encore, avec un bifteck grillé servez une salade de tomates tranchées, saupoudrées d'une pincée de sucre, de poivre frais moulu et de basilic, frais, de préférence. Faites frire des champignons avec quelques oignons verts et ajoutez du basilic au goût, en même temps que le sel et le poivre.

La marjolaine: elle appartient à la famille de la menthe. Marjolaine sauvage est le nom populaire donné à l'origan, ceci s'explique par le fait que l'une peut toujours remplacer l'autre; comme l'origan a une saveur un peu plus prononcée, on peut en mettre un peu moins.

La marjolaine en plus d'être versatile rehausse la saveur d'une viande ou d'une soupe, d'une farce, d'un ragoût, et aussi de plusieurs légumes. Ainsi, une gousse d'ail émincée mélangée avec un peu de marjolaine insérée ici et là dans un rôti de porc donne une saveur nouvelle, on peut aussi faire dorer des côtes de porc, les retourner et saupoudrer de poivre et de marjolaine, puis finir la cuisson. À votre mélange préféré de pain de viande, ajoutez 1c. à thé (5 mL) de marjolaine, ou combinez avec le basilic pour donner un goût italien à une sauce à spaghetti. Si vous utilisez une sauce à spaghetti en conserve, y ajouter une pincée de marjolaine et une pincée de basilic ainsi qu'un peu de zeste de citron. Mijoter le tout quelques minutes.

La menthe fraîche: elle a beaucoup d'affinités avec le concombre et les petits pois frais ou surgelés ou encore en conserve.

En Inde, on prépare un chutney à la menthe fraîche pour servir avec le cury. Mélangez 2 tasses (500 mL) de feuilles de menthe hachée mince, 2 oignons verts hachés, 3 c. à table (50 mL) de jus de citron frais, 1/2 c. à thé (2 mL) de sel, 1 c. à table (15mL) de sucre et 1/8 à 1/4 c. à thé (0,5 à 1 mL) de piment de Cayenne. Ce chutney se conservera plusieurs jours dans un pot couvert et au réfrigérateur.

Les melons, bleuets et framboises se marient bien à la saveur de la menthe. À chaque pinte (1 L) de fruits nettoyés, ajoutez 1/2 tasse (125 mL) de sucre, bien mélangez avec de la menthe hachée au goût. La

26

menthe peut aussi servir de garniture avec le sorbet au citron ou citron vert. Pour faire un thé à la menthe, procédez comme pour un thé ordinaire remplaçant le thé par de la menthe, 1 c. à thé (5 mL) pour chaque tasse. Laissez infuser 5 minutes, servez avec miel et citron.

La sauge : elle a une affinité pour les oiseaux de chasse, ainsi que pour le porc et le veau. Comme c'est une herbe très aromatique, on doit l'utiliser avec doigté, un pincée donnera du ton à un rôti braisé, des croquettes ou un ragoût. Il y a beaucoup de différence de saveur entre la sauge fraîche et la sèche, les deux sont bonnes, mais la sauge sèche est moins forte.

Voici une recette intéressante pour une farce à la sauge pour canard sauvage ou domestique. Mélangez 2 tasses (500 mL) de mie de pain frais, 1 tasse (250 mL) de viande à saucisse, 1 tasse (250 mL) de pommes non pelées et râpées, oignon au goût. Si vous triplez la quantité des ingrédients, vous aurez assez de farce pour une oie.

Si vous ajoutez 1/2 à 1 c. à thé (2 à 5 mL) de sauge à votre prochain macaroni à la viande, vous serez agréablement surprise du résultat. Elle est très bonne aussi ajoutée aux saucisses qui cuisent ou sur des oignons frits ou des fèves de Lima.

Préparez un mélange en parts égales de sauge, thym et marjolaine. Conservez dans un pot bien fermé pour ajouter du goût à vos mélanges pour biscuits chauds, pains ou gâteaux à la farine de maïs.

La sarriette : il faut préciser car il y a la sarriette d'hiver, une plante vivace avec un goût très fort, très prononcé et la sarriette d'été, qui est une annuelle, douce et parfumée et de beaucoup la meilleure, celle d'ailleurs qui se vend le plus. La sarriette est très aromatique sans avoir une saveur aussi forte que la sauge. Si vous désirez n'utiliser que peu d'herbes, faites le choix de la sarriette et de la feuille de laurier, puisque, seules ou ensemble, elles donneront de la saveur à tous les aliments que vous cuirez.

En Allemagne et en Hollande, on ajoute toujours de la sarriette à l'eau de cuisson des haricots verts ou blancs ou avec les fèves sèches. Roulez les filets de poisson et les escalopes de veau dans de la chapelure fine, aromatisez avec un peu de zeste de citron et de la sarriette, avant de les cuire. Pour faire un chou avec sauce à la crème, ajoutez 1/2 c. à thé (2 mL) de sarriette à 1 ou 2 tasses (250 à 500 mL) de sauce blanche. Versez sur le chou bouilli. Ajoutez une pincée de sarriette à la sauce raifort servie avec le bœuf bouilli, et ne l'oubliez pas non plus dans la fricassée ou la soupe aux pois.

Le persil : il est sûrement l'herbe aromatique la plus connue. Je trouve malheureux que si souvent on l'utilise comme garniture et qu'il reste sur les assiettes. Ajouté en bonne quantité, même à une simple sauce blanche, sa saveur est très intéressante, aussi dans les soupes, ou sur les légumes crus.

Mon mélange favori pour faire des boulettes de viande hachée est le suivant : à 1/2 lb (250 mL) de porc haché, j'ajoute du poivre et du sel au goût, 1 œuf, 1 tasse (250 mL) de persil frais haché fin, c'est presque un bouquet entier de persil. Mélangez bien le tout et faites griller.

Servez vos prochaines betteraves cuites roulées dans du beurre au goût et dans beaucoup de persil haché fin.

Voici une garniture de beurre vert pour servir avec pain chaud. Mélangez 1/4 de tasse (60 mL) de persil avec 1/2 tasse (125 mL) de beurre, et de la ciboulette au goût.

Ma recette favorite avec le persil est la manière scandinave de farcir le poulet. Frottez l'intérieur d'un poulet avec 1 c. à thé (5 mL) de sel, mélangé à 2 c. à thé (10 mL) de vinaigre de cidre ou jus de citron frais. Remplissez ensuite la cavité avec autant de persil qu'il sera possible d'en mettre. Attachez et faites rôtir le poulet. Pour faire la sauce, ajoutez 1/2 tasse (125 mL) de persil haché au jus de la lèchefrite.

La ciboulette : il est presque nécessaire de la cultiver pour toujours en avoir au besoin. Elle est sûrement l'oignon le plus délicat de cette grande famille. Même ceux qui n'aiment pas l'oignon apprécient la douceur de la ciboulette, délicieuse dans une omelette, ou mélangée à du fromage à la crème ou parsemée sur une salade verte. Une sauce aux œufs prend une certaine élégance lorsque rehaussée de ciboulette. Il en est de même pour les œufs farcis — on mélange la ciboulette aux jaunes écrasés avec un peu de mayonnaise.

Les herbes fondamentales : *le persil* frais ou séché, la *menthe* fraîche ou séchée, *les feuilles de laurier* sèches.

Ajoutez-en 2 pour obtenir *les 5 plus importantes : le thym* et *la sauge*. Ajoutez-en 5 autres pour obtenir *les 10 meilleures : l'aneth frais ou* en grain, *le basilic, la sarriette, la marjolaine* et *l'estragon. N'oubliez pas* que les herbes séchées ont deux fois plus d'arôme que les herbes fraîches parce que plus concentrées.

Je vous invite dans ma cuisine pour voir de quelle manière j'utilise les herbes.

Soupe au persil éclair

Préparez 1 tasse (250 mL) de pommes de terre instantanées suivant les directives données sur le paquet, ajoutez-y 1/4 à 1/2 tasse (60 à 125 mL) de persil frais haché, ensuite éclaircissez au goût avec lait ou crème légère ou bouillon de poulet. Chauffez et servez.

Beurre persillé

Mettez en crème 1/4 de tasse (60 mL) de beurre avec 1 c. à thé (5 mL) de persil haché, (la menthe fraîche peut remplacer le persil pour un beurre-menthe); ou utilisez 1 c. à thé (5 mL) de persil ou de menthe séchée. Ce beurre se conserve longtemps, bien couvert et réfrigéré. Utilisez avec pain chaud, légumes cuits, surtout les carottes et les petits pois et les pommes de terre nouvelles, pour badigeonner le poulet rôti ou cuit sur la braise, avec le bifteck (placez une boulette sur chaque bifteck cuit), ou encore avec le poisson frit.

Biscuits chauds savoureux

À ma recette favorite de biscuits chauds, j'ajoute 1/2 tasse (125 mL) de persil frais haché ou 1/4 de tasse (60 mL) de persil séché, ainsi qu'1/2 tasse (125 mL) de fromage cheddar râpé. Parfaits servis chauds avec beurre de persil.

Sirop à la menthe fraîche

Je garde une bouteille de ce sirop au réfrigérateur pour sucrer mes salades aux fruits ou les boissons, limonade ou thé froid, ou encore pour servir sur crème anglaise ou gâteau éponge. Hachez assez de feuilles de menthe fraîche pour en faire une grosse poignée. Ajoutez 2 tasses (500 mL) de sucre et 1 tasse (250 mL) d'eau. Faites bouillir 5 minutes. Faites refroidir et mettez en bouteilles. *Rendement : 3 tasses (750 mL).*

Hamburgers à l'anglaise

Pour chaque livre de viande hachée, ajoutez 2 c. à table (30 mL) de menthe fraîche hachée (ou 1 c. à table (15 ml) de menthe sèche) et une pincée de muscade. Cuisez. *Rendement : 4 pâtés de viande.*

Les soupes en boîte

J'ajoute une pincée d'herbes aromatiques et souvent, je remplace l'eau demandée par une égale quantité de lait ou de consommé dilué.

« Avec les soupes aux tomates :	le basilic
« Crème de poulet :	l'estragon
« Crème de champignons :	la marjolaine
« Crème de céleri :	l'aneth ou le persil
« Soupe aux légumes :	le persil frais et le thym
« Soupe à la gueue de bœuf :	la sauge et l'aneth
« Poulet et nouilles :	l'estragon ou le basilic

Ma soupe aux légumes maison :

De la sarriette, un peu moins de marjolaine et un peu d'aneth.

Le macaroni au fromage

J'aime de la marjolaine et de la muscade avec le macaroni au fromage. Si je le fais aux tomates, je remplace la marjolaine par du basilic.

Mon rôti d'agneau maison

Je place le gigot sur une feuille de papier d'aluminium, je le saupoudre avec 1 c. à table (15 mL) de basilic ou de sauge, je l'enveloppe et le mets au réfrigérateur pendant 2 jours, et ensuite je le fais rôtir au four comme d'habitude.

Salade de pommes de terre à l'allemande

Aromatisez avec des graines d'aneth ou de l'aneth frais haché, mélangé avec moitié vinaigrette, moitié mayonnaise.

Betteraves marinées

Faites mijoter 15 minutes, 1 tasse (250 mL) de vinaigre de cidre, 1/2 tasse (125 mL) d'eau, 1 c. à thé (5 mL) de basilic et 2 clous de girofle entiers. Versez chaud sur 6 à 10 betteraves cuites et tranchées. Mettez dans un pot de verre et ajoutez 1 c. à thé (5 mL) de sucre à chaque pot. Couvrez et laissez mariner 2 à 3 semaines avant de les servir. Rendement : 1 à 1 1/2 chopine (500 à 750 mL).

Mélange d'herbes aromatiques

Il y en a qui préfèrent un mélange qui sert pour tout, dont on ajoute une pincée ou une cuillerée ici et là selon la fantaisie. Utilisez des herbes sèches :

1 c. à table (15 mL) de thym
1 c. à table (15 mL) de sarriette
1 c. à table (15 mL) de marjolaine
3 c. à table (50 mL) de persil séché
1 c. à table (15 mL) de zeste de citron, râpé
6 feuilles de laurier, brisées en petits morceaux

Mélangez le tout dans un bol en écrasant avec le dos d'une cuillère. Mettez dans de petites bouteilles bien fermées. Le mélange se conserve de 8 à 12 mois dans une armoire. *Rendement : 8 c. à table (120 mL).*

Comment faire vos bouquets garnis

Il y a plusieurs types de bouquets garnis, soit les mélanges classiques ou la création d'un chef ou tout simplement votre mélange favori. Leur raison d'être est de donner un parfum et une saveur spéciale à vos viandes, volailles, gibier ou soupes.

Il y a deux manières de les préparer, ou on les attache ensemble ; cette manière s'applique particulièrement aux herbes fraîches ; ou on les met dans de petits sacs de coton à fromage. L'expression « fines herbes », en cuisine classique, désigne des herbes aromatiques finement hachées. Il est beaucoup plus économique de préparer soi-même ses bouquets garnis, car achetés tout préparés, ils coûtent cher et sont souvent moins frais.

Bouquet Escoffier classique (très doux)

8/10 de persil frais avec ses tiges
1/10 de feuilles de laurier
1/10 de thym

Mélangez le laurier et le thym. Mettez en pot. Pour utiliser, ajoutez simplement la quantité requise de persil, attachez dans un carré de coton à fromage. Utilisez.

Bouquet classique moderne

2 feuilles de laurier
2 branches de thym
8 à 10 branches de persil
1 bâtonnet de céleri avec feuilles

Attachez le tout ou placez dans un carré de coton à fromage. Utilisez avec les viandes et les volailles.

Variation pour un ragoût de boeuf

Ajoutez 3 morceaux de pelure d'orange.

Variation poulet braisé ou ragoût

Ajoutez un morceau de macis et le vert d'un poireau.

Variation pour poisson mijoté ou cuit à la vapeur

Ajoutez 2 branches de fenouil sec ou frais, 3 morceaux de pelure de citron, 3 feuilles de laurier au lieu de 2 feuilles. Lorsqu'un bouquet garni est préparé avec des herbes sèches et hachées, on peut remplacer le thym par 1 c. à thé (5 mL) de basilic ou de marjolaine ou de sarriette, ou encore préparer un mélange composé de la moitié du thym demandé dans la recette et d'une égale quantité de l'herbe de son choix.

Petit truc de chef

Laissez un bout de corde assez long en attachant le sac pour pouvoir attacher celui-ci à la poignée de la casserole. Il est alors facile de le retirer sans avoir à chercher lorsque le plat est cuit. Et rien ne vous empêche en vous inspirant des exemples de créer vos propres bouquets garnis.

Mélange d'herbes aromatiques

Un pot de ce mélange à portée de la main remplace herbes ou épices demandées dans une recette, la quantité peut varier d'une pincée à une cuillerée à thé dans les soupes, ragoûts, pains de viande, boulettes de viande — facile et rapide à utiliser :

> *1 c. à table (15 mL) de feuilles de laurier, 1 c. à table de thym et 1 c. à table de basilic*
> *1 c. à thé (5 mL) de sarriette, 1 c. à thé de clous moulus et 1 c. à thé de poivre frais moulu*
> *1/2 c. à thé (2,5 mL) de muscade et 1/2 c. à thé de quatre-épices*
> *2 c. à thé (10 mL) de paprika*
> *1 tasse (250 mL) de sel*

Mélangez le tout, excepté la feuille de laurier, et passez 3 fois au tamis. Écrasez ce qui reste dans le tamis avec un pilon de bois, brisez les feuilles de laurier et ajoutez au mélange, ainsi que les petits morceaux qui restent dans le tamis. Gardez dans un pot fermé dans l'armoire de la cuisine. Ce mélange se conserve pendant des mois.

Graines de sésame

Plante annuelle oléogineuse reconnue pour être la plus vieille graine cultivée pour son huile alimentaire; son origine est dans la vallée de l'Euphrate et remonte à aussi loin que 1 600 avant J.-C. En Afrique et en Inde, on mange les feuilles et les graines, mais dans presque tous les autres pays, le sésame est cultivé pour son huile... Et qui ne se souvient pas du conte de fée et du géant Ali Baba avec son « Ouvre-toi, Sésame ».

On les désigne parfois sous leur nom ancien de « graines de beurre », surtout dans les bonbons.

En Amérique, on utilise beaucoup la première extraction de l'huile dans la production de la margarine et des huiles à salade de qualité. On utilise les grains de sésame sur le pain, les gâteaux, les biscuits, etc. En cuisant, le sésame grille et prend un goût de noisette. On l'utilise aussi pour faire « l'halva », qui n'est rien d'autre que des graines de sésame écrasées et sucrées. Le meilleur nous vient d'Égypte, mais il est quelquefois difficile à trouver.

Dans les pays arabes, le « tahini » ou beurre de sésame est employé pour cuisiner, et c'est bon. Il est assez facile à trouver dans les magasins d'aliments spécialisés.

Ce qu'il importe de savoir, c'est que le sésame est une graine versatile, douce, légèrement sucrée, à saveur de noisette, et qui se conserve très bien.

L'anis

Une herbe annuelle de la famille du persil, et sûrement l'arôme le plus vieux dans l'histoire de l'homme indigène des îles grecques et d'Égypte. Il est utile de connaître ces quelques détails importants sur les aliments : si par exemple, vous cuisinez un plat grec et ne savez comment l'aromatiser, vous êtes assurée d'être dans la bonne voie si vous utilisez de l'anis; ou alors vous improvisez, par exemple si vous faites un gâteau d'épices rien ne vous empêche de remplacer le gingembre ou une autre épice par à peu près 1 c. à thé (5 mL) de graines d'anis. Si par contre vous désirez donner une touche romaine au gâteau, tapissez le fond du moule beurré avec 8 à 10 feuilles de laurier et versez la pâte du gâteau dessus. Faites cuire. Démoulez et goûtez.

L'anisette française est faite à base de graines d'anis, ainsi que le populaire alcool turc, le « raki. » L'anis s'achète en graines et en poudre.

L'anis étoilé

On le nomme ainsi parce qu'il forme une étoile à cinq pointes, chaque pointe contenant un petit grain rond. Il a une certaine ressemblance avec la réglisse par sa saveur et son parfum. C'est une de mes épices favorites. Originaire de Chine, elle est donc beaucoup utilisée dans la cuisine chinoise. Quand l'arbre est en fleur, on dit que, même à une assez grande distance, ses fleurs jaunes ressemblent aux narcisses et sont très parfumées. Bien des fois, j'ai rêvé de voir ce bel arbre en fleur, mais la vie a dit *non*. Après les fleurs, apparaît le fruit brun à écorce très dure, qui en mûrissant s'ouvre en forme d'étoile. Il y a deux ans, lors d'un voyage au Japon, j'ai découvert que traditionnellement les Japonais utilisaient l'écorce de l'anis étoilé hachée comme encens, un encens merveilleux, mais très coûteux. Faites comme moi, l'hiver, jetez 2 à 4 anis étoilés sur le feu du foyer et vous parfumerez toute votre pièce.

En Orient, on mâchouille des graines après un repas pour aider la digestion et pour parfumer l'haleine.

On achète l'anis étoilé dans les magasins d'alimentation spécialisés ou dans les épiceries chinoises. Voici quelques idées pour l'utiliser en cuisine. Les idées données pour l'anis ordinaire peuvent être utilisées, on remplace 1 c. à thé (5 mL) d'anis par 2 anis étoilés.

— Versez du thé ou café chaud sur des pruneaux et ajoutez 1 ou 2 anis étoilés et un peu de cassonade au goût. Trempez 24 heures avant de servir.
— Ajoutez 1 anis étoilé au chou qui bouille.
— Ajoutez 2 anis étoilés dans la lèchefrite d'un rôti de veau ou de porc.
— Mettez 3 à 4 anis étoilés dans une bouteille de vinaigre de cidre. Laissez reposer 1 mois, tamisez et utilisez pour salade et arôme de sauce.
— Ajoutez 1 anis étoilé à l'eau bouillante utilisée pour cuire 1 tasse (250 mL) de riz.

Cardamome

La cardamome est de la famille des zingibéracées, ce qui indique qu'elle est de la famille du gingembre. Quoi qu'elle soit native de l'Inde et de Sri Lanka, ce sont presque surtout les pays scandinaves qui l'utilisent le plus. En Inde, c'est une portion importante de la poudre de curry. Le fruit de cet arbre est une petite capsule allongée de couleur beige ou vert pâle, de 1/2 à 3/4 de pouce, qui a à l'intérieur 10 à 20 grains de cardamome très parfumés et très aromatiques.

Elle se vend de trois façons : entière : il faut alors briser l'enveloppe pour en retirer les graines, et en graines ou moulue. C'est assez facile à trouver là où on vend des herbes et épices en bouteilles, le prix en est assez élevé. Si vous ne croyez pas l'utiliser souvent, je vous conseille d'acheter les graines, car elles conserveront leur arôme beaucoup plus longtemps que la cardamome moulue. On peut les écraser dans un mortier ou les passer dans un broyeur d'aliments. Elles seraient alors très fines, mais il faudrait un moulin spécial pour les mettre en poudre. C'est l'épice le plus coûteuse au monde, après le safran et les bâtons de vanille. Le symbole de l'hospitalité en Arabie Saoudite est le « gahwa », café noir très sucré et très parfumé avec de la cardamome.

Cumin

Le « comino » des Espagnols et des Mexicains, le « kümmel » des Allemands et et le « kammûn » des Arabes sont pour nous les graines de cumin. C'est une annuelle de la famille du persil. Le cumin est utilisé dans le monde entier, on le connaissait déjà dans les vieilles civilisations. La bible en fait mention en même temps que l'anis et la menthe.

J'entendis un conférencier qui nous parlait de jardins exotiques nous dire : « Les grains de cumin éloignent les amoureux de votre femme et empêchent les poules de s'éloigner de leur nid... » Que d'amants heureux il y aurait, s'il ne fallait qu'une poignée de cumin !

L'Iran étant le plus important exportateur de cumin du monde, il va sans dire qu'il en utilise beaucoup dans sa cuisine. Voici une façon intéressante de l'ajouter à son fromage de chèvre ou au fromage frais tels que nos fromages crème et cottage. Mettez quelques cuillerées de graines de cumin sur une plaque à biscuits, placez dans un four à 350°C (180°C) pour les dorer, versez chaudes sur le fromage et les aplatir sur le dessus. C'est très bon, surtout servi avec du pain arabe. Chez le fromager, demandez du fromage hollandais « kuminost ». C'est du fromage cuit parfumé au cumin, excellent avec du pain noir et un verre de bière.

Les Allemands ont leur célèbre liqueur « kümmel », et ils ajoutent du cumin à leur plat de choucroute, de même que les grains de fenouil et quelques baies de genièvre.

Cumin noir

Très aromatique et difficile à trouver, à moins de rencontrer une épicerie d'importations arabes ou iraniennes. On l'appelle souvent « baraka », son nom arabe. Les graines sont toutes petites, très noires et très parfumées. On les saupoudre en petites quantités sur du fromage ou sur des galettes chaudes pour le thé, ou encore sur des petits biscuits au fromage ; on mélange le cumin noir avec un peu de beurre et on utilise pour beurrer les biscuits qui sont passés au four au moment de les servir. Il est très bon aussi de les ajouter à une soupe au chou, mais attention : la quantité doit être minime.

Quelquefois, je mélange quelques cuillerées de fromage râpé, une pincée de cumin noir et de la chapelure pour couvrir le dessus d'une casserole. Un délice avec le macaroni au fromage et le poisson. Son parfum se répand dans toute la pièce lorsque le plat refroidit.

Fenugrec

Dans l'antiquité, on nommait ce grain le «foin grec». Ce sont les Romains qui le trouvèrent en Grèce et lui donnèrent le nom de Fenugrec. Une Grecque, qui faisait des recherches pour moi, me demanda de lui procurer des «cornes de chèvre». Je n'y parvenais pas et ne savais où m'adresser. Elle avait une sœur en Grèce, et lui en demanda. J'ai bien ri de mon ignorance en voyant que ces fameuses «cornes» n'étaient autres que le fenugrec. Un détail intéressant est que le fenugrec est cultivé comme aliment pour les humains comme le fourrage l'est pour les animaux. En Inde et en Éthiopie, le fenugrec s'emploie comme remède pour les troubles gastriques. Une cuillerée à table (15 mL) pour une théière d'eau bouillante, qu'il faut laisser infuser 10 minutes, donne une excellente tisane que vous servez tamisée et sucrée au miel. J'aime beaucoup cette tisane le soir et après un repas un peu lourd. Le fenugrec est un grain riche en protéines, minéraux et vitamines; voilà pourquoi on l'utilise en quantité dans plusieurs des pays de l'Est, comme supplément à une diète sans viande. En somme, le fenugrec est plus qu'une saveur pour vos aliments, c'est aussi une valeur nutritive additionnelle.

Le fenugrec est un grain très dur, beaucoup moins parfumé que l'anis ou le fenouil, et de couleur beige pâle. Quand vous le faites griller dans un poêlon, un parfum très agréable s'en dégage; ébouillanté, le grain se ramollit et prend une texture gélatineuse.

Mon amie grecque m'enseigna une façon de son pays de manger les grains : une façon bien agréable. On ébouillante 1/4 de tasse (62,5 mL) de fenugrec avec 2 tasses (500 mL) d'eau et on laisse mijoter sur feu lent, de 20 à 30 minutes, couvert. Laissez refroidir dans l'eau de cuisson. Égouttez et servez les grains avec du miel et du pain bis. J'utilise l'eau de cuisson conservée pour pocher des fruits ou faire un sirop. J'ajoute 3/4 de tasse (200 mL) de cassonade pour 1 à 1 1/2 tasse (500 à 725 mL) d'eau. Laissez bouillir quelques minutes pour en faire un sirop. Mettez en bouteille. Servez avec crêpes, blanc-manger, etc.

Vous aurez l'impression de manger du sirop d'érable. On se sert du fenugrec pour faire des imitations de sirop d'érable. Le fenugrec en poudre constitue une portion importante de la poudre de curry.

Cannelle et cassia

On sait que la cannelle et le cassia sont les plus anciennes épices connues des hommes, on les mentionne dans la Bible, ce qui veut dire qu'on les utilisait dans les civilisations pré-bibliques.

Le cassia est une écorce qui ressemble beaucoup à la véritable cannelle, elle est toutefois plus grossière comme texture et plus épaisse. Pourtant, son arôme est plus intense et contient plus d'huile, ce qui fait que sa saveur est moins délicate. Il est facile de le reconnaître lorsque moulu, le cassia est d'un brun tirant sur le rouge foncé, la cannelle est beige plutôt pâle.

Le cassia entier de bonne qualité se vend en petits bâtons, roulés très serrés.

La cannelle, qu'on nomme « le bois parfumé » lorsqu'elle est verte, est connue et appréciée depuis plus de siècles qu'on peut l'imaginer : on en brûlait comme encens dans les temples ; et de nos jours, à travers le monde, il y a toujours une bataille de mots qui sévit concernant la différence entre le cassia et la cannelle.

La culture des arbres canneliers est une industrie très importante au Ceylan, connue aujourd'hui sous le nom de « sri lanka ». L'écorce de l'arbre est retirée et fermentée sous couvert. Ensuite, on la coupe en morceaux pour la faire sécher au soleil.

La saveur bien connue de la cannelle est agréable, chaude, aromatique et plutôt douce.

Le cassia, cannelle chinoise, est souvent substitué à la vraie cannelle. Plusieurs préfèrent sa saveur plus prononcée.

Voici quelques idées pour l'utiliser :
— mettez un petit bâtonnet dans la tasse à café et agitez : excellent avec le café noir.
— ajoutez à l'eau des pruneaux qui mijotent, aux pêches pochées, à la sauce aux pommes ou aux pommes au four, aux poires épicées ou au chocolat chaud.
— la cannelle moulue est excellente dans un ragoût d'agneau ou saupoudrée en petite quantité sur les côtelettes d'agneau ou de porc avant de les griller, et n'oublions pas d'en mettre sur la tranche de jambon quelle que soit la façon de la cuire.

Quatre-épices

Les plantations de quatre-épices, sont très souvent appelées « les allées pimento » parce que le quatre-épices est le fruit d'une plante à feuilles persistantes qui s'appelle « pimento ». Surtout, ne confondez pas avec le très fort « pimento » rouge. On le nomme « quatre-épices » parce qu'il combine en un seul grain la saveur de la cannelle, du clou et de la muscade ; voilà qui peut vous inspirer de faire vos propres petites combinaisons de quatre-épices en mettant plus ou moins de l'un ou de l'autre, soit entier ou soit moulu, en vous rappelant que le choix de l'entier ou du moulu vous donnera des saveurs différentes.

Utilisez avec soupe au chou, chou rouge bouilli, soupe aux pois fendus, sauce barbecue, plum pudding ou pouding au suif, desserts aux pommes et biscuits sucrés. Parfait avec la morue ou le flétan bouilli. Intéressant mélangé avec un peu de coriandre pour les rôtis braisés, en fait, tous les ragoûts profitent de la saveur du quatre-épices. Essayez une pincée sur votre prochain bifteck cuit sur la braise.

Clou de girofle

Dans la littérature de la période de Han en Chine, au troisième siècle avant Jésus-Christ, on fait mention du clou de girofle. On le nommait « épice langue de poulet ». C'est vers le quatrième siècle, qu'il fit son apparition en Europe.

Le Musée de l'Homme à Paris offre à ceux qui aiment faire des recherches sur les clous de girofle, une abondance de renseignements, comme je n'en ai jamais trouvée ailleurs. En voici un amusant : à la naissance d'un enfant, dans les îles Moluques, les parents plantent un jeune giroflier, sur lequel, on grave chaque année l'âge de l'enfant —De plus, on croit que si l'arbre est détruit par un effet de la nature, c'est une indication qu'il y aura des malheurs dans la vie de l'enfant.

Lorsque les Hollandais envahirent les îles et interdirent la pratique de cette coutume, la population se sentie vaincue.

Le giroflier est un arbre toujours vert et très aromatique. Le clou de girofle est sa fleur non ouverte qui est séchée.

La saveur du clou de girofle est très forte : il faut donc l'utiliser avec doigté. Quelques clous piqués dans un poisson farci et cuit au four suffisent pour obtenir une excellente saveur. Un ou deux clous ajoutés à une soupe maison ou à un chou pendant la cuisson les parfument très agréablement. Il est recommandé de toujours l'utiliser avec langues de bœuf ou d'agneau ou de veau. J'ajoute à l'eau qui bout, 3 à 6 clous de girofle, 1 c. à thé (5 mL) de racines de gingembre fraîches, râpées, quelques tranches de citron non pelées et un peu de gros sel.

Gingembre

Le gingembre est le rhizome entier ou en morceaux d'une plante tubéreuse forte et aromatique, c'est une herbe vivace de 2 à 4 pieds de haut.

Cultivé depuis l'antiquité par les Chinois et les Indiens qui le nomment « chiang » mais son nom latin est « zingiberi » qui veut dire « avoir forme de corne ».

Quand j'ai une belle racine de gingembre bien fraîche, je la plante dans un sol plutôt sablonneux et bien aéré, puis j'enterre le pot dans un coin ensoleillé du jardin. Fin août, je déterre le pot et je l'apporte à l'intérieur. Les racines ne sont jamais si belles que celles que j'achète, mais la fleur est jolie, une sorte de petit lys et c'est pour moi un défi de le cultiver moi-même.

Le gingembre se vend sous plusieurs formes, moulu en poudre, confit, séché, mais le gingembre frais utilisé tranché ou râpé est sûrement le meilleur.

Frottez un poulet, juste avant de le rôtir, avec un peu de gingembre frais, râpé. Ajouter au goût aux betteraves et aux carottes, dans les œufs brouillés sur toutes les viandes grillées. J'en ajoute toujours aux oignons en crème ou à mes fèves au lard. Coupez un pamplemousse en deux, badigeonnez le dessus avec un mélange de beurre mou, miel et gingembre frais râpé. Grillez 3 minutes et servez chaud. Mélangez de la cassonade avec une pincée de gingembre en poudre, saupoudrez sur des tranches de pain brun ou de pain de seigle, faites griller et parsemez de quelques petits morceaux de gingembre cristallisés. Servir avec une tasse de thé souchong.

Muscade

Ce qu'il y a de remarquable avec la muscade est que le muscadier donne deux épices bien différentes : la muscade et le macis. C'est un arbre vert avec une écorce gris foncé, qui produit d'abord de petites fleurs jaune pâle, en forme de cloche. Son fruit ressemble un peu à l'abricot, allant du jaune citron au brun pâle. Lorsque le fruit est mûr, il se fend en deux, laissant voir une sorte de voile d'un rouge brillant qui entoure une noix brun foncé : le voile, c'est le macis ; la noix, c'est la muscade. Il faut casser l'enveloppe dure de la noix pour y découvrir la noix de muscade. La saveur du macis et celle de la muscade sont toutes deux douces, chaudes et plutôt épicées quoique l'arôme de la muscade est plus doux que celui du macis. Voilà pourquoi on utilise la muscade dans les desserts et les plats doux; le macis avec les viandes et légumes.

Rien n'égale la muscade dans un pouding au riz ou une soupe aux champignons. Elle est combinée avec de la coriandre pour une tarte aux pommes. Une autre idée : saupoudrez de muscade la croûte de votre prochaine tarte au citron, à peu près 1/2 c. à thé (2 mL) par tarte. Roulez la pâte, cuisez, remplissez et ajoutez la meringue. Saupoudrez encore un peu de muscade sur la meringue et faites cuire. Parfaite pour la pâte à beignes, elle intrigue dans la soupe aux huîtres — intéressante dans les salades aux fruits. J'en ajoute toujours une pincée à la viande hachée pour les pâtés de viandes : à peu près 1/4 c. à thé (1 mL) par livre (500 g) de viande hachée. Pour un souper-campagne, vite fait, faites dorer des tranches minces de lard salé, dans un poêlon de fonte. Ajoutez des pommes tranchées non pelées. Brassez, couvrez et cuisez 6 à 8 minutes. Saupoudrez avec une pincée de muscade, servez. Si vous aimez les choses parfaites en cuisine, procurez-vous une petite râpe à muscade et n'utilisez que de la noix de muscade fraîche râpée.

Curcuma (turmeric)

Le curcuma est une racine de la famille du gingembre, sa saveur est aromatique et plus ou moins amère. C'est l'ingrédient principal des poudres de curry et de la moutarde préparée.

J'aime souvent en ajouter une pincée à ma vinaigrette ou encore j'en mets un peu dans la farine quand je fais des biscuits, ce qui donne à l'une et à l'autre préparation une jolie couleur dorée. De la cuisine persane, j'ai appris à rouler mes morceaux de poulet dans la farine mélangée à un peu de curcuma, avant de les faire dorer au beurre.

J'en ajoute 1/4 à 1/2 c. à thé (1 à 2 mL) au beurre ou à l'huile lorsque je fais frire des oignons. Un vieux chef français me dit son secret pour faire des œufs brouillés d'un beau doré, une pincée de curcuma ajoutée aux œufs battus. Très bon aussi avec les œufs en sauce crème et les plats de riz.

Apprenez à faire vos mélanges d'épices

Rien n'est plus facile. De plus, ils seront tout à fait tels qu'ils vous plairont, puisque vous pouvez mettre plus ou moins de chaque épice selon votre goût. Pour ce qui est de la quantité à utiliser avec l'aliment que vous préparez, c'est affaire de goût personnel, votre goût peut varier d'une pincée à une cuillerée. Ajoutez-en peu à la fois, mélangez bien et goûtez après quelques secondes et continuez ainsi, car il est facile d'en ajouter, mais impossible d'en enlever. Inscrivez dans un cahier les quantités que vous avez préférées avec chaque plat. J'ai suivi cette méthode depuis plusieurs années et de cette façon, j'ai découvert beaucoup de saveurs nouvelles.

Épices pour poulet

Sauge, thym, sarriette, poivre frais moulu, muscade et macis. Quand j'utilise ce mélange, j'ajoute un peu de gingembre frais râpé à la quantité d'herbe utilisée.

Épices pour barbecue

Thym, marjolaine, muscade, quatre-épices, graines de cumin ou cumin moulu, poivre frais moulu, gros sel.

Les cinq épices chinoises

Ce mélange se vend dans les épiceries chinoises, car ils en utilisent beaucoup. Quel que soit le plat cuisiné à la chinoise, ajoutez un peu de ces épices, comme toutes les autres, dans la quantité qui vous plaît :

Cannelle moulue, clou de girofle moulu, fenouil moulu, graines d'anis en poudre, et poivre noir. Je dépose quatre à cinq anis étoilés dans mon mélange, pour le parfumer davantage. Utilisez aussi ce mélange pour parfumer un pain d'épices ou des biscuits au gingembre.

Les épices d'Escoffier

Mon professeur de chimie alimentaire à l'Institut d'hygiène à Paris, le regretté docteur Édouard de Pomiane, m'enseigna cette formule dans les années 20 et depuis je l'ai toujours utilisée.

Il est nécessaire de peser tous les ingrédients pour obtenir un résultat parfait :

5 onces (140 g) de feuilles de laurier, concassées
4 onces (112 g) d'estragon
3 onces (84 g) de thym d'été
3 onces (84 g) de coriandre en poudre
4 onces (112 g) de cannelle en poudre
6 onces (168 g) de muscade
4 onces (112 g) de clous de girofle moulus

3 onces (84 g) de gingembre moulu
3 onces (84 g) de macis en poudre
5 onces (140 g) de poivre blanc et 5 onces de poivre noir
1/2 once (14 g) de piment de Cayenne

Mélangez bien le tout, passez au tamis et rejetez dans le mélange les petits morceaux qui restent dans le tamis. Recommencez deux ou trois fois. .Conservez dans des bocaux bien fermés. *Rendement : à peu près 2 1/2 livre (1.25 kg).*

Pour préparer le sel aromatisé d'Escoffier

Pesez 4 onces (112 g) du mélange d'épices expliqué plus haut et ajoutez 1 livre (450 g) de gros sel. Mettez le tout dans un mortier ou un bol de plastique et écrasez jusqu'à parfait mélange. Mettez dans des bocaux bien fermés.

Poudre de cari

Il y a plusieurs bonnes marques commerciales de poudre de cari sur nos marchés, mais apprendre à faire son propre mélange est la façon idéale de l'avoir bien à son goût et d'en varier les épices à son gré. Il est en plus assez facile de trouver dans les grandes épiceries et les magasins spécialisés, toutes les épices requises. Vous pouvez les préparer à partir d'épices moulues ou d'épices en grains. Pour ces dernières, il vous faudra un moulin à épices ou un broyeur électrique ou encore un mortier.

Poudres de cari

Les quantités requises sont données en onces et grammes, pour vous faciliter la tâche, puisque ces épices sont généralement vendues en pot de 2 onces (56 g). **Première manière :**

4 onces (112 g) de clous de girofle entiers
3 onces (84 g) de poivre noir en grains
1 once (28 g) de grains de cardamome
4 onces (112 g) de graines de cumin
10 feuilles de laurier
1 once (28 g) de cannelle moulue
1 once (28 g) de macis moulu

Mettez tous les ingrédients, exceptés la cannelle et le macis, dans un poêlon de fonte. Chauffez à feu moyen, en brassant sans arrêt, jusqu'à ce qu'il se dégage un parfum épicé, bien prononcé. Mettez en

42

poudre et mélangez avec la cannelle et le macis. Conservez dans un pot bien fermé et à l'abri de la lumière. Cette poudre de cari devient encore plus fine et parfumée en vieillissant. *Rendement : à peu près 14 onces (400 g).*

Deuxième manière : cette formule est moins piquante que la première. Si vous désirez une formule encore plus douce, simplement omettre les piments secs rouges qui sont très forts :

8 onces (224 g) de graines de coriandre
1 once (28 g) de graines de pavot
1 once (28 g) de poivre noir, en grains
4 onces (112 g) de curcuma en poudre
2 onces (56 g) de cumin en poudre
2 onces (56 g) de fenugrec en poudre
1/2 once (14 g) de graines de moutarde
1 once (28 g) de gingembre moulu
1 à 3 c. à thé (5 à 15 mL) de piments rouges secs.

Faites dorer légèrement la coriandre et les graines de pavot dans un poêlon en fonte en les brassant 5 minutes à feu moyen ou dans un four pré-chauffé à 400° F (200° C) pour le même temps. Passez au moulin à hacher en même temps que les grains de poivre. Ajoutez au reste des ingrédients. Mélangez bien et conservez de la même façon que la poudre première manière. *Rendement : 1 1/4 livre (625 mL).*

Sel français

Gardez à la main et utilisez comme du sel ordinaire là où vous désirez une saveur subtile.

1 c. à table (15 mL) chacun de feuilles de laurier concassées, de thym, macis et basilic
1 c. à table (15 mL) de romarin et 1 c. à table de poivre frais moulu
2 c. à table (30 mL) de cannelle en poudre
2 c. à thé (10 mL) de paprika
1 1/2 c. à thé (7 mL) de clous de girofle moulu
1/2 c. à thé (2 mL) de muscade et 1 c. à thé de quatre-épices
1 tasse (250 mL) de sel fin

Placez le tout dans un mortier ou un bol de plastique et mélangez bien. Tamisez en écrasant bien le tout. Conservez dans un pot bien fermé. *Rendement : 1 tasse 1/3 (330 mL).*

Les oranges « Pomander » de ma mère

Je n'ai jamais oublié les oranges toutes parfumées de clous de girofle que nous faisait préparer notre mère, pour nous amuser et sans doute pour lui éviter le travail. Elle étendait une grande feuille de papier ou un drap sur la table et donnait une aiguille à tricoter à chacun de nous, ensuite elle apportait un panier d'oranges à peau mince et pas trop grosses, quelques pommes qu'elle avait fait sécher un peu et qui semblaient toutes ridées, et le plus beau de toute l'histoire : un gros bocal de verre rempli de clous de girofle. Il nous fallait faire des trous sur toute la surface de l'orange ou de la pomme avec l'aiguille à tricoter et ensuite piquer un clou de girofle dans chaque trou, il était très important que le fruit soit complètement recouvert par les clous. Nos mains sentaient le bon clou de girofle pour une journée ou deux. Ma mère préparait un mélange de cannelle moulue et de poudre de racine d'iris achetée à la pharmacie, elle roulait les fruits recouverts de clous de girofle dans ce mélange de manière à en mettre le plus possible. Étant l'aînée, j'avais la charge de bien envelopper chacune dans un double de papier de soie. Chaque année, on les plaçait dans la même boîte de métal, émaillée blanche pour être ensuite placée dans l'armoire à toile pour leur permettre de sécher et développer leur parfum, ce qui prenait 6 à 9 semaines.

Lorsque ma mère coupait des longueurs de jolis rubans de velours de différentes couleurs, nous savions qu'il était temps de finir « les boules ». On enlevait le papier les secouant avec soin pour enlever le surplus de la poudre parfumée qui les recouvrait et ma mère entourait chacune de ces jolis bouts de ruban de velours. Depuis ces jours bien lointains, j'ai toujours préféré les boules parfumées qu'on nommait du nom anglais les « Pomander » pour parfumer ma lingerie et mes toiles.

Les fleurs de votre jardin à la cuisine

Quel enchantement de pouvoir se promener dans son jardin pour y cueillir quelques jolies fleurs qui nous permettront de créer des plats romantiques. On vous trouvera peut-être un peu originale mais bien vite, on remarquera jusqu'à quel point les fleurs peuvent ajouter au goût et au plaisir de déguster un plat ou de boire un breuvage touché par les fleurs.

Voici quelques-unes de mes trouvailles favorites.

Pour moi, les mois de mai et juin sont spéciaux, c'est le moment où les fleurs sauvages et les petits légumes nouveaux apparaissent ici et là pour le plaisir de notre table.

Lorsque je me balade dans la campagne au mois de mai, je regarde dans l'espérance de trouver des soucis sauvages si jolis avec leurs grandes feuilles et leurs masses de fleurs dorées. Grand-mère nous disait que cette belle fleur éloignait « le diable et ses mauvais plans » pendant sa première floraison de mai. J'attends aussi avec impatience le joli muguet sauvage, si parfumé et si blanc.

Un jour, j'ai lu dans un vieil herbier, qu'on appelait le muguet des bois « larmes de Dame » parce que la légende voulait qu'il soit les larmes que la Vierge-Mère avait laissées tomber au pied de la Croix du Calvaire. Au Musée national de Londres, j'ai vu une très belle peinture datant du 15ème siècle intitulée « La Vierge et l'Enfant », là où la robe de la Vierge touchait le sol, poussait du muguet sauvage.

Que de romances, que de beauté nous offre l'églantine ou rose sauvage ; de toutes les fleurs utilisées en cuisine, elle est sans doute la plus intéressante. Les Perses de l'antiquité nous ont beaucoup appris dans l'art de cuisiner « à la rose ». Ensuite, ce fut au tour des Anglais qui mettent encore dans leurs gelées et confitures, quelques pétales de roses sauvages pour les parfumer. Ils les ajoutent aussi aux crèmes anglaises, aux gâteaux éponges et en mélangent dans le sucre, pour servir avec les fraises fraîches. Et qui ne connaît pas l'eau de rose, qui nous vient du Liban, de la Turquie et de la France. Celle du Liban est sans contredit la meilleure... peut-être bien que les folies humaines vont nous en priver pour un bon moment !

Quelques gouttes d'eau de rose ou une cuillerée de pétales d'églantine coupées aux ciseaux, versées sur des fraises fraîches, légèrement sucrées, c'est chaque année un de mes délices aux fraises. Faites un vinaigre de rose, que vous utiliserez pendant l'année, sur vos salades de fruits et fromage blanc. Ajoutez simplement 1 tasse (250 mL) de pétales de roses sauvages ou églantine à 2 tasses (500 mL) de vinaigre de cidre ou vinaigre blanc. Laissez infuser 2 mois avant d'utiliser. Pour faire un « miel à la rose », mélangez 1 tasse (250 mL) de pétales d'églantines hachées avec 2 tasses (500 mL) de miel. Gardez dans un endroit frais, bien fermé. Délicieux avec rôties ou croissants ou petits pains chauds servis à l'heure du thé.

2. Les boissons

J'attache une grande importance au café et au thé

Pour moi, le café et le thé sont tout à fait autres choses qu'un simple bocal de café instantané ou un sachet de thé que l'on met dans une tasse ou un récipient. Ces deux boissons ont leur histoire, une histoire si captivante, rehaussée de tant de légendes, que je crois qu'une bonne tasse de moka, java ou colombien fraîchement moulu et infusé, ou bien une tasse de thé noir assam ou de « keemun » chinois ou d'Earl Grey ont le pouvoir de dissiper les ennuis et les tracas et de faire passer d'agréables instants « à deux ».

J'ai d'abord éprouvé quelque hésitation à vous entretenir ici de ce sujet, mais à la réflexion, le véritable plaisir que procure la tasse de café ou de thé à son meilleur m'est apparu. Certaines espèces de thé ou de bons grains de café bien torréfiés sont parfois difficiles à trouver. Cherchez... essayez... et vous trouverez. Vous pourrez ensuite faire votre choix et même préparer votre propre mélange de thé ou de café. Lorsqu'un thé ou un café me plaît particulièrement, j'en achète une bonne quantité que je conserve au congélateur dans des sacs de congélation. Il se garde de 6 à 8 mois. Les grains de café ne perdent nullement leur fraîcheur, si on les conserve au réfrigérateur dans un récipient fermé la quantité requise pour la semaine. Une plus grande provision doit être mise au congélateur.

Un aperçu de l'histoire du café

Les Éthiopiens, vers l'an 800 après J.-C., reconnurent les propriétés du caféier, découvert par les nomades du désert. On apprend, dans les archives, que ces tribus n'apportaient avec elles, comme aliment, que du café. Les grains étaient torréfiés sur des braises, puis moulus avec des pierres, mélangés avec du gras, roulés en boulettes et conservés dans des sacs de cuir. Les registres anciens nous enseignent *qu'une seule boulette de café* suffisait comme aliment d'une journée entière, et maintenait ceux qui s'en nourrissaient en état de livrer combat, car le café haussait l'intensité du métabolisme. Pendant longtemps, le café fut considéré comme une drogue. Vers l'an 1200 après J.-C., les Éthiopiens introduisirent le café en Arabie. L'interprétation des Arabes différait; selon eux le café purifiait le sang, soulageait les douleurs d'estomac et remontait le moral. Les pays arabes ouvrirent les premiers cafés publics, et ces lieux de rendez-vous évoluèrent en centres d'activités et de discussions, inconnus auparavant. On s'y livrait surtout à la lecture de poésies et aux commérages.

Dès ce moment, l'usage du café se répandit comme une traînée de poudre. En 1500, le gouverneur du Caire interdit la consommation du café; cette «prohibition» dura trente ans. Le café fut introduit à Damas en 1530, puis à Constantinople en 1554, où il existait une loi bien étrange : si un homme refusait de fournir à sa femme une ration quotidienne de café, cela pouvait être invoqué comme motif de divorce !

Le café arriva à Marseille en 1660, et la première boutique offrant en vente une variété de grains torréfiés fut ouverte en 1671. Aujourd'hui, nous sommes étonnés du fait que le café fit son apparition en Angleterre avant d'être connu en France. Des statistiques de vente remontent à 1640, l'épellation d'alors était « Cophee ». Tout comme en Arabie, les cafés prirent de l'importance en Angleterre, puis en France. C'étaient des centres d'information où les intellectuels, les acteurs, les poètes et les politiciens se réunissaient et engendraient les mouvements d'opinion.

Si l'histoire du café et du thé vous fascine et que vous désirez parfaire vos connaissances, passez quelques jours au Musée de l'Homme, si l'occasion vous est fournie d'aller à Paris. Vous y trouverez une infinité de livres sur le sujet; tous plus intéressants les uns que les autres. C'est là que j'ai puisé les renseignements qui précèdent et ceux qui se rapportent au thé. Le système de classement est des mieux agencés; il est facile de consulter au sujet de périodes entières de l'histoire ou de glaner simplement dans les dossiers, selon le temps dont on dispose.

L'achat des grains de café

Choisissez votre mélange de grains entiers torréfiés pour les moudre vous-même au moment de faire le café, selon votre méthode préférée. La mienne, c'est le filtre à café automatique. Si vous achetez un paquet de café déjà moulu, la saveur n'égalera pas celle des grains fraîchement moulus. Apprenez à connaître les genres de torréfaction et les espèces de café que vous préférez; achetez-en des petites quantités pour les essayer. Il y a des mélanges que je préfère au petit déjeuner, d'autres, après un dîner copieux. Cela s'apprend sans effort, et sachez que tout café acheté est un mélange quelconque, ce qui ne vous empêche pas de faire vous-même d'autres mélanges.

Espèces de café

Arabica africain
Très savoureux et aromatique, de prix élevé, difficile à trouver.

Santos brésilien :
Robuste, quelque peu sucré et lourd lorsque torréfié noir.

D'Amérique centrale :
Savoureux, il a un « bouquet » (un de mes préférés lorsque j'en trouve).

Colombien :
Corsé, riche et « vineux ».

Blue Moutain jamaïquain :
Mélange riche, velouté.

Kona :
Hawaïen doux.

Mexicain :
Légère saveur de fumée.

Moka :
Forte saveur, unique.

Moka Java :
Plus lourd que le moka, plus aromatique et plus doux ; un de mes préférés, mélangé en proportions 1/3 pour 2/3 avec de l'arabic noir.

Types de torréfaction

Torréfaction française : le café noir ; le mélange le plus amer, utilisé pour le café expresso. J'aime en ajouter à un café doux pour donner plus de force. Le café brun : mélange de torréfaction assez forte, à surface huileuse, qui fait ressortir le goût de noix.

Torréfaction américaine : torréfaction très légère, café d'un brun pâle et à l'arôme délicat.

À l'avenir, lorsque vous préparerez votre café, en mélangeant différents types, vous constaterez une différence marquée entre les mélanges. Prenez note des proportions du mélange, soit 1 partie de x pour 3 parties de y ; du moment de la journée où vous aimez le servir, le matin ou l'après-midi, et ainsi de suite. Même les supermarchés offrent leur propre café en grains, à moudre au moment de l'achat. Plusieurs de leurs espèces de café (la plupart de torréfaction américaine) sont très bonnes, et souvent plus économiques. Achetez le café en grains pour moudre à la maison au moment d'utiliser. Il y a une marque que j'aime et que j'achète souvent pour mélanger trois parties pour une partie d'Arabica noir; c'est un excellent café au petit déjeuner. Je suis convaincu depuis longtemps que la tasse de café « idéale » n'est qu'un mythe. C'est, à mon avis, une question de goût personnel qui dépend du moment où on la sert, des aliments qui l'ont précédée où de ceux qui suivront.

L'art de faire toujours du bon café

Les Arabes furent les premiers à apprêter le café liquide. Ils l'appelaient *Kishre,* ils écrasaient les grains avec des pierres, les mettaient dans l'eau bouillante et y ajoutaient du cardamome, de la cannelle et du gingembre. Ils faisaient ensuite mijoter le mélange. La lecture de cette préparation en 1930 m'a intriguée, au point de l'essayer, et je continue à la faire. C'est un excellent café pour l'après-midi ou après un dîner copieux, car c'est presque un digestif, à saveur très agréable. Faites-en l'essai!

4 c. à table (60 mL) de café noir moulu
1 c. à thé (5 mL) de cardamome moulue
un bâton de cannelle de 1 à 2 po (2,5 à 5 cm)
1 c. à thé (5 mL) de gingembre frais râpé
4 tasses (1 L) d'eau bouillante

Il faut moudre le café plutôt fin et le mettre dans une casserole. On ajoute les épices et on verse ensuite l'eau bouillante. Mélangez bien, couvrez et mijotez à feu très doux 25 minutes. Coulez à travers une passoire fine dans de petites tasses, et chaque fois qu'il est possible mettez un pétale de rose dans chaque tasse et accompagnez d'un pot de miel. *Quantité : 4 tasses (1 L).*

L'eau : n'utilisez que de l'eau fraîche, prise au robinet à eau froide, car il s'accumule des dépôts minéraux dans le robinet à eau chaude qui peuvent altérer le goût. Si possible, versez l'eau sur la mouture de café juste avant qu'elle n'atteigne le point d'ébullition. Lorsque l'eau bout trop fort, certains produits chimiques dans l'eau ont tendance à se décomposer et ils affectent la saveur du café.

La quantité de café : la proportion café / eau demeure la même, quelle que soit la méthode pour faire le café. Pour chaque tasse de 8 onces (250 mL) d'eau, employez une mesure standard pour le café ou 3 c. à table (45 mL) de café moulu. Pour un café fort, employez 3 c. à table (45 mL) pour chaque 3/4 de tasse (200 mL) d'eau. Le café ne doit jamais bouillir, ce qui altérerait sa saveur. Le plus important est de servir le café aussitôt infusé ou de ne pas le laisser attendre plus d'une heure, et encore à feu très doux, la cafetière posée sur une claie pour éviter qu'elle soit en contact direct avec la source de chaleur.

Café au lait continental

1 1/2 tasse (375 mL) de café frais fait
1 1/2 tasse (375 mL) de lait chaud

Pour un café au lait à son meilleur, il importe que le café soit frais fait et que le lait soit réchauffé et mélangé comme suit. Mettez le lait à feu moyen jusqu'à ce qu'il commence à mousser. Versez alors le café sur le lait et les mélangez en les versant d'un récipient à l'autre 5 ou 6 fois, ou jusqu'à ce que la mousse se forme sur le dessus. Voilà pourquoi le café doit être tellement chaud. Servez aussitôt, avec des croissants chauds et du beurre doux. C'est un délice qui vous mènera au coeur de Paris. *Quantité : 3 tasses (750 mL).*

Café belge

Lorsque je visite la Belgique, que ce soit Bruxelles ou ailleurs, je tiens à mon café bruxellois ou liégeois.

1/4 c. à thé (1 mL) de vanille
1/2 tasse (125 mL) de crème riche
1 blanc d'oeuf battu en neige
4 tasses (1 L) de café chaud au choix

Ajoutez la vanille à la crème et fouettez pour obtenir un mélange ferme. Incorporez au blanc d'oeuf. Remplissez au tiers 4 tasses de ce mélange. Versez-y lentement du café chaud. Ne mélangez pas. Accompagnez de cassonade ou de sucre granulé fin. *Pour 4 personnes.*

Café à la cardamome, vite fait

Amenez à l'ébullition 1/2 tasse (125 mL) d'eau froide avec 1 c. à thé (5 mL) de graines de cardamome écalées, et laissez bouillir 2 minutes. Couvrez et laissez infuser 10 minutes. Coulez. Ajoutez 1 tasse (250 mL) de café noir fraîchement infusé. Servez avec sucre, miel ou pétales de rose.

Pour faire un bon café glacé

Faites le café deux fois plus fort, en utilisant deux fois moins d'eau pour la quantité habituelle de café. Remplissez un grand verre de glaçons et versez-y de l'eau bouillante (une cuillère d'argent placée dans le verre l'empêche de se briser, si l'eau est d'abord versée sur la cuillère). En faisant le café très fort, on obtient toujours un café glacé parfait car il y a dilution par la glace qui fond.

Pour ménager les glaçons, faites un café moyennement fort, refroidissez, couvrez et mettez au réfrigérateur dans un récipient non métallique. Ne laissez pas plus de trois heures. Versez sur quelques glaçons. Pour un café glacé parfait, faites une plus grande quantité de café au petit déjeuner et congelez-le en glaçons. Un café glacé peut être préparé en tout temps en versant simplement un café de force régulière sur les glaçons de café.

Pour un café glacé vraiment délicieux, le préparer avec du café instantané car c'est alors que l'« instantané » entre en jeu. Mettez une c. à table comble (15 mL) de café instantané, plus ou moins au goût, dans un verre. Ajoutez 1/4 de tasse (60 mL) d'eau froide du robinet et mélangez bien avec le café. Remplissez le verre de glaçons réguliers ou de café. Remplissez le verre lentement d'eau froide, remuant sans arrêt. On obtient ainsi un café délicieux. La quantité de café varie suivant la grandeur du verre, le genre de glaçons utilisé et votre préférence quant à la force du café.

Café givré

2 1/4 tasses (560 mL) de café fort refroidi
1 c. à table (15 mL) d'angostura bitters
1 chopine (500 mL) de crème glacée au café

Utilisez le café instantané. Pour faire la crème glacée au café, ajoutez simplement 1 à 2 c. à table (15 à 30 mL) de café instantané non dilué à une chopine de crème glacée à la vanille.

Mettez tous les ingrédients dans un bol ou dans la jarre d'un mélangeur électrique. Battez jusqu'à l'obtention d'un mélange lisse et crémeux. Servez avec un gâteau éponge au chocolat, pour remplacer le glaçage. *Pour 6 personnes.*

Café givré demi-tasse

liqueur de cacao
café glacé fort
crème fouettée

Versez dans un verre à vin à fond bombé 1 à 2 c. à table (15 à 30 mL) de crème de cacao. Remplissez presque jusqu'au bord de café glacé fort. Mélangez et laissez tomber sur le dessus une petite cuillerée de crème fouettée. La crème de cacao sucre le café. N'ajoutez pas de glaçons. *Quantité : 1 tasse (250 mL).*

Pour servir de façon élégante, renversez les verres dans un bol d'argent ou de cristal rempli de glace concassée. Les verres seront ainsi très glacés. Il n'y a qu'à essuyer l'extérieur des verres à mesure qu'on les retire. Cela peut se faire à table.

Le café après-dîner

Faites du café après-dîner une occasion plutôt qu'une habitude en y servant un pousse-café. Un petit verre de grand marnier ajouté à une tasse de café chaud fait toute la différence. Un zeste de lime et un peu de drambuie vous transporte au cœur de l'Écosse. Un zeste de citron et du cointreau, et vous voilà à Paris au printemps. Un peu de crème de cacao dans chaque demi-tasse, surmontée de crème fouettée, c'est Vienne et la valse. Avez-vous jamais essayé de remuer votre café avec un bâton de sucre d'orge rose? Avez-vous apprécié la différence lorsqu'un bâton de vanille d'1/2 po (1,25 cm) est ajouté au café moulu avant de l'infuser? L'essence de vanille ne peut le remplacer!

Le thé et ses mystères :

Pourquoi le thé, que l'on prend pour acquis, est-il un breuvage remarquable? Boire une tasse de thé bien chaud ou glacé est une expérience stimulante et rafraîchissante, mais n'oublions pas que le thé est utilisé depuis plus de siècles qu'il est possible d'en imaginer, puisque les Chinois connaissaient la plante du thé, ils en utilisaient les feuilles pour fins médicinales et comme aliment stimulant, en plus de le boire comme breuvage quotidien, et cela bien des siècles avant l'histoire écrite. Une légende chinoise veut que le thé ait été découvert sous le règne de l'empereur Shen Hung, surnommé « Le guérisseur divin ». Il régna vers 2737 avant J.C. Ce n'est qu'au quatrième siècle de nore ère, que nous apprîmes que la plante du thé pouvait servir de breuvage. Les feuilles étaient cueillies, mises en gâteaux, grillées, pour être ensuite écrasées en petits morceaux. On en mettait une quantité dans un pot, on y versait de l'eau bouillante, et on y ajoutait un morceau de gingembre frais (délicieux!) ou une pelure d'orange sèche (on vend encore ce genre de thé), ou une tranche d'oignon; il vaut mieux oublier ce dernier raffinement.

À la bibliothèque publique de la ville de New York, sur la 5ième Avenue, on trouve des textes traduits de la célèbre encyclopédie chinoise sur le thé Ch'a Ching, écrite par le poète Lu Yu, 780 ans avant

J.-C. Un livre extraordinaire, constamment consulté puisqu'il couvre tous les aspects de la culture du thé et de sa préparation.

Lorsque la civilisation chinoise fit son entrée au Japon en 593 avant J.-C., elle importa en plus de ses arts et de sa religion, ses connaissances sur le thé. Ce qui est extraordinaire, c'est le fait que les Japonais transformèrent le Taoïsme chinois en religion, et l'appelèrent « Chanoyu », religion qui encore aujourd'hui pratique chaque jour la cérémonie du thé.

Les premiers thés qui arrivèrent en Amérique, coûtaient de 30 à 50 dollars la livre. À cette époque, surtout, une hôtesse élégante... et riche, présentait à l'heure du thé, trois à quatre théières de différents thés, les appelant chacun par leur propre nom, plutôt que de dire simplement « une tasse de thé ».

Si on parfumait le thé, ce n'était que pour y mettre moins de thé, des fois même le prix en était réduit. En hiver, on utilisait le safran, qui ne coûtait pas aussi cher qu'aujourd'hui. Au printemps et à l'été, des feuilles de pêcher et des pétales de roses remplaçaient le safran.

En 1930, j'eus l'expérience extraordinaire d'être invitée à un encan de thé à « Plantation House », à Londres. Quelle expérience de pouvoir étudier longuement les catalogues des courtiers de thé. Une fois son choix fait, on pouvait demander à goûter le thé, servi dans de très petits bols blancs, en porcelaine. Ceci avait lieu avant l'encan.

Le fait le plus saillant de cette expérience fut ma surprise du grand nombre de thés présentés et combien différente était la saveur de chacun. Depuis ce jour, je choisis mon thé avec soin. Je refuse de simplement acheter « une livre de thé » ou une boîte de sacs de thé.

Les variétés de thé

On cultive le thé à Sri Lanka (Ceylan), en Chine, aux Indes, au Japon, à Java, à Sumatra et à Taïwan. Il y en a plus de 3 000 variétés ; et comme le vin, elles prennent leur nom des régions qui les cultivent. Ses variétés peuvent être classées de trois manières :

Le thé noir : les feuilles passent par un procédé spécial d'oxydation ou fermentation qui les rendent noires et elles font un thé fort. C'est le type le plus utilisé en Amérique du Nord.

Le thé Oolong : les feuilles sont à demi-oxydées, ce qui donne moitié feuilles brunes, moitié feuilles vertes. C'est un thé léger.

Le thé vert : les feuilles ne passent pas par le traitement de l'oxydation, elles restent donc bien vertes, avec une saveur spéciale. Pour de longs siècles, seul le thé vert était connu et bu.

L'oxydation du thé fut pratiquée par nécessité, à l'époque où les transports se faisaient par mer et où la longueur des voyages causaient de lourdes pertes de thé.

Des trois classifications de base mentionnées ci-haut proviennent les thés qui suivent. N'achetez pas un thé sans vous renseigner sur sa classification, qui est généralement indiquée sur le paquet.

Les thés noirs

Assam (Indes) : thé de haute qualité, cultivé dans le nord-est des Indes, à saveur pleine et riche. Infusez 6 minutes.

Darjeeling (Indes) : le plus fin et le plus délicatement parfumé de tous les thés hindous. Il se cultive au pied du Mont Everest. On le compare à une liqueur fine et dorée, qui doit se boire lentement tel un bon vin. Infusez 7 minutes.

Ceylan : il y en a plusieurs, la meilleure qualité se reconnaît par l'appellation « cultivé en hautes montagnes ». C'est un thé au goût universel, qui s'infuse rapidement, parfait servi avec lait ou citron.

Keemun (Chine) : une bonne qualité de thé, surtout celui de Taïwan.

Lapsong Souchong (Chine) : un thé au goût prononcé de fumée, excellent servi avec les aliments épicés et poivrés ou avec le gibier.

Earl Grey : un mélange créé par la maison Jackson de Piccadilly à Londres, pour un de ses clients. Éventuellement, le thé prit son nom. C'est un thé noir parfumé à l'orange, à saveur délicate. Infusez 6 minutes.

Petit déjeuner anglais (English Breakfast) : un mélange où le thé chinois domine, ayant la force du thé de l'Inde, avec la saveur du thé de Ceylan.

Petit déjeuner irlandais (Irish Breakfast) : un mélange de Ceylan et de thé noir de l'Inde. À choisir si vous aimez un thé fort.

Les thés verts

Basket Fire : un thé japonais, léger et délicat, agréable à boire à toute heure du jour. On le qualifie de vin blanc du thé.

Gunpowder (Ceylan) : une variété de thé vert où chaque feuille est roulée en boule minuscule. Un thé à saveur intéressante, surtout servi après une viande rouge. Je l'utilise souvent comme parfum ajouté à un thé noir type Ceylan.

Ces thés ne sont que les thés de base les plus connus, qui eux-mêmes se divisent en toutes sortes de mélanges dus aux variations que les méthodes de fermentation, de séchage et de cuisson peuvent apporter.

Permettez-moi ici de rendre hommage et remerciements à monsieur Porter, maître-dégustateur (Tea-taster) pour la maison Red Rose Tea à Montréal, qui m'apprit tant de choses sur le thé.

Une expérience extraordinaire qu'il me fit vivre, fut d'assister, dans un silence absolu, c'est une règle, à une séance de dégustation de thé.

La culture du thé

Après la cueillette et le séchage, les feuilles de thé sont divisées en deux premières catégories, les vertes et les rouges (les rouges sont le thé noir). Souvent, on m'a dit que, contrairement au café, le thé n'avait pas de parfum spécial. Pour ceux qui pensent ainsi, il leur faudrait pouvoir sentir le parfum des feuilles de thé au moment de la cuisson — ce parfum se répand à des milles à la ronde. Je connais un acheteur de thé qui a chaque année la nostalgie de ce parfum, et il cherche toujours à retourner dans les jardins de thé à l'époque de la cuisson des feuilles. Il me dit qu'il est impossible d'oublier ce parfum enivrant. Il y a plusieurs méthodes employées pour sécher les feuilles ; la plus courante est de placer les feuilles de thé sur de grands plateaux, dans une pièce qui passe à différentes températures pour faner ou étuver les feuilles. Lorsque prête chaque feuille est mise en torsade ou roulée à la main, travail incroyable si l'on s'arrête un instant à réfléchir au travail accompli.

Lorsque roulées, les feuilles sont séchées et emballées.

La poudre de thé qui tombe des feuilles séchées est formée en un genre de petite brique et s'utilise surtout chez les Orientaux comme médecine.

Pour choisir un thé

Choisir un thé présente un certain problème, d'abord parce qu'il y a beaucoup de variétés, et que l'on ne sait pas toujours laquelle nous plairait.

Voici quelques conseils qui pourront peut-être vous aider. Suivez la méthode des maîtres-dégustateurs, achetez une petite quantité du thé choisi, examinez en premier lieu, dans une bonne lumière, la feuille sèche entière ou en morceaux. Vous serez surprise des différences qui existent entre chaque type de thé. Sentez la feuille plusieurs fois, à différentes distances du nez, les yeux fermés, et là aussi vous verrez à quel point le parfum du thé peut varier. Placez ensuite une demi-cuillerée à thé de thé dans une théière chaude et sèche, ajoutez une demi-tasse d'eau fraîchement bouillie. Couvrez et infusez 6 minutes. Versez le thé dans une petite tasse. Mettez-en quelques feuilles sur une soucoupe et placez-la sur la tasse de thé comme couvercle. Laissez tiédir le thé, examinez les feuilles, prenant note de leur couleur et de leur arôme, ce qui vous donnera une indication sur le caractère du thé. Lorsque le thé est tiède, prenez-en une petite gorgée, ne l'avalez pas, mais roulez-la bien dans la bouche, ce qui vous indiquera sa saveur, son parfum, sa force, sa richesse et sa texture. Alors avalez ou rejetez.

Ce petit travail, plutôt agréable, vous fera vite reconnaître les thés qui sauront vous plaire. Gardez des notes de chaque expérience, avec le nom du thé et l'endroit où l'acheter, etc. En appliquant cette méthode, vous ne boirez plus votre thé avec indifférence, et vous aurez fait votre choix du thé préféré pour l'occasion.

Maintenant, nous arrivons à une autre expérience, si vous aimez votre thé avec du lait, faites ce qui suit, après avoir goûté votre thé nature. Ajoutez une petite cuillerée de lait au thé qui reste dans la tasse. Si vous obtenez une couleur riche et opaque, c'est le thé qu'il vous faut. Par contre, si le thé reste pâle avec une certaine transparence, vaut mieux le boire sans lait.

Il est bon de se rappeler que le thé perd une partie de sa saveur lorsqu'il est gardé trop longtemps. Voilà pourquoi, il est préférable d'acheter une quantité répondant à vos besoins. Un quart de livre donne 40 à 50 tasses de thé.

Conservez votre thé dans une boîte de métal bien fermée, dans un endroit frais.

Pour faire le thé

Il y a six points à éviter dans la préparation du thé.

1. N'utilisez pas d'eau ayant bouilli trop longtemps ou amenée à l'ébullition une seconde fois ou plusieurs fois. Dans les deux cas l'eau est plate au lieu d'être vivante;

2. Ne versez sur le thé que de l'eau amenée à pleine ébullition;

3. N'oubliez pas de chauffer et de bien assécher la théière avant d'y mettre les feuilles de thé;

4. Surveillez le temps d'infusion, généralement 6 minutes, à l'exception de certains thés. Si le thé n'est pas bu au moment où il est

prêt, coulez-le dans un autre contenant chaud et gardez-le au chaud;

5. Ne mettez jamais de feuilles de thé non infusées sur des feuilles infusées;

6. Il n'est pas bien d'ajouter de l'eau au thé qui reste jusqu'à ce que le thé soit sans saveur, cela développe le tanin de la feuille et le thé devient mauvais pour l'estomac.

Suivez ces règles pour obtenir chaque fois un thé savoureux et fortifiant.

Pour préparer le thé chinois

Mettez 1/2 c. à thé (2 mL) de feuilles de thé dans chaque tasse, remplissez-la d'eau bouillante, couvrez et laissez infuser 4 minutes. Voici la manière orientale de le boire. Tenez la tasse dans une main, poussez le couvercle à demi, allouant juste l'espace qu'il faut pour laisser passer le thé. C'est un peu difficile à faire les premières fois, mais l'essai en vaut la peine, c'est une façon merveilleuse de savourer un bon thé.

J'aime beaucoup le servir dans des bols à thé chinois en porcelaine. Mes favoris sont glacés noir brillant avec un joli papillon rose sur un côté et un tout petit papillon rouge sur le couvercle.

Avec un bon thé chinois, vous pouvez ajouter de l'eau à vos feuilles, une ou deux fois. Il arrive même qu'avec ce genre de thé le second trempage développe une saveur fine et nouvelle.

Boissons rafraîchissantes

Tout au long de mon enfance, durant les chaudes journées d'été, j'ai très souvent vu défiler devant moi d'innombrables plateaux chargés de limonade, punch et sirop de vinaigre rouge, mais il ne m'en était pas offert car « cela n'était pas pour les enfants ». Mais le jour des mes dix ans arriva, et à compter de ce moment, je pus les déguster ces boissons rafraîchissantes. On les servait dans de grands verres aux belles couleurs, et sans glace. Elles étaient rafraîchies dans la « glacière », mais il fallait ménager la glace en été. Plusieurs des recettes qui suivent, je les tiens de ma grand-mère ou de ma mère. Il semble aujourd'hui (la venue des boissons gazeuses y est sans doute pour quelque chose!) que toutes ces savoureuses boissons-maison ont à peu près disparu. Faites-les connaître à votre famille... Ne les mettez pas aux oubliettes!

La limonade parfaite

C'était chez mes grands-parents le traditionnel « Punch de Noël » pour les enfants. On le colorait parfois d'un beau rose, en y ajoutant le jus de cerises marasques, avec une cerise dans chaque verre : les rouges pour les filles ; les vertes pour les garçons. Je fais toujours cette limonade, je n'en ai jamais trouvée de meilleure.

6 citrons
1 à 1 1/2 tasse (250 mL à 375 mL) de sucre
8 tasses (2 L) d'eau froide

Lavez les citrons, ne les pelez pas. Tranchez-les aussi mince que possible. Mettez-les dans un grand bol avec le sucre. Écrasez et remuez le tout ensemble jusqu'à ce que le sucre soit partiellement dissout. Ajoutez l'eau froide. Remuez jusqu'à ce que le sucre soit complètement fondu. Versez dans un contenant et couvrez. Réfrigérez. Retirez les tranches de citron après deux jours environ.

Pour servir, remplissez un verre au quart ou à la moitié de ce mélange, ajoutez des glaçons au goût et remplissez le verre de soda ou d'eau. *Pour 8 personnes.*

Limonade victorienne

J'utilise une boîte de concentré de limonade surgelé plutôt qu'un procédé très compliqué de la méthode victorienne.

1 petite boîte de concentré de limonade surgelé
1 c. à thé (5 mL) de graines d'anis
zeste râpé d'un citron
1 boîte de 8 oz (227 g) d'ananas broyé

Préparez la limonade selon le mode d'emploi sur la boîte. Coulez l'ananas, conservez le jus. Mettez dans une casserole l'anis et le jus d'ananas. Amenez à ébullition et mijotez 5 minutes. Ajoutez à la limonade. Refroidissez.

Répartissez l'ananas dans 4 à 6 grands verres. Versez-y la limonade. Ajoutez de la glace au goût. Il n'est pas nécessaire de couler le liquide. Je ne le fais pas car j'aime mâcher les graines d'anis, mais on peut les laisser refroidir dans la limonade et couler après 15 minutes. *Pour 6 personnes.*

Limonade au gingembre

Au début du vingtième siècle, la lime et le gingembre frais s'obtenaient sans difficulté, venant par bateau des Antilles. Ils étaient « à la mode » durant la période victorienne. J'utilise toujours le gingembre frais, car il n'y a pas de substitut, mais je remplace souvent la lime par du citron à cause du coût élevé de la lime et de la difficulté de s'en procurer.

Le jus de 6 limes ou de 4 citrons
2 c. à table (30 mL) d'eau froide
5 tasses (1 L 125 mL) d'eau bouillante
5 à 8 tranches de racine de gingembre frais, non pelée
5 clous de girofle entiers
1 c. à thé (5 mL) de grains de quatre-épices
1 à 1 1/2 tasses (250 à 375 mL) de sucre blanc

Ajoutez les 2 c. à table (30 mL) d'eau froide au jus de limes ou de citrons et laissez reposer jusqu'au lendemain. Ramenez le reste de l'eau à l'ébullition avec les épices, mijotez ensuite 20 minutes à feu doux. Ajoutez le sucre, retirez du feu, et remuez jusqu'à ce qu'il soit dissous. Vous pouvez varier la quantité de sucre selon votre goût. Ajoutez le mélange de lime ou de citron. Ramenez juste au point d'ébullition, sans toutefois laisser bouillir. Couvrez. Refroidissez et embouteillez. Cette boisson se conservera deux semaines au réfrigérateur. Servez avec glace concassée ou sans glace. *Pour 6 à 8 personnes.*

Punch estival

On le préparait au besoin avec de la marjolaine, de la menthe ou du basilic fraîchement cueilli au jardin. Ce punch était servi dans un bol posé sur un plateau recouvert d'herbes ou de fleurs sauvages.

8 à 10 tiges de basilic, ou de marjolaine, ou de menthe
2 c. à table (30 mL) de sucre
1 bouteille de vin blanc sec
2 bouteilles de vin rosé de votre choix
1 grosse bouteille d'eau gazeuse
3 limes et 2 citrons tranchés mince

Mettez dans un bol à punch les herbes et le sucre. Écrasez le tout ensemble avec les doigts, pour extraire l'huile naturelle des herbes. Versez sur 1 tasse de vin blanc (250 mL). Laissez reposer 1 heure. Ajoutez le reste du vin blanc et le vin rosé. Mettez au réfrigérateur de 4 à 5 heures au moins. Pour servir, ajoutez l'eau gazeuse, retirez les herbes et ajoutez les tranches de lime et de citron. Remplissez les verres (non pas le bol à punch) de glace, et versez-y le punch. *Rendement : de 18 à 24 verres.*

Sirop de baume au citron

Dans les années trente, on trouvait dans presque toutes les glacières une bouteille de cette délicieuse boisson vert pâle. Il n'y a qu'à en verser dans un verre avec de la glace au goût (nous n'avions pas de glace) et de l'eau froide ou de l'eau gazeuse. Les proportions sont à votre gré.

2 tasses (500 mL) de jus de citron frais
zeste râpé de 2 citrons
1/2 à 3/4 tasse (125 à 200 mL) de feuilles de menthe fraîche,
*   hachées fin*
1 à 1 1/4 tasse (250 à 325 mL) de sucre fin

Mélangez tous les ingrédients et remuez pour dissoudre le sucre. (Pour gagner du temps, passez-les au mélangeur électrique une minute). Le baume en plus d'une belle couleur aura une saveur parfaite. Embouteillez et réfrigérez. Au moment de servir, versez la quantité désirée dans un grand verre, ajoutez des glaçons et de l'eau gazeuse ou de l'eau. *Rendement : 2 1/2 tasses (625 mL) de sirop.*

Ma boisson rafraîchissante au mélangeur électrique

Ici, le mélangeur électrique est indispensable, aucune substitution possible. Une des plus intéressantes utilisations des feuilles de céleri.

2 tasses combles (500 mL) de feuilles de céleri
2 citrons tranchés mince
4 à 6 c. à table (60 à 80 mL) de miel ou de sirop d'érable

Mettez tous les ingrédients dans la jarre du mélangeur et remplissez presque complètement d'eau. Couvrez et mélangez 3 minutes a grande vitesse. Coulez le mélange, et au goût ajoutez de l'eau. Servez très froid ou sur glace. Il n'est pas absolument nécessaire de couler, car les petits morceaux de citron et de feuilles de céleri sont agréables à mâcher. *Pour 7 à 9 personnes.*

Boisson désaltérante en pleine fenaison

À l'époque de la fenaison, les hommes aux champs ont très soif. Je leur prépare des boissons rafraîchissantes. Celle-ci est une de leurs préférées.

1 tasse (250 mL) de fraises fraîches
1 c. à table (15 mL) de miel
4 tasses (1 L) de ginger ale froid
1 citron non pelé, tranché

Passez les fraises sous l'eau et écrasez-les avec le miel, mélangez-les 30 secondes à grande vitesse. Répartissez dans 6 verres. Remplissez chaque verre de ginger ale presque jusqu'au bord, ajoutez une tranche de citron et quelque glaçons. *Quantité : 5 tasses (1.25 L).*

Boisson roumaine réconfortante

Préparez la veille. Prise le matin, cette boisson vous stimulera, et vous serez en forme pour vous livrer aux activités d'une journée bien remplie.

1 pomme sucrée
le jus d'un demi-citron
1 récipient de yogourt nature
miel clair, au goût

Lavez la pomme et enlevez le cœur, tranchez-la mince ou râpez-la sur une râpe moyenne. Mélangez aussitôt avec le jus de citron. Ajoutez le yogourt en brassant et laissez couler le miel sur le tout. Couvrez et réfrigérez jusqu'au lendemain. *Pour 1 personne.*

Eau de pommes

Tranchez 4 pommes moyennes non pelées sans enlever le cœur, et mettez-les dans un pot de grès. Ajoutez des languettes de zeste de citron et 2 c. à table (30 mL) de sucre. Versez une chopine d'eau bouillante sur le tout. Couvrez le pot et laissez refroidir, de préférence au réfrigérateur. Cette boisson était servie aux enfants et aux hommes travaillant dans les champs au début des années 1900. Cette recette nous a été transmise par les colons écossais. *Pour 2 à 4 personnes.*

Punch aux pêches

Punch délicieux, frais et attrayant. Je l'aime toujours, surtout dans la saison des bonnes pêches juteuses de la région du Niagara. À l'exemple de maman, j'emploie le thé Earl Grey et dans chaque tasse à punch, je dépose un pétale de rose rose pâle.

1/2 à 1 tasse (125 à 250 mL) de miel
1 tasse (250 mL) de jus d'orange frais
zeste râpé d'une orange
1/2 tasse (125 mL) de jus de citron frais
2 tasses (500 mL) de pêches pelées et écrasées
2 tasses (500 mL) de thé fort
une pincée de sel
2 tasses (500 mL) de cidre sec ou de ginger ale

Mettez dans un bol à punch tous les ingrédients, sauf le cidre ou le ginger ale. Mélangez bien et laissez reposer une heure au réfrigérateur. Je préfère 1/2 tasse (125 mL) de miel, mais cela est laissé à votre discrétion. Je pèle les pêches et j'enlève les noyaux — je les passe 40 secondes au mixeur; maman les écrasait avec une fourchette, ce qui prenait du temps et la purée n'était pas aussi lisse. Maman et moi, et maintenant ma fille, avons toujours préféré utiliser le thé Earl Grey à cause de sa délicate saveur de fleur. Tout autre thé peut très bien être utilisé. Le cidre sec est le meilleur, *mais il faut* qu'il soit sec et quelque peu pétillant. Juste avant de servir, ajoutez un bon morceau de glace. Remuez le tout, ajoutez le cidre ou le ginger ale. *Pour 12 à 14 personnes.*

Les cocktails

L'idée de recevoir pour un cocktail nous fait aussitôt entrevoir toute une série d'accessoires, de verres, un bar et une forte pression sur le budget. Je ne crois pas qu'il doive en être ainsi. On peut faire honneur à son bar avec seulement quelques boissons et accessoires. Que les cocktails soient préparés dans votre cuisine ou à un bar élégant, voici les boissons essentielles : sherry, sec et sucré, rye ou scotch, gin, vodka, vermouth, italien et français, et bitter. À votre réception, ceux qui boivent peu opteront pour le sherry. La plupart aiment et boiront des «highballs». D'un tiers à la moitié des invités prendront des cocktails; les manhattans et martinis leur suffiront. Le manhattan est un mélange doux de rye et de vermouth doux; le martini est un mélange semblable de gin et de vermouth sec. Certains préfèrent les proportions trois pour un ou même quatre pour un. Vous pouvez, si vous prévoyez une forte demande pour les cocktails, les préparer d'avance et les conserver dans un bocal ou un pot couvert, au réfrigérateur.

Autant j'aime les jus de fruits dans des verres de couleurs, autant je préfère ne pas y servir les cocktails, car ils semblent déguiser l'apparence de la boisson. Les verres à cocktails sont généralement des verres sur pied; car la chaleur de la main réchauffe la boisson, et un cocktail, le martini en particulier, doit être très froid. Les « highballs » sont servis dans des verres de 8 à 10 onces (225 à 350 mL). Il ne vous faudra donc que ceux-là et les verres à sherry.

La plupart des barmen professionnels n'utilisent que quelques accessoires essentiels. Il est amusant d'agrémenter son bar de certains accessoires non indispensables, mais voici ceux qui contribuent au succès d'un cocktail :

un pot attrayant pour y faire les mélanges,
1 ou 2 cuillères de bars à long manche pour brasser,
1 tamis à cocktail, rond à bord flexible, assez grand
  pour s'adapter sur la tasse à mélanger,
1 broyeur pour le zeste d'orange et de citron,
une mesure graduée de 1 1/2 et de 2 onces (45 et 60 mL),
1 petit couteau tranchant pour couper le citron et les autres solides,
1 bon tire-bouchon (de préférence un modèle presqu'automatique :
  il ne brisera pas les bouchons) et un décapsulateur,
1 seau à glace, de la glace en quantité.

Quelques-uns de mes préférés

Si vous désirez expérimenter dans les boissons, il y a de très bons livres de bar à votre disposition, où vous trouverez les recettes classiques et leurs variations, de même que des mélanges intéressants. Voici le martini et le manhattan de base, et quelques-uns de mes mélanges préférés. Il faut bien rafraîchir les verres avant la réception.

Martini : 2, 3 ou 4 parties de gin pour 1 partie de vermouth sec. Agitez avec de la glace concassée, coulez dans le verre, servez avec un zeste de citron (une mince tranche de l'écorce sans blanc) ou une olive.

Manhattan : 2 oz (60 mL) de rye pour 1 ou 1/2 oz (30 ou 15 mL) de vermouth doux, un soupçon (environ 3 gouttes) de bitter. Agitez avec de la glace concassée, coulez dans le verre et ajoutez une cerise. (Le bitter est une liqueur qui entre dans la composition de divers cocktails).

Mon impromptu : versez dans un verre à cocktail 2 oz (60 mL) de cognac, 1 ou 1/2 oz (30 ou 15 mL) de sirop de lime (un sirop simple avec du jus de lime frais et de la râpure ajoutés), 2 soupçons d'Angostura bitter. Agitez et servez aussitôt.

Gin et tonic : frottez le bord d'un verre de 8 oz (227 mL) avec un zeste de lime ou de citron. (Cela ne se fait pas souvent, mais une fois essayé, vous vous y tiendrez.) Versez dans le verre 2 oz (60 mL) de gin, ajoutez des glaçons, une tranche de lime et remplir le verre d'eau de quinquina.

Sidecar : brassez ensemble en quantités égales du jus de citron, du brandy et du cointreau. Remuez avec de la glace concassée. Coulez dans le verre à cocktail. Mettez-y un zeste de citron ou de lime. (Le citron est classique, mais je préfère la lime). Servez aussitôt prêt comme le manhattan et le martini, car on n'ajoute pas de glace, et il doit être froid pour être à son meilleur.

Tous les légumes de mon panier viennent de notre propre potager, lequel nous ▷ apporte chaque été beaucoup de satisfaction.

Daiquiri frappé : mettez dans la jarre du mélangeur électrique, 2 oz (60 mL) de rhum blanc, le jus d'un demi-citron ou lime et 1 c. à thé (5 mL) de sucre à fruit. Ajoutez 1 tasse (250 mL) de glace concassée. Couvrez la jarre et mélangez 30 secondes. Ajoutez 1/2 tasse (125 mL) de glace concassée. Couvrez et mélangez de nouveau. Il devrait alors avoir l'apparence d'un sorbet. Versez dans un verre à cocktail. Buvez avec une petite paille. Un délice pour une journée chaude ou même une journée fraîche...

Stinger : versez dans un verre 1 oz (30 mL) de brandy ou de fin cognac. Versez-y lentement une égale quantité de crème de menthe, qui aura été rafraîchie de 3 à 5 heures. N'ajoutez pas de glace, ne brassez pas.

Sirop de base : on peut utiliser le sucre à fruits pour sucrer un daiquiri, par exemple, mais il est préférable d'utiliser un liquide. Voici une recette de sirop pour le bar : mélangez 4 tasses (1 L) de sucre et 1 tasse (250 mL) d'eau dans une casserole. Mettez à feu moyen et remuez pour dissoudre le sucre complètement. Baissez le feu et laissez mijoter jusqu'à ce que le liquide soit très clair. Refroidissez, versez dans une bouteille, bouchez bien. Conservez au réfrigérateur. Il se conservera durant plusieurs semaines. *Quantité : 4 tasses (1 L).*

Quelques notions d'arithmétique pour les cocktails

Basez-vous pour vos calculs sur une moyenne de trois verres par personne, même quatre, pour être plus sûr. Une bouteille de 25 oz (740 mL) de rye, scotch ou gin, donnera seize consommations de une once et demi chacune (45 mL) ou douze ou treize de deux onces (60 mL) chacune. Si vous préparez une certaine quantité de martinis ou de manhattans, 32 oz (950 mL) de boisson et 16 oz (475 mL) de vermouth, avec la glace fondue, donneront environ 50 oz (1.5 L) ou dix-sept consommations.

Si vous recevez seize convives, et que vous prévoyez que la moitié boiront des martinis et les autres des « highballs », il vous faudra environ 2 bouteilles de rye, whisky ou scotch; environ 3 bouteilles de gin; et environ 2 de vermouth. Il vous en restera un peu à moins que la réception ne soit un tel succès que tous prolongent indéfiniment leur visite.

Liqueurs maison

Ceci n'est pas un traité sur les liqueurs. C'est tout simplement un guide pratique à l'intention de ceux qui désirent fabriquer chez eux leurs

◁ Quand les feuilles prennent ces couleurs nouvelles qui sont un enchantement, je regarde mon jardin plein de ces richesses que seule la terre peut donner : c'est l'automne, ma saison préférée. Je sais alors que la cuisine va connaître une animation nouvelle à cause de la mise en conserve et des marinades.

liqueurs, pour ensuite récolter les joies d'une parfaite création. L'art de fabriquer les liqueurs repose dans le choix d'ingrédients frais, de bonne qualité, dans le soin apporté à les mélanger et dans la patience d'attendre le moment de pleine maturité. Une liqueur bien faite continue à se modifier, en s'améliorant, et en s'affinant indéfiniment, pourvu que le dosage, l'assemblage et la mise en réserve aient été faits avec beaucoup de précaution.

Liqueur de prunes bleues

Employez les prunes bleues de l'Ontario (ou les cerises de Colombie-Britannique). La couleur et la saveur de la liqueur varieront selon le fruit utilisé. Avec les prunes, la couleur sera pourpre foncé, avec les cerises, rouge rubis.

1 lb (500 g) de prunes bleues (ou de cerises)
25 oz (740 mL) de gin ou de vodka
1 1/2 (375 mL) de cassonade
6 clous de girofle entiers

Lavez les prunes ou les cerises. Piquez les prunes à 5 ou 6 endroits avec une aiguille pointue pour les empêcher d'éclater en les coupant. Taillez les fruits en petits morceaux. Ouvrez 5 ou 6 des noyaux de prunes ou de cerises pour en retirer l'amande.

Mettez dans un récipient de verre les morceaux de prunes, les amandes et le reste de ingrédients. Remuez pour dissoudre le sucre. Couvrez d'une double épaisseur de coton blanc. Laissez fermenter de 4 à 8 semaines : plus longtemps elle fermentera, meilleure elle sera. Coulez dans un filtre à café en papier, embouteillez et bouchez. *Quantité : 3 à 4 tasses (750 à 1000 mL)*

Liqueur de cassis

Ma préférée! Elle se conservera sans réfrigération aucune d'une saison de cassis à la prochaine. Je fais une recette avec du gin, l'autre avec du brandy. Les deux sont également bonnes, c'est une question de goût.

cassis
sucre
25 oz (740 mL) de dry gin ou de brandy

Remplissez un récipient de verre de 40 oz (1 L 185 mL) du cassis lavé et équeuté. Ajoutez du sucre, environ une tasse (250 mL), en quantité suffisante pour recouvrir les fruits. Bouchez la bouteille et agitez. Ajoutez 1/2 tasse (125 mL) de sucre, agitez de nouveau. Répétez une fois de plus. Agitez et versez le gin ou le brandy sur le tout. Si possible, recouvrez de 5 ou 6 feuilles de cassis fraîches, bien lavées. Couvrez et laissez fermenter de 3 à 4 mois dans un endroit sombre, peu importe la température. Agitez quelques fois durant cette période. Coulez dans un filtre à café en papier. *Quantité : 28 oz (830 mL).*

Cordial au café

L'essayer, c'est l'adopter. Il se conserve très bien, à la température ambiante, durant des mois.

> *2 1/2 tasses (625 mL) de sucre*
> *3 c. à table (45 mL) de café instantané*
> *1 1/2 tasse (375 mL) d'eau froide*
> *1 c. à table (15 mL) de vanille*
> *12 oz (360 mL) de brandy canadien*

Mettez le sucre dans une casserole. Faites dissoudre le café dans l'eau et ajoutez-le au sucre. Amenez à ébullition et laissez bouillir 2 minutes. Mettez le feu le plus bas possible et mijotez 3 minutes, remuant presque constamment. Laissez refroidir. Ajoutez la vanille et le brandy en brassant jusqu'à ce que le tout soit bien mélangé. Embouteillez. Il n'est pas nécessaire de couler. Bouchez et mettez de côté. *Quantité : 2 tasses (500 mL).*

Liqueur à l'érable instantanée

Cette liqueur me fut servie en soirée chez des amis, et je l'utilise depuis ce temps. Lorsqu'elle est préparée avec un scotch de bonne qualité, sa saveur ressemble à celle du drambuie.

> *sirop d'érable*
> *scotch*

Faites réfrigérer le sirop, le whisky et les verres quelques heures avant de servir. Cela est important, car il ne faut pas utiliser de glace, mais la boisson doit donner « une sensation de fraîcheur ». Versez 1 c. à thé (5 mL) de sirop d'érable dans chaque verre et ajoutez-y 3 c. à table (45 mL) de whisky. Brassez ou non, au goût, et servez.

Sirop de vinaigre

Voilà environ soixante-cinq ans que je fais ce sirop tous les étés. Embouteillé dans un récipient stérilisé, il se conserve en n'importe quel endroit. J'en garde dans mon bar depuis des années ; la saveur est à son meilleur après 3 ans, mais il peut être utilisé aussitôt fait. Essayez-en sur de la crème glacée à l'érable ou aux framboises, ou sur du flan ou du pouding au riz, ou encore pour aromatiser un plat de fraises, 2 c. à table (30 mL) par chopine de fraises très légèrement sucrées.

5 à 6 paniers d'une pinte (1 L) de framboises
4 tasses (1 L) de vinaigre de cidre
sucre

Nettoyez 2 paniers de framboises et mettez-les dans un bol. Versez le vinaigre sur le dessus. Couvrez et laissez reposer jusqu'au lendemain dans un endroit frais.

Mouillez un sac à gelée. Placez-le sur le bol et versez les framboises dedans, suspendez le sac au-dessus du bol, et versez dedans 2 autres paniers de framboises lavées et nettoyées. Couvrez et laissez reposer 24 heures. Répétez le procédé le lendemain pour le ou les paniers qui restent. Couvrez et laissez reposer seulement jusqu'au lendemain. Le jour suivant, versez ce qui reste de jus et de framboises dans le sac et coulez de nouveau jusqu'à ce que *tout* le jus soit extrait, ce qui prendra de 4 à 6 heures. Mesurez ensuite le jus en tasses et ajoutez une égale quantité de sucre. Amenez à forte ébullition, tout en remuant; faites bouillir 3 à 4 minutes. Versez dans des bouteilles ou des bocaux à confiture stérilisés. Scellez et conservez dans un endroit sombre. (On utilise généralement 1/4 de tasse (60 mL) de sirop pour 1 tasse (250 mL) d'eau glacée ou de soda. *Quantité : 6 tasses (1 1/2 L).*

Cordial aux mûres

Souvent dans mon enfance, on demandait aux jeunes d'aller dans les bois cueillir les mûres sauvages. Évidemment, nous mangions une bonne moitié de la cueillette. En hiver, lorsque nous buvions un verre de cordial aux mûres, nous nous rappelions ces bons moments. Il se conserve durant des mois, même des années, tout comme le sirop de vinaigre. Il arrive parfois que l'on trouve des mûres sauvages au marché.

12 tasses (3 L) de mûres triées et nettoyées
3 c. à table (50 mL) de crème de tartre
1 c. à thé (5 mL) de crème de tartre
sucre

Mettez les fruits nettoyés dans un grand bol avec les deux mesures de crème de tartre. Brassez bien et laissez reposer à la température ambiante durant 48 heures.

Passez le mélange à travers une passoire fine ou au hachoir. Mesurez le jus et ajoutez 1 tasse (250 mL) de sucre pour chaque tasse de jus. Amenez à ébullition à feu moyen, en remuant souvent, jusqu'à ce que le sucre soit dissous, puis amenez à forte ébullition. Faites bouillir 5 minutes. Versez dans un bocal stérilisé. Pour servir, versez 2 à 3 c. à table (30 à 50 mL) de sirop dans un verre. Ajoutez 2 ou 3 glaçons. Remplissez d'eau ou de soda. *Quantité : elle varie selon la maturité des fruits.*

Les soupes

Il ne m'arrive jamais d'évoquer le souvenir de ma mère devant sa belle soupière bleue, nous servant à la louche une bonne soupe fumante, sans en ressentir un sentiment de bien-être.

L'arrivée, à l'automne, des soirées froides, alors que le ciel passe du rose au violet, fait naître en moi un désir ardent du foyer où brûle un bon feu, tandis que de la cuisine nous arrive l'arôme appétissant d'une bonne soupe qui mijote. Je puis même presque respirer l'odeur du froid vif qui ne tardera pas.

Pour moi, la soupe doit être versée à pleine louche dans de grandes assiettes creuses ou des bols. Un repas à la soupe doit être accompagné de pain chaud. Ajoutez-y un bol de fromage râpé, un autre de verdures ou de bâtonnets de carotte ou de céleri, ou même de navet cru. Pour le dessert, un bol de miel de sarrasin (ce n'est pas facile à trouver de nos jours) ou de la confiture de roses sauvages ou de framboises des champs, faites à la maison, bien entendu. Et pour terminer, une pleine théière de bon thé bouillant. Quel repas! Un de mes préférés.

Petits pains savoureux pour accompagner la soupe

On croirait que ce sont de petits pains chauds, mais ils sont préparés à même un pain complet, tout enrobés de beurre doux, et bien souvent servis avec une soupe. Si possible, essayez-les avec un pain maison.

1 pain blanc ou de blé entier
beurre ramolli
sel de céleri et poivre, au goût

Enlevez la croûte du dessus et des côtés d'un pain, sans entamer la croûte du dessous. (On donnait toujours à mon père la croûte chaude et croustillante du dessous.)

Tranchez le pain en trois sur le sens de la longueur, laissant la croûte de dessous intacte. Coupez ensuite en travers jusqu'à la croûte à intervalles de 2 pouces (5 cm). Badigeonnez partout de beurre mou. Saupoudrez de sel de céleri et de poivre. Au moment de servir, faites dorer au four à 350°F (180°C), de 15 à 20 minutes ou jusqu'à ce que les bords soient chauds et grillés. On le servait autrefois sur une grande planche de bois d'où chacun brisait son petit pain chaud.

Pain au bacon pour accompagner la soupe

Préparez de 12 à 24 heures d'avance, couvrez et réfrigérez pour faire cuire au moment de servir.
Beurre au bacon :

> *1/2 lb (227 g) de bacon en dés*
> *1/2 tasse (125 mL) de beurre*
> *2 oignons verts finement hachés*
> *1/4 c. à thé (1 mL) d'origan ou de sarriette*
> *1/4 de tasse (60 mL) de persil émincé*

Faites frire le bacon à feu moyen pour qu'il soit croustillant et doré. Mettez le beurre en crème avec les oignons verts jusqu'à ce que le tout soit bien mélangé. Ajoutez la sarriette ou l'origan et le persil et mélangez jusqu'à ce que le beurre ait une teinte verte. Ajoutez le bacon et le gras et mélangez.

Enlevez les croûtes d'autant de tranches de pain qu'il vous plaira, tartinez chacune généreusement du beurre au bacon, les plaçant en piles de deux tranches, la tranche du dessus beurrée et non couverte. Coupez en bâtonnets ou en quatre. Disposez sur une plaque à cuisson. Réfrigérez. Au moment de servir, réchauffez le four à 400° F (200° C) et faites dorer les carrés de pain au bacon, ce qui pourrait prendre de 20 à 25 minutes. Le dessus est doré et croustillant, le centre mou et savoureux. (Ce même beurre est délicieux sur des pommes de terre au four.) *Quantité : 1 tasse (250 mL) de beurre au bacon.*

Soupe à l'écossaise

C'est une bonne amie écossaise de maman, venue au Canada en 1920, qui lui a appris à faire cette soupe.

> *8 tasses (2 L) d'eau froide*
> *1 feuille de laurier*
> *1/2 c. à thé (2 mL) de poivre*
> *2 lbs (1 kg) de cou ou de jarret d'agneau, ou les deux*
> *2 c. à thé (10 mL) de sel*
> *4 c. à table (60 mL) d'orge mondée*
> *2 carottes, tranchées*
> *2 oignons, en dés*
> *1 gros poireau, en dés*
> *1 tasse (250 mL) de navet, en dés*
> *2 branches de céleri, en dés*
> *2 tasses (500 mL) de chou vert finement haché*

1/4 de tasse (60 mL) de persil frais, émincé
3 c. à table (50 mL) de beurre
1/2 tasse (125 mL) de flocons d'avoine

Ajoutez à l'eau dans une grande marmite, la feuille de laurier, le poivre et la viande. Amenez lentement à l'ébullition. Versez dans une grande passoire. Rincez la viande à l'eau froide courante, recouvrez de nouveau de la même quantité d'eau froide et ramenez à ébullition. (Ceci est important pour donner une bonne couleur à la soupe et améliorer la saveur.) Ajoutez le sel, faites bouillir quelques secondes et écumez. Ajoutez le reste des ingrédients, moins le beurre et l'avoine. Amenez lentement à ébullition, couvrez et mijotez 2 heures. Faites fondre le beurre dans un poêlon, ajoutez l'avoine et remuez à feu moyen pour dorer légèrement. Ajoutez à la soupe et faites cuire encore 10 à 15 minutes. *Pour 8 à 10 personnes.*

La soupe aux tomates en crème de maman

Dans mon enfance, il était impossible l'hiver d'acheter des tomates fraîches; les tomates en boîtes étaient donc utilisées. Une boîte de 25 onces de bonnes grosses tomates dans très peu de jus coûtait 15 cents! C'était la spécialité du vendredi soir, servie avec des biscuits maison (très croustillants),du fromage cheddar et de la marmelade d'orange de Séville. Quel régal!

une boîte de 19 onces (540 mL) de tomates
1 gros oignon haché fin
quelques feuilles de céleri émincées
1 c. à table (15 mL) de sucre
1/2 c. à thé (2 mL) de sarriette
1 c. à table (15 mL) de fécule de maïs
2 1/2 tasses (625 mL) de lait

Mijotez ensemble les 5 premiers ingrédients pendant 20 minutes.

Délayez la fécule de maïs dans 1/2 tasse du lait (125 mL). Ajoutez le reste du lait, mijotez à feu moyen, remuant souvent, jusqu'au point d'ébullition. Au moment de servir, versez ce lait chaud sur les tomates chaudes. Remuez vivement. Ne laissez pas bouillir. Lorsqu'il y avait du riz cuit, maman ajoutait 1/2 à 1 tasse (125 à 250 mL) de riz en même temps que le lait. *Pour 6 personnes.*

Soupe aux tomates vertes

Dans les années vingt, nous n'avions sur la table que les aliments canadiens saisonniers. À l'automne, les tomates vertes étaient en abondance. Une bonne portion était destinée au ketchup vert, mais chez nous on faisait aussi la soupe aux tomates vertes de grand-mère. Je n'ai jamais vu cette recette ailleurs. J'ignore donc d'où la tenait ma grand-mère. Tout ce que je sais, c'est que je la fais toujours car elle est si bonne. Maintenant, à l'automne, je prépare la base de cette soupe, je la congèle pour l'utiliser à l'hiver. Il ne s'agit alors que d'y ajouter la sauce blanche. Puisse-t-elle vous plaire!

3 pleines tasses (750 mL) de tomates vertes non pelées et hachées
1 gros oignon haché fin
une généreuse pincée de clous de girofle moulus
1/4 c. à thé (1 mL) de cannelle
1/4 c. à thé (1 mL) de poivre
1 c. à table (15 mL) de sucre
4 tasses (1 L) d'eau
1/4 c. à thé (1 mL) de soda à pâte
3 c. à table (50 mL) de beurre
3 c. à table (50 mL) de farine
4 tasses (1 L) de lait

Mettez dans une casserole les sept premiers ingrédients. Amenez à ébullition, baissez le feu et mijoter 20 minutes. Ajoutez le soda et remuez bien.

Préparez une sauce blanche légère avec le beurre, la farine et le lait. Lorsqu'elle est bouillonnante et crémeuse, ajoutez les tomates vertes. Mélangez bien. Assaisonnez au goût. *Pour 8 personnes.*

Bouillon de poisson

A l'exemple de maman, il m'arrive à l'occasion d'acheter un sac de têtes et de queues de morues à bon compte, et j'en fais un délicieux bouillon de poisson que je sers comme consommé.

8 tasses (2 L) d'eau
3 branches de céleri
1 feuille de laurier
1 oignon tranché
1 carotte tranchée
8 grains de poivre
1/2 c. à thé (2 mL) de thym
2 lb (1 kg) de têtes et de queues de morues
2 c. à table (30 mL) de vinaigre

2 c. à table (30 mL) de beurre
sel et poivre, au goût

Amenez dans une casserole les sept premiers ingrédients à forte ébullition et ajoutez le poisson. Couvrez et mijotez 40 minutes, puis coulez dans une passoire fine ou dans une moins fine doublée d'étamine. Remettez le bouillon de poisson dans la casserole, et ajoutez le vinaigre, le beurre, le sel et le poivre juste au moment de servir.

Pour en faire une soupe, ajoutez 1 tasse (250 mL) de nouilles fines, une tomate non pelée hachée finement, et mijotez jusqu'à ce que les nouilles soient tendres. Ou servez à l'italienne, en mettant 1 c. à table (15 mL) de parmesan râpé dans chaque assiette à soupe et en recouvrant du bouillon de poisson chaud. Saupoudrez de persil. Ce bouillon de poisson se congèle bien et se conserve de 3 à 4 mois. *Pour 6 personnes.*

Consommé de poisson à la florentine

Une des soupes au poisson des plus délicates, mais aussi des meilleures, accompagnée d'un bol de fromage parmesan.

2 c. à table (30 mL) de beurre
2 c. à table (30 mL) d'huile d'olive
1 carotte moyenne tranchée
1 oignon tranché
3 branches de céleri avec les feuilles grossièrement hachées
2 tomates fraîches hachées
8 tasses (2 L) d'eau bouillante
2 lb (1 kg) de filets d'aiglefin ou de flétan, frais ou dégelé
1 feuille de laurier
1/4 c. à thé (1 mL) de thym
1 tasse (250 mL) de nouilles fines non cuites
1/4 à 1/2 lb (60 à 125 g) de crevettes non cuites, pelées et coupées
en cubes

Faites fondre le beurre dans une marmite profonde, ajoutez l'huile d'olive, la carotte, l'oignon et le céleri. Couvrez et faites cuire pendant 10 minutes à feu moyen. Ajoutez les tomates, salez et poivrez à volonté. Ajoutez l'eau bouillante. Couvrez et laissez mijotez 30 minutes. Coupez le poisson en gros morceaux et ajoutez-le de même que la feuille de laurier et le thym. Couvrez et mijotez 20 minutes, sans toutefois laisser bouillir.

Retirez le poisson avec une spatule pour ne pas le briser et le mettre de côté (on peut le garder pour le servir en sauce ou en salade). Coulez le bouillon et reportez-le à ébullition. Ajoutez les nouilles et mijotez sans couvrir pendant 12 minutes. Ajoutez les crevettes et mijotez 5 minutes de plus. *Pour 6 personnes.*

Crème au fromage de Nanny

Lorsque Clara, notre gouvernante, (qui détestait faire la cuisine), décidait de cuisiner, celle-ci était une de ses recettes préférées dont toute la famille se régalait. La quantité de fromage peut paraître excessive, mais faites cette soupe, et vous verrez!

3 c. à table (50 mL) de beurre
2 carottes moyennes râpées
1 gros oignon haché fin
1/2 tasse (125 mL) de céleri en dés
1/4 de tasse (60 mL) de farine
4 tasses (1 L) de bouillon de poulet
1 pleine tasse (250 mL) de fromage cheddar fort, râpé
2 tasses (500 mL) de lait chaud
2 c. à soupe (30 mL) de persil émincé

Faites fondre le beurre dans une casserole, ajoutez les carottes, l'oignon et le céleri. Mijotez à feu moyen, pour faire fondre les légumes et les dorer légèrement ici et là, 15 minutes environ.

Ajoutez la farine et mélangez bien aux légumes. Ajoutez le consommé (on peut utiliser 4 tasses d'eau chaude avec du concentré de poulet). Remuez à feu moyen jusqu'à ce que tout le mélange soit porté à faible ébullution. Ajoutez le fromage et le lait. Remuez quelques secondes, retirez du feu. Ajoutez le persil et servez. (Pour préparer d'avance, suivez les directives, mais n'ajoutez le lait chaud et le fromage qu'au moment de servir.) *Pour 4 personnes.*

Soupe aux légumes de Monique

Dix minutes de préparation, dix secondes de mélange, cinq minutes de mijotage, et une excellente soupe aux légumes frais est apprêtée pour satisfaire six bons appétits. Si vous préférez une crème de légumes, consultez les variations.

2 boîtes de 10 onces (296 mL) de consommé non dilué
1 boîte de 7 1/2 onces (222 mL) de sauce aux tomates
1 tasse (250 mL) d'eau
1 tasse (250 mL) de pommes de terre pelées et coupées en dés

1/2 tasse (125 mL) de carottes tranchées
1/2 tasse (125 mL) de tête de céleri avec feuilles
1 oignon pelé et coupé en quatre
1 gousse d'ail pelée
1/2 c. à thé (2 mL) de sel
1 c. à thé (5 mL) de basilic ou de sarriette
1/2 c. à thé (2 mL) de sucre

Mettez le consommé et la sauce aux tomates dans une casserole, à feu moyen. Mettez l'eau et le reste des ingrédients dans la jarre du mélangeur. Couvrez et mélangez 10 secondes en faisant fonctionner et en arrêtant à plusieurs reprises, juste assez pour hacher les légumes, mais non pas pour les mettre en purée. Versez dans le liquide chaud, amenez à ébullition, mijotez 5 minutes. Vérifiez l'assaisonnement et servez. *Pour 6 personnes.*

Variation : ajoutez à la soupe tout reste de riz, nouilles ou macaroni cuit. L'été, remplacez la sauce aux tomates par trois tomates fraîches moyennes, coupées en quatre et mélangées avec les autres ingrédients. Pour faire une crème, remplacez la tasse d'eau par une égale quantité de crème légère ou épaisse et 3 c. à table (45 mL) de farine, versez sur la crème. Le temps de cuisson est le même; il faut remuer plus souvent à cause de la farine.

Potage à la citrouille

Un potage délicat, mais aussi élégant, léger et facile à préparer. Si vous possédez un mélangeur électrique ou un cuisinart, utilisez-le

4 tasses (1 L) de citrouille, pelée et en dés
3 c. à table (45 mL) de beurre
1/4 c. à thé (1 mL) de muscade
sel et poivre au goût
1 tasse (250 mL) de lait
1/2 tasse (125 mL) de crème épaisse
1/2 tasse (125 mL) de petits croûtons de pain (facultatif)

Faites fondre le beurre dans une casserole, ajoutez les dés de citrouille et la muscade. Couvrez et mijotez à feu doux durant 20 minutes. Ajoutez l'eau et le lait. Poursuivez le mijotage 10 à 15 minutes de plus. Passez dans une passoire ou un hachoir ou un mélangeur électrique ou cuisinart. Ajoutez la crème et faites chauffer. Servez avec des croûtons, si vous aimez. *Pour 4 personnes.*

Soupe aux tomates au vermicelle

Contrairement à la soupe aux tomates en crème de maman, celle-ci était faite avec des tomates fraîches. Elle pouvait être préparée d'avance et réchauffée quelques jours plus tard. Chez nous, le liquide utilisé était l'eau de cuisson de pommes de terre ou d'autres légumes, conjointement ou séparément.

2 c. à table (30 mL) de beurre
2 oignons hachés fin
3 grosses tomates mûres, pelées et tranchées
1/2 c. à thé (2 mL) de thym
1 feuille de laurier
1 c. à thé (5 mL) de sucre
5 tasses (1,25 L) de jus de légumes ou de consommé
1/4 à 1/2 tasse (60 à 125 mL) de vermicelle
ciboulette ou persil frais, au goût

Faites fondre le beurre, faites-y dorer les oignons légèrement à feu moyen, en remuant souvent. Ajoutez les tomates, le thym, la feuille de laurier et le sucre. Mijotez 15 minutes à feu moyen, en remuant souvent. Ajoutez le liquide de votre choix, amenez à ébullition. Ajoutez le vermicelle, le sel et le poivre, au goût. Faites bouillir 8 à 10 minutes. Saupoudrez chaque assiettée de soupe de persil ou de ciboulette au moment de servir. *Pour 4 à 6 personnes.*

Soupe aux lentilles

Cinq minutes de préparation seulement et voilà une des meilleures soupes d'hiver. C'est ma propre création, et j'en garde toujours au congélateur, car c'est la soupe préférée de mon mari. Un bol de soupe aux lentilles, une bonne pointe de tarte aux pommes avec fromage, et une grande tasse de thé font un succulent déjeuner d'hiver.

2 tasses (500 mL) de lentilles brunes
4 tasses (1 L) d'eau froide
2 c. à table (30 mL) de sel
1/4 c. à thé (1 mL) de poivre
1/2 tasse (125 mL) de beurre
1 boîte de 19 oz (540 mL) de tomates
1 oignon en dés
2 c. à table (30 mL) d'aneth frais ou
1 c. à table (15 mL) de graines d'aneth
2 gousses d'ail écrasées
2 feuilles de laurier

Mettez tous les ingrédients dans une casserole et amenez lentement à l'ébullition. Couvrez et mijotez à feu doux de 2 à 2 1/2 heures. *Pour 10 à 12 personnes.*

Soupe Chantrier

J'ai un faible pour toutes les soupes, mais lorsque j'ai dans mon réfrigérateur des poireaux, de l'orge et du bouillon de poulet, voilà ce que je fais en un tour de main!

4 tranches de bacon
2 gros poireaux
4 tasses (1 L) de bouillon de poulet
1 c. à table (15 mL) de beurre
1/4 de tasse (60 mL) d'orge perlée
3 c. à table (45 mL) de persil haché
1/2 tasse (125 mL) de crème riche

Hachez le bacon et faites-le frire jusqu'à ce qu'il soit doré et croustillant. Lavez les poireaux et tranchez-les mince, utilisant le plus possible du vert. Ajoutez au gras de bacon et remuez à feu moyen, environ 2 minutes. Ajoutez le bouillon de poulet.

Faites fondre le beurre dans un poêlon, ajoutez l'orge et remuez sans cesse jusqu'à ce qu'elle soit couleur noisette. Ajoutez à la soupe. Amenez à ébullition, baissez le feu et laissez mijoter une heure.

Ajoutez le persil à la crème et mijotez à feu très doux, pour réduire de moitié. Mettez de côté. Ajoutez à la soupe et servez. *Pour 4 personnes.*

Soupe aux pois fendus verts

Une soupe délicieuse et nourrissante pour laquelle un os de jambon est utilisé. La menthe fraîche est préférable, mais la menthe séchée s'emploie aussi.

1 1/2 tasse (375 mL) ou (360 g) de pois fendus verts
6 tasses (1,5 L) d'eau chaude
1 os de jambon
1 oignon finement haché
1/2 tasse (125 mL) de céleri en dés
2 tasses (500 mL) de lait
1 c. à table (15 mL) de beurre
1 c. à thé (5 mL) de menthe fraîche
sel et poivre au goût

Passez les pois sous l'eau froide et faites-les tremper jusqu'au lendemain recouvert d'eau froide. Le lendemain, égouttez et mettez les pois dans une grande casserole, et ajoutez l'eau chaude, l'os de jambon, l'oignon et le céleri. Couvrez et mijotez à feu doux durant 2 heures, remuant de temps en temps.

Retirez l'os et coulez la soupe dans une passoire ou passez au hachoir. Remettez la purée dans la casserole et ajoutez le lait, le beurre, la menthe, le sel et le poivre au goût. Mijotez ensemble durant quelques minutes et servez avec des croûtons au beurre. *Pour 6 personnes.*

Soupe froide aux asperges au mélangeur électrique

Il n'est pas nécessaire d'utiliser les têtes d'asperges, mais quelques-unes peuvent, à volonté, servir de garniture.

2 tasses (500 mL) d'asperges, en bouts d'1 po (2,5 cm)
2 branches de céleri
1 branche de persil
1 pincée d'estragon ou de thym
1 c. à thé (5 mL) de sel
2 tasses (500 mL) de consommé chaud
1 tasse (250 mL) de crème légère ou de lait
1 cube de bouillon de poulet
ciboulette émincée (facultatif)

Mettez tous les ingrédients dans la jarre du mélangeur électrique, suivant l'ordre donné. Mélangez 1 minute, puis versez dans une casserole, et faites simplement chauffer (ne laissez pas bouillir). Vérifiez l'assaisonnement, et garnissez de ciboulette émincée ou de têtes d'asperges cuites. *Pour 6 personnes.*

Soupe aux nouilles en crème

Cette soupe était cuite au bain-marie à cause de sa texture délicate —c'était une soupe de visite servie pour le dîner. Lorsque je n'ai pas de consommé maison, j'utilise du consommé en boîte dilué.

4 tasses (1 L) de consommé de bœuf ou de poulet
1 tasse (250 mL) de nouilles fines
2 c. à table (30 mL) de beurre
1 c. à table (15 mL) de farine
2 c. à table (30 mL) de fromage cheddar fort
2 jaunes d'œufs

1 tasse (250 mL) de crème légère
ciboulette émincée, lorsque disponible

Amenez le consommé à l'ébullition, ajoutez les nouilles et faites mijoter 10 minutes, à feu direct. Faites fondre le beurre dans le plat d'un bain-marie, ajoutez la farine et remuez au-dessus de l'eau bouillante pour bien mélanger. Ajoutez le fromage râpé et brassez bien. Ajoutez le consommé bouillant et les nouilles. Laissez cuire 15 minutes en remuant souvent.

Battez les jaunes d'œufs avec la crème. Ajoutez-y un peu du consommé chaud. Brassez bien et versez dans la soupe, en remuant durant une minute. Ne laissez pas bouillir. Garnissez de ciboulette ou de cresson, au moment de servir. *Pour 4 personnes.*

Soupe au fromage cottage

Une autre soupe nourrissante, légère et agréable. Pour en rehausser l'apparence, saupoudrez de persil haché au moment de servir.

1/2 tasse (125 mL) de feuilles de céleri finement hachées
4 tasses (1 L) de lait
1 petit oignon, haché fin
1/4 de tasse (60 mL) de beurre
2 c. à table (30 mL) de farine
2 c. à thé (10 mL) de sel
1/4 c. à thé (1 mL) de poivre
1/2 c. à thé (2 mL) de paprika
une pincée de muscade ou de macis
2 tasses (500 mL) de fromage cottage

Faites chauffer les feuilles de céleri et le lait au bain-marie à l'eau bouillante pendant 15 minutes. Dorez légèrement l'oignon dans le beurre à feu moyen. Incorporez la farine et les assaisonnements. Versez le tout dans le lait chaud et faites cuire jusqu'à épaississement, en remuant souvent.

Battez le fromage avec un fouet ou un batteur à main pour le rendre lisse. Ajoutez à la soupe, faites mijoter 15 minutes, et garnissez au goût. *Pour 4 personnes.*

Soupe aux pétoncles en crème

Une de mes spécialités du temps des fêtes, dont on peut faire une élégante réception après-ski autour du foyer. C'est un repas complet. Servez-le avec du pain français grillé et un verre de muscadet sec.

1/2 tasse (125 mL) de beurre
1 tasse (250 mL) de céleri en dés
1 tasse (250 mL) de carottes finement râpées
1 oignon moyen émincé
1 poireau tranché mince
1/4 de tasse (60 mL) de beurre
1/2 tasse (125 mL) de farine
2 tasses (500 mL) de crème légère
1 lb (500 g) de pétoncles coupés en quatre
1 tasse (250 mL) de jus de pétoncles en bouteille
1/2 tasse (125 mL) de vin blanc ou de sherry sec
sel et poivre, au goût

Faites fondre la 1/2 tasse (125 mL) de beurre dans une casserole. Ajoutez le céleri, les carottes, l'oignon et le poireau, remuez à feu moyen pour bien enrober de beurre. Couvrez et laissez mijoter à feu doux 20 minutes, brassant une ou deux fois. Faites une sauce blanche avec le beurre, la farine, le lait et la crème. Ajoutez aux légumes, salez et poivrez au goût. Mélangez bien. Couvrez et laissez reposer jusqu'au moment de servir. (On peut aussi préparer la veille et réfrigérer.) Au moment de servir, amenez le jus de pétoncles à ébullition, ajoutez les pétoncles, le vin blanc ou le sherry. Faites mijoter à feu doux pendant 10 minutes, mais évitez l'ébullition, ce qui durcirait les pétoncles. Lorsque le tout est bien chaud, versez dans le mélange de légumes en crème. Vérifiez l'assaisonnement et servez. *Pour 6 à 8 personnes.*

Les Salades et leurs garnitures

Salade de capucines

Vers l'âge de 15 ans, j'assistais un jour à une conférence sur les fleurs de jardin. Le conférencier était d'avis que nous devrions toujours avoir des capucines dans nos jardins. Elles sont prolifiques, colorées et peuvent être utilisées dans la cuisine. Leur parfum du matin est piquant. Elles ont une qualité très extraordinaire : chaque fleur se compose de huit mâles et d'une femelle. J'en fus révoltée! Comment une femelle pouvait-elle supporter tous ces mâles? Séance tenante, ma décision fut prise de faire cuire tous les mâles; mais comment savoir si ce n'étaient que les mâles et si la femelle n'était pas de la partie. Je n'ai jamais oublié ces propos.

1 laitue Boston ou 1 laitue frisée
6 à 10 feuilles de capucines fraîches
vinaigrette au goût
3 graines vertes de capucines
quelques fleurs

Lavez la laitue quelques heures d'avance. Placez une feuille de papier absorbant au fond d'un sac de plastique et mettez-y de la laitue. Fermez bien le sac. Réfrigérez (cela peut se faire même 12 heures à l'avance). Mettez la laitue dans un bol à salade. Ajoutez les feuilles de capucins coupées aux ciseaux. Tournez la salade avec de la vinaigrette à volonté. Hachez les graines grossièrement et saupoudrez-les sur le dessus. Disposez les fleurs en couronne autour du bol ou déposez-les en bouquet au centre de la salade. Servez une fleur ou deux avec chaque portion. *Pour 4 personnes.*

Salade de pissenlits

Mai, c'est le mois des pissenlits. Etes-vous jamais allée, au début de ce mois, armée d'un panier et d'un couteau tranchant faire la cueillette des feuilles de dents-de-lion; petites, vertes et tendres? L'été, elles sont une véritable peste dans la pelouse, mais en mai les pissenlits font une délicieuse salade. Lavez bien les feuilles et séparez-les. Enveloppez-les dans un linge propre et rafraîchissez-les quelques heures. Au moment de servir, mettez les feuilles de pissenlit dans un bol à salade et saupoudrez-les de 5 à 7 tranches de bacon croustillant émietté, ou de petits lardons bien grillés (au Québec, les lardons sont traditionnels). Faites frire un oignon émincé dans le gras de bacon ou de porc jusqu'à ce qu'il soit légèrement doré, ajoutez-y 2 à 3 c. à table (30 à 50 mL) de vinaigre de cidre ou de malt. Versez sur les pissenlits, salez et poivrez. Remuez et servez sans délai. L'arrivée du printemps est évidente lorsqu'on peut manger une salade de pissenlits, si succulente accompagnée de pain de ménage et de fromage à la crème. *Pour 4 personnes.*

Salade santé

Ici, c'est un mélange de fromage cottage et de crème sure de la laiterie qui remplace la vinaigrette traditionnelle. Avec des légumes d'été, c'est un délicieux repas santé.

1 laitue Boston
1/2 concombre pelé et tranché mince
8 radis tranchés mince
1 tomate en pointes
3 oignons verts (y compris les queues) hachés
3/4 de tasse (200 mL) de crème sure commerciale
1 tasse (250 mL) de fromage cottage
1/4 c. à thé (1 mL) de sel
1 c. à thé (5 mL) de ciboulette émincée (facultatif)
poivre au goût
poudre d'ail au goût

Brisez la laitue lavée en petits morceaux et entassez-la dans un bol de service. Entourez-la des concombres, radis, tomates et oignons. Mélangez le reste des ingrédients, battez à fond et versez sur la laitue. Remuez le tout ensemble au moment de servir. *Pour 4 à 6 personnes.*

Salade verte à la crème fouettée

Cette salade et la salade à l'ancienne ont à peu près disparu de notre table. Celle-ci est toujours la meilleure à servir avec de minces tranches de poulet, ou de veau froid, ou encore avec le saumon poché froid. C'était une salade printanière et nous la faisions avec de la laitue frisée et de la laitue pommée du type Boston.

1 ou 2 laitues frisées
1 pomme de laitue Boston
1 tasse (250 mL) de crème riche
1 c. à table (15 mL) de sucre

1 c. à thé (5 mL) de sel
1 c. à table (15 mL) de vinaigre blanc ou de cidre
2 ou 3 oignons verts hachés fin
2 c. à table (30 mL) de persil haché fin
une ou deux tiges de menthe fraîche (facultatif)

Enlevez le cœur de la laitue, retirez-en les feuilles et lavez-les à
l'*eau glacée*. Égouttez bien dans un panier à salade, si possible. Mettez
dans un sac de plastique, avec un essuie-tout de papier dans le fond,
(l'excès d'eau est absorbé pour rendre la laitue plus croustillante).
Mettez au réfrigérateur jusqu'au moment d'utiliser.

Au moment de servir, fouettez la crème, ajoutez le reste des ingrédients, sauf la menthe, un à la fois, et en battant après chaque addition
juste assez pour mélanger. Mettez la laitue dans un bol à salade.
Versez le mélange sur la laitue à la cuillère et remuez avec deux
fourchettes. Garnissez des tiges de menthe et servez. *Pour 6 personnes.*

Salade d'oignon et de fromage cottage

Attrayante, appétissante et savoureuse. Une agréable diversion de la
combinaison habituelle de fromage cottage et de fruits.

laitue Boston ou Iceberg
un petit récipient de fromage cottage
4 petites betteraves
3 c. à table (45 mL) de vinaigrette au citron
zeste râpé d'un demi-citron
1 petit oignon blanc ou jaune
1/4 de tasse (60 mL) de persil émincé

Disposez des feuilles de laitue en coupes sur des assiettes. Mettez
du fromage cottage dans chaque coupe. Remuez les betteraves dans la
vinaigrette et le zeste de citron, coupez en quartiers et disposez comme
une couronne autour du fromage cottage. Coupez les oignons en
tranches minces et défaites-les en anneaux. Roulez les anneaux dans le
persil. Placez sur le fromage cottage. Versez une cuillerée à thé de
vinaigrette sur le tout. *Pour 2 personnes.*

La salade de chou de Monique

Ce qui suit est si simple que vous vous demanderez pourquoi se
préoccuper de la glace? Voilà pourtant le secret d'une bonne salade de
chou non détrempée.

3 tasses (750 mL) de chou finement haché
3 c. à table (45 mL) d'huile d'olive ou d'huile à salade
jus et zeste râpé d'1/2 citron
sel et poivre au goût
2 oignons verts hachés fin

Mettez le chou haché dans un bol d'eau froide. Recouvrez d'un rang de cubes de glace. Placez 3 à 5 heures au réfrigérateur. Égouttez et asséchez en roulant dans un linge ou des essuie-tout de papier. Ajoutez le reste des ingrédients au chou. Remuez le tout et conservez au réfrigérateur jusqu'au moment d'utiliser. *Pour 4 personnes.*

Salade de chou et sauce moutarde à la crème

Si vous aimez la bonne cuisine, ceci vous plaira : ce n'est pas du tout la salade de chou de restaurant. Servez-la lors de votre prochain buffet, de préférence, avec un jambon au four.

2 à 4 tasses (500 à 1000 mL) de chou râpé fin
4 œufs
1/4 de tasse (60 mL) de sucre
1 c. à table (15 mL) de moutarde sèche
1/2 c. à thé (2 mL) de sel
1/2 c. à thé (2 mL) de vinaigre blanc
1 c. à table (15 mL) de gélatine non aromatisée
1/2 tasse (125 mL) d'eau froide
1/2 chopine (250 mL) de crème épaisse fouettée
1/2 tasse (125 mL) de persil haché
3 à 5 oignons verts finement hachés
1 c. à table (15 mL) de sucre
3 c. à table (50 mL) de vinaigre de cidre
2 c. à table (30 mL) d'huile à salade
1 c. à thé (5 mL) de sel

Le jour avant d'utiliser, râpez le chou. Mettez-le dans un bol, recouvrez de cubes de glace et réfrigérez. Le lendemain, battez les œufs pour obtenir un mélange pâle, ajoutez alors le sucre, la moutarde et le sel. Mélangez bien et ajoutez le vinaigre en battant. Trempez la gélatine 5 minutes dans 2 c. à table d'eau froide et ajoutez au mélange des œufs. Ajoutez ensuite le reste de l'eau.

Faites cuire à feu doux, remuant sans cesse jusqu'à consistance de crème anglaise. Ne laissez pas bouillir, le mélange tournerait. Réfrigérez une heure environ, ou jusqu'à ce que le mélange ait la consistance des blancs d'œufs. Incorporez-y ensuite la crème fouettée et faites prendre au réfrigérateur dans un moule à couronne huilé.

Égouttez le chou et tordez-le dans un linge pour l'assécher. Mettez-le dans un bol et ajoutez le persil, les oignons verts, le sucre, le vinaigre, l'huile et le sel. Brassez bien le tout. Au moment de servir, démoulez la sauce sur un plateau. Remplissez le trou de salade de chou et entourez la couronne de la salade. *Pour 6 à 8 personnes.*

La meilleure des salades de pommes de terre

Le secret de cette salade, c'est la tasse de consommé chaud versée sur les pommes de terre cuites. Les pommes de terre l'absorbent en entier et se conservent au moins 24 heures; la texture en est légère et agréable.

6 à 8 pommes de terre moyennes non pelées
1 tasse (250 mL) de consommé chaud
3 c. à table (50 mL) d'huile végétale
2 c. à table (30 mL) de jus de citron frais
2 c. à table (30 mL) de crème légère
2 échalotes hachées fin
sel et poivre au goût
un soupçon de muscade
1 c. à thé (5 mL) de câpres (facultatif)

Brossez les pommes de terre et faites-les bouillir ou faites-les cuire à la vapeur. Je préfère la cuisson à la vapeur, sans toutefois les laisser trop cuire. Égouttez-les. Asséchez-les et pelez-les pendant qu'elles sont chaudes. Tranchez de l'épaisseur désirée, mettez dans un bol et versez le consommé sur le dessus (ce peut être du bouillon de poulet ou de bœuf maison; du consommé en boîte, tel quel ou dilué au goût; ou on peut utiliser une cuillerée de concentré de poulet ou de boeuf dilué dans 1 tasse (250 mL) d'eau chaude ou d'eau de cuisson de légumes). Brassez légèrement avec une spatule de caoutchouc. Recouvrez le bol de papier. Laissez reposer 20 minutes.

Mélangez le reste des ingrédients. Ajoutez aux pommes de terre, remuez avec soin. Vérifiez l'assaisonnement. Conservez à la température ambiante jusqu'au moment de servir. *Pour 6 personnes.* Une manière de servir cette salade, c'est de la mettre dans un bol, de l'entourer de cresson ou de feuilles de laitue Boston croustillantes, vertes, et de servir avec de minces tranches de poulet ou de rôti de bœuf froid et en plaçant sur la table un pot de moutarde de Dijon.

Salade de pommes de terre barigoule

Une spécialité estivale de la Côte d'Azur, se prête bien pour une réception. Mettez une portion de salade dans une grande feuille de laitue croustillante pour chaque convive. Disposez sur un plateau avec des bâtonnets ou des cœurs de céleri pour combler les espaces libres.

5 grosses pommes de terre
2/3 de tasse (160 mL) de consommé ou de vin blanc
1/3 de tasse (80 mL) d'huile à salade
1 c. à table (15 mL) de vinaigre
1/4 de tasse (60 mL) d'oignons verts hachés
2 c. à table (30 mL) de persil haché
sel et poivre au goût
1/4 de tasse (60 mL) de beurre fondu

Brossez les pommes de terre et faites-les bouillir jusqu'à ce qu'elles soient tendres, puis égouttez-les et pelez-les. Taillez-les en cubes ou tranchez-les, mettez-les dans un bol, avec le reste des ingrédients pendant qu'elles sont tièdes. Remuez avec soin, couvrez et laissez mariner 2 à 3 heures à la température ambiante. Ne réfrigérez pas, ce qui ferait coaguler le beurre et durcir les pommes de terre. *Pour 4 à 6 personnes.*

Salade de concombre à la crème sure

Servez de préférence dans un bol de cristal et garnissez de branches d'aneth frais.

4 concombres moyens
1 c. à table (15 mL) de sel
1 tasse (250 mL) de crème sure commerciale
2 c. à table (30 mL) de vinaigre blanc
1/4 de tasse (60 mL) d'huile à salade
1 c. à thé (5 mL) de sucre
3 c. à table (50 mL) d'aneth haché

Brossez les concombres, ne les pelez pas. Enlevez les bouts, striez sur la longueur avec les dents d'une fourchette, tranchez ensuite aussi mince que possible. Mettez les tranches dans un bol, saupoudrez de sel, et laissez reposer une heure à la température ambiante. Égouttez et passez à l'eau froide pour enlever le sel; pressez pour assécher.

Mélangez la crème sure, le vinaigre, l'huile, le sucre, l'aneth, et versez sur les concombres. Salez, poivrez et réfrigérez. Remuez juste avant de servir. *Pour 4 personnes.*

Concombres Mizeria

En 1954, dans une émission de trente minutes à la télévision, plusieurs Ukrainiennes m'enseignaient à faire leurs spécialités culinaires. Celle-ci fut ma préférée et je la fais encore.

3 concombres moyens
1 c. à thé (5 mL) de sel
4 ou 5 oignons verts émincés
1 c. à table (15 mL) d'aneth frais émincé
3 c. à table (50 mL) de vinaigre blanc
1/2 c. à thé (2 mL) de sel
1/2 c. à thé (2 mL) de sucre
1/4 c. à thé (1 mL) de poivre
1/4 de tasse (60 mL) de crème sure commerciale

Pelez les concombres; lavez-les simplement si ce sont de jeunes concombres fraîchement cueillis. Pelés ou non, striez-les sur la longueur avec les dents d'une fourchette, pour rendre plus attrayants. Tranchez aussi mince que possible. Mettez sur un plat, saupoudrez de sel et laissez reposer 15 minutes. Égouttez, pressez pour faire sortir l'eau accumulée, et mettez les tranches dans un bol.

Ajoutez les oignons, l'aneth, le vinaigre, le sel, le sucre et le poivre. Brassez le tout et réfrigérez une heure, ou laissez reposer 5 minutes. Recouvrez de la crème sure juste avant de servir. Une tige d'aneth sur la crème sure est très attrayante. *Pour 4 à 6 personnes.*

Salade de champignons frais

Le choix du gourmand pour le déjeuner, servie avec du pain français grillé non beurré. C'est une salade délicate et savoureuse.

1 pomme de laitue Boston ou Iceberg
3/4 de tasse (200 mL) de crème sure commerciale
jus et zeste râpé d'1/2 citron
1 c. à thé (5 mL) de sel
1 c. à thé (5 mL) de sucre
1/4 c. à thé (1 mL) de poivre
2 oignons verts (y compris les queues) hachés
1/2 livre (250 mL) de champignons tranchés mince
3 œufs durs

Enlevez le cœur de la laitue, lavez-la et coupez-la en quatre, puis réfrigérez-la pour qu'elle soit fraîche et croustillante. Mélangez le reste des ingrédients, sauf les œufs, et vérifiez l'assaisonnement.

Au moment de servir, mettez les quartiers de laitue sur une assiette et versez sur chacun un quart de la crème de champignons. Tranchez les œufs et disposez autour de la laitue ou râpez sur le dessus. *Pour 4 personnes.*

Macédoine de légumes

La simple vinaigrette de cette salade peut agrémenter des légumes variés à volonté.

1 tasse (250 mL) de carottes crues, râpées
1 tasse (250 mL) de pommes non pelées râpées
1 c. à thé (5 mL) de jus de citron frais
1 tasse (250 mL) de chou finement râpé
4 c. à table (60 mL) d'eau
1 c. à table (15 mL) de sucre
2 c. à table (30 mL) de jus de citron frais

Mettez les carottes dans un bol. Remuez les pommes avec la cuillerée à thé (5 mL) de jus de citron pour éviter la décoloration, ajoutez-les aux carottes, puis au chou. Mélangez le reste des ingrédients, ajoutez-les à la salade et brassez. Réfrigérez dans un bol jusqu'au moment d'utiliser. *Pour 4 personnes.*

La méthode classique des légumes à la grecque

Cette recette classique est une des meilleures manières de servir une salade de légumes cuits refroidis. Le choix peut être varié à l'infini : céleri, asperges, chou-fleur, concombres, champignons, zucchini, haricots verts, petits oignons à marinade ou poireaux, environ une tasse (250 mL) par portion.

1 c. à thé (5 mL) de graines de fenouil
1/2 c. à thé (2 mL) de thym
12 grains de coriandre
2 feuilles de laurier
10 grains de poivre
2 tasses (500 mL) d'eau
1/2 tasse (125 mL) de vin blanc sec
1/3 de tasse (80 mL) d'huile d'olive
1/2 c. à thé (2 mL) de sel
jus d'un citron

Coupez les légumes de votre choix en bouchées, mais non pas en morceaux trop petits. Le chou-fleur et le brocoli devraient être divisés en têtes fleuries, les petits oignons laissés entiers; les champignons tranchés et coupés en quatre ou laissés entiers, s'ils sont petits. Ne faites cuire qu'une sorte de légume à la fois car les temps de cuisson varient. Le même liquide peut servir pour tous les légumes.

Faites un petit sac avec une double épaisseur de coton à fromage et remplissez des 5 premiers ingrédients. Attachez le sac et mettez-le dans le mélange du reste des ingrédients dans une casserole. Amenez lentement au point d'ébullition, couvrez et faites mijoter à feu doux 30 minutes.

Ramenez à forte ébullition. Ajoutez graduellement les légumes préparés, pour éviter d'arrêter l'ébullition. Baissez le feu pour laisser mijoter et faites cuire les légumes jusqu'à ce qu'ils soient tendres mais encore un peu croustillants. Répétez le procédé pour les légumes dont le temps de cuisson varie, les plaçant dans un bol non métallique. Lorsque la cuisson des légumes est terminée, versez le liquide sur le tout et laissez refroidir. Couvrez et réfrigérez jusqu'au lendemain. Égouttez les légumes de la marinade avant de les servir. Tous les légumes à la grecque peuvent être servis tels quels, combinés dans une salade ou employés comme garniture de salade. *Pour 6 personnes.*

La ratatouille roumaine de Monique

Les Roumains la nomment ghivetch; les Français disent ratatouille; les Italiens, caponata. Pour ma fille, c'est « selon la saison et ce qu'il y a dans le frigo ». L'important c'est que cette ratatouille soit croustillante, tendre, attrayante et légère. La méthode roumaine est la meilleure, et c'est la plus facile. Elle se conserve quinze jours au réfrigérateur.

1 1/2 tasse (400 mL) de carottes tranchées mince ou taillées en bâtonnets
1 tasse (250 mL) de céleri coupé sur le biais
2 ou 3 petits zucchini moyens non pelés et tranchés épais
1 piment vert et 1 rouge (ou 2 d'une sorte) nettoyés et coupés en languettes d'1/2 pouce (1,25 cm)
4 tomates fermes, coupées en quartiers
1 petit chou-fleur, divisé en têtes
1/2 tasse (125 mL) d'huile d'olive ou à salade
2 c. à thé (10 mL) de sel
2 grosses gousses d'ail écrasées
1 c. à thé (5 mL) d'estragon séché
1 c. à thé (5 mL) de marjolaine ou de sarriette séchée
1/2 c. à thé (2 mL) de fenouil ou graines d'aneth

1/4 de tasse (60 mL) de persil émincé
1 tasse (250 mL) de consommé en boîte, non dilué

Lavez, coupez et mélangez tous les légumes dans un grand bol. Les légumes peuvent être variés mais la quantité maintenue. Versez 2 c. à table (30 mL) d'huile sur le mélange et mélangez délicatement avec les mains jusqu'à ce que les légumes soient enrobés et brillants. Cela est important, car c'est ainsi que les légumes conservent leurs couleurs vives même après la cuisson. Chauffez le reste de l'huile avec les ingrédients qui restent.

Mettez les légumes sur une grande plaque à biscuits ou dans une rôtissoire. Arrosez du mélange chaud. Recouvrez bien d'un papier d'aluminium et faites cuire 45 minutes au four à 350°F (180°C). (Ne soulevez pas le papier, il ne faut pas s'inquiéter, le résultat est toujours bon). Refroidissez dans le récipient couvert. Découvrez lorsque refroidie, vérifiez l'assaisonnement. Versez dans un plat de service (Monique utilise un grand bol de cristal). Couvrez et refroidissez jusqu'au lendemain. Pour servir, accompagnez de quartiers de citron ou d'une carafe de vin ou de vinaigre de cidre. *Pour 6 à 8 personnes.*

Salade de betteraves crues

Servez dans un nid de laitue pour garnir une salade de fruits. Différente, attrayante et savoureuse. Frottez-vous les mains avec du citron pour éviter de les tacher avec le jus de betteraves.

2 tasses (500 mL) de betteraves
1 tasse (250 mL) d'arachides salées, hachées
2 c. à table (30 mL) de mayonnaise
4 c. à table (60 mL) de vinaigrette
1 c. à thé (5 mL) de jus de citron
sel et poivre au goût

Mélangez les betteraves et les arachides. Incorporez au mélange le reste des ingrédients. Comme salade, servez sur un lit de laitue ou de chou finement râpé et garnissez de mayonnaise. *Pour 4 personnes.*

Vinaigrette

La vinaigrette classique se compose de quatre ingrédients: huile végétale ou huile d'olive, vinaigre de vin ou de cidre, sel et poivre frais moulu. Il ne se fait pas d'émulsion comme dans la mayonnaise, donc il faut bien agiter la vinaigrette. La saveur variera selon les variétés d'huile et de vinaigre utilisés.

La vinaigrette de base

Quantité suffisante pour trois tasses de verdures ou autres légumes.
Mélangez dans le bol :

> *1 c. à table (15 mL) de vinaigre*
> *1/4 c. à thé (1 mL) de sel*
> *1/8 c. à thé (0,5 mL) de poivre frais moulu*
> *3 c. à table (50 mL) d'huile végétale ou d'olive*

A la française, on mélange la vinaigrette dans le fond du bol à
salade. Si une salade doit attendre, préparez la vinaigrette dans le fond
du bol, recouvrez d'un carré de papier ciré, et mettez les verdures ou
autres ingrédients à utiliser sur ce papier. Cela peut se faire même 2
heures avant de brasser, pourvu que le tout soit réfrigéré. Au moment
de servir, retirez délicatement le papier, essuyez le côté huilé sur la
laitue, jetez le papier, et remuez la salade. C'est un truc de chef.

Comment varier votre vinaigrette

Vinaigrette au citron : substituez au vinaigre le jus et le zeste râpé
d'un demi-citron pour 3 c. à table (45 mL) de l'huile.

A l'ail : n'ajoutez pas d'ail à la vinaigrette, mais frottez le bol à
salade avec une gousse d'ail dont une petite tranche a été enlevée à un
bout, jusqu'à ce que l'ail se désagrège par le frottement et alors le bol
est bien aillé. Faites une vinaigrette simple dans le bol et remuez-y la
salade.

A la moutarde : mélangez au vinaigre de la vinaigrette de base, 1 c.
à thé (5 mL) de moutarde préparée (ou moitié moutarde préparée,
moitié moutarde sèche). Essayez l'une ou l'autre des moutardes recom-
mandées pour la mayonnaise de base. Chaque type de moutarde
donnera à la salade une saveur distincte.

Vinaigrette au citron

Gardez-en à la main, elle deviendra peut-être votre préférée pour
toutes les salades.

> *1/4 de tasse (60 mL) de jus de citron frais*
> *1 c. à thé (5 mL) de moutarde de Dijon*
> *1/2 c. à thé (2 mL) de sucre*
> *1/2 c. à thé (2 mL) de sel*
> *1/4 c. à thé (1 mL) de poivre*
> *1/2 à 3/4 de tasse (125 à 200 mL) d'huile d'olive ou à salade*

Mélangez avec un petit fouet, le jus de citron, la moutarde, le sucre, le sel et le poivre. Ajoutez l'huile et fouettez ensemble pendant 2 minutes. Versez dans un récipient de verre. Agitez fortement avant d'utiliser. *Rendement : 1 1/4 tasse (310 mL).*

La mayonnaise Mille-Îles

Une mayonnaise élégante qui date des années trente et qui a survécu. Elle était surtout populaire sur des quartiers de laitue ou une salade de crabe ou de crevettes (une grosse portion de cette salade accompagnée de popover chaud et du café en quantité coûtait $1.35!!!) (J'ai découvert un vieux reçu dans mes dossiers. J'ignore ce qu'il faisait là.) Nous avons dégusté une telle salade de crabe à l'Île-du-Prince-Édouard. Je n'en ai jamais oublié l'attrait. On présenta ce crabe fraîchement ramassé dans un plat de porcelaine, en disant que le crabe ne doit jamais toucher le métal; la mayonnaise Mille-Îles était dans un bol d'argent.

> *1 tasse (250 mL) de mayonnaise de votre choix*
> *1/3 de tasse (80 mL) de sauce chili*
> *1 c. à table (15 mL) de vinaigrette française de votre choix*
> *1/4 de tasse (60 mL) de crème sure commerciale*
> *1/4 de tasse (60 mL) d'olives hachées*
> *1/4 de tasse (60 mL) d'aneth ou de cornichons hachés*
> *2 c. à table (30 mL) de piment doux en dés (facultatif)*
> *1 c. à table (15 mL) d'oignon vert émincé*
> *2 c. à thé (10 mL) de persil haché*
> *1 c. à table (15 mL) de vinaigre de vin blanc ou rouge*

Mélangez tous les ingrédients. Conservez au réfrigérateur. *Rendement : 1 tasse (250 mL).*

Sauce au yogourt à l'huile

> *4 c. à table (60 mL) de yogourt non aromatisé*
> *2 c. à table (30 mL) d'huile d'arachides*
> *1/4 c. à thé (1 mL) de sel*
> *poivre au goût*
> *2 oignons verts, hachés fin*
> *persil haché au goût*

Mélangez le yogourt et l'huile. Ajoutez le reste des ingrédients et mélangez bien le tout. Embouteillez et conservez tel que la simple sauce pour salade au yogourt. *Rendement : 6 c. à table (90 mL).*

Sauce pour salade au yogourt

Toute personne qui veut maigrir appréciera cette vinaigrette; moi, je l'aime, que je sois ou non au régime. Essayez-la sur un quartier de laitue saupoudrée d'oignons verts hachés.

1/2 tasse (125 mL) de yogourt non aromatisé
1/4 c. à thé (1 mL) de miel
1/4 c. à thé (1 mL) de sel
1/2 c. à thé (2 mL) de jus de citron frais
zeste râpé d'un quart de citron

Battez tous les ingrédients ensemble avec un fouet ou un batteur à main. Conservez dans un bocal couvert au réfrigérateur. Agitez avant d'utiliser. Cette sauce se conserve de 3 à 4 mois. *Rendement : 1/2 tasse (125 mL).*

La mayonnaise

La mayonnaise classique est une émulsion à froid, c'est-à-dire une combinaison de deux liquides qui fondamentalement sont incompatibles, tel que l'huile et le vinaigre ou autre acide. Pour les lier, un agent d'émulsion est requis, et dans ce cas, c'est un jaune d'œuf, sans lequel le mélange tourne. Par exemple, la vinaigrette française se sépare dès qu'on ne remue plus le mélange, car rien ne lie les ingrédients.

La meilleure mayonnaise est sans contredit celle que vous faites vous-même dans votre cuisine. Lorsque vous aurez appris à la faire, vous voudrez en servir souvent. De nombreuses variations sont possibles à partir de la recette de base, en y ajoutant simplement quelques ingrédients.

Le choix de l'huile dépend de l'usage qui sera fait de la mayonnaise et aussi de votre goût personnel. Une huile pure donne une mayonnaise âcre, moitié huile d'olive et moitié huile d'arachides donne une mayonnaise très agréable au goût; toutes les huiles végétales donnent une mayonnaise à saveur douce. Le vinaigre est aussi très important; chaque sorte de vinaigre : de malt, de cidre, de vin rouge ou blanc, vinaigre oriental, surtout le japonais; vinaigre aux herbes, donne une saveur distincte à la mayonnaise. Le type de moutarde : de Dijon, Gering, sèche, faite à la maison, finlandaise, modifiera aussi la saveur.

Pour ce qui est du temps requis, le procédé tout entier d'émulsion pour une mayonnaise prendra de 20 à 25 minutes lorsque tous les ingrédients et ustensiles sont réunis à la portée de la main.

Mayonnaise de base

Apprenez à bien faire cette recette et vous aurez surmonté toutes les difficultés.

2 jaunes d'oeufs
1/2 c. à thé (2 mL) de moutarde sèche, ou autre au choix
2 à 4 c. à table (30 à 60 mL) de vinaigre de cidre, de vin blanc ou de
   jus de citron frais
1 tasse (250 mL) d'huile d'olive ou végétale
1 c. à thé (5 mL) de sel

Mettez les jaunes d'oeufs dans un bol. Ajoutez la moutarde sèche et 2 c. à table (30 mL) de vinaigre de vin, ou de jus de citron. Battez le tout avec un fouet. Ajoutez l'huile lorsque le tout est bien lié, et c'est là le secret de la réussite d'une mayonnaise; l'huile doit être ajoutée presque goutte à goutte, en battant fortement et sans cesse avec un fouet jusqu'à ce qu'une émulsion se fasse, la texture deviendra alors lisse et crémeuse. Après cela, l'huile peut être ajoutée plus vite, mais jamais trop à la fois. Toujours assurez-vous que l'huile est bien absorbée avant d'en ajouter davantage. Plus l'huile est ajoutée lentement au début, plus la consistance de la mayonnaise sera ferme. A son meilleur, la mayonnaise doit avoir la consistance d'une crème fouettée épaisse. Ajoutez le sel vers la fin et vérifiez l'assaisonnement.

Si l'huile est ajoutée trop rapidement, la mayonnaise tournera et on ne parviendra pas à la lier seulement en la battant. Dans ce cas, il faudra recommencer avec un bol propre. Mettez 1 c. à thé (5 mL) de moutarde sèche dans le bol et mélangez-la avec quelques gouttes d'eau ou battez fermement un jaune d'oeuf jusqu'à mélange crémeux et ajoutez lentement la mayonnaise tournée, goutte à goutte, comme l'huile au début. À mesure que l'émulsion se fait de nouveau, l'addition peut se faire plus rapidement.

Pour une mayonnaise à saveur acide, ajoutez une cuillerée à thé ou deux (5 à 10 mL) de vinaigre de cidre ou de jus de citron frais, lorsque le mélange a épaissi, mais tout en battant.

N'oubliez pas que le secret de la réussite d'une mayonnaise réside dans la lente addition de l'huile et l'usage d'un fouet métallique pour la battre, ou d'un batteur à main électrique à vitesse moyenne ou d'un processeur d'aliments (le plus facile) ou la jarre d'un mélangeur électrique.

La mayonnaise se conserve au frais, dans un bocal de verre bien fermé. Ne réfrigérez pas, car l'huile se solidifiera à une température

trop froide et il est probable que la mayonnaise tournera. *Rendement :
1 1/2 tasse (375 mL).*

Mayonnaise à la fécule de maïs

Sa texture et sa saveur rappellent celles de la mayonnaise que l'on
achète. Elle est plus rapide à faire que la mayonnaise de base et elle
coûte moins cher.

*1 œuf non battu
1 à 2 c. à table (15 à 30 mL) de sucre
1 c. à thé (5 mL) de sel
1 c. à thé (5 mL) de moutarde sèche
1/8 c. à thé (0,5 mL) de paprika
1/4 de tasse (60 mL) de jus de citron ou de vinaigre
3/4 de tasse (200 mL) d'huile végétale
4 c. à table (60 mL) de fécule de maïs
1 tasse (250 mL) d'eau*

Mettez dans un bol l'œuf non battu, le sucre, le sel, la moutarde, le
paprika, le jus de citron ou le vinaigre et l'huile à salade. Préparez la
base de la mayonnaise en délayant la fécule de maïs et l'eau dans une
casserole, pour amener au point d'ébullition en brassant sans arrêt.
Faites bouillir une minute, en remuant constamment. Le mélange sera
très épais.

Retirez du feu et versez cette crème sur le mélange des œufs. Battez
au batteur électrique jusqu'à l'obtention d'une mayonnaise lisse et
crémeuse. Couversez au réfrigérateur dans un bocal fermé. *Rendement : 2 tasses (500 mL).*

Mayonnaise bouillie

La mayonnaise ainsi désignée est légère, moins huileuse, et la préférée
de bien des gens. Elle est aussi en quelque sorte une mayonnaise cuite.

*3 œufs
1 c. à thé (5 mL) de moutarde sèche
1/4 de tasse (60 mL) de sucre
1/2 tasse (125 mL) de vinaigre au choix
1/4 de tasse (60 mL) d'eau
1 c. à thé (5 mL) de sel
1 c. à table (15 mL) de farine
2 c. à table (30 mL) de beurre
3/4 de tasse (200 mL) de lait*

Battez bien les œufs dans une casserole, ajoutez-y la moutarde, le sucre, le vinaigre et l'eau. Mélangez le tout. Ajoutez le sel, puis, en battant, la farine, le beurre et le lait. Faites cuire à feu moyen en remuant sans cesse jusqu'à ce que le mélange soit lisse et épais. Baissez le feu et laissez mijoter 5 minutes, en brassant souvent. Retirez du feu. Recouvrez d'un papier. Refroidissez et versez dans un bocal de verre. Conservez au réfrigérateur. *Rendement : 1 3/4 tasse (395 mL).*

Vinaigrette à l'échalote

En utilisant un mélangeur électrique ou un combiné ménager, vous obtiendrez la mayonnaise la meilleure et la plus crémeuse. Elle se conserve très bien au frais dans un bocal de verre fermé. Agitez avant l'usage. Selon l'huile et le vinaigre utilisés, la saveur de la mayonnaise varie. Faites des essais et prenez note de vos préférences quant aux marques et aux genres.

1/2 c. à thé (2 mL) de sucre
1 c. à thé (5 mL) de sel
1/4 c. à thé (1 mL) de poivre
1/4 c. à thé (1 mL) de paprika
1 c. à thé (5 mL) de moutarde sèche
1 tasse (250 mL) d'huile d'olive
1/4 de tasse (60 mL) de vinaigre de vin rouge
1 échalote pelée et coupée en deux

Mettez tous les ingrédients dans la jarre du mélangeur ou du combiné ménager et mélangez de 40 à 50 secondes. Versez dans un bocal de verre. Couvrez et laissez reposer à la température ambiante une heure ou deux avant d'utiliser. *Rendement : 1 1/3 tasse (330 mL).*

Avec une salade à la viande : ajoutez aux ingrédients 2 c. à table (30 mL) de chutney de votre choix. Mélangez.

Avec poisson ou viandes bouillies : ajoutez 2 c. à thé (10 mL) de câpres à la mayonnaise lorsqu'elle a été mélangée.

Mayonnaise crémeuse

Elle a la consistance d'une crème légère; elle rehausse une salade de poulet, des endives et une salade d'amandes grillées, une salade de laitue frisée, des concombres tranchés mince, des cubes de fromage suisse et des croûtons grillés sur laitue, de la ciboulette et des languettes de jambon cuit sur un lit d'œufs cuits durs hachés. Cette sauce à salade est presqu'une mayonnaise, mais sans émulsion.

2 c. à table (30 mL) de moutarde de Dijon
1 œuf
1/2 c. à thé (2 mL) de sel
1 goutte de sauce Tabasco
3 c. à table (45 mL) de vinaigre de cidre
   ou de vin blanc
1 gousse d'ail, écrasée
1 tasse (250 mL) d'huile à salade
1/2 c. à thé (2 mL) d'estragon, ou de basilic, ou de ciboulette, ou de
   persil frais

Mettez dans un bol la moutarde et l'œuf. Battez avec un batteur électrique jusqu'à mélange mousseux et pâle. Ajoutez alors en battant le sel, la sauce Tabasco et le vinaigre. Ajoutez ensuite en battant constamment, l'huile, une c. à table (15 mL) à la fois. Ajoutez. Couvrez et réfrigérez. Agitez bien avant d'utiliser. *Rendement : 1 1/2 tasse (375 mL).*

Le bon pain maison

Grand-père Cardinal me disait souvent qu'un parfum que je garderais en mémoire plus que tout autre, est celui du pain maison, au sortir du four. À dix ans, je souriais et n'en croyais pas un mot; l'intérêt, à ce moment-là, était de pouvoir mettre la main sur une croûte de ce bon pain. Mais, depuis longtemps, j'ai compris qu'il avait raison, puisque même maintenant, de tous les souvenirs de table de ma jeunesse, le parfum et le croustillant du pain au sortir du four, est toujours resté pour moi bien vivant.

Peut-être bien que c'est un héritage naturel, puisque mon grand-père était maître-boulanger, se spécialisant dans le pain sur « la sole ».

Il préparait lui-même son mélange de farine, comme d'ailleurs le faisaient tous les maîtres-boulangers de l'époque.

Je me souviens de cette formule que j'utilise encore moi-même lorsque je fais du pain, avec quelques variantes, car il est difficile d'obtenir exactement les farines nécessaires. Il mélangeait une partie de blé mou du Québec ou de l'Ontario, deux types de blé dur de l'Ouest et une quantité X de germe de blé frais moulu. Il n'utilisait que du sucre nature, brun très foncé, ou du miel de l'Ouest canadien. À sa levure, il ajoutait une certaine quantité de racine de gingembre frais qu'un vieil ami chinois lui apportait chaque semaine. C'est d'ailleurs de grand-père que j'ai appris à apprécier la finesse et la saveur du gingembre frais râpé. Il disait à son ami chinois, que son gingembre réchauffait si bien la levure qu'elle gonflait « toute joyeuse » en ne perdant rien de sa délicieuse saveur.

Grand-père m'apprit vraiment tout ce que je sais sur le pain et je n'ai jamais perdu le goût d'en faire.

Je me souviens de l'admiration que j'avais pour les hommes qui pétrissaient 75 à 100 livres de pâte à la fois, dans les grandes boîtes à pain attachées au plancher. Il y a encore en France, même à Paris, des maîtres-pétrisseurs qui font ce genre de travail; mais je doute qu'il en reste au Canada.

Une fois pétrie, la pâte toute tiède, était recouverte d'une grande toile de lin tissée-main par les mêmes femmes qui cultivaient le lin et le préparaient pour le tissage. Sur la toile, on plaçait un grand couvert de bois. Et le travail mystérieux de la pâte commençait.

Un jeune homme passait la nuit à la boulangerie pour faire le feu du four avec de grosses bûches d'érable, de telle manière que le matin, à 6 heures, le grand four était à 400° F (200° C) de chaleur, avec au moins 2 à 3 pieds de braise rouge, ce qui gardait la sole du four à une chaleur constante. Ce feu, à longueur de nuit, gardait aussi la boulangerie bien chaude ce qui faisait lever le pain jusqu'à ce qu'il ressemble à un gros coussin de satin.

Entre 4 et 5 heures du matin, arrivaient les boulangers; sans délai, ils dégonflaient la pâte, lançaient les grosses boules sur la pesée, parce que chaque miche devait peser deux livres. Ensuite, on les moulait; lorsque bien levées, on les enfournait, 8 à la fois, sur une grande langue de bois qu'on retirait vivement de manière à laisser le pain sur la sole chaude du four.

Le maître-boulanger savait instinctivement par la senteur que dégageait le pain, que le point de cuisson était atteint.

Je remercie mon grand-père de ce précieux héritage qu'il m'a laissé.

Mon pain centenaire

J'ai adapté la méthode, de même que certains des ingrédients, d'une recette que ma mère tenait de son père. Ce pain est savoureux, nutritif, facile à faire au malaxeur électrique à condition d'avoir un crochet à pâtisserie. Il n'est pas nécessaire de faire lever, de dégonfler la pâte, de mouler, de faire lever de nouveau; il faut simplement le pétrir, mettre dans un moule à pain graissé, laisser lever et faire cuire. Grillé, il a un goût de noisette et une texture croustillante.

1 c. à thé (5 mL) de sucre
1/2 c. à thé (2 mL) de gingembre moulu
3 à 4 tasses (750 à 1000 mL) d'eau chaude
1 enveloppe de levure sèche active
2 c. à table (30 mL) de mélasse
1 tasse (250 mL) de germe de blé
2 c. à thé (10 mL) de sel
4 à 7 tasses (1 à 1,5 L) de farine de blé entier
blanc d'oeuf ou lait
2 c. à thé (10 mL) de graines de sésame

Brassez dans le bol à mélanger le sucre, le gingembre et l'eau chaude. Saupoudrez la levure sur le dessus et laissez reposer 8 à 10 minutes. Mélangez bien.

Ajoutez la mélasse, le germe de blé et le sel, et mélangez à petite vitesse durant 1 minute. Ajoutez la moitié de la farine de blé entier et brassez encore pour bien mélanger. Ajoutez une autre tasse de farine et battez 3 minutes à vitesse moyenne. Étendez la dernière tasse de farine sur la table, renversez-y la pâte, roulez-la dans la farine pour l'empêcher de coller. Pétrissez 5 minutes. Divisez la pâte en deux, moulez dans deux moules à pain graissés de 9 X 5 X 3 po. (22,5 X 12,5 X 7,5 cm). Couvrez d'un linge et laissez lever dans un endroit chaud jusqu'au double du volume. Cela prendra 1 à 2 heures, selon les conditions atmosphériques.

Badigeonnez légèrement le dessus des pains avec le blanc d'œuf légèrement battu, ou le lait, et saupoudrez de graines de sésame. Faites cuire au four chauffé à 350° F (180° C), de 45 à 55 minutes ou jusqu'à ce que les pains soient dorés et bien cuits. Retirez des moules aussitôt cuits et laissez refroidir sur une grille à gâteau.

Pain au germe de blé

Excellent grillé et très approprié pour les sandwichs. L'addition du germe de blé le rend plus nutritif et lui confère une saveur de noix.

3 tasses (750 mL) d'eau bouillante
2 tasses (500 mL) de germe de blé
1/4 de tasse (60 mL) de graisse végétale ou de margarine
2 c. à thé (10 mL) de sucre
1 c. à thé (5 mL) de sucre
1 tasse (250 mL) d'eau tiède
2 enveloppes de levure sèche active
3/4 de tasse (200 mL) de mélasse
4 c. à thé (20 mL) de sel
approximativement, 8 tasses (2 L) de farine tout-usage
2 c. à table (30 mL) de graines de sésame

Versez l'eau bouillante sur le germe de blé et la graisse végétale. Remuez jusqu'à ce que le gras fonde et laissez reposer 20 minutes, remuant quelquefois. Dans l'intervalle, faites dissoudre le sucre et le gingembre dans l'eau tiède. Saupoudrez la levure sur le dessus. Laissez reposer 10 minutes. Mélangez et ajoutez le mélange de germe de blé tiédi, remuez et ajoutez la mélasse et le sel. Mélangez le tout à fond, puis commencez à ajouter la farine. Ajoutez d'abord 3 tasses (750 mL) et battez fortement à la main ou, si possible, au malaxeur. J'aime battre la pâte 4 à 5 minutes à ce stage. Puis graduellement, battez à la cuillère en ajoutant le reste de la farine, utilisant juste ce qu'il faut pour une pâte lisse et molle. Je me sers de mes mains lorsque j'ajoute les dernières tasses de farine car on peut mieux juger de la texture de la pâte. Renversez la pâte sur une surface enfarinée et pétrissez 8 à 10 minutes. Faites une grosse boule et mettez-la dans un bol graissé. Couvrez et laissez lever dans un endroit chaud au double du volume. Faites dégonfler la pâte et en faire quatre pains, laissez lever de nouveau au double du volume. Badigeonnez le dessus avec du lait et saupoudrez des graines de sésame. Faites cuire au four chauffé à 400° F (200° C) 30 à 35 minutes ou jusqu'à ce que les pains soient dorés. Démoulez aussitôt cuits, sur une grille. *Rendement : 3 pains de 9 X 5 po (22 X 12,5 cm).*

Pain fermière

Un préféré de la famille à Noirmouton ! La farine de maïs et la farine d'avoine étaient autrefois d'usage courant parce que les fermiers cultivaient, séchaient et moulaient leur propre maïs ; et les flocons d'avoine étaient très faciles à obtenir.

1 tasse (250 mL) de flocons d'avoine
1/3 de tasse (80 mL) de farine de maïs
2 c. à thé (10 mL) de sel
3 c. à table (50 mL) de mélasse
1/2 tasse (125 mL) de cassonade
3 c. à table (50 mL) de margarine ou graisse végétale
2 1/2 tasses (625 mL) d'eau bouillante
1 c. à thé (5 mL) de sucre
1 c. à thé (5 mL) de gingembre moulu
1/2 tasse (125 mL) d'eau tiède
1 enveloppe de levure sèche active
6 à 8 tasses (1,5 à 2 L) de farine tout-usage

Mettez dans un bol l'avoine, la farine de maïs, le sel, la mélasse, la cassonade et la margarine ou la graisse végétale. Versez-y l'eau bouillante. Remuez et laissez reposer 15 minutes. Dans l'intervalle, faites dissoudre la c. à thé de sucre et le gingembre dans l'eau tiède. Ajoutez la levure sèche active. Laissez reposer 10 minutes. Brassez vigoureusement à la fourchette et ajoutez au mélange de l'avoine, remuez bien. Ajoutez pour commencer 3 tasses (750 mL) de farine, battez fortement à la main ou au batteur électrique durant 5 minutes, et continuez à ajouter de la farine jusqu'à ce que la pâte soit facile à manier en une boule molle. Pétrissez 8 à 10 minutes. Couvrez et laissez lever dans un endroit chaud jusqu'au double du volume. Faites dégonfler la pâte et formez en pains. Mettez dans des moules graissés. Laissez lever au double du volume. Faites cuire au four chauffé à 400° F (200° C) de 30 à 40 minutes, ou jusqu'à ce que les pains soient dorés. *Rendement : 3 pains de 9 X 5 po (22,5 X 12,5 cm).*

Pain de Halifax

Une jeune femme de Halifax m'envoya cette recette, qui lui avait mérité de nombreux prix lors des foires champêtres; et avec raison, car c'est un délicieux pain nourissant.

1 tasse (250 mL) de céréale Grapenut (flocons d'avoine entiers)
2 biscuits de shredded wheat écrasés
2 c. à table (30 mL) de graisse végétale
2 c. à thé (10 mL) de sel
3 tasses (750 mL) d'eau bouillante
1 tasse (250 mL) de lait instantané en poudre
1/3 de tasse (80 mL) de mélasse
1/4 de tasse (60 mL) de cassonade
1 tasse (250 mL) d'eau tiède
1 c. à thé (5 mL) de sucre
1 c. à thé (5 mL) de gingembre moulu
2 enveloppes de levure sèche active
6 à 8 tasses (1,5 à 2 L) de farine tout-usage

Mettez dans un grand bol les flocons d'avoine, le shredded wheat, la graisse végétale et le sel. Versez l'eau bouillante sur le tout et remuez jusqu'à ce que la graisse soit fondue. Laissez reposer 20 minutes. Dans l'intervalle, versez sur le dessus le lait en poudre, la mélasse et la cassonade. Brassez pour bien mélanger juste avant d'ajouter la levure préparée.

Ajoutez le sucre et le gingembre à la tasse d'eau tiède. Mélangez et ajoutez-y la levure. Laissez reposer 10 minutes. Brassez et ajoutez au mélange des céréales. Mélangez à fond.

Ajoutez 3 tasses (750 mL) de la farine, brassez avec une cuillère de bois ou au mélangeur électrique pour bien mélanger. Ajoutez de la farine petit à petit jusqu'à l'obtention d'une boule de pâte molle. (Avec cette pâte, il est difficile de prévoir la quantité de farine requise, qui peut aller de 6 tasses (1,5 L) parfois jusqu'à 9 tasses (2,25 L)).

Battez fortement et pétrissez avec les mains, dans le bol. Couvrez et laissez lever au double de son volume. Donnez la forme voulue et mettez dans les moules graissés. Faites cuire au four chauffé à 400°F (200°C) de 40 à 60 minutes. *Rendement: 3 pains de 9 X 5 po (22,5 X 12,5 cm).*

Pain au lait pour rôties

Si vous n'aimez pas le pain tranché enveloppé que l'on achète, essayez cette recette, qui fait un pain parfait et est trois fois plus nutritif que le pain acheté.

Un crochet à pâtisserie sur un mélangeur électrique peut battre la pâte jusqu'au bout. Il ne faut plus que quelques minutes de pétrissage sur la planche pour finir.

1 tasse (250 mL) d'eau tiède
2 c. à table (30 mL) de sucre
1 c. à thé (5 mL) de gingembre moulu
2 enveloppes de levure sèche active
2 c. à thé (10 mL) de sel
2 c. à table (30 mL) de saindoux ou de graisse végétale
1/2 tasse (125 mL) d'eau bouillante
2 œufs légèrement battus
6 à 8 tasses (1,5 à 2 L) de farine tout-usage

Mélangez l'eau tiède, le sucre et le gingembre. Ajoutez la levure et laissez reposer 10 minutes. Dans un grand bol ou le bol du malaxeur électrique, battez ensemble le sel, le saindoux ou la graisse végétale et l'eau bouillante, jusqu'à ce que le gras soit fondu. Ajoutez la levure et 3 tasses (750 mL) de farine, et battez à vitesse moyenne environ 3 minutes pour obtenir une pâte lisse. Ajoutez ensuite 1/2 tasse (125 mL) de farine à la fois; battez après chaque addition durant une minute, jusqu'à ce que la pâte se détache des parois du bol. Si votre malaxeur a un crochet à pâtisserie, battez 3 minutes. Si vous travaillez à la main, il vous faudra ajouter les deux dernières tasses (500 mL) de farine et pétrir jusqu'à ce que la pâte soit lisse.

Mettez la pâte dans un bol graissé et laissez lever, dans un endroit chaud, jusqu'au double du volume. Dégonflez la pâte dans le bol, formez-la et mettez-la dans le moule graissé. Laissez-la lever de nouveau pour être bien gonflée. Faites cuire au four chauffé à 400° F (200° C) de 30 à 40 minutes, pour bien dorer. Démoulez et refroidissez sur une grille. *Rendement : 3 pains de 9 X 5 po (22,5 X 12,5 cm).*

Pain aux pommes de terre

Un ancien pain de ferme. Toutes les fermières du Québec de ma génération connaissaient cette recette. Ce pain est très blanc et sa saveur est crémeuse. N'utilisez pas de pommes de terre instantanées qui changent la texture, la couleur et la saveur. Il faut avoir la patience de faire cuire et de se servir de pommes de terre fraîches.

2 pommes de terre moyennes non pelées
2 tasses (500 mL) d'eau chaude

1 à 1/4 tasse (325 mL) de l'eau de cuisson des pommes
de terre tiédie
1 c. à thé (5 mL) de sucre
1 c. à thé (5 mL) de gingembre moulu
1 enveloppe de levure sèche active
1 c. à thé (5 mL) de sel
1/4 de tasse (60 mL) de mélasse
1 c. à thé (5 mL) de graines de carvi
6 à 8 tasses (1,5 à 2 L) de farine tout-usage

Coupez les pommes de terre en quatre, mettez-les dans une casserole avec l'eau chaude, amenez à ébullition et faites bouillir jusqu'à ce qu'elles soient tendres. Mesurez 1 1/4 tasse (325 mL) de l'eau de cuisson et laissez tiédir. Pelez les pommes de terre, mettez-les en purée. Ajoutez à l'eau tiède la levure, le sucre et le gingembre; remuez et laissez reposer 10 minutes. Mettez dans un grand bol la purée de pommes de terre, le sel, la mélasse, les graines de carvi et la levure. Mélangez bien le tout. S'il reste de l'eau de cuisson des pommes de terre, ajoutez-la lorsque les ingrédients sont bien mélangés. Ajoutez une quantité suffisante de farine tout-usage pour obtenir une pâte molle.

Renversez sur une planche enfarinée. Pétrissez 10 minutes, ajoutez de la farine au besoin et mettez dans un grand bol. Beurrez légèrement le dessus de la pâte. Laissez lever dans un endroit chaud jusqu'au double du volume, soit environ 1 1/2 heure. Dégonflez la pâte. Formez la pâte en 1 gros pain rond ou 2 moyens; si vous désirez un pain moins croustillant, faites cuire dans un moule à pain; le pain rond irait dans une casserole de 9 X 9 po (22,5 X 22,5 cm). Laissez doubler de volume encore une fois, de 35 à 40 minutes.

Faites cuire dans un four chauffé à 375° F (190° C), 40 à 45 minutes. Lorsqu'il ne reste plus que 10 minutes de cuisson, badigeonnez le dessus du pain de cette glace : amenez à l'ébullition 1/4 tasse (60 mL) d'eau. Délayez 1 c. à thé (5 mL) de fécule de maïs avec 1 c. à table (15 mL) d'eau froide. Ajoutez à l'eau bouillante, et remuez à feu moyen jusqu'à ce que la glace soit épaisse et transparente. Démoulez le pain sur une grille pour le faire refroidir. *Rendement : 3 pains de 9 X 5 po (22,5 X 12,5 cm).*

Le pain Cornell trois fois riche

C'est la recette développée par la section des Sciences alimentaires de l'université Cornell, que j'ai démontrée à la télévision en 1969 (Take-

Thirty). Elle m'est encore demandée. Le secret est d'ajouter à toute recette de pain : 1 c. à soupe (15 mL) de farine de soja, 1 c. à soupe (15 mL) de lait écrémé en poudre et 1 c. à thé (5 mL) de germe de blé dans le fond de votre tasse-mesure d'une tasse (250 mL), puis de remplir la tasse de farine. Répétez ce procédé avant de mesurer chaque tasse de farine. Faites votre pain selon votre recette. La recette suivante est adaptée pour 7 tasses de farine (2 à 3 petits pains).
Mélangez :

3 tasses (750 mL) d'eau tiède
2 c. à table (30 mL) de miel
2 enveloppes de levure sèche active

Brassez. Laissez reposer 5 minutes.
Mesurez et mélangez :

7 tasses (1,75 L) de farine tout-usage
OU
3 tasses (750 mL) de farine de blé entier et
3 tasses (750 mL) de farine tout-usage
3 c. à table (50 mL) de germe de blé
1/2 tasse (125 mL) de farine de soja
3/4 de tasse (180 mL) de lait écrémé en poudre

Brassez la levure, et tout en remuant, ajoutez 4 c. à thé (20 mL) de sel et 3 tasses (750 mL) du mélange de farine. Battez 2 minutes au mélangeur électrique. Ajoutez 2 c. à soupe (30 mL) d'huile à salade et 2 autres tasses (500 mL) du mélange de farine. Battez encore 2 minutes. Versez le reste de la farine sur la table, renversez-y la pâte et pétrissez, ajoutant plus de farine au besoin. Pétrissez pendant environ 5 minutes. Ne faites pas une pâte trop ferme, mais juste assez pour ne pas être trop collante.

Mettez dans un bol graissé. Recouvrez d'un linge et laissez lever au double de son volume dans un endroit chaud. Dégonflez, retournez la pâte et laissez lever encore 20 minutes.

Formez deux pains et mettez dans les moules beurrés. Laissez lever au double.

Faites cuire au four préchauffé à 350°F (180°C) de 50 à 60 minutes ou d'un beau doré. Démoulez sur une grille à gâteau aussitôt sortis du four. Ils se conservent très bien au congélateur. *Rendement : 2 à 3 petits pains.*

Pain à la citrouille

Faites-en une jolie torsade ou faites cuire dans des moules à pain. Un pain doré à saveur délicieuse; à son meileur avec beurre fouetté et miel.

1/2 tasse (125 mL) d'eau tiède
1 c. à thé (5 mL) de sucre
1/4 c. à thé (1 mL) de gingembre moulu
2 enveloppes de levure sèche active
3/4 de tasse (200 mL) d'eau tiède
1/2 tasse (125 mL) de cassonade
1 tasse (250 mL) de farine tout-usage
1/2 tasse (125 mL) de lait écrémé en poudre instantané
1/2 tasse (125 mL) de beurre mou
1 c. à thé (5 mL) de sel
1 c. à thé (5 mL) de cannelle
1 tasse (250 mL) de citrouille cuite en purée
3 tasses (750 mL) de farine tout-usage

Remuez ensemble la cuillerée à thé de sucre et le gingembre dans la demi-tasse (125 mL) d'eau tiède jusqu'à dissolution. Ajoutez la levure. Laissez reposer 10 minutes. Brassez bien.

Mettez dans un grand bol, 3/4 de tasse (200 mL) d'eau tiède, la cassonade, la tasse (250 mL) de farine, le lait en poudre et la levure bien brassée. Battez pour mélanger le tout.

Ajoutez le beurre, le sel, la cannelle, la purée de citrouille et les 3 tasses (750 mL) de farine. Battez jusqu'à ce que la pâte se détache du bol. Renversez sur une planche enfarinée, pétrissez jusqu'à ce que la pate soit lisse et élastique. Mettez dans un bol graissé, huilez le dessus de la pâte, couvrez et laissez lever dans un endroit chaud au double de son volume. Dégonflez la pâte, pétrissez quelques minutes. Divisez la pâte en deux. Couvrez et laissez reposer 10 minutes.

Abaissez la pâte à 1/3 de pouce (0,85 cm) d'épaisseur et roulez-la 6 po (15 cm) de long. Repliez-la sur la longueur. La tordre aussi serrée que possible. Mettez les torsades dans un moule rond de 8 po (20 cm). Badigeonnez le dessus de beurre fondu; mettez suffisamment de beurre pour qu'il pénètre dans tous les plis de la torsade. Couvrez et laissez lever dans un endroit chaud jusqu'à ce qu'il double de volume. Procédez de la même manière avec l'autre moitié.

Faites cuire au four à 350°F (180°C) 45 minutes. Badigeonnez le dessus avec du lait évaporé ou de la crème dix minutes avant la fin de la cuisson. Le pain sera alors brun foncé. *Rendement : 2 pains.*

Mélange de base pour biscuits

À la ferme, nous économisons temps et argent en faisant nous-mêmes nos mélanges préparés. Une quantité est préparée d'avance et conservée dans des récipients de plastique hermétiques pour utilisation rapide et un minimum de vaisselle à laver, tout comme avec les mélanges commerciaux. L'avantage, c'est une plus grande quantité à meilleur marché.

8 tasses (2 L) de farine tout-usage tamisée
4 c. à table (60 mL) de poudre à pâte
1 1/2 c. à thé (7 mL) de sel
1 tasse (250 mL) de lait écrémé en poudre
2 tasses (500 mL) de graisse végétale

Mettez ensemble dans un grand bol, la farine, la poudre à pâte, le sel et le lait en poudre. Avec une broche à pâtisserie ou deux couteaux, coupez la graisse végétale jusqu'à ce que le mélange ait la consistance de la farine de maïs fine. Conservez dans un récipient bien fermé. *Rendement : 11 tasses (2,75 L).*

Mélange de base familial

Vous obtiendrez de 23 à 25 tasses de ce mélange. Il vous est facile de comparer le coût de votre mélange maison et celui du type commercial.

5 lb (2,5 kg) de farine tout-usage
2 tasses (500 mL) de lait en poudre instantané
2/3 de tasse (160 mL) de poudre à pâte
2 1/2 à 3 tasses (625 à 750 mL) de graisse végétale

Mettez dans un grand bol, la farine, le lait en poudre, la poudre à pâte et le sel. Mélangez bien et divisez le mélange également dans deux grands bols. Divisez la graisse végétale en deux et travaillez dans chaque bol avec le bout des doigts jusqu'à ce que le mélange ressemble à de la farine d'avoine. Mélangez ensuite les deux. Conservez dans un contenant hermétique.

N.B. : le mélange ne sera pas aussi riche avec 2 1/2 tasses (25 mL) de graisse végétale, mais si vous suivez un régime faible en gras, la demi-tasse (125 mL) en moins fera une différence. Un autre facteur est le lait requis pour faire les diverses pâtisseries ; le lait entier ou le lait en poudre reconstitué peut être utilisé, ou de l'eau peut être substituée au lait dans toutes les recettes utilisant le mélange de base, afin de réduire la quantité de gras. Choisissez à votre guise.

Biscuits chauds (mélange de base)

2 tasses (500 mL) du mélange de base pour biscuits chauds
2/3 de tasse (160 mL) de lait (liquide)

Ajoutez le lait lentement en brassant au mélange de base. Formez la pâte en boule et pétrissez délicatement environ dix fois sur une planche enfarinée. Maniez avec soin. Abaissez la pâte 3/4 po d'épaisseur. Coupez en rondelles. Faites cuire sur une plaque à biscuits non graissée au four pré-chauffé à 450°F (230°C), de 15 à 18 minutes, jusqu'à ce qu'ils soient bien dorés. *Rendement : 6 à 8 biscuits.*

Biscuits chauds au fromage (mélange de base)

Je les fais parfois avec 1/2 tasse (125 mL) de fromage cheddar fort râpé, le fromage fort donne plus de saveur que le doux, et j'ajoute 1/4 tasse (60 mL) de fromage suisse ou de cheddar doux, taillé en petits cubes.

2 tasses (500 mL) de mélange de base
2/3 de tasse (160 mL) de lait ou d'eau
1/2 tasse (125 mL) de fromage cheddar fort, râpé
1/4 de tasse (60 mL) de fromage suisse ou de cheddar doux, en petits cubes
2 c. à table (30 mL) de persil, haché fin

Ajoutez le lait lentement dans le mélange de base, en remuant. Ajoutez le fromage râpé, le fromage en cubes et le persil. Formez une boule de pâte; pétrissez délicatement, environ 10 fois, sur une planche enfarinée. Abaissez la pâte à 3/4 de po (2 cm) d'épaisseur. Taillez en rondelles ou en carrés. Saupoudrez de paprika. Faites cuire sur une plaque à cuisson non graissée, au four préchauffé à 450°F (230°C), de 10 à 15 minutes, pour que les biscuits soient bien dorés. *Rendement : 6 à 8 biscuits chauds.*

Grands-pères (mélange de base)

On ajoute de la poudre à pâte dans cette recette, ce qui donne plus de légèreté à la pâte.

2 tasses (500 mL) de mélange de base
1/2 c. à thé (2 mL) de poudre à pâte
2/3 de tasse (160 mL) d'eau

Incorporez la poudre à pâte au mélange de base. Ajoutez ensuite l'eau et remuez avec une fourchette, juste assez pour mélanger. Il n'est pas nécessaire que la pâte soit très lisse.

Passez une cuillère à l'eau froide, laissez tomber une cuillerée de la pâte dans le ragoût chaud, mouillez de nouveau la cuillère, et répétez le procédé jusqu'à ce que toutes les boulettes de pâte soient dans le ragoût. Cuisez 10 minutes à découvert. Couvrez, faites cuire 10 minutes de plus et servez. *Rendement : 6 à 8 grands-pères.*

Brioches au caramel avec noix

Des brioches pour l'heure du thé ou le petit déjeuner, qui se préparent avec le mélange de base.

2 tasses (500 mL) de mélange de base
2 c. à thé (10 ml) de levure sèche granulée
2 c. à table (30 mL) d'eau chaude
1/2 tasse (125 mL) de lait tiède
2 c. à table (30 mL) de sucre
1 œuf légèrement battu
1/2 c. à thé (2 mL) de vanille
2 c. à table (30 mL) de beurre fondu
1 c. à table (15 mL) d'eau
1/2 tasse (125 mL) de cassonade
noix de grenoble hachées

Faites ramollir la levure dans l'eau chaude, laissez reposer 5 minutes. Chauffez le lait, ajoutez le sucre, 1 tasse (250 mL) du mélange de base, et battez. Ajoutez la levure bien brassée, l'œuf et la vanille, et battez le tout. Ajoutez, petit à petit, le reste du mélange de base, jusqu'à ce que la pâte soit ferme : continuez de battre pour que la pâte devienne lisse. Couvrez et laissez lever dans un endroit chaud, une heure à une heure et demi, jusqu'à ce que la pâte soit spongieuse. Lorsque la pâte est légère, dégonflez-la en brassant. Graissez 12 moules à muffins. Faites chauffer ensemble le beurre fondu, l'eau et la cassonade. Mettez une cuillerée de ce mélange dans chaque moule à muffin et ajoutez-y quelques noix hachées. Laissez tomber la pâte levée à la cuillère dans chacun des moules. Laissez lever de nouveau jusqu'au double de son volume, dans un endroit chaud, 30 à 45 minutes. Faites cuire au four préchauffé à 375°F (190°C) pour faire dorer, environ 20 minutes.

Pour démouler, placez un morceau de papier ciré sur la table et mettez une grille à gâteau sur le papier. Renversez le moule sur la grille et laissez tiédir. Le sirop qui coule sur le papier peut être ramassé avec une spatule et mis sur les brioches. *Rendement : environ 12 brioches.*

Compote de pommes aux atocas (airelles d'Amérique)

Lavez et coupez en quatre 6 à 8 pommes (n'enlevez pas le cœur et ne les pelez pas). Mettez dans une casserole, ajoutez-y 1/2 tasse (125 mL) d'eau et 1 1/2 (375 mL) à 2 tasses (500 mL) de gelée d'atocas. Couvrez et laissez mijoter jusqu'à ce que les fruits soient tendres. Passez au presse-purée ou au tamis. Servez froide avec les biscuits chauds.

Muffins instantanés

On les appelle « muffins de six semaines », « muffins prêts à cuire », « muffins perpétuels ». Peu importe le nom, ils sont délicieux, se prêtent à maintes variations et sont toujours prêts à mettre au four. Qui n'aime pas un muffin chaud avec son café? Ces muffins sont vraiment légers et tendres.

6 tasses (1 kg 500 mg) de flocons de son
2 tasses (500 mL) d'eau bouillante
1 tasse (250 mL) de graisse végétale fondue
2 à 3 tasses (500 à 750 mL) de sucre
4 œufs battus
4 tasses (1 L) de babeurre
5 tasses (1,25 kg) de farine
2 c. à table (30 mL) de soda
2 c. à thé (10 mL) de sel
1/2 tasse (125 mL) de graisse végétale
2/3 de tasse (160 mL) de babeurre

Tamisez ensemble dans un bol, la farine, le sel, la poudre et le soda à pâte et la crème de tartre. Coupez-y la graisse végétale. Ajoutez le babeurre en remuant avec une fourchette. Brassez juste assez pour mélanger.

Renversez sur une planche légèrement enfarinée et pétrissez délicatement pendant 1/2 minute. Abaissez à la main à l'épaisseur voulue. Découpez à l'emporte-pièce.

Mettez au four à 425°F (225°C) de 10 à 12 minutes. *Rendement : 8 à 12 biscuits chauds.*

Beurre au miel

Mélangez en quantités égales du beurre ramolli et du miel, dit-elle; et comme elle avait raison! (j'ai un faible pour le miel du Manitoba), pour obtenir un mélange crémeux et lisse. Ajoutez le zeste râpé d'un citron. Versez dans un joli bol, couvrez et conservez au réfrigérateur. Se conserve de 4 à 6 semaines. Servez froid sur les biscuits chauds.

Biscuits chauds de blé entier au yogourt

Voici une recette santé. Servez ces délicieux biscuits avec un mélange de beurre ramolli et de miel.

1 3/4 tasse (450 mL) de farine de blé entier
4 c. à thé (20 mL) de poudre à pâte
1/4 de tasse (60 mL) de lait en poudre instantané
1/2 c. à thé (2 mL) de sel
1/3 de tasse (80 mL) d'huile d'arachides ou de carthame
3/4 de tasse (200 mL) de yogourt naturel

Mélangez dans un bol, la farine, la poudre à pâte, le lait en poudre et le sel, ajoutez l'huile et coupez avec deux couteaux pour mélanger, jusqu'à l'obtention d'une texture granulée.

Faites un creux au centre, versez-y le yogourt et mélangez rapidement. Pétrissez légèrement 10 à 15 fois, abaissez à 1 po (2,5 cm) d'épaisseur, et coupez avec un emporte-pièce à biscuits. Faites cuire au four à 450°F (230°C), 12 à 15 minutes. *Rendement : 8 à 12 biscuits chauds.*

Biscuits chauds du Manitoba

C'est une jeune demoiselle de treize ans qui m'a donné cette recette, en m'assurant que sa mère faisait « les meilleurs biscuits chauds du Manitoba ». Je suis tout à fait d'accord avec elle quant à leur saveur. Le beurre au miel était sa garniture préférée. Au temps des vacances, la préférence allait à la compote de pommes aux canneberges. Les deux sont excellents.

2 tasses (500 mL) de farine tout-usage
1/2 c. à thé (2 mL) de sel
3 c. à thé (15 mL) de poudre à pâte
1 c. à thé (5 mL) de soda
1/2 c. à thé (2 mL) de crème de tartre

Renversez sur une planche légèrement enfarinée et pétrissez délicatement du bout des doigts, y mélangeant le reste du lait, si nécessaire. Abaissez à la main à 1/2 po (1,25 cm) d'épaisseur et taillez ensuite en rondelles de 1 1/2 po (3,75 cm). Faites cuire sur une plaque à cuisson non graissée, 10 à 12 minutes. *Rendement : environ 18 petits biscuits chauds.*

N.B. : la quantité de lait requise varie selon la marque de farine utilisée.

Biscuits chauds à la crème fouettée

Ces biscuits riches, légers, crémeux, se prêtent on ne peut mieux aux dîners et aux repas-buffets. La crème fouettée remplace la graisse végétale et aussi le liquide; le coût n'en est donc pas plus élevé que celui des biscuits chauds ordinaires.

1 1/2 tasse (400 mL) de farine tout-usage
3/4 c. à thé (3 mL) de sel
4 c. à thé (15 mL) de poudre à pâte
1 tasse (250 mL) de crème riche, fouettée

Préchauffez le four à 400° F (200° C). Mélangez la farine, le sel et la poudre à pâte. Fouettez la crème et incorporez-la aux ingrédients secs avec une fourchette, jusqu'à l'obtention d'une pâte molle. Renversez-la sur une planche légèrement enfarinée et pétrissez délicatement. Abaissez la pâte à environ 1/2 (1,25 cm) d'épaisseur. Taillez en rondelles de 2 po (5 cm), et mettez sur une plaque à cuisson non graissée. Faites cuire de 10 à 12 minutes. Servez chauds avec du beurre doux, de la gelée de cassis ou du miel. *Rendement : environ 16 biscuits chauds.*

Biscuits chauds au babeurre

Il est difficile de définir avec précision la quantité de liquide requise car les farine varient; n'ajoutez toutefois que le nécessaire pour obtenir une pâte plutôt molle.

2 tasses (500 mL) de farine tout-usage
1 c. à thé (5 mL) de sel
1 c. à thé (5 mL) de poudre à pâte
1/2 c. à thé (2 mL) de soda
4 c. à table (60 mL) de saindoux
environ 3/4 de tasse (200 mL) de babeurre ou de lait sur

Tamisez ensemble les ingrédients secs, coupez-y le saindoux (utilisez toujours le meilleur gras pour les biscuits chauds), jusqu'à l'obtention d'un mélange granulé. Ajoutez une quantité suffisante de babeurre ou de lait sur pour obtenir une pâte plutôt molle. Renversez-la sur une planche enfarinée, et pétrissez délicatement 5 à 6 fois; ne pétrissez jamais trop.

Abaissez délicatement à environ 3/4 po (2 cm) d'épaisseur. Taillez en rondelles et mettre sur une plaque à cuisson graissée. Faites cuire à 400° F (200° C), 15 à 18 minutes, pour que les biscuits soient bien dorés. *Rendement : environ 15 biscuits chauds moyens.*

Mélange maison pour biscuits chauds

Prêt à utiliser en un tour de main. Se conserve dans un récipient hermétique dans un endroit frais.

8 tasses (2 L) de farine tout-usage
1/4 de tasse (60 mL) de poudre à pâte
1 c. à table (15 mL) de sel
2 tasses (500 mL) de graisse végétale

Tamisez ensemble dans un grand bol, la farine, la poudre à pâte et le sel. Coupez la graisse végétale avec un coupe-pâte ou deux couteaux jusqu'à ce que le mélange ait une texture granulée grossière. Versez dans un récipient, couvrez et conservez.

Pour faire les biscuits chauds, remuez délicatement le mélange avec une fourchette et mesurez-en 3 tasses (750 mL) dans un bol. Faites un puits au centre et versez-y le lait d'un seul coup. Remuez avec une fourchette jusqu'à ce que la pâte suive la fourchette. Pétrissez délicatement en boule et abaissez à 1/2 po (1,25 cm) d'épaisseur. Coupez ensuite avec un emporte-pièce de 2 po (5 cm). Disposez sur une plaque à cuisson graissée et faites cuire au four à 450°F (230°C), de 10 à 16 minutes, pour faire dorer. *Rendement : environ 18 petits biscuits chauds.*

N.B. : pour un biscuit chaud à la cuillère, augmentez à 1 tasse (250 mL) la quantité de lait, et laissez tomber à la cuillère sur la plaque à cuisson.

Biscuits chauds à l'ancienne

Le soda, le saindoux et le lait sur font la différence entre les biscuits chauds d'autrefois et ceux d'aujourd'hui à la poudre à pâte. J'aime beaucoup la saveur distincte, la légèreté et la texture de ces biscuits.

2 tasses (500 mL) de farine tout-usage
1/2 c. à thé (2 mL) de soda
1 c. à thé (5 mL) de crème de tartre
1/2 c. à thé (2 mL) de sel
1/4 de tasse (60 mL) de saindoux
2/3 à 1 tasse (160 à 250 mL) de babeurre ou de lait sur

Chauffez le four à 450°F (230°C). Tamisez ensemble la farine, le soda, la crème de tartre et le sel. Coupez-y le saindoux légèrement et rapidement. Ajoutez le babeurre ou le lait sur petit à petit, réservant 2 à 3 c. à soupe (30 à 50 mL), jusqu'à l'obtention d'une pâte molle.

Versez l'eau bouillante sur 2 tasses (500 mL) de son. Laissez reposer 10 minutes, puis incorporez-y la graisse végétale. Brassez ensemble le reste du son, le sucre, les œufs et le babeurre.

Tamisez ensemble la farine, le soda, le sel, et mélangez tous les ingrédients. Versez dans des récipients de plastique. Couvrez et réfrigérez jusqu'au moment d'utiliser.

Pour faire cuire, remplissez les moules à muffins et faites cuire dans un four à 400°F (200°C), 20 à 25 minutes. Le mélange se conservera six semaines au réfrigérateur, et il suffira pour faire six douzaines de muffins.

N.B. : n'employez pas la céréale de son pour le petit déjeuner, mais le son non raffiné. Il se vend dans les boutiques d'aliments santé ou les boutiques de spécialités culinaires.

Muffins aux flocons d'avoine

Une fillette de dix ans fit pour moi ces muffins, alors que j'étais juge d'un concours de miel à Winnipeg. Ils étaient si bon; je lui demandai sa recette. Servez-les chauds avec du beurre fouetté et du miel du Manitoba.

1 1/2 tasse (375 mL) de lait sur ou de babeurre
1 tasse (250 mL) de flocons de maïs à l'ancienne
4 c. à table (60 mL) de beurre fondu
1/2 tasse (125 mL) de miel ou de cassonade pâle
un soupçon de macis
1 œuf battu
1 tasse (250 mL) de farine tout usage
1 c. à thé (5 mL) de poudre à pâte
1/2 c. à thé (2 mL) de soda
1/4 c. à thé (1 mL) de sel

Versez le lait sur les flocons d'avoine et laissez reposer 30 minutes (n'utilisez pas les flocons d'avoine à cuisson rapide ou instantanée; les muffins sont alors sans saveur.) Mélangez le beurre, le miel ou la cassonade, le macis et l'œuf dans un bol; ajoutez alors les flocons d'avoine et mélangez de nouveau. Tamisez ensemble le reste des ingrédients, ajoutez-les et remuez juste pour mélanger; le moins on brasse, meilleurs sont les muffins. Graissez des moules à muffins de 1 1/2 à 2 po (3,75 à 5 cm), remplissez-les de pâte aux 2/3 et faites cuire à 400°F (200°C), 12 à 15 minutes. *Rendement : 8 à 12 muffins.*

Le pain de maïs

Le pain de maïs remonte, au Canada, au temps où les Indiens broyaient le maïs à la main pour en faire des gâteaux cuits sur des pierres chauffées. Les premiers colons apportèrent un certain raffinement par l'installation de moulins pour moudre la farine de maïs. Les femmes confectionnaient toutes sortes de pains avec la farine de maïs : pains chauds, pains à la levure, pain éclair, gâteaux de maïs, et le meilleur de tous — le « Johnny Cake ». Ils étaient servis chauds soit avec du beurre et de la mélasse, ou avec des saucisses en quantité et des cornichons salés. Et encore aujourd'hui, dans nos cuisines modernes, il nous est facile de prendre plaisir à faire du pain de maïs et à le servir à l'ancienne. Et lorsqu'il s'agit de tirer les cordons de la bourse, le pain de maïs, simple ou de fantaisie, fournit une saine alimentation à peu de frais.

Pain de maïs du temps des sucres

On doit faire ce pain lorsque les érables ont commencé à couler et que le sirop d'érable frais est en abondance. Il est succulent servi chaud recouvert de sirop fraîchement bouilli. Il se grille à merveille et se conserve frais de 5 à 6 jours.

1/2 tasse (125 mL) de farine de maïs
2 tasses (500 mL) de farine Graham ou de blé entier
1 c. à thé (5 mL) de soda
1 c. à thé (5 mL) de sel
3 c. à table (50 mL) de beurre fondu
1/2 tasse (125 mL) de sirop d'érable
2 tasses (500 mL) de babeurre

Pré-chauffez le four à 350° F (180° C). Mélangez la farine de maïs, la farine Graham ou de blé entier, le soda et le sel. Battez ensemble dans un autre bol, le beurre fondu, le sirop d'érable et le babeurre. Versez d'une seule fois sur les ingrédients secs et remuez juste assez pour mélanger. Versez dans un moule à pain bien beurré, puis faites cuire de 45 à 50 minutes. Laissez tiédir 15 minutes sur une grille à gâteau avant de démouler. *Pour 6 à 8 personnes.*

Pain de maïs doré

Bien que le pain soit à son meilleur servi à la sortie du four, il est aussi savoureux et tendre lorsque refroidi. Servez-le avec de la marmelade à laquelle sont ajoutés quelques cuillerées de jus d'orange frais et du zeste d'orange râpé, avec quelques cuillerées de beurre.

3/4 de tasse (200 mL) de sucre
1/4 de tasse (60 mL) d'huile végétale
2 œufs battus
1 tasse (250 mL) de farine tout-usage
3 c. à thé (15 mL) de poudre à pâte
1/4 c. à thé (1 mL) de sel
1 1/2 tasse (400 mL) de farine de maïs
1 tasse (250 mL) de lait

Pré-chauffez le four à 400°F (200°). Mélangez le sucre et l'huile, et battez-y les œufs. Mélangez dans un autre bol, la farine, la poudre à pâte, le sel et la farine de maïs. Ajoutez le tout petit à petit au mélange en crème, en alternant avec le lait, en remuant juste assez pour mélanger après chaque addition. Versez dans un moule graissé et enfariné de 9 X 9 po (22,5 X 22,5 cm), de 30 à 40 minutes. *Pour 6 personnes.*

Pain à l'orange

Ce pain exige un peu plus de travail que la plupart des pains de ce genre, mais il en vaut la peine.

3 oranges
1 tasse (250 mL) de jus d'orange frais
1/2 tasse (125 mL) de sucre
1/4 de tasse (60 mL) d'eau
1 c. à table (15 mL) de beurre
1 œuf
2 1/2 tasses (625 mL) de farine tout-usage
2 c. à thé (10 mL) de poudre à pâte
1/2 c. à thé (2 mL) de soda
1/2 c. à thé (2 mL) de sel
zeste râpé d'une orange
3 c. à table (50 mL) de sucre

Lavez les oranges, pelez-les avec un couteau tranchant, puis taillez la pelure en minces bandes avec des ciseaux. Extrayez le jus pour l'utiliser plus tard. Mettez le sucre et l'eau dans une casserole, ajoutez-y le zeste d'orange et mijotez, en remuant, jusqu'à ce que le sucre soit dissous. Continuez à faire mijoter 3 minutes sans remuer, puis mesurez. S'il n'y a pas 2/3 de tasse (160 mL) de liquide, ajoutez de l'eau pour combler. Versez dans un bol, ajoutez le beurre et le jus d'orange. Battez pour bien mélanger et ajoutez l'œuf.

Tamisez ensemble la farine, la poudre à pâte, le soda et le sel, puis versez le mélange de jus d'orange sur le tout. Brassez juste pour humecter les ingrédients; la pâte ne sera pas lisse.

Versez dans un moule à pain graissé et enfariné de 9 X 5 po (22,5 X 12,5 cm). Mélangez bien le zeste d'orange et le sucre, et saupoudrez sur le dessus. Faites cuire 1 1/2 heure à 325°F (160°C). *Rendement : 1 pain.*

Pain de bananes au son

Vous pouvez même utiliser ces bananes toutes noires, très mûres; plus elles sont mûres, mieux c'est. Des raisins peuvent remplacer les noix, et le jus d'orange peut être remplacé par du rhum, et vous aurez le son!

3/4 de tasse (200 mL) de margarine ou de beurre mou
1 1/2 tasse (375 mL) de cassonade pâle
3 œufs
2 tasses (500 mL) de son entier ou en flocons
3 tasses (750 mL) de bananes mûres, écrasées
1/4 de tasse (60 mL) de jus d'orange frais ou de rhum brun
3 tasses (750 mL) de farine tout-usage
4 c. à thé (20 mL) de poudre à pâte
1 c. à thé (5 mL) de sel
1 c. à thé (5 mL) de soda
1 tasse (250 mL) de noix de Grenoble hachées ou de raisins secs

Mettez en crème la margarine ou le beurre avec le sucre et les œufs, pour obtenir un mélange léger et mousseux, puis ajoutez-y le son, en brassant. Mélangez les bananes avec le jus de fruit ou le rhum.

Tamisez ensemble la farine, et la poudre à pâte, le sel et le soda. Ajoutez au mélange en crème, battez bien à la main après chaque addition.

Incorporez les noix ou les raisins au mélange et versez dans 3 moules graissés et enfarinés de 9 X 5 po (22,5 X 12,5 cm). Faites cuire une heure à 350°F (180°C). *Rendement : 3 pains.*

Pain aux raisins de campagne

L'année où nous avons acheté la ferme, on me demanda de juger le « concours du pain », à la foire de Brome, dans les environs. Cette recette fut primée, et la gagnante me l'offrit. C'est une recette qui vaut la peine d'être partagée.

1 tasse (250 mL) de cassonade bien tassée
1 tasse (250 mL) de raisins secs
1 tasse (250 mL) d'eau chaude

1/2 tasse (125 mL) de saindoux
2 œufs légèrement battus
1 c. à thé (5 mL) de soda
1 c. à table (15 mL) d'eau froide
1 1/2 tasse (375 mL) de farine
2 c. à thé (10 mL) de quatre-épices moulu
1 c. à thé (5 mL) de cannelle
1 c. à thé (5 mL) de cardamome moulue
1/4 c. à thé (1 mL) de gingembre moulu
1 c. à thé (5 mL) de poudre à pâte
1/2 c. à thé (2 mL) de sel

Mettez dans une casserole, la cassonade, les raisins, l'eau chaude et le saindoux. Amenez à ébullition à feu moyen, en brassant souvent; puis faites bouillir doucement 5 minutes. Versez dans un grand bol et laissez tiédir.

Lorsque le mélange est tiède, ajoutez-y le soda délayé dans l'eau et les œufs, en remuant. Tamisez ensemble le reste des ingrédients, et ajoutez au mélange des œufs et des raisins. Mélangez bien.

Versez dans un moule à pain de 9 X 5 po (22,5 X 12,5 cm) bien beurré et enfariné. Faites cuire une heure dans un four pré-chauffé à 325°F (160°C), ou jusqu'à ce qu'une paille insérée en ressorte propre. Laissez-le tiédir dans le moule, sur une grille. Démoulez, refroidissez complètement, enveloppez de papier d'aluminium, et laissez reposer de 12 à 24 heures avant de servir. *Rendement : 1 pain.*

Pain aux dattes au rhum

Un reste de café, un peu de rhum et un petit effort vous donnent un pain aux dattes tout à fait spécial qui se conserve de 2 à 3 semaines. Il se congèle aussi très bien. Servi chaud, il rappelle le plum pudding dont il a la saveur.

1/2 tasse (125 mL) de noix de Grenoble hachées
1 tasse (250 mL) de dattes hachées
1 1/2 c. à thé (7 mL) de soda
1/2 c. à thé (2 mL) de sel
1 c. à thé (5 mL) de graines de coriandre (facultatif)
3 c. à table (50 mL) de beurre
1/2 tasse (125 mL) de café bouillant
1/4 de tasse (60 mL) de rhum
2 œufs légèrement battus
1 c. à thé (5 mL) de vanille
1/2 tasse (125 mL) de cassonade

1/2 tasse (125 mL) de sucre 1 1/2 tasse (400 mL) de farine tout-usage
zeste râpé d'une orange

Mettez dans un grand bol, les noix, les dattes, le soda, le sel, les graines de coriandre et le beurre, et arrosez du café bouillant et du rhum. Laissez reposer 20 minutes.

Dans un autre bol, mélangez les œufs, la vanille, la cassonade et le sucre. Ajoutez au premier mélange, en alternant avec la farine et le zeste d'orange. Remuez juste assez pour mélanger délicatement. Versez dans un moule à pain bien graissé de 9 X 5 X 2 po (22,5 X 12,5 X 5 cm) ou deux petits moules à pain. Faites cuire 1 heure au four préchauffé à 350°F (180°C), jusqu'à ce que le pain soit bien cuit. Refroidissez sur une grille. Pour un véritable régal, versez 2 c. à table (30 mL) de liqueur à l'orange sur le pain au sortir du four. *Rendement : 1 pain.*

Pain de pommes au fromage

Les pommes et le fromage cheddar fort donnent ensemble une saveur aigre-douce à ce pain éclair. J'en conserve toujours quelques pains au congélateur, en cas d'urgence. Trente minutes au four à 325°F (160°C) suffisent pour les dégeler.

1/2 tasse (125 mL) de graisse végétale
2/3 de tasse (160 mL) de sucre
2 œufs battus
1 1/2 tasse (375 mL) de pommes non pelées, râpées
1/2 tasse (125 mL) de fromage cheddar fort, râpé
1/4 de tasse (60 mL) de noix de Grenoble
2 tasses (500 mL) de farine tout-usage
1 1/2 c. à thé (7 mL) de poudre à pâte
1/2 c. à thé (2 mL) chacune de soda et de sel

Mettez la graisse végétale en crème avec le sucre, ajoutez les œufs et mélangez bien. Ajoutez les pommes, le fromage et les noix. Ajoutez les ingrédients secs tamisés et mélangez délicatement. Versez dans un moule à pain graissé de 9 X 5 po (22,5 X 12,5 cm), et faites cuire au four à 350°F (180°C) de 50 à 60 minutes. *Rendement : 1 pain.*

Mélange pour crêpes

Ce mélange sec peut être préparé d'avance et conservé, de 2 à 3 mois, dans un bocal couvert, dans le garde-manger.

6 tasses (1,5 L) de farine tout-usage

4 c. à table (60 mL) de sucre
1 c. à table (15 mL) de sel
3 c. à table (50 mL) de poudre à pâte
1/2 lb (250 mL ou 227 gr) de graisse végétale

Tamisez la farine avec le sucre, le sel et la poudre à pâte. Coupez-y la graisse végétale avec une broche à pâtisserie ou deux couteaux jusqu'à ce que le mélange ait l'apparence de farine d'avoine grossière. Versez dans un bocal de verre et couvrez.

Pour utiliser, mesurez 1 tasse (250 mL) du mélange, battez-y un œuf et 2/3 de tasse (160 mL), plus ou moins, de lait ou d'eau. Mélangez et faites cuire selon les directives. *Rendement : 6 à 8 petites crêpes.*

Pour des crêpes de sarrasin : utilisez la même recette, remplaçant la farine tout-usage par 3 tasses (750 mL) de farine tout-usage et 3 tasses (750 mL) de farine de sarrasin.

Pour des crêpes au babeurre : utilisez la même recette et, au moment de faire cuire, ajoutez 1/2 c. à thé (2 mL) de soda par tasse (250 mL) du mélange. Ajoutez 1 œuf et remplacez le lait par 2/3 de tasse (160 mL) de babeurre.

Les crêpes du Québec

Les crêpes du Québec ont quelque chose de bien différent de tout autre crêpe. Elles sont croustillantes, croquantes ; on dirait des rondelles de dentelle. On les met à feu assez vif dans 1/2 pouce de gras chaud, graisse ou huile. Il est très important de les servir aussitôt cuites, ce qui veut dire que quelqu'un doit avoir la patience de se tenir là en attente pendant que les autres savourent ces bonnes crêpes. On les sert accompagnées de sirop d'érable ou de mélasse puisqu'elles sont préparées sans sucre.

2 œufs
1 tasse (250 mL) de farine
1/2 c. à thé (2 mL) de poudre à pâte
1/2 à 3/4 de tasse (125 à 200 mL) d'eau

Battez les œufs en mousse. Tamisez ensemble la farine, la poudre à pâte et le sel. Ajoutez graduellement aux œufs, en brassant sans arrêt. Tout en continuant de brasser, ajoutez l'eau petit à petit jusqu'à l'obtention d'une pâte lisse et coulante.

Faites fondre 1/4 de pouce (.625 cm) de gras dans un poêlon, versez-y quelques cuillerées du mélange et faites cuire jusqu'à ce qu'il soit croustillant et doré. Servez aussitôt cuites. *Rendement : 6 à 9 crêpes.*

N.B. : le gras utilisé pour la cuisson des crêpes doit être soit du saindoux ou de la graisse végétale.

Crêpes au bacon et aux œufs

Dans la cuisine du Québec, le bacon est remplacé par de minces tranches de lard salé gras bien grillées. Nous l'appelons « crêpe au lard ». Le secret de cette crêpe est de ne pas enlever de gras, même si la quantité en semble excessive.

6 œufs
1/2 lb (250 g) de bacon
1 tasse (250 mL) de lait ou de crème légère
3 c. à table (50 mL) de farine
1/2 c. à thé (2 mL) de sel
3 c. à table (50 mL) de ciboulette ou *de persil émincé*

Faites frire le bacon dans un poêlon de fonte jusqu'à ce qu'il soit croustillant et doré. Retirez le bacon. Mettez à l'écart dans un endroit chaud. Conservez tout le gras dans le poêlon. Battez les œufs avec le lait ou la crème, la farine, le sel et la ciboulette. Versez dans le gras de bacon et faites cuire comme une grande crêpe, environ 8 minutes de chaque côté, à feu moyen, retournant seulement une fois. Mettez sur un plateau chaud et recouvrez des tranches de bacon entières ou en gros morceaux. *Rendement : 6 à 8 crêpes.*

Crêpes aux bleuets

Une crêpe légère, délicate, à saveur intéressante. Lorsque vous utilisez des bleuets surgelés, il faut les dégeler et bien les égoutter. Le jus, légèrement épaissi, peut servir de sauce.

1 tasse (250 mL) de farine tout-usage
1 c. à table (15 mL) de poudre à pâte
1/4 c. à thé (1 mL) de sel
1 c. à table (15 mL) de sucre
1 œuf
1 tasse (250 mL) de lait
1/4 de tasse (60 mL) de crème sure commerciale
2 c. à table (30 mL) de beurre fondu
1/2 tasse (125 mL) de bleuets

Tamisez la farine avec la poudre à pâte, le sel et le sucre. Battez l'œuf avec le lait et la crème sure. Versez le mélange liquide sur les ingrédients secs et mélangez au batteur pour obtenir une pâte lisse. Ajoutez le beurre en remuant et incorporez-y les bleuets.

Utilisez 2 c. à table (30 mL) de pâte par crêpe et faites cuire selon les directives. *Rendement : 12 crêpes environ.*

Crêpes à la citrouille

En Jamaïque, où les arbres de quatre-épices croissent en tous lieux, ces crêpes aromatisées aux quatre-épices sont servies avec un sirop épais de cassis et de framboises.

1 tasse (250 mL) de purée de citrouille
1/2 tasse (125 mL) de farine tout-usage
1/2 c. à thé (2 mL) de poudre à pâte
1/2 c. à thé (2 mL) de quatre-épices
1 œuf battu

Battez ensemble tous les ingrédients pour l'obtention d'une pâte lisse. Chauffez une plaque à crêpes ou un poêlon, graissez-le bien et laissez-y tomber la pâte à la cuillère. Faites cuire d'un côté, jusqu'à ce que de petites bulles fassent leur apparition sur le dessus, retournez et faites cuire l'autre côté, puis saupoudrez de sucre à glacer et servez ; ou omettez le sucre et servez avec du sirop. *Rendement : 8 à 10 crêpes.*

Pâte à l'eau pour pizza

Il me semble qu'au cours des années soixante, la pizza s'intégra à la vie canadienne, tout comme avant elle la cuisine chinoise que nous avions déjà appris à aimer. Alors, pourquoi tant d'histoires ? Pour apprendre à bien réussir la croûte de la pizza, il faut commencer par choisir la pâte, soit celle-ci, la préférée du sud de l'Italie, ou le genre de pate à brioche, du nord de l'Italie ; ou la pâte au lait canadienne. Les trois en valent la peine, mais la pâte à brioche l'emporte.

C'est la garniture de la pizza qui en fait le succès, il n'est donc pas nécessaire de suivre une recette à la lettre. Il faut se servir de son imagination, et ne pas se montrer mesquin sur l'usage d'huile d'olive ou d'herbes.

Il m'arrive de faire des pizzas miniatures de la grosseur d'un biscuit, badigeonnées d'huile d'olive, saupoudrées copieusement de parmesan, surmontées d'une tranche de fromage suisse ou de cheddar doux, et d'un soupçon d'aneth ou de basilic frais ; servies chaudes pour accompagner une salade verte ou des « légumes à la grecque ».

Simple, facile, économique ; il n'y a qu'à s'assurer que l'eau utilisée soit à la température voulue, et que la quantité de farine soit ajoutée avec une main légère.

1 c. à thé (5 mL) de sucre
1/2 tasse (125 mL) d'eau tiède
1 enveloppe de levure sèche active
3/4 de tasse (200 mL) d'eau tiède
5 c. à table (75 mL) d'huile végétale
1 c. à thé (5 mL) de sel
3 à 4 tasses (750 à 1 000 mL) de farine tout-usage
1 œuf
2 c. à table (30 mL) d'eau froide

Remuez le sucre dans la 1/2 tasse (125 mL) d'eau tiède pour la dissoudre. Ajoutez la levure et laissez reposer 10 minutes, jusqu'à ce que le mélange soit mousseux. Réchauffez un bol en le passant à l'eau chaude du robinet, mélangez-y l'eau tiède, 2 c. à table (30 mL) d'huile et le sel.

Brassez la levure et ajoutez-la au mélange. Remuez le tout, ajoutez la farine, 1/2 tasse (125 mL) à la fois, battez fortement après chaque addition, jusqu'à ce que la pâte soit molle et facile à manier. Renversez sur une planche enfarinée et pétrissez 5 minutes, jusqu'à ce que la pâte ne colle presque plus aux doigts. Recouvrez d'un linge et laissez lever dans un endroit chaud jusqu'au double du volume, de 1 1/2 à 2 heures environ.

Dégonflez la pâte avec le poing, divisez-la en 2 ou 4 boules. Mettez sur une planche légèrement enfarinée, recouvrez d'un linge et laissez reposer 15 minutes. Abaissez les 4 boules avec les mains pour que chacune puisse recouvrir une assiette à pizza de 8 à 9 po (20 à 22,5 cm) ou les 2 boules pour couvrir chacune une assiette de 12 po (30 cm). Couvrez encore d'un linge et laissez reposer 15 minutes.

Aplatissez la pâte au centre, la poussant vers l'extérieur pour former un rebord tout autour pour contenir le remplissage. Battez l'œuf avec l'eau froide et badigeonnez-en les pizzas, badigeonnez-les ensuite avec le reste de l'huile. Elles sont alors prêtes à remplir à votre gré. Lorsqu'elles sont garnies, faites-les cuire environ 25 minutes, au four à 400°F (200°C), jusqu'à ce que les pizzas soient bien dorées. *Rendement : une pizza de 12 po (30 cm) ou deux de 8 à 9 po (20 à 22,5 cm).*

Pâte à brioche pour pizza

Celle-ci est une pâte à pizza riche, légère pour les grandes occasions.

Elle convient surtout à la piccolina, la menue pizza pour les cocktails, ou que l'on sert comme entrée.

1 c. à thé (5 mL) de sucre
1/2 tasse (125 mL) d'eau tiède
2 enveloppes de levure sèche active
1 tasse (250 mL) de lait bouillant tiédi
1 c. à thé (5 mL) de sel
1/4 de tasse (60 mL) de sucre
5 œufs
4 à 5 tasses (1 à 1,25 L) de farine tout-usage
1/2 tasse (125 mL) de beurre fondu
2 c. à table (30 mL) d'eau froide
3 c. à table (50 mL) d'huile végétale

Remuez la c. à thé de sucre dans l'eau tiède pour la dissoudre complètement. Ajoutez la levure et laissez reposer 10 minutes, jusqu'à mélange mousseux. Brassez ensemble le lait tiédi, le sel et le 1/4 de tasse (60 mL) de sucre. Battez 4 des œufs et ajoutez-les au mélange. Brassez la levure et ajoutez-la au mélange.

Ajoutez 2 tasses (500 mL) de la farine et battez pour obtenir un mélange lisse (un fouet métallique ou le crochet à pâtisserie d'un malaxeur sont les meilleurs ustensiles à utiliser). Ajoutez le beurre fondu, et battre pour que le mélange soit très lisse. Ajoutez petit à petit le reste de la farine pour une pâte lisse et épaisse, recouvrez alors d'un linge et laissez reposer 15 minutes.

Renversez la pâte sur une planche enfarinée. Les mains doivent être enfarinées pour manier la pâte. Pétrir jusqu'à l'obtention d'une pâte satinée, élastique et lisse, 15 à 20 minutes. Couvrez, mettez dans un endroit chaud et laissez lever au double du volume, une heure ou deux.

Dégonflez la pâte, et procédez comme pour la pâte à l'eau pour pizza, ou tel que ci-après pour la pizza piccolina : détachez de petites boules de pâte d'environ 2 po (5 cm) de diamètre et disposez-les à 4 po (10 cm) d'intervalle les unes des autres sur une plaque à cuisson graissée. Plus la boule est petite, plus petite sera la pizza. L'important, c'est de leur donner assez d'espace pour s'étendre à la cuisson.

Couvrez la plaque à cuisson et laissez lever la pâte 15 minutes. Alors, du bout des doigts, abaissez les boules à 1/4 po (0,625 cm) d'épaisseur. Couvrez et laissez lever encore 15 minutes. Suivez les directives de la pâte à l'eau pour les aplatir et pour le badigeonnage avec l'œuf, l'eau et l'huile; et pour la cuisson. *Rendement : quatre pizzas de 8 à 9 po (20 à 22,5 cm) ou deux de 12 po (30 cm).*

Pâte à pizza canadienne

L'usage de la graisse végétale au lieu de l'huile donne une texture différente à cette pâte.

3/4 de tasse (200 mL) de lait bouillant
1/4 de tasse (60 mL) de sucre
2 c. à thé (30 mL) de sel
5 c. à table (75 mL) de graisse végétale
1 c. à thé (5 mL) de sucre
1/2 tasse (125 mL) d'eau tiède
1 enveloppe de levure sèche active

Versez le lait bouillant dans un grand bol et ajoutez-y le 1/4 de tasse (60 mL) de sucre, le sel et la graisse végétale. Remuez jusqu'à ce que la graisse soit ramollie et le sucre presque dissout. Remuez la c. à thé (5 mL) de sucre dans l'eau tiède pour la dissoudre, ajoutez la levure et laissez reposer 10 minutes, jusqu'à ce que le mélange soit mousseux. Brassez, puis ajoutez le lait et remuez pour mélanger.

Ajoutez 2 tasses (500 mL) de farine, et battez fortement pour obtenir un mélange lisse et crémeux. Ajoutez petit à petit le reste de la farine, tout en battant et mélangeant pour obtenir une pâte molle. Renversez sur une planche enfarinée et pétrissez 5 minutes, ou jusqu'à ce que la pâte soit lisse et élastique.

Mettez la pâte dans un bol huilé, couvrez d'un linge et laissez lever jusqu'au double du volume, dans un endroit chaud. Dégonflez la pâte; préparez, formez, remplissez et faites cuire comme pour la pâte de pizza à l'eau. *Rendement: quatre pizzas de 8 à 9 po (20 à 22,5 cm) ou deux de 12 po (30 cm).*

Congélation de la pâte à pizza

Lorsque vous divisez la pâte levée, l'abaissez en cercles de 8 ou 12 po (20 à 30 cm). Déposez-en un sur une assiette bien huilée, puis ajoutez les autres, avec une double épaisseur de papier ciré entre chacun. Enveloppez tout le paquet et mettez-le au congélateur. Cette pâte peut être conservés jusqu'à deux mois à 32°F (0°C).

Pour prendre un ou plusieurs cercles de pâte, il n'y a qu'à retirer le papier qui les sépare et ils se soulèveront facilement. Laissez reposer dans un endroit chaud pour que la pâte ramollisse, soit environ 30 minutes, et ensuite garnissez et faites cuire.

Mon mari Bernard est ici avec ses moutons. Pour lui, cela représente vraiment le ▷ bonheur. Nous aimons beaucoup tous les deux les chauds vêtements tricotés avec leur laine.

Céréales, riz, pâtes et légumes

Granola

Les demandes pour des recettes de «granola» me furent adressées en si grand nombre par la poste et au téléphone, environ 600 en tout, que j'ai cru bon de vous donner quelques-unes de mes préférées, afin de vous permettre de faire un choix.

Granola au miel

Celle-ci, je préfère la préparer avec de la noix de coco fraîchement râpée lorsqu'elle est disponible.

1 tasse (250 mL) de noix ou d'amandes hachées
1 tasse (250 mL) de noix de coco non sucrée râpée
1/2 tasse (125 mL) de germe de blé
3 tasses (750 mL) de flocons d'avoine
1/2 tasse (125 mL) de miel

Mélangez les noix, la noix de coco et le germe de blé. Étalez sur une plaque à cuisson et faites griller de 6 à 9 minutes, au four à 350°F (180°C), en remuant deux ou trois fois. Le mélange doit griller sans brûler. Faites dorer les flocons d'avoine sur une autre plaque à cuisson 10 à 12 minutes.

Faites chauffer le miel en plaçant le contenant dans un bol d'eau chaude. Mélangez tous les ingrédients grillés dans un grand bol, ajoutez le miel et mélangez. Étendez sur une plaque à cuisson et mettez au four à 350°F (180°C), de 10 à 12 minutes, pour bien dorer, en remuant 3 ou 4 fois. Laissez refroidir, séparez et conservez dans un récipient couvert, dans un endroit frais. *Rendement: environ 5 tasses (1 L 250 mL).*

Granola en flocons

Si vous n'aimez pas une céréale qu'il faut mastiquer, celle-ci est beaucoup plus molle. Elle se mange comme tout autre céréale avec du lait et de la crème, ou comme mon mari et moi l'aimons, telle quelle, comme un petit gueuleton, avec une pomme fraîche. C'est aussi un laxatif naturel.

◁ Le pain tressé qui symbolise la prospérité, les deux colombes qui sont le symbole de l'amour, les coupes d'argent pour le champagne, le gâteau de noces garni de tourtereaux, le coussin aux petits points pour les anneaux. Tout cela me rappelle un jour heureux: le mariage de ma petite-fille Susan qui eut lieu chez moi. Il y avait 125 invités.

5 tasses (1,25 L) de flocons d'avoine
1 tasse (250 mL) de graines de tournesol écalées hachées
1/2 tasse (125 mL) de graines de sésame
1/2 tasse (125 mL) d'huile de maïs ou de carthame
1/2 tasse (125 mL) de miel
5 tasses (1,25 L) de flocons de blé
2 tasses (500 mL) de raisins secs

Mélangez les flocons d'avoine, les graines, l'huile et le miel. Étendez sur une plaque à cuisson et faites dorer de 3 à 5 minutes au four à 375°F (190°C). Surveillez de près car les flocons ont tendance à dorer très rapidement.

Retirez du four, versez sur les flocons de blé et les raisins dans un grand bol et mélangez bien. Laissez refroidir et conservez au frais dans un récipient couvert. *Rendement: environ 12 tasses (3 L).*

Granola au sirop d'érable

Une égale quantité de miel peut remplacer le sirop d'érable, mais cette version demeure ma préférée.

2 tasses (500 mL) de flocons d'avoine ou de blé ou 1 tasse (250 mL)
  de chacun
1 tasse (250 mL) d'amandes ou de noix de Grenoble hachées
  grossièrement
1/3 de tasse (80 mL) d'huile d'arachide
1/4 de tasse (60 mL) de sirop d'érable
1/2 c. à thé (2 mL) de vanille
1/4 c. à thé (1 mL) de sel

Mélangez tous les ingrédients. Étendez en une mince couche sur une plaque à cuisson et dorez légèrement de 20 à 25 minutes au four à 325°F (160°C). Laissez refroidir, séparez et conservez au frais dans un récipient couvert. *Rendement: 3 tasses (750 mL).*

Mélange de grains entiers

Tous les ingrédients peuvent être achetés dans les boutiques d'aliments santé ou les boutiques d'aliments de divers groupes ethniques, ou même dans certains supermarchés. Je garde à la main un récipient rempli de ce mélange pour servir la céréale à volonté.

4 tasses (1 L) de grains de blé entiers
4 tasses (1 L) de grains de sarrasin entiers
4 tasses (1 L) de grains de seigle entiers

4 tasses (1 L) de grains d'avoine entiers
2 tasses (500 mL) de grains d'orge entiers

Mélangez bien, mettez dans un récipient couvert et conservez au frais.

Dans certains secteurs de la Russie, ce mélange est rôti à sec pour une saveur de noix plus prononcée. Étendez le mélange sur une plaque à cuisson et faites dorer, environ 15 minutes, au four à 350° F (180° C), remuant une fois ou deux. Refroidissez et conservez. Ne préparez chaque fois qu'une quantité suffisante pour couvrir la plaque à cuisson. *Rendement: 18 tasses (4,5 L)*

Kruska

Ce mélange est formidable, tant pas sa saveur que pous sa valeur nutritive; et il est si facile à préparer.

2 tasses (500 mL) de mélange de grains entiers
1 tasse (250 mL) de raisins secs ou de pruneaux

Amenez 6 tasses (1,5 L) d'eau à forte ébullition, ajoutez le mélange de grains; ramenez à forte ébullition, en remuant sans cesse. Retirez du feu, couvrez et laissez reposer jusqu'au lendemain à la température de la maison. Le matin, il ne reste plus qu'à réchauffer, et à manger saupoudré de sucre naturel ou de miel au goût. Lorsque le mélange est cuit, tout reste doit être conservé au réfrigérateur. *Pour 6 personnes.*

Ma céréale favorite

Celle-ci n'est pas économique, mais elle en vaut le coût.

2 tasses (500 mL) de flocons d'avoine
2 tasses (500 mL) de germe de blé
1 tasse (250 mL) d'amandes non blanchies
1 tasse (250 mL) de noix de cajous non salées
1 tasse (250 mL) de graines de tournesol écalées
1/2 c. à thé (2 mL) de sel de mer
1 tasse (250 mL) de miel de sarrasin ou de miel non pasteurisé
2/3 de tasse (160 mL) d'eau
1 c. à thé (5 mL) d'essence de vanille
2/3 de tasse (160 mL) d'huile d'arachide ou de carthame

Mélangez l'avoine, le germe de blé, les noix, les graines et le sel. Mélangez bien, dans un autre bol, le reste des ingrédients secs et mélangez le tout. Étendez sur une plaque à cuisson et mettez au four à

350° F (180° C) pour 15 minutes. Brassez et cuisez 15 minutes de plus. Laissez refroidir, mettez dans un récipient couvert et réfrigérez. *Rendement: 9 tasses (2.25 L)*.

Farine d'avoine grillée

Une ancienne ruse écossaise pour faire accepter le gruau à ceux qui ne l'aiment pas.

1 c. à table (15 mL) d'huile d'arachide ou de beurre
2 tasses (500 mL) de flocons d'avoine
4 tasses (1 L) d'eau bouillante
1/4 c. à thé (1 mL) de sel

Faites chauffer l'huile à feu moyen dans un poêlon de fonte. Ajoutez les flocons d'avoine et remuez jusqu'à ce qu'ils soient légèrement dorés. Versez dans une casserole, ajoutez l'eau bouillante et le sel, et laissez mijoter 30 minutes, en remuant souvent. Versez une bonne cuillerée de raisins secs sur chaque portion, à volonté. *Pour 4 à 6 personnes.*

Le riz sauvage

Lorsque j'étais jeune, il était impossible d'acheter du riz sauvage. Si nous en avions, ce devait être un cadeau de nos amis indiens. Mon grand-père paternel vivait près de Caughnawaga et il aimait la pêche. Il se rendait dans les rapides du canal Lachine où les Indiens pêchaient debout dans leurs canots. C'est là une prouesse que mon grand-père n'a jamais réussie; il pêchait assis. J'ai assisté, debout sur la berge, à de nombreuses captures palpitantes, me régalant d'avance des délicieux poissons. Au moment de retourner à la maison, nos amis indiens nous donnaient toujours un sac de riz sauvage.

Il est aussi désigné sous le nom de riz indien ou «avoine d'eau», pourtant ce n'est pas un riz en dépit de son nom. Le vrai riz est cultivé, mais le riz sauvage est un genre d'herbe vivace, qui pousse autour des lacs et des marais dans de nombreux endroits au nord de la partie centrale de l'Amérique du Nord, et aussi dans le même environnement dans le nord de l'Asie. C'est une plante attrayante dont la tige atteint jusqu'à neuf pieds de hauteur. Au cours de sa croissance, la tige se termine en une panicule dont les épillets donnent l'impression d'un candélabre chevelu suspendu et dont les graines constituent ce que nous appelons le riz sauvage.

Ce sont surtout les Indiens qui le récoltent suivant la méthode ancestrale, allant à l'aviron dans leur canot à travers les marais, repliant l'herbe au-dessus de leur embarcation pour en battre les grains qui y tombent.

Il n'est donc pas étonnant que le prix en soit si exorbitant, comme il l'est toujours pour les aliments ramassés à la main. Il a cependant l'avantage de doubler son volume à la cuisson et il peut être mélangé avec succès. Il existe même sur le marché un mélange préparé, ce qui réduit considérablement le prix du véritable riz sauvage, mais une façon encore plus économique est de mélanger une tasse de riz sauvage avec une égale ou double quantité de riz brun dont la texture ressemble à celle du riz sauvage, ou encore avec du riz converti ou du riz à long grain pour un mélange plus léger.

Le riz sauvage est vraiment spécial, servez-le comme plat principal au déjeuner ou comme légume pour un dîner élégant. Une de mes amies a un succès formidable : elle fait «éclater» le riz sauvage et le sert avec les consommations avant le dîner. La première fois que j'ai goûté à ces petits grains croustillants, croquants, je ne savais pas de quoi ils étaient faits; tous les convives étaient également curieux. Alors maintenant, elle les prépare devant ses invités dans une de ces jolies rôtissoires électriques, à demi remplie d'huile d'arachide, réglée à 375°F (190°C). La rôtissoire est placée sur un grand plateau de bois, le riz sauvage dans un attrayant panier d'osier avec une cuillère d'argent dedans. De l'autre côté, une longue assiette de céramique brune tapissée de jolies serviettes de papier. Les invités n'ont plus qu'à se servir en mettant quelques cuillerées de riz dans le gras chaud, qu'ils laissent cuire jusqu'à ce qu'il éclate, soit 1 à 2 minutes. Ils l'égouttent ensuite sur les serviettes de papier. Mon amie a de petits tamis de cuivre japonais pour retirer le riz du gras. C'est ainsi qu'elle sert à ses invités l'élégant «riz sauvage éclaté» avant le dîner.

Recette de base pour le riz sauvage bouilli

Une tasse (250 mL) donnera quatre portions. Si le paquet ne contient que 3/4 de tasse (200 mL), les directives sont les mêmes. Pour obtenir plus de portions, combinez le riz sauvage bouilli avec une recette de riz brun bouilli.

3/4 à 1 tasse (200 à 250 mL) de riz sauvage
3 tasses (750 mL) d'eau froide
1 c. à thé (5 mL) de gros sel

Mettez dans une grande casserole le riz, l'eau et le sel, amenez à forte ébullition à feu vif, en remuant une ou deux fois. Couvrez alors et laissez mijoter à feu moyen-doux 45 minutes ou jusqu'à ce que le riz soit tendre. Égouttez, si nécessaire, mais conservez cette eau pour ajouter à toutes les sauces. *Pour 4 personnes.*

Riz sauvage à l'étuvée

J'ai appris cette méthode de cuisson du riz sauvage il y a bien des années d'une amie de l'Ouest. Elle prétendait que c'était la seule bonne façon. Je n'en étais pas sûre ; je suis maintenant d'avis que c'est l'une des meilleures.

Mettez 1 tasse (250 mL) de riz sauvage dans une passoire, et passez sous le robinet d'eau froide jusqu'à ce que l'eau coule claire.

Mettez la passoire dans une casserole profonde, versez-y de l'eau bouillante pour couvrir le riz. Couvrez la casserole et laissez reposer 20 minutes sur l'armoire de la cuisine. Retirez la passoire et versez l'eau. Remettez la passoire dans la casserole, recouvrez de nouveau d'eau bouillante et laissez reposer jusqu'à ce que la vapeur ne sorte plus du riz, de 10 à 15 minutes environ. Répétez deux fois le procédé, ce qui fait quatre fois en tout.

Si le riz n'est pas assez tendre à votre goût, répétez une fois de plus. Lorsque le riz sauvage doit être mis en salade, c'est la seule façon de le cuire.

Mon riz sauvage chasseur

Une modification de la recette de ma mère, plus rapide mais très agréable à servir avec les oiseaux, le gibier ou la dinde fumée.

1 1/2 à 2 tasses (400 à 500 mL) de riz sauvage cuit
2 c. à table (30 mL) de brandy
1 c. à table (15 mL) de cari
3 à 5 c. à table (50 à 75 mL) de chutney
1/4 de tasse (60 mL) de beurre
sel et poivre au goût

Mélangez le brandy et le cari dans une tasse, ajoutez-le au chutney.

Faites réchauffer le riz au bain-marie, si nécessaire ; et ajoutez le mélange du brandy environ 10 minutes avant de servir. Assaisonnez de sel et de poivre à volonté, remuez-y le beurre avec une fourchette jusqu'à ce qu'il soit fondu. Servez. *Pour 4 à 6 personnes.*

Recette de base pour le riz brun bouilli

Il y a plusieurs méthodes de cuisson pour le riz brun. Celle-ci est parfaite lorsqu'il doit être mélangé à du riz sauvage, car le faire dorer lui donne le goût de noisette du riz sauvage. Utilisez autant que possible l'huile de sésame.

1 tasse (250 mL) de riz brun
2 c. à table (30 mL) d'huile de sésame ou d'arachide
4 tasses (1 L) d'eau froide
1 c. à thé (5 mL) de gros sel

Chauffez l'huile dans une casserole, ajoutez le riz et remuez à feu doux jusqu'à ce que le riz soit légèrement doré et qu'un bruit sec se fasse entendre. Ajoutez l'eau lentement, et le sel. Amenez à forte ébullition. Couvrez, laissez mijoter à feu doux 40 à 45 minutes ou jusqu'à ce que l'eau soit absorbée. Mélangez au riz sauvage cuit et utilisez dans la recette de votre choix pour du riz sauvage. *Pour 4 personnes.*

Pilaf arménien à l'orge et aux nouilles

Cette denrée principale arménienne est faite de riz et de nouilles fines. C'est un pilaf simple et différent.

4 c. à table (60 mL) de beurre ou de margarine
1/2 tasse (125 mL) de nouilles fines
1 tasse (250 mL) de riz à longs grains ou pré-bouilli
2 tasses (500 mL) d'eau chaude ou de bouillon de poulet
1 c. à thé (5 mL) de sel

Faites fondre le beurre ou la margarine dans une casserole de fonte. Ajoutez les nouilles et faites-les bien dorer en remuant, à feu moyen. Ajoutez le riz et brassez sans cesse durant 2 minutes; ajoutez ensuite l'eau chaude ou le bouillon de poulet, et le sel. Amenez à forte ébullition, couvrez et faites cuire à feu doux 10 à 14 minutes, jusqu'à ce que le riz soit cuit et le liquide évaporé. Servez aussitôt prêt. *Pour 4 personnes.*

Pilaf à l'orge

Lorsque je sers du gibier ou des oiseaux sauvages, tels que des poules de Cornouailles, je prépare du pilaf à l'orge. Je n'ai encore rencontré personne qui ne l'a pas aimé.

1 3/4 tasse (450 mL) d'orge émondée
4 c. à table (60 mL) de beurre
2 oignons émincés
1/2 lb (125 mL) de champignons émincés
4 tasses (1 L) de consommé
1/2 c. à thé (2 mL) de sel

Faites fondre 2 c. à table (30 mL) de beurre dans un grand poêlon. Ajoutez les oignons et les champignons et remuez à feu vif jusqu'à ce que le tout soit légèrement doré, en remuant presque sans cesse.

Retirez du gras et égouttez le plus possible. Faites fondre les 2 autres cuillerées (30 mL) de beurre dans le même poêlon. Ajoutez l'orge et remuez à feu moyen jusqu'à ce qu'elle soit couleur de noisette. Ajoutez les oignons et les champignons. Versez le mélange dans une casserole et ajoutez le consommé et le sel. Couvrez et mettez au four à 350°F (180°C). Au besoin, ajoutez un peu d'eau chaude au cours de la cuisson.

Pour un plat principal, faites dorer des ailes ou des pattes de poulet au beurre et mettez-les ensuite dans l'orge. Ajoutez une tasse (250 mL) supplémentaire d'eau ou de consommé. Faites cuire de la même manière. *Pour 6 à 8 personnes.*

Mes nouilles aux trois fromages

J'aime beaucoup le fromage, et je désirais un plat aux nouilles qui ait plus de fromage que de nouilles, et voici le résultat. Les nouilles peuvent être remplacées par n'importe laquelle des pâtes de votre choix. J'espère qu'il vous plaira.

1 tasse (250 mL) de cheddar fort en cubes
1 tasse (250 mL) de fromage suisse en cubes
1/2 tasse (125 mL) de parmesan râpé
8 onces (250 mL) de nouilles cuites et égouttées
1 c. à table (15 mL) de farine
1 c. à table (15 mL) de beurre
1 tasse (250 mL) de lait
1 tasse (250 mL) de cubes de pain grillé
1 gousse d'ail
1/2 c. à thé (2 mL) d'origan ou de basilic

Les deux premiers fromages doivent être taillés en cubes d'un demi-pouce.

Alternez, dans une casserole beurrée des rangs de nouilles cuites et de chacun des trois fromages. Je divise généralement les nouilles et les fromages en trois portions. Ne mélangez pas les fromages, disposez-les l'un par-dessus l'autre. Alternez les rangs jusqu'à complète utilisation des ingrédients, en terminant avec les nouilles. Préparez une sauce blanche avec la farine, le beurre et le lait. Assaisonnez au goût. Versez sur le tout. Remuez ensemble les cubes de pain grillé, l'ail finement haché et l'origan ou le basilic et saupoudrez sur la sauce. Saupoudrez une cuillerée ou plus de parmesan râpé sur le dessus.

Faites cuire 30 minutes, à découvert, dans un four à 350° F (180° C) ou jusqu'à ce que le plat soit bien doré et bouillonnant. *Pour 4 personnes.*

Variation: remplacez le fromage suisse par 2 tasses (500 mL) de fromage cottage en crème, et saupoudrez le rang de fromage cottage de 1/4 de tasse (60 mL) de persil frais haché.

Les pâtes des quinze ans de Monique

Elle donne des noms originaux à ses créations. Il est vrai qu'elle prépare ce mets depuis bien des années, mais je l'aime toujours chaque fois qu'il m'est servi.

8 onces (227 g) de macaroni en coudes ou autre forme
2 tasses (500 mL) de tomates en conserve
1 c. à thé (5 mL) de basilic
1 tasse (250 mL) de lait
2 oeufs battus
2 tasses (500 mL) de fromage cheddar fort coupe en dés
sel et poivre au goût
paprika

Faites cuire le macaroni selon les directives données sur le paquet. Égouttez et remuez avec une cuillerée à table (15 mL) d'huile à salade.

Mettez dans un plat à cuisson. Versez sur le dessus les tomates, le basilic, le sel et le poivre au goût. Mélangez bien. Ajoutez le fromage en remuant.

Battez ensemble les oeufs et le lait. Versez sur le macaroni, sans toutefois mélanger.

Faites cuire à découvert dans un four à 350°F (180°C), 40 à 50 minutes. Vous aurez un délicieux macaroni aux tomates à saveur de fromage bien prononcée. C'est si bon! *Pour 6 personnes.*

La lasagne sans viande de Monique

Cette grosse recette de ma fille, pour 10 personnes, peut être préparée dans deux casseroles, dont l'une mise au congélateur et conservée; elle peut aussi être préparée à la viande.

20 tasses (5 L) d'eau
1 c. à table (15 mL) chacune de sel et d'huile végétale
1 lb (500 mL) de nouilles pour lasagne
2 lb (1000 mL) de fromage cottage
1 tasse (250 mL) de crème sure commerciale
2 oeufs
1/2 c. à thé (2 mL) chacune de poivre et d'origan
1 lb (500 mL) de fromage mozarella tranché mince
3 c. à table (50 mL) d'huile végétale
2 gros oignons hachés fin
1/4 de tasse (60 mL) de céleri haché fin
une boîte de 28 onces (796 mL) de tomates
2 boîtes de 6 onces (160 mL) chacune de purée de tomate
1/4 de c. à thé (1 mL) de poivre
1 c. à thé (5 mL) de basilic
2 c. à thé (10 mL) de sucre
2 boîtes de champignons hachés et / ou bien
1 1/2 lb (750 mL) de boeuf haché (facultatif)

Amenez l'eau à forte ébullition dans une grande marmite, ajoutez le sel et la cuillère à table d'huile. Déposez-y les nouilles à lasagne, une à la fois, et les faire bouillir 10 à 15 minutes, jusqu'à ce qu'elles soient tendres. Lorsqu'elles sont cuites, versez de l'eau froide dans la marmite pour les refroidir assez pour les manier, mais ne les égouttez pas. Durant la cuisson de la lasagne, préparez la garniture.

Mélangez le fromage cottage, la crème sure, les oeufs, le poivre et l'origan et salez au goût. Beurrez un grand plat à cuisson de forme oblongue ou deux de 8 X 8 po (20 X 20 cm). Sortez les tranches de mozzarella.

Chauffez 2 c. à table (30 mL) de l'huile dans un grand poêlon et faites dorer l'oignon et le céleri en remuant. Égouttez les tomates et pressez pour enlever les graines. Ajoutez-les aux oignons avec la purée de tomate et les assaisonnements et faites bouillir 10 minutes.

Si des champignons sont ajoutés, faites chauffer la cuillerée à table (15 mL) d'huile qui reste, ajoutez-y les champignons égouttés et remuez jusqu'à ce qu'ils soient chauds. Si du boeuf haché est utilisé, faites dorer et ajoutez à la sauce, avec ou sans les champignons. Vérifiez l'assaisonnement. Mettez un rang de nouilles en longues bandes dans le fond de la (des) casserole(s). Recouvrez d'un rang du mélange de fromage en crème, puis des tranches de mozzarella, puis de la sauce. Répétez les rangs jusqu'à ce que le plat soit rempli en terminant avec les nouilles, la sauce et le fromage en tranches.

Quelles que soient les dimensions du plat, faites cuire à découvert 1 1/2 heure, au four à 325°F (160°C) (ou, à volonté, couvrez et mettez au réfrigérateur ou au congélateur sans faire cuire. Pour servir, mettez au four à 350°F (180°C), 1 1/2 heure.) *Pour 10 personnes.*

Ma sauce aux tomates préférée

C'est non seulement la meilleure, c'est aussi la plus simple des sauces. Essayez-la comme surprise, surtout en la faisant avec des tomates fraîches.

2 à 3 grosses tomates mûres coupées en morceaux
1 c. à table (15 mL) de beurre ou d'huile d'olive
1 c. à thé (5 mL) de sucre

Faites cuire les tomates dans une casserole de fonte émaillée (sans gras, ni liquide) à feu vif, remuant quelquefois, de 15 à 20 minutes, jusqu'à ce qu'elles soient d'une consistance épaisse. Retirez alors du feu et remuez-y le beurre ou l'huile d'olive et le sucre jusqu'à ce que le mélange soit lisse et crémeux. Servez sur des pâtes au goût. *Pour 2 personnes.*

Coudes de macaroni-sauce à l'aubergine

Cette sauce se fait de juin à septembre, lorsque l'aubergine et le piment doux sont faciles à trouver.

1 aubergine moyenne pelée et en dés
2 c. à table (30 mL) de gras de bacon
1 gousse d'ail hachée
1 piment vert haché
1/2 c. à thé (2 mL) de basilic
une boîte de 19 on. (540 mL) de tomates
1 c. à thé (5 mL) de sel
1/4 c. à thé (1 mL) de poivre
2 tasses (500 mL) de coudes de macaroni cuits

Faites dégorger l'aubergine 10 minutes dans l'eau froide et égouttez bien. Faites chauffer le gras, ajoutez l'ail, le piment et le basilic. Faites chauffer le gras, ajoutez l'ail, le piment et le basilic. Faites cuire à feu doux jusqu'à ce que les légumes soient tendres. Ajoutez les tomates, le sel, le poivre et l'aubergine, et faites mijoter à découvert à feu moyen durant 1 heure.

Mélangez avec des pâtes chaudes et servez avec un bol de fromage râpé de votre choix. *Pour 4 à 5 personnes.*

Pour réussir la cuisson des haricots secs

Il est étrange de constater que durant des années bien des gens considéraient le haricot sec comme un aliment trop lourd et à ne servir que lorsqu'on n'avait pas les moyens d'acheter autre chose. Subitement, ces haricots se font valoir parmi les aliments de tous les coins du monde. Il y a beaucoup à dire concernant ces succulents haricots; quels qu'ils soient: haricots blancs, haricots rouges, garbanzo, pois chiches, haricots de Lima, lentilles ou autres. Pour la plupart d'entre nous la cuisson des haricots n'a jamais été plus élaborée qu'un pot de fèves au lard ou de la soupe aux pois, et encore il ne s'agissait généralement que de réchauffer le contenu d'une boîte. Les haricots secs ont tout de même une certaine importance. Ils peuvent entrer dans la préparation d'un bon plat de famille économique et aussi de soupes, salades et casseroles élégantes.

L'eau: les haricots secs doivent être trempés avant la cuisson pour reprendre l'eau perdue au cours du séchage. La proportion est de 3 tasses (750 mL) d'eau par tasse (250 mL) de haricots. Ne jetez jamais l'eau de trempage, utilisez-la pour cuire les haricots. Pour gagner du temps, je suis la méthode de ma grand-mère: ajouter les haricots à l'eau, amener à forte ébullition, et faire bouillir 2 à 3 minutes (au plus). Retirez la casserole du feu, couvrez et laissez tremper une heure ou deux. Les haricots sont alors prêts pour la cuisson.

(Les pois fendus jaunes ou verts, les lentilles et doliques à œil noir sont les exceptions à la règle; ils ne doivent pas tremper.)

Le sel: 1 c à thé (5 mL) par tasse (250 mL) de haricots non cuits est à peu près ce qu'il faut; toutefois lorsqu'on ajoute du lard salé, du bacon ou du jambon, il faut réduire le sel d'une c. à thé (5 mL) par livre (500 g) de viande. Ne brassez jamais le sel dans les haricots avant que ne soit écoulé le tiers ou la moitié de la durée de cuisson, car le sel empêche les haricots de ramollir. Il m'arrive souvent de ne les saler qu'au moment de servir.

La cuisson: pour tous les haricots, la règle est de les faire cuire lentement. Faites-les mijoter. Lorsque le temps de cuisson est à demi écoulé, brassez-les le moins possible et très délicatement. Les tomates, comme le sel, doivent être ajoutées seulement une fois le temps de cuisson à demi écoulé parce qu'elles aussi retardent le ramollissement des haricots. Pour empêcher qu'il y ait beaucoup d'écume, ajoutez 1 c. à table (15 mL) de beurre ou d'huile pour chaque tasse (250 mL) de haricots secs.

Rendement : 1 lb (500 g) de haricots secs donnent à peu près 8 ou 9 portions d'environ 3/4 de tasse (200 mL) chacune.

Conservation : les haricots secs de tous genres se conservent mieux dans un endroit frais. Lorsqu'ils sont cuits, gardez-les couverts au réfrigérateur. Les haricots peuvent être surgelés avec succès, mais doivent être dégelés quelques heures avant de les réchauffer.

Si un plat aux haricots semble quelque peu sec après la cuisson, ajoutez du liquide à votre choix, l'eau suffit. Ajoutez toujours un liquide chaud, même si les haricots sont froids, et n'ajoutez qu'1/4 à 1/2 tasse (60 à 125 mL) à la fois.

Les lentilles comme légume

Les lentilles sont originaires d'Asie centrale; et comme tous les légumes secs, elles sont riches en thiamine et riboflavine, deux vitamines B de valeur. Ne faites jamais tremper les petites lentilles.

2 tasses (500 mL) de lentilles vertes
1 oignon entier
2 clous de girofle entiers
1 carotte en quatre
1 gousse d'ail émincée
1/2 c. à thé (2 mL) chacune de sarriette et de basilic
sel et poivre au goût

Mettez les lentilles dans une casserole. Recouvrez d'eau froide et amenez lentement à ébullition. Écumez. Ajoutez le reste des ingrédients, couvrez et laissez mijoter jusqu'à ce que les lentilles soient tendres, de 1 heure à 1 1/2 heure. Égouttez au besoin. Au moment de servir, ajoutez du beurre et du jus de citron au goût. *Pour 8 personnes.*

Le riz noir et blanc

Une recette classique de la cuisine d'Amérique du Sud, du riz blanc, des haricots noirs. J'ai souvent servi ce plat au déjeuner ou au dîner pour accompagner des oiseaux sauvages rôtis.

1 1/2 tasse (400 mL) de haricots noirs

1 tasse (250 mL) de riz à long grain
4 tranches de bacon haché fin et frit
1 gousse d'ail écrasée
1 gros oignon haché fin
1/2 à 1 c. à thé (2 à 5 mL) de poudre de chili
sel et poivre au goût
1 tasse (250 mL) de consommé de bœuf
2 c. à table (30 mL) de chutney

Faites tremper les haricots toute la nuit dans 6 tasses (1,5 L) d'eau froide. Le lendemain matin, amenez-les à l'ébullition, puis couvrez et faites mijoter 1 à 1 1/2 heure, jusqu'à ce qu'ils soient tendres. Égouttez. Faites cuire le riz et mettez de côté.

Ajoutez aux haricots le reste des ingrédients, remuez pour bien mélanger, puis mijotez sans couvrir jusqu'à ce que les haricots commencent à se «briser» un peu pour faire une sauce épaisse. Quelques-uns peuvent être écrasés si nécessaire, pour obtenir une texture crémeuse.

Au moment de servir, réchauffez le riz, salez au goût, ajoutez 1 c. à table (15 mL) de beurre et brassez. Faites un nid du riz dans un plat de service et remplissez le centre de la sauce aux haricots noirs. *Pour 8 personnes.*

Fèves au sirop d'érable

Une très, très vieille recette qui vient de mon arrière-grand-mère. Lorsque Susan, ma petite-fille les prépare, c'est une recette qui remonte à six générations. Et quel délice!

Je n'ai jamais vu une recette de fèves avec des pommes dans aucun livre, et jamais personne ne m'en a parlé. Chez mes parents et chez moi, ce sont les gros haricots jaunes, deux fois plus gros que les petits haricots blancs, qui sont utilisés. Il n'est pas facile d'en trouver. Lorsque vous aurez réussi, achetez-en en quantité. Les petits haricots blancs peuvent être utilisés.

4 tasses (1 L) de petits haricots blancs pré-cuits
1 lb (500 g) de lard salé entrelardé tranché
1 gros oignon entier pelé
1 c. à thé (5 mL) de moutarde sèche
1 tasse (250 mL) de sirop d'érable
1 c. à table (15 mL) de gros sel
4 pommes non pelées et le cœur enlevé
1 tasse (250 mL) de cassonade

1/2 tasse (125 mL) de beurre
1/2 tasse (125 mL) de rhum

Comment pré-cuire les haricots

Dans notre famille, on ne faisait jamais tremper les haricots toute la nuit. Voici la méthode rapide que nous utilisions.

Triez 1 lb (500 mL) et lavez les haricots à l'eau froide. Mettez-les dans une casserole et ajoutez 8 tasses (2 L) d'eau à forte ébullition et 1 c. à table (15 mL) de mélasse. Couvrez et laissez reposer 1 heure. Découvrez, amenez à forte ébullition dans la même eau. Couvrez, baissez le feu et faites mijoter environ 1 1/2 heure, jusqu'à ce que les haricots commencent à devenir plus tendres. La durée varie selon l'âge et la sécheresse des haricots. La cuisson se fait dans la même eau. Ne salez jamais l'eau de trempage, car cela durcit les haricots.

Pour cuire au four: tranchez le lard salé et tapissez-en le fond du pot, mettez les tranches qui restent ici et là dans les haricots. Versez-y ensuite les haricots et leur eau. Roulez l'oignon dans la moutarde sèche pour qu'elle adhère. Enfouissez l'oignon au milieu des haricots. Versez sur le tout le sirop d'érable et le gros sel et couvrez.

Faites cuire 4 à 5 heures au four à 325° F (160° C). Brassez après 3 à 4 heures et ajoutez de l'eau chaude lentement (seulement, si le dessus est sec). Remettez au four.

Dans la dernière heure de cuisson, enlevez le couvercle du pot et couvrez les haricots avec les pommes bien tassées.

Mettez en crème la cassonade et le beurre. Étendez sur les pommes. À mesure que s'achève la cuisson, les pommes cuisent en une délicieuse garniture.

Au moment de servir, arrosez le dessus avec le rhum. Servez une portion de pomme avec chaque portion de fèves au lard. *Pour 10 à 12 personnes.*

Les œufs

Glossaire du chef

A la bonne femme : 1 c. thé (5 mL) de vinaigre de cidre ajouté à un oignon haché frit au beurre. Surmontez d'un œuf poché ou frit.

A la bourgeoise : de minces tranches de pain grillé beurrées, recouvertes de minces tranches de fromage suisse, surmontées d'un œuf frit.

A la Colette : quelques champignons tranchés, quelques rognons d'agneau coupés en quatre, frits rapidement au beurre, aromatisés d'estragon au goût. Servez autour d'un plateau d'œufs au miroir.

A la duchesse : une purée de pommes de terre avec ciboulette, en forme de nid où est placé un œuf frit.

A l'indienne : préparez une sauce blanche légère ; aromatisez au cari et au jus de citron à volonté et faites-y pocher un œuf. Servez avec l'œuf.

A la Marie : une salade d'œufs durs et de betteraves cuites tranchées, remuée avec de l'huile, du vinaigre, du sel, du poivre et surmontée de câpres, dans un nid de cresson ou d'endives.

A la Mornay : œufs pochés sur pain grillé recouverts d'une sauce au fromage et de champignons frits.

A la portugaise : œufs pochés servis sur petits pains grillés beurrés garnis de moitié de tomates frites.

Au gratin : tranches d'œufs durs en rangs alternés avec sauce blanche et fromage râpé, saupoudrées de chapelure, parsemées de dés de beurre et cuites au four à 400°F (200°C).

1. Réchauffez le poêlon à feu doux. Il faut pouvoir en toucher le fond du bout des doigts.

2. Mettez dans le poêlon chaud une cuillerée à table comble de beurre. Le beurre doux donne une parfaite saveur crémeuse, mais le beurre salé peut être utilisé. Laissez fondre le beurre.

3. Pendant que le beurre fond à feu doux, brisez 3 œufs dans un bol, ajoutez du sel et du poivre au goût, et 1 c. à table (15 mL) d'eau froide. Battez les œufs vivement 30 à 40 secondes. Ajoutez 2 c. à table (30 mL) d'eau pour 6 œufs.

4. Faites chauffer le beurre quelques secondes à feu vif et versez-y les œufs. Attendez 10 secondes.

5. Prenez la poignée du poêlon dans votre main gauche et une fourchette dans la droite. Avec la fourchette, soulevez délicatement les œufs tout autour en repoussant vers le milieu, et continuez ainsi aussi rapidement que vous le permettra votre expérience, tout en secouant légèrement le poêlon pour empêcher les œufs de prendre au fond. Continuez à repousser ainsi vers le milieu, en soulevant la portion cuite avec la fourchette pour permettre au liquide de couler dessous. Cette opération ne devrait prendre que 1 minute à 1 1/2 minute, une fois que le procédé sera bien compris.

6. Mettez rapidement l'omelette sur une assiette ou un plat chaud, car une omelette ne doit jamais reposer dans le poêlon la cuisson terminée. Soulevez le bord de l'omelette le plus près de vous et repliez l'omelette, inclinant le poêlon durant le procédé. Inclinez davantage pour faire glisser l'omelette sur l'assiette. Pour commencer, utilisez une spatule large. À force d'expérience, cette opération se fera en dix secondes. Si l'omelette ne glisse pas facilement sur l'assiette il ne faut pas se décourager. Elle peut-être dégagée avec une spatule et un petit morceau de beurre peut être placé dessous, ce qui agira comme lubrifiant.

Ce n'est qu'à force de répéter l'opération que vous deviendrez experte.

Oeufs brouillés Bombay

Le cari, le bacon et l'oignon ont une certaine affinité. Servez au déjeuner avec du riz chaud.

6 oeufs bien battus
1/4 c. à thé (1 mL) de sel
4 c. à table (60 mL) de crème
4 à 6 tranches de bacon en dés
1 oignon tranché mince
3 c. à table (50 mL) de beurre
1 c. à thé (5 mL) de poudre de cari

Ajoutez le sel et la crème aux œufs battus. Faites cuire les dés de bacon jusqu'à ce qu'ils soient croustillants, ajoutez-y l'oignon et faites-le dorer légèrement. Enlevez l'excès de gras et versez les œufs sur le bacon et les oignons. Brassez-les à feu doux pendant qu'ils cuisent.

Faites légèrement brunir le beurre, ajoutez-y le cari et brassez ensemble. Mettez les œufs sur le plat de service et arrosez-les du beurre au cari. *Pour 6 personnes.*

Œufs brouillés à la bostonaise

Pour moi, la meilleure façon de manger du fromage cottage. Ce plat se sert au petit déjeuner ou le midi.

> *4 œufs*
> *1 tasse (250 mL) de fromage cottage*
> *3 c. à table (50 mL) de persil frais ou de ciboulette*
> *1/2 c. à thé (2 mL) de sel*
> *poivre frais moulu au goût*
> *rôties chaudes beurrées*

Faites fondre le beurre dans un poêlon jusqu'à ce qu'il soit couleur noisette. Retirez du feu et cassez les 4 œufs dans le poêlon; battez-les à la fourchette juste assez pour mélanger les jaunes et les blancs. Ajoutez le fromage cottage (le genre sec est préférable au genre crémeux) et le persil ou la ciboulette. Remettez à feu doux et faites cuire en brassant sans arrêt. Il faut éviter de trop cuire. Placez, aussitôt cuits, sur un plat de service. Poivrez et servez avec les rôties. *Pour 4 personnes.*

Œufs dorés à la mayonnaise

C'est la version anglaise des œufs mimosas. C'est un plat élégant pour le déjeuner avec des bâtonnets de pain à l'ail ou de melbas maison.

> *4 c. à table (60 mL) de beurre*
> *1 c. à table (15 mL) d'huile*
> *2 c. à table (30 mL) de poudre de cari*
> *8 œufs durs*
> *1 tasse (250 mL) de mayonnaise*
> *3 c. à table (50 mL) de chutney haché*
> *1 tête de laitue*
> *1/4 de tasse (60 mL) d'olives hachées (facultatif)*

Faites chauffer le beurre et l'huile dans une casserole, à feu moyen. Remuez-y le cari pour le bien mélanger. Ajoutez les œufs entiers écalés et remuez à feu doux durant 10 minutes pour les enrober complètement. Déposez les œufs sur une assiette à l'aide d'une écumoire, couvrez et laissez refroidir (ne réfrigérez pas)

Au moment de servir, mélangez la mayonnaise et le chutney; coupez les œufs en deux. Faites un nid de laitue dans un bol à salade, ajoutez les œufs, versez-y la mayonnaise pour les enrober. Saupoudrez les olives hachées autour de la mayonnaise. *Pour 4 à 6 personnes.*

Oeufs à la suisse

Un plat simple mais élégant. La texture, la saveur, l'apparence... tout est bien.

6 œufs durs
2 gros oignons tranchés épais
4 c. à table (60 mL) de beurre
1/4 c. à thé (1 mL) de thym
4 c. à table (60 mL) de farine
2 tasses (500 mL) de crème légère ou de lait
2 c. à table (30 mL) de jus de citron
3 c. à table (50 mL) de ciboulette ou persil haché
2/3 de tasse (160 mL) de fromage râpé
1 tasse (250 mL) de petits croûtons

Écalez les œufs et tranchez-les. Faites fondre l'oignon sans le laisser dorer, dans le beurre aromatisé au thym. Retirez du beurre à l'aide d'une écumoire. Beurrez un plat à cuisson et disposez-y en rangs alternés les œufs et les oignons. Ajoutez la farine au gras du poêlon, mélangez et ajoutez la crème ou le lait. Faites cuire, tout en remuant, jusqu'à ce que le mélange soit lisse et crémeux. Salez et poivrez, ajoutez le jus de citron et le persil. Versez sur les œufs et les oignons.

Mélangez le fromage râpé et les croûtons, et saupoudrez sur le dessus. Faites cuire 20 minutes au four à 375° F (190° C). *Pour 4 à 6 personnes.*

Fromage aux œufs

Cette recette me vient d'une Mennonite du marché de Kitchener. Tous ses pains, ses gâteaux et son fromage étaient parfaits. Elle m'a dit qu'elle en servait souvent à sa famille parce qu'il était nutritif de même qu'économique--- et elle aurait pu ajouter, très bon.

4 tasses (1 L) de lait
2 œufs
1 tasse (250 mL) de lait sur ou de babeurre
1/2 c. à thé (2 mL) chacune de sel et de sucre

Amenez le lait frais à ébullition et retirez du feu. Battez légèrement les œufs dans le lait sur, le sel et le poivre. Couvrez et laissez reposer 10 minutes, puis remuez lentement jusqu'à ce que le lait caille.

Retirez le fromage avec une petite passoire ou une écumoire. Mettez dans un moule troué afin que le fromage s'égoutte ou utilisez une passoire tapissée d'un linge. Placez au-dessus d'un bol, laissez égoutter de 6 à 8 heures. Démoulez et servez avec mélasse ou sirop d'érable et d'épaisses tranches de pain de ménage. *Rendement : 1 à 1 1/2 tasse (250 à 400 mL).*

Vins et Fromages

Quelques conseils sur le fromage

Le fromage doit être servi chambré. Conservez les fromages au réfrigérateur, enveloppés individuellement dans leur propre papier ou dans du papier de plastique transparent. Retirez du réfrigérateur, au moins deux heures avant d'utiliser. Aucun fromage ne peut supporter des variations brusques de température car la véritable saveur de tout fromage ne se manifeste que lorsqu'il est à la température ambiante. Ma règle est que tout fromage doit être chambré au moins trois heures avant d'être servi.

La quantité de fromages à servir dépend du nombre des invités. Six fromages, dont un de chaque variété, sont suffisants pour 8 à 10 personnes. Les restes peuvent être enveloppés individuellement dans du papier de plastique et devraient se conserver un mois au réfrigérateur.

Choisissez votre fromage sagement, mieux vaut quelques-uns seulement, mais de la meilleure qualité. Si vos connaissances en fromage sont limitées, adressez-vous à un fromager. Je vous soumets une liste des fromages les mieux connus dont la plupart sont facilement accessibles dans les super marchés et boutiques de fromage spécialisées. Pourquoi ne pas la consulter, prendre votre décision et juger par vous-même ?

Les fromages frais et doux

Ceux-ci sont très doux ; ils sont des variations du fromage à la crème et du fromage cottage. Comme ils se ressemblent quant à la saveur, un ou deux suffiront à une dégustation. Ils sont surtout appréciés de ceux qui n'aiment pas les fromages forts.

Mozzarella, italien, un fromage mou, délicat, doux.

Petit-suisse, français, un fromage doux et crémeux, très bon accompagné de pain français, saupoudré de gros sel ou de poivre fraîchement moulu.

Fromage importé coulant et crémeux pas aussi accessible que les deux premiers. Les meilleurs sont le saint-florentin et le Boursault.

151

Les fromages doux et riches

Ils sont nombreux et très populaires parce que toujours délicieux et légers.

Bel paese, italien, de saveur douce, bien définie et agréable. La marque Galbani est la meilleure.

Les fromages danois : *esrom, sansoe, fynbo et danbo* sont très agréables et aimés de la majorité des gens. Esrom est doux et crémeux ; sansoe est semi-dur, semi-fort ; fynbo semi-dur et plutôt fort ; danbo peut être considéré comme la version danoise du fromage suisse.

Edam et gouda, hollandais, lisses et doux. Le gouda a une saveur plus prononcée ; l'edam, dont l'enveloppe est rouge, est fait de lait partiellement écrémé ; le gouda, de lait entier. En général plus un fromage contient de matières grasses, plus il est mou. De tous les fromages doux et riches, ces deux sont les plus facilement accessibles dans tout le Canada.

Emmenthal et gruyère, suisses, fromages de qualité, qui plaisent aux amateurs de fromage. L'emmenthal est le plus délicat des fromages suisses ; le gruyère est plus salé, de saveur moins raffinée, et sa teneur en matières grasses est plus élevée.

La famille du cheddar

La famille de fromage la plus variée. Sa texture s'étend de semi-dure à dure ; sa saveur, de douce à très forte, et sa couleur de crème à jaune foncé.

Le cheddar canadien est un fromage bien connue et il ressemble beaucoup au cheddar anglais. La meilleure qualité est celle qui vient en meules de 5 livres (2,25 kg), il doit être bien vieilli. Sa gamme de couleur s'étend d'un ton de beurre pâle à un orange citrouille et sa saveur va de doux, à moyen à très fort.

Le cheshire anglais, presqu'identique au cheddar, est le plus vieux fromage anglais. Un bon cheshire est délicieux et devrait occuper une place de choix sur une table de fromage. Il est friable sans être sec et possède une saveur de babeurre salé.

Le gloucester double, anglais un autre type de cheddar anglais. Ici il n'est pas facile de se le procurer à son meilleur.

Le caerphilly gallois, un magnifique fromage et mon préféré du type cheddar moyen. De texture ferme et légèrement granuleuse. Il est délicieux saupoudré de poivre fraîchement moulu sur des biscuits secs.

Le dunlop écossais, lorsqu'il est bien mûri, possède une saveur riche avec un peu de piquant, mais sans âcreté. En mordant dans un morceau de dunlop, on a la sensation de mordre, à travers le fromage, dans du bon lait riche et frais. Un autre indispensable.

Le derby anglais n'est pas un fromage aussi spectaculaire que le dunlop, mais il est doux et savoureux.

Le kasseri grec un fromage de lait de brebis, fort, blanc, dont la saveur est entre le cheddar et le parmesan. On le trouve facilement dans les magasins qui se spécialisent en fromages ou dans les épiceries des quartiers grecs et polonais.

Le camembert et le brie

Ces fromages classiques crémeux, sont les mieux connus des fromages étrangers. Au goût, la croûte peut être mangée ou non. La différence entre les diverses marques de camembert est bien définie, et il ne peut être question de comparer le camembert importé avec le camembert domestique. Les deux sont difficiles à acheter car une certaine connaissance de leur texture et de leur apparence est nécessaire pour les choisir à point.

Quelques règles générales: le camembert importé est très bon d'octobre à juin, mais à son meilleur de janvier à avril. Durant les mois d'été, il est plus sûr d'acheter les marques domestiques. Qu'il soit importé ou domestique, il vaut mieux s'en abstenir s'il n'est pas bombé et quelque peu mou au toucher. Si la boîte ronde de camembert semble trop grande, méfiez-vous, car il sera moins crémeux et la croûte sera sèche.

Quand au brie, moins salé que le camembert, il est le plus renommé des fromages... et pour cause. On reconnaît le brie à sa forme ronde et plutôt mince. C'est le fromage par excellence, même parmi les connaisseurs. Le seul digne de ce nom «brie» est le «brie» français, dont le meilleur de tous est le brie de Meaux.

Les fromages de monastères

Ces derniers comprennent une grande variété de fromages importés et domestiques de texture semi-dure et à saveur quelque peu crémeuse. Il y a les doux et les forts, mais tous peuvent être conservés jusqu'à trois mois au réfrigérateur, enveloppés de papier de plastique.

Le Port-salut français, fromage des monastères trappistes. De couleur jaune pâle, il est crémeux, de texture molle et de saveur forte. Le saint-paulin lui ressemble, mais il est moins délicat.

Le oka, canadien, un des meilleurs fromages du type Port-salut, des trappistes d'Oka, au Québec, il est connu à travers le monde.

Le munster français, un fromage riche, crémeux, dont la croûte est souvent recouverte de graines de carvi, ce qui lui donne une saveur distincte.

Le tome de Savoie français, sa saveur est entre celle d'un munster et d'un port-salut. Il y en a deux variétés, l'une simple, et l'autre où le fromage est couvert de pépins de raisins noirs.

Les fromages bleus : ils sont presqu'aussi connus que le cheddar ; de couleur blanc crémeux toujours veiné de bleu. Ces fromages ont tous une saveur piquante.

Le bleu de Bresse français, le roi de tous les fromages bleus, c'est de lui que vient le riche roquefort.

Le stilton anglais fait de cheddar de première qualité, un fromage magnifique et le plus sophistiqué des fromages bleus.

Le cheshire bleu un autre fromage anglais de qualité supérieure.

Le gorgonzola, italien, avec le roquefort et le stilton, il forme le fameux triumvirat de tous les fromages bleu. N'en utilisez qu'un seul à la fois.

Le bleu danois : le plus doux des fromages bleus, très crémeux. Il est fait de crème riche, ce qui lui donne cette consistance crèmeuse.

Une question longtemps en litige chez les amateurs de fromage est de savoir si on doit manger du beurre avec le fromage. Mon opinion personnelle, la voici : je suis d'avis que le beurre doux est d'agréable compagnie avec un fromage fort tel que le roquefort qui a une saveur forte et salée ; d'un autre côté, je n'utilise pas de beurre avec un fromage à texture riche, molle et qui se fait.

Il ne faut pas déguiser le goût du fromage en le servant avec des pains à saveur prononcée, comme le pain à l'anis ou le pain de seigle à l'oignon, ou avec des pains sucrés. Les meilleurs pains à servir sont le pain français croustillant et le pain italien à l'eau, tous deux sont faciles à faire à la maison. Et il y aussi les pains et les biscuits du type scandinave, secs et durs ; les biscuits non salés, ou les parfaits biscuits à l'eau anglais.

À part le pain et le beurre, les fruits juteux, tels que pommes et poires, sont délicieux avec les fromages. Les aliments croustillants : cresson, céleri, concombre, bâtonnets de carottes, même les petits cornichons et marinades spéciales, sont également agréables. Tout fromage est délicieux badigeonné d'un peu de moutarde, particulièrement du type Dijon ou d'une moutarde anglaise piquante. La combinaison vin et fromage n'est pas une nouvelle découverte, on en fait mention dans la Bible, cependant, la simplicité des temps anciens à été transformée au profit d'agréables réceptions.

Le fromage et le vin ont des caractéristiques semblables ce qui explique leur affinité : le fromage contribue à la conservation du lait, comme le vin à celle des raisins. Les spécialistes en matière de vins et de fromages ont chacun leurs formules secrètes qu'eux seuls connaissent. Les variétés de vins sont innombrables comme celles des fromages.

Une dégustation de vins et de fromages est donc la combinaison de deux substances vraiment faites l'une pour l'autre. Pour en faire un succès, une certaine connaissance s'impose, et pour y arriver, il faut goûter aux deux ingrédients ; cela doit se faire en petites quantités, à dessein et à loisir, en prenant des notes quant à ses préférences pour les fromages et pour les vins, individuellement et ensemble.

Il faut les évaluer à leur pleine valeur, car ils sont tous deux des aliments dont le goût est personnel. Personne ne peut vous dire : «Vous devez déguster ce camembert avec ce bordeaux,» car vous préférez peut-être un brie avec un rosé.

Les vins

Quant au vin, le fromage lui-même suggère souvent lequel doit l'accompagner. Le fromage suisse est délicieux avec un vin blanc léger ; le roquefort et les fromages bleus exigent un bourgogne bien corsé ou un bordeaux corsé du type Saint-Émilion.

Alors que maintes variétés de fromages sont offertes, la règle la meilleure est de servir un vin blanc sec léger, bien frais avec les fromages légers, crémeux, doux que l'on déguste les premiers. Et de suivre des fromages plus forts et à saveur bien définie avec les vins plus riches, plus corsés, tels que le bourgogne. Les fromages entre ces deux catégories, dont les fromages des trappistes, sont meilleurs avec un vin rouge léger, un bordeaux ou Claret.

On peut faire un choix, il n'est pas nécessaire de servir trois vins. Les vins d'Alsace et du Rhin, le chianti ou le valpolicella se servent avec tous les types de fromage (les deux premiers doivent être servis très frais).

Souvenez-vous lorsque vous faites un choix qu'en dépit des règles établies, vous n'avez pas à vous y conformer rigoureusement, car tout vin que vous préférez sera toujours le meilleur à servir.

Le vin mettra toujours le fromage en valeur. La bière est également de mise, mais non pas avec tous les fromages... les meilleurs sont ceux de la famille du cheddar et les fromages forts tel que le limburger.

Tout ce qui est requis pour compléter la table des fromages, c'est l'un ou l'autre ou plusieurs des aliments mentionnés auparavant, des paniers de pains et de biscuits assortis, une assiette de beurre doux et une de beurre salé. De bons couteaux bien aiguisés sont un complément apprécié. Pour le dessert, qui sera léger et rafraîchissant, rien de meilleur qu'un magnifique panier de fruits assortis et un autre de noix et raisins.

Yogourt et fromage fermière

Malgré son ancienneté et son usage répandu de par le monde, le yogourt est connu au Canada depuis relativement peu. D'abord introduit comme aliment de santé, qu'il fallait chercher, il est devenu un ingrédient fascinant dans presque tous les genres de cuisine et il est facilement accessible dans tous les grands marchés.

Le yogourt est simplement du lait fermenté à saveur stimulante. Il est bon pour les gens de tout âge, car il se digère si bien, et la variété au lait écrémé est avantageuse pour ceux d'entre nous qui sont au régime. Je préfère le yogourt plus naturel genre suisse; toutefois, toute la gamme des saveurs, textures et couleurs vous offre un vaste choix. Si vous ne connaissez pas du tout le yogourt, vérifiez les étiquettes de chaque marque, tous les additifs y sont inscrits et vous pourrez choisir le type qui vous convient.

Toutes les recettes ci-après demandent du yogourt naturel; ceux qui sont aromatisés peuvent servir comme collation ou dessert. On peut même facilement se procurer du yogourt surgelé, qui contient deux fois moins de calories que la crème glacée.

Manières de servir le yogourt aromatisé

Mangez un yogourt lorsque vous vous sentez fatigué (ou buvez-le, il se liquéfie lorsque vous le brassez). Si vous l'aimez sucré, ajoutez-y une cuillerée de cassonade, sirop d'érable, miel, confiture ou fruits frais écrasés.

Faites cuire des pommes de terre au four, ou faites-les bouillir avec la pelure et coupez-les en deux. Recouvrez de yogourt mélangé avec beaucoup de persil ou quelques petits oignons verts hachés.

Battez le contenu d'un petit récipient de yogourt dans un grand verre de jus de tomate avec 1 c. à thé (5 mL) de jus de citron et une pincée de sel. Vous avez alors un «Mary blanc et rouge».

Remplissez la cavité du cœur d'une pomme de raisins secs, sucre et épices au goût, couvrez de yogourt et faites cuire.

Utilisez une égale quantité de yogourt pour remplacer la crème sure ou le babeurre d'une recette de crêpes, biscuits et gâteaux.

Mettez dans un mélangeur électrique 2 tasses (500 mL) de yogourt, 1 tasse (250 mL) de jus d'orange frais, et 1 c. à table (15 mL) de miel, mélangez 2 secondes et prenez comme stimulant, ou servez avant un repas léger.

Un dessert vite fait: versez sur chaque yogourt nature une cuillerée ou deux de jus de fruit non dilué, jus concentré d'orange, d'ananas, de raisins, ou limonade, au choix.

Yogourt maison

Il est facile de faire son propre yogourt, mais aussi quelquefois délicat. La température y joue un rôle important. Vous l'aurez peut être réussi dix fois, pour ensuite le rater quatre fois. S'il vous plaît d'essayer, voici comment je m'y prends depuis des années. La culture de yogourt est vendue dans les boutiques d'aliments santé.

4 tasses (1 L) de lait (entier, écrémé, en poudre reconstitué, ou évaporé dilué)
2 c. à table (30 mL) de yogourt commercial

Faites chauffer le lait pour qu'il soit tiède (mais sans le rendre au point d'ébullition), mélangez-y le yogourt avec une cuillère de bois. (Pour un yogourt au café, ajoutez quelques grains de café instantané au lait qui chauffe).

Répartissez dans des coupes à dessert, ou versez dans une bouteille à large ouverture et mettez dans un endroit chaud: au-dessus d'une veilleuse, près d'un radiateur, dans un bol d'eau chaude ou lorsqu'une bouteille est utilisée, enveloppez-la d'une couverture de laine et mettez-la au chaud. Il s'agit de garder le yogourt au chaud, mais non de le cuire.

Laissez reposer 6 à 8 heures, ou toute la nuit (le lait va cailler et aura l'apparence d'une gelée molle). Réfrigérez alors de 12 à 24 heures avant d'utiliser, il y sera solidifié. *Rendement: 4 tasses (1 L).*

Pour fabriquer un deuxième lot, utilisez 2 c. à table (30 mL) de yogourt du premier. Après le troisième lot, recommencez avec un yogourt commercial frais. Lorsque vous réussissez avec une marque, continuez à l'employer.

Fromage fermière au lait écrémé

Mes grands-parents faisaient chaque semaine ce fromage de campagne frais et crémeux. On le servait au souper du vendredi soir avec des pommes de terre au four et de la crème riche. (Je l'aime encore aujourd'hui). Autrefois, on n'employait que du lait écrémé, et il était pasteurisé au moment de l'utiliser. Maintenant, j'utilise du lait écrémé en poudre instantané et c'est beaucoup plus rapide.

La culture:

1 tasse (250 mL) de lait en poudre instantané
1 1/2 tasse (400 mL) d'eau
1/2 tasse (125 mL) de yogourt ou de crème sûre

Le fromage:

16 tasses (4 L) de lait écrémé
1 tasse (250 mL) de la culture préparée
1 c. à thé (5 mL) de sel

Mélangez les ingrédients de la culture dans un bol. Remuez bien couvrez de papier et laissez reposer à la température ambiante durant 24 heures pour surir. Le moment venu, l'odeur se fera sentir. Lorsqu'on désire en fabriquer régulièrement, il faut mettre de côté 1 tasse (250 mL) de la culture pour usage futur. Conservez couvert dans un endroit frais ou au réfrigérateur, de 8 à 10 jours.

Reconstituez les 16 tasses (4 L) de lait instantané selon les directives sur la boîte. Chauffez le lait à 75° F (25° C) dans une casserole d'acier inoxydable. (L'usage d'un thermomètre est essentiel pour obtenir de bons résultats). Ajoutez 1 tasse (250 mL) de la culture, ramenez à 75° F (25° C), et retirez du feu.

Laissez reposer toute la nuit à la température ambiante, légèrement couvert. Le lendemain, il y aura un caillot solide sur le dessus avec un liquide blanchâtre en surface. (12 à 18 heures peuvent être requises pour cailler, il n'y a qu'à attendre). Coupez alors le caillot en carrés d'1/2 po (1,25 cm) en passant un long couteau en longueur et en largeur. Mettez ensuite le plat de lait caillé dans une casserole plus grande contenant de l'eau chaude (un genre de bain-marie).

Faites cuire à feu doux pour séparer le liquide et faire de petits grumeaux fermes. Remuez délicatement afin que les grumeaux cuisent uniformément et évitez de les briser en petits morceaux. Faites cuire jusqu'à une température de 110° F (44° C). (Évitez de surchauffer). Vérifiez la texture des caillots en les frottant avec soin entre les doigts, elle doit paraître légèrement granuleuse.

Versez le mélange dans une passoire tapissée de coton à fromage. Laissez égoutter 2 minutes. Faites passer les grumeaux d'un côté à l'autre en soulevant délicatement un coin du coton.

Lorsque bien égoutté soulevez le coton à fromage par les quatre coins et trempez le contenu dans l'eau glacée, pour refroidir et enlever tout le liquide blanchâtre. Mettez dans un bol et salez. Couvrez et réfrigérez jusqu'au moment d'utiliser. Pour rendre le fromage plus lisse, ajoutez de la crème riche au moment de servir. *Rendement : 3 à 4 tasses (0,75 à 1 L)*

Les viandes

La viande hachée

Saviez-vous que de la Russie à la Côte d'Azur, la viande hachée est un morceau de roi; que l'on peut en faire des soupes, des pains, des casseroles, des hors-d'œuvre et même des plats élégants. La viande hachée offre une très vaste gamme de prix et de qualités.

L'achat : la viande la plus usitée dans les recettes de viande hachée est sans contredit le bœuf dans l'épaule, la ronde ou la poitrine. La qualité de la viande en paquets désignée comme « Hamburger» n'est pas mal, mais elle contient généralement beaucoup de gras, et est meilleure lorsqu'on y ajoute de la chapelure, ou des biscuits émiettés, ou des œufs; la « viande hachée» ou « bœuf haché» a un pourcentage moins élevé en gras, et est plus économique à utiliser en pâtés. Parfois, la viande hachée porte la mention « très maigre». C'est généralement du bœuf dans la ronde et elle se vend plus cher.

Utilisez-la dans les régimes de faible teneur en gras et dans les plats qui demandent une viande maigre. Pour garder la viande hachée plus de deux jours, il faut la congeler. Elle doit être cuite aussitôt qu'elle est à demi ou complètement dégelée, selon la recette; car elle perdrait de ses jus et de sa saveur. Une livre (500 g) de viande hachée suffit pour 4 portions.

La préparation : l'addition à la viande hachée d'un liquide, soit eau, consommé, jus de pomme, vin, lait ou crème, la rend juteuse, surtout lorsqu'on en fait des pâtés ou un pain. Une bonne moyenne est 2 c. à table (30 mL) par livre (500 g) de viande. On ajoute parfois des œufs comme agent de liaison et ils rendent la viande plus tendre. Utilisez 1 œuf par livre (500 g) de viande hachée.

Les ingrédients susceptibles d'être utilisés pour aromatiser la viande hachée sont nombreux. Pour une livre (500 g) de viande hachée, utilisez 1/2 à 1 c. à thé (2 à 5 mL) de sel, et au goût un ou deux des ingrédients suivants : un oignon haché; une gousse d'ail écrasée; 1/4 à 1/2 tasse (60 à 125 mL) de persil; 1/4 de tasse (60 mL) de ciboulette hachée; 1/4 à 1 c. à thé (1 à 5 mL) d'origan, marjolaine, sarriette ou thym séché; 1/4 à 1/2 c. à thé (1 à 2 mL) de grains de poivre, coriandre, cumin ou carvi, écrasés ou entiers; 1 c. à thé (5 mL) de poudre de cari, ou d'une sauce quelconque, soit Worcestershire ou Tabasco. Au bœuf haché à forte teneur en gras, on peut ajouter

161

certains ingrédients pour en absorber le gras ou encore pour le rendre plus profitable et faire 6 portions avec une livre (500 g). Ajoutez l'un ou l'autre des ingrédients ci-après à une livre (500 g) de viande ; une tranche de pain sec, taillée en dés et trempée 10 minutes dans 2 c. à table (30 mL) de lait ou d'eau. (Écrasez du bout des doigts pour rendre crémeux). Ou utilisez 1/2 tasse (125 mL) de chapelure fine trempée 20 minutes dans 1 tasse (250 mL) de lait ou de crème légère. Vous pouvez aussi ajouter 1 tasse (250 mL) de riz cuit, ou un mélange de 3 c. à table (50 mL) de lait et 1/2 tasse (125 mL) de purée de pommes de terre instantanée. La meilleure façon de mélanger la viande hachée est de mettre tous les ingrédients dans un bol et de pétrir en tenant les doigts écartés. Lorsque le mélange se tient ensemble, il est prêt à être utilisé. Placez la viande délicatement sans trop tasser.

La cuisson : pour un pain de viande, ne remplissez jamais le moule plus qu'aux 2/3. Pour un pain de viande avec une croûte dorée tout autour, faites-le cuire dans une lèchefrite peu profonde. La durée de cuisson est la même que pour celui qui cuit dans un moule à pain.

Pour la cuisson des pâtés de viande hachée surgelés, qui doivent être conservés avec un papier ciré entre les pâtés, décongelez-les suffisamment afin de pouvoir retirer le papier, assaisonnez-les alors de sel, de poivre frais moulu et de paprika, étendez-y l'assaisonnement avec un couteau. Mettez un morceau de beurre dans un poêlon de fonte et faites dorer les pâtés de chaque côté à feu moyen ; 8 à 10 minutes suffisent.

Il vaut mieux utiliser un poêlon de fonte pour faire cuire des pâtés ordinaires de viande hachée. Faites-le chauffer puis ajoutez 1 à 2 c. à thé (5 à 10 mL) de beurre, ou autre gras de votre choix pour chaque livre (500 g) de viande. Faites fondre le gras, jusqu'à ce qu'il grésille, en inclinant le poêlon pour bien graisser tout le fond, mettez-y les pâtés et faites dorer d'un côté 2 à 3 minutes à feu vif. Baissez le feu, faites cuire l'autre côté 4 à 6 minutes à feu moyen, suivant l'épaisseur. Servez aussitôt. Ne les laissez jamais reposer dans le poêlon ou à feu doux.

Pour griller la viande hachée, faites chauffer le gril au moins 10 minutes d'avance. Placez les pâtés de viande bien assaisonnés dans la casserole à griller, badigeonnez-les d'un peu d'huile et saupoudrez de paprika. Placez à 2 po (5 cm) de la source de chaleur, et faites griller 4 à 5 minutes de chaque côté, bien entendu selon l'épaisseur des pâtés. Au barbecue, placez les pâtés à 3 po (7,5 cm) des charbons.

Pain de riz sauvage

Mary, une amie et charmante hôtesse, apprête ce plat au temps du Stampede de Calgary.

4 tasses (1 L) d'eau bouillante
1 1/3 tasse (230 mL) de riz sauvage
3 tasses (750 mL) de bouillon de poulet
1 1/2 c. à thé (7 mL) de sel
1 feuille de laurier écrasée
1 c. à thé (5 mL) de sauce de soja japonaise
1/2 c. à thé (2 mL) de poudre de cari
1/2 tasse (125 mL) de beurre
1 gros oignon haché fin
1 lb (500 mL) de champignons frais hachés fin
1 lb (500 mL) de boeuf haché
1/2 tasse (125 mL) de fromage cheddar fort râpé

Versez l'eau bouillante sur le riz et laissez reposer 15 minutes. Égouttez, ajoutez le bouillon de poulet, le sel, la feuille de laurier, la sauce de soja et le cari. Mélangez bien. Faites fondre le beurre dans un grand poêlon, dorez-y l'oignon légèrement, ajoutez les champignons et remuez à feu vif une minute. Ajoutez le boeuf et faites cuire en remuant, jusqu'à ce que la viande perde sa crudité. Ajoutez le mélange de riz et versez dans une casserole de 13 X 9 po (32,5 X 22,5 cm) ou dans un moule à pain.

Faites cuire une heure au four préchauffé à 350° F (180° C). Servez chaud ou à la température ambiante. *Pour 6 personnes*

Kotlety russe

Kotlety signifie littéralement « côtelettes », mais celles-ci sont faites de boeuf haché. Le pain imbibé de lait ajouté au boeuf est une création de la cuisine russe, maintenant en usage dans le monde.

1 tasse (250 mL) de pain sec, en dés
1 1/2 tasse (375 mL) de lait
1 lb (500 g) de boeuf haché
1/2 c. à thé (2 mL) de sel
1/4 de c. à thé (1 mL) de poivre
2 oeufs
un soupçon de graines de carvi
2 c. à table (30 mL) de beurre
2 c. à table (30 mL) d'huile végétale

3 c. à table (45 mL) de crème sure commerciale

Il est important d'utiliser du pain très sec. Mettez-le dans un bol, versez-y le lait, couvrez. Laissez tremper 30 minutes, puis pressez-le fortement pour extraire l'excès de liquide.

Mettez le pain dans un autre bol et ajoutez-y la viande hachée, le sel, le poivre, les œufs et les graines de carvi. Pétrissez du bout des doigts pour bien mélanger. Mouillez-vous les mains et façonnez 4 pâtés de forme ovale.

Faites chauffer le beurre ou l'huile végétale dans un poêlon épais. Lorsque très chaud, mettez-y les « côtelettes », et baissez le feu immédiatement. Faites frire des deux côtés à feu doux, les retournant quelques fois pour empêcher la viande de trop brunir ou de former une croûte.

Mettez les côtelettes sur un plat chaud et retirez le poêlon du feu. Ajoutez la crème sure au poêlon et remuez en grattant le fond. Dès que la crème est chaude, versez-la sur la viande et servez. Ce plat est délicieux entouré de champignons tranchés mince et frits rapidement dans le beurre, le tout entouré de purée de pommes de terre saupoudrées de paprika. *Pour 4 personnes*

Tamale mexicain

À ne pas confondre avec le polenta italien; ce sont deux plats très différents; seule la base de farine de maïs est semblable. Ce sont deux bons exemples de ce qui peut être fait avec une livre de bœuf haché, pour servir 8 à 10 personnes.

Base de polenta

> *3 tasses (750 mL) de bouillon de poulet ou de consommé*
> *1 1/2 tasse (375 mL) de farine de maïs non cuite*
> *1 tasse (250 mL) de vin blanc*
> *2 c. à thé (10 mL) de sel*
> *2 œufs battus*
> *3/4 de tasse (200 mL) de parmesan râpé*

Faites chauffer le bouillon ou le consommé. Remuez ensemble la farine de maïs et le vin blanc, ajoutez au consommé chaud. Faites épaissir le mélange à feu moyen, en remuant sans arrêt. Salez. Mettez au-dessus de l'eau chaude, couvrez et faites cuire 20 minutes. Ajoutez en remuant quelques cuillerées de polenta chaud dans les œufs battus; mélangez bien et ajoutez avec le parmesan au reste du polenta. Mélangez bien et utilisez tel qu'indiqué pour le tamale ou le polenta.

Mélange de viande pour tamale

1 lb (500 g) de viande hachée maigre
2 c. à table (30 mL) d'huile végétale
1 gros oignon haché
1 petit piment vert en dés
1 grosse gousse d'ail émincée
3 tomates moyennes pelées et taillées en dés
1 boîte de grains de maïs
2 c. à thé (30 mL) de sel
1/8 c. à thé (0,5 mL) de poivre
1 c. à table (15 mL) de poudre de chili
1/3 de tasse (80 mL) de farine de maïs
1/3 de tasse (80 mL) d'eau
1/2 tasse (125 mL) d'olives noires, tranchées

Faites dorer le bœuf dans l'huile chaude. Ajoutez l'oignon et brassez dans la viande. Ajoutez le piment, l'ail, les tomates, le maïs, le sel, le poivre et la sauce chili. Mélangez, couvrez et laissez mijoter 10 minutes à feu moyen. Délayez la farine de maïs dans l'eau et incorporez-la à la viande. Remuez à feu moyen jusqu'à ce que le mélange bouille et épaississe. Retirez du feu et mélangez-y les olives. Vérifiez l'assaisonnement.

Beurrez une casserole de 9 X 13 po (22,5 X 32,5 cm) et couvrez-en les parois et le fond d'une épaisse couche (environ la moitié) de la base de polenta préparée. Remplissez le centre de mélange de viande et versez le reste du polenta à la cuillère sur le dessus, saupoudrez de fromage râpé.

Faites réchauffer environ 30 minutes au four à 350°F (180°C). *Pour 8 à 10 personnes.*

Polenta italien

La base à la farine de maïs est la même que pour le tamale mexicain mais la sauce est différente, je dirais, plus délicate.

2 c. à table (30 mL) d'huile végétale
1/2 lb (250 g) de bœuf haché
1 gros oignon haché
1/2 lb (250 g) de champignons tranchés mince
1 grosse gousse d'ail hachée fin
1 boîte de 19 oz (562 mL) de tomates
1 boîte de 7 1/2 oz (222 mL) de sauce aux tomates

1 c. à thé (5 mL) de sel
1 feuille de laurier
1/2 c. à thé (2 mL) de basilic
1 c. à thé (5 mL) d'origan
1/2 c. à thé (2mL) de sucre
1 tasse (250 mL) de fromage cheddar doux râpé
1/4 de tasse (60 ML) de fromage parmesan râpé
1 recette de base de polenta

Préparez la recette de base de polenta et mettez dans un moule à couronne. Faites cuire environ 5 minutes au four préchauffé à 350°F (180°C). Pour servir, démoulez sur un plateau chaud, versez la sauce tout autour et au centre.

Pour faire la sauce, faites chauffer l'huile dans un grand poêlon, ajoutez le bœuf haché, l'oignon et les champignons. Mélangez et ajoutez l'ail; faites cuire une minute, en remuant. Ajoutez les tomates, la sauce aux tomates, le sel, la feuille de laurier, le basilic, l'origan et le sucre.

Mijotez à feu doux, sans couvrir, de 35 à 45 minutes, jusqu'à ce que la sauce commence à épaissir. Vérifiez l'assaisonnement.

Saupoudrez le fromage cheddar râpé sur la couronne de polenta et remplissez le centre de la sauce. Saupoudrez la sauce de fromage parmesan râpé. *Pour 8 à 10 personnes.*

Bœuf Colbert au réchaud de table

Au début du siècle, rien n'était plus élégant que de servir une viande ou des fruits de mer en sauce dans un réchaud en argent, même de la viande hachée, qui était généralement présentée en boulettes de la grosseur d'un abricot. Le bœuf haché ne se vendait pas comme tel, mais seulement sur demande, ou il était préparé à la maison. Ce plat était servi au début de l'automne, au temps des pêches. J'ai modifié la recette en utilisant ma conserve de pêches et en retranchant le sucre de la sauce.

2 lb (1 kg) de bœuf de ronde haché
3/4 de tasse (200 mL) de lait
1/2 tasse (125 mL) de mie de pain
1 gousse d'ail écrasée et hachée
1 1/2 c. à thé (7 mL) de sel
1/4 c. à thé (1 mL) chacun de muscade et de gingembre
1/4 c. à thé (1 mL) de poivre frais moulu

jus et zeste râpé d'une orange
2 c. à table (30 mL) d'huile végétale

Mélangez tous les ingrédients dans un bol, sauf l'huile, et formez en boulettes de 2 po (5 cm).

Faites frire les boulettes dans l'huile chaude dans un grand poêlon, pour les dorer légèrement, en secouant le poêlon plutôt que de retourner les boulettes. Retirez-les du poêlon avec une écumoire.

Pour faire la sauce aux pêches, mélangez dans un bol :

1 tasse (250 mL) de confiture ou de conserve de pêches
1/2 tasse (125 mL) de cassonade
1/2 tasse (125 mL) de brandy
1/4 de tasse (60 mL) de liqueur à l'orange
1/4 c. à thé (60 mL) de muscade

Retirez le surplus de gras du poêlon. Ajoutez la sauce aux pêches et remuez en grattant le fond jusqu'au point d'ébullition. Baissez le feu et laissez mijoter 10 minutes, en remuant quelquefois.

Ajoutez les boulettes à la sauce et brassez pour les enrober de sauce.

Couvrez et laissez mijoter à feu doux 30 à 40 minutes.

Servez dans un réchaud. Accompagnez de riz bouilli. *Pour 6 à 8 personnes.*

Pain de viande Canton

Une recette que ma fille Monique a prise dans une revue il y a longtemps; elle ne se souvient ni où, ni quand. Je fais moi aussi ce pain de viande, et je vous assure qu'il n'est pas facile d'en deviner la composition. Essayez-le!

2 livres (1 kg) de bœuf haché ou un mélange de bœuf, de porc et de
   veau
1 boîte de 10 onces (295 mL) de soupe aux légumes non diluée
1 oeuf
sel et poivre au goût
1/2 c. à thé (2 mL) de poudre d'ail
2 c. à table (30 mL) de fromage cheddar fort râpé

Mettez tous les ingrédients dans un bol. Mélangez bien. Tassez dans un moule à pain de 9 X 5 X 3 pouces (22,5 X 12,5 X 7,5 cm).

Faites cuire au four réchauffé à 350° F (180°C), de 40 à 50 minutes. *Pour 6 personnes.*

Youbarlakia grec

Ce sont les boulettes de viande de renommée mondiale servies avec une délicieuse sauce au citron que l'on appelle Avgolemono. Je l'utilise souvent comme sauce sur l'agneau ou le poulet mijoté.

1 1/2 lb (750 mL) de boeuf haché
1 oignon moyen haché fin
1/2 tasse (125 mL) de riz non cuit
sel et poivre au goût
1 oeuf battu
persil haché fin
2 c. à table (30 mL) de beurre
eau ou consommé

Sauce Avgolemono :

3 jaunes d'oeufs
1 oeuf entier
4 c. à table (60 mL) de jus de citron frais
1/2 à 1 tasse (125 à 250 mL) de bouillon chaud

Battez les jaunes d'oeufs et l'oeuf entier pour obtenir un mélange pâle. Continuez de battre en ajoutant le jus de citron petit à petit, puis le bouillon chaud. Utilisez tel qu'indiqué lorsque les boulettes sont cuites.

Mélangez la viande, l'oignon, le riz et les assaisonnements au goût. Ajoutez l'oeuf et mélangez de nouveau. Formez en boulettes et roulez dans le persil. Faites fondre le beurre dans une sauteuse, retirez du feu et mettez-y les boulettes en un seul rang dans le beurre chaud.

Couvrez complètement les boulettes d'eau ou de consommé bouillant (on peut utiliser le consommé en boîte dilué).

Laissez mijoter à feu doux, sans couvrir, pour cuire les boulettes de viande, environ 20 minutes. Utilisez du bouillon de cuisson pour la sauce.

Retirez les boulettes de viande du feu, égouttez et conservez le surplus de consommé. Versez la sauce Avgolemono sur le tout. Remettez la casserole à feu très doux pour amener juste au point d'ébullition, la secouant souvent. Servez aussitôt prêtes ou conservez dans un endroit chaud. Il faut éviter de laisser bouillir la sauce car elle tournerait. *Pour 6 personnes.*

168

Keftedes grec

La combinaison de la menthe fraîche et du citron donne une saveur très distincte.

1 lb (500 g) de bœuf ou d'agneau haché
1 œuf battu
1 oignon moyen haché fin
2 tranches de pain sec grillé
1/2 tasse (125 mL) d'eau
zeste râpé d'un citron
1 c. à table (15 mL) d'huile à salade
1 c. à table (15 mL) de jus de citron frais
2 c. à table (30 mL) de persil haché
1 c. à table (15 mL) de menthe fraîche hachée
1/4 c. à thé (1 mL) de cannelle
sel et poivre au goût

Battez l'œuf, ajoutez la viande et l'oignon. Versez le mélange d'eau et de zeste de citron sur le pain. Mélangez et pressez le pain avec les doigts pour l'égoutter. Ajoutez-le à la viande, mélangez et ajoutez le reste des ingrédients. Couvrez et laissez reposer une heure.

Formez le mélange en boulettes ; selon la grosseur, il devrait y en avoir 5 ou 6. (En Grèce, où on les fait de la grosseur de noix de Grenoble, vous en auriez 10 à 12). Roulez-les dans la farine et faites-les frire dans une quantité égale d'huile et de beurre, à feu moyen. *Pour 4 à 6 personnes.*

Hamburger

L'ancêtre de tous les hamburgers naquit à Hambourg, en Allemagne. Le touriste est parfois étonné lorsqu'il a commandé un « Deutsches Beefsteak » de recevoir ce qui pour lui est un hamburger. Celle-ci est la recette originale.

1 lb (500 g) de bœuf haché
1 lb (500 g) de porc maigre haché
1 oignon moyen en quartiers
2 c. à table (30 mL) de persil émincé
2 œufs
2 c. à thé (10 mL) de sel
1/2 c. à thé (2 mL) de poivre
un soupçon de graines de carvi ou le zeste râpé d'un demi-citron
2 c. à table (30 mL) de beurre, fondu

169

3 c. à table (50 mL) de farine tout-usage
2 c. à table (30 mL) de beurre ou de gras
2 oignons moyens tranchés mince

Passez au moulin à viande le bœuf haché et le porc haché, de même que l'oignon et le persil. Ajoutez les œufs, le sel, le poivre, les graines de carvi ou le zeste de citron râpé, le beurre fondu et la farine. Pétrissez du bout des doigts pour bien mélanger les ingrédients. Formez la viande en 8 pâtés, puis couvrez et réfrigérez 1 à 4 heures.

Chauffez le beurre ou le gras de votre choix dans un poêlon de fonte et lorsqu'il est bien chaud y faire frire les pâtés de viande des deux côtés d'après les directives données au début de ce chapitre. Mettez sur un plat chaud. Séparez les tranches d'oignon en rondelles et ajoutez-les au gras du poêlon. Sautez quelques minutes à feu vif, en remuant, pour dorer les oignons légèrement. Versez sur les pâtés de viande. *Pour 6 à 8 personnes.*

Le bœuf rôti préféré de papa

C'était soit un rôti de côtes de choix de 6 à 8 lb (3 à 3,5 kg), de bœuf des prés de l'Est, avec l'os, bien sûr, ou encore un rôti de croupe de bœuf gras de l'Ouest de 10 lb (4,5 kg). Aujourd'hui ce serait pure extravagance. Chez nous, il arrive que nous fassions l'un ou l'autre pour le dîner de Noël. Quelle que soit la pesanteur ou la coupe, le rôti est succulent lorsqu'il est apprêté de cette façon.

Le bœuf des prés est très difficile à trouver, et sa couleur rouge foncé n'est pas attirante. L'hiver c'était un régal du dîner du dimanche.

Ma sœur prépare ce rôti à la perfection, mais elle utilise du chutney au lieu de la sauce chili et elle saisit le rôti à feu vif dans le beurre dans un grand poêlon de fonte.

Une pièce de bœuf à rôtir de 4 à 6 lb (2 à 3 kg)
3 c. à table (45 mL) de beurre mou
2 c. à table (30 mL) de moutarde du genre Dijon
1 c. à table (15 mL) de moutarde sèche
2 c. à table (30 mL) de sauce chili maison
1/2 tasse (125 mL) de bordeaux rouge, ou de sherry sec, ou de
*   madère sec*
1 boîte de consommé non dilué

Mélangez le beurre, la moutarde de Dijon, la moutarde sèche et la sauce chili.

Mettez la viande dans une rôtissoire peu profonde et recouvrez la

170

partie rouge de la viande généreusement du mélange de beurre.

Faites rôtir au four chauffé au péalable à 350° F (180° C), de 15 à 25 minutes par livre, selon que vous désirez un rôti saignant ou bien cuit.

Lorsque la viande est cuite, déposez-la sur un plat chaud. Recouvrez légèrement d'un papier d'aluminium (ma grand-mère et ma mère couvraient le rôti d'un morceau de toile épaisse tissée à la main, utilisé à cet effet).

Retirez de la sauce tout le gras visible (un gras savoureux, pour rôtir les pommes de terre ou ajouter aux ragoûts). Au jus de cuisson qui reste, ajoutez le vin de votre choix et le consommé. Amenez à ébullition sur feu direct, tout en grattant le fond et les côtés de la rôtissoire. Faites bouillir de 3 à 4 minutes. Versez dans une saucière.

Variation : à l'automne et au printemps, maman faisait cuire ce rôti le samedi et le servait froid le dimanche. Le rôti était tranché mince et disposé sur une grand plateau bleu (que je suis fière de posséder). La sauce était apprêtée comme une gelée, et réfrigérée jusqu'au lendemain, puis hachée, roulée dans le persil ou la ciboulette et disposée autour du rôti.

Pour faire la gelée : faites refroidir la sauce jusqu'à ce que le gras durcisse sur le dessus. Retirez tout le gras, ajoutez le consommé, amenez à ébullition. Mesurez. Faites dissoudre une enveloppe de gélatine non aromatisée (par 2 tasses (500 mL) de sauce) dans le sherry, ou le madère sec, ou le vin rouge. Laissez reposer 10 minutes, ajoutez-le ensuite à la sauce bouillante. Remuez quelques minutes pour faire dissoudre la gélatine. Versez dans un moule carré de 8 X 8 po (20 X 20 cm). Réfrigérez jusqu'au lendemain. *Pour 8 personnes*

Bœuf vinaigrette

Si vous croyez qu'il n'y a rien d'élégant dans les coupes de poitrine, épaule, jarret ou queue de bœuf, retournez en arrière dans le temps et entrez dans la cuisine de ma mère ; vous constaterez combien vous avez tort. Même dans les années 20, la viande était l'article du budget alimentaire le plus coûteux. Maman économisait en utilisant ces coupes. Elle choisissait d'après le prix, car toutes les coupes peuvent servir à la préparation du bœuf vinaigrette. C'est un bœuf bouilli servi très chaud entouré de légumes attrayants et accompagné d'une vinaigrette aux herbes froides. J'en fais toujours au moins une fois par semaine ; ma petite-fille mariée en a découvert les avantages et l'économie qu'elle peut en tirer. Puisse-t-elle transmettre la recette à sa fille.

3 à 4 lbs (1 1/2 à 2 kg) de rôti de poitrine roulée ou de paleron

4 à 5 branches de céleri avec feuilles
6 oignons moyens entiers
1 panais pelé et coupé en 4
1 petit navet pelé et taillé en tranches de 1/2 po (1,25 cm)
2 c. à thé (10 mL) de sel
1/2 c. à thé (2 mL) de poivre
3 clous de girofle entiers
2 feuilles de laurier

Mettez la viande dans une grande casserole et recouvrez complètement d'eau froide, amenez à ébullition à découvert. Faites bouillir 10 minutes, retirez du feu et enlevez le gras sur le dessus de l'eau. Taillez le céleri en bout d'1 po (2,5 cm), hachez les feuilles, ajoutez à l'eau et remuez. Ajoutez les carottes, les oignons, le panais et le navet. Ramenez l'eau à ébullition et ajoutez le reste des ingrédients. Couvrez et laissez mijoter à feu moyen-doux jusqu'à ce que la viande soit tendre de 2 1/2 à 3 heures. Il est important de laisser mijoter sans bouillir, pour que la viande soit tendre et savoureuse et que les légumes ne soient pas détrempés ou sans forme ni couleur. C'est ce qui se produit si l'eau bout.

Préparez la vinaigrette durant la cuisson de la viande. Pour servir, tranchez la viande, mettez dans l'assiette avec des légumes et laissez chacun verser de la vinaigrette à son gré sur la viande.

Nous servions ce plat avec un grand bol de pommes de terre cuites à la vapeur avec la pelure; elles étaient roulées dans le beurre pour les rendre brillantes et dans le persil haché pour les rendre attrayantes.

La vinaigrette

4 c. à table (60 mL) de vinaigre de cidre, de vin, ou de malt
3/4 de tasse (200 mL) d'huile végétale ou d'huile d'olive
1/2 tasse (125 mL) de persil frais haché
3 oignons verts hachés
1/2 c. à thé (2 mL) de moutarde sèche
1 c. à thé (5 mL) de moutarde du type Dijon
1 œuf dur haché
sel et poivre au goût

L'été, on ajoute 1/2 tasse (125 mL) de ciboulette émincée; l'hiver, des câpres, au goût. Battez ensemble tous les ingrédients et servez. Conservez le reste au réfrigérateur. Laissez une heure ou plus à la température ambiante et agitez bien avant d'utiliser. *Pour 6 personnes*

Le barbecue

Le mot « barbecue » vient de *barbacoa* dans les tropiques où des carcasses de bœuf ou d'agneau étaient rôties sur de grandes broches. Les trois éléments essentiels étaient et sont encore : le feu, le combustible et les aliments. Il faut donc bien les comprendre.

Il faut toujours se placer le dos au vent. Il ne faut jamais faire cuire au-dessus d'une flamme vive ou d'une épaisse fumée, mais pour réussir il faut attendre que les charbons soient réduits en braises recouvertes d'un voile de cendres blanches. C'est une erreur de faire cuire au-dessus d'un feu qui flambe en croyant que la viande sera fumée.

Pour obtenir une bonne couche de charbons rouges ou pour atteindre une température de 375°F à 400°F (190°C à 200°C), il faut généralement compter au moins 30 minutes, utilisant des éclisses et un double rang de charbons de bois. Le feu descend alors lentement à 300°F (150°C) pour donner environ 1 1/2 heure de bonne chaleur du moment où il atteindra 375°F (190°C).

J'aime à tapisser le fond du foyer de papier d'aluminium, ce qui augmente la chaleur radiante et facilite le nettoyage.

Lorsqu'il s'agit de la cuisson des biftecks, et la plupart des hommes sont des mangeurs de biftecks, rappelez-vous que toute coupe peut être cuite à votre goût.

Un steak de ronde, taillé 1 1/2 à 2 po (3,75 à 5 cm) d'épaisseur, presque sans gras, est un très bon bifteck de famille, mais il doit être mariné, il ne contient pas assez de gras pour être tendre à moins de lui ajouter du gras ou de l'huile. La méthode la plus simple pour mariner consiste à verser 1/4 à 1/3 de tasse (60 à 80 mL) d'huile végétale par livre (500 g) de steak et le jus d'un citron dans un plat. Roulez-y le bifteck et laissez-le mariner quelques heures ou jusqu'au lendemain, le retournant quelques fois. La cuisson terminée, tranchez le bifteck en tranches très minces à un angle de 45 degrés.

Le bifteck des premières côtes avec son gros filet (le porterhouse) est le meilleur de tous, mais le prix en est aussi le plus élevé et il contient un os qui ajoute au poids. Celui-là peut être réservé aux grandes occasions.

Le bifteck de surlonge doit être épais pour donner de bons résultats. Il coûte cher mais, comme pour le bifteck de ronde, il n'y a aucune perte.

Bifteck grillé au charbon de bois

Pour cette méthode de cuisson, le bifteck pour être à son meilleur doit être épais et peser environ 4 livres (2 kg). Je le badigeonne souvent durant la cuisson avec une sauce faite de parties égales de vermouth doux ou sec et d'huile d'olive. C'est tout un repas, accompagné de pommes de terre cuites sur le gril, et de tranches de tomates recouvertes de sauce tartare au citron.

4 lb (2 kg) de bifteck, 2 1/2 po (6,25 cm) d'épaisseur
beurre fondu ou huile végétale
paprika
sel et poivre frais moulu au goût

Enlevez presque tout le gras du steak pour empêcher le jus qui coule de faire flamber les charbons. Faites des entailles dans le gras pour empêcher la tranche de se recroqueviller et gardez à la température ambiante jusqu'au moment d'utiliser.

Lorsque votre feu est une bonne couche de charbons rouges recouverts d'un voile de cendres blanches, mais sans flamme, frottez le gril (ou la claie à griller, si vous préférez) avec du beurre fondu ou de l'huile, ou un morceau de gras du bifteck, pour empêcher la viande de coller, au moment où elle doit être retournée.

Badigeonnez le bifteck des deux côtés avec du beurre ou de l'huile et saupoudrez copieusement de paprika d'un côté. Mettez le bifteck à 5 à 6 po (12,5 à 15 cm) des charbons. Un bifteck plus mince doit être placé à 2 à 3 po (5 à 7,5 cm) plus haut. Faites griller le premier côté environ 12 minutes, jusqu'à ce qu'il soit d'un beau brun foncé, remplissant l'air d'un arôme appétissant. Retournez le bifteck avec une spatule car une fourchette ferait couler ses délicieux jus dans le feu. Salez et poivrez le côté bruni et cuire environ 10 à 12 minutes de l'autre côté.

Il en résultera un bifteck médium-saignant, alors pour saignant ou bien cuit, la durée de cuisson pourra être ajustée. La cuisson terminée, salez et poivrez l'autre côté, mettez sur un plat chaud et surmontez d'un copieux morceau de beurre. Servez tranché en diagonale. *Pour 8 à 9 personnes.*

Sauce pour badigeonner

La viande cuite à l'extérieur a un certain attrait, mais lorsqu'elle est badigeonnée d'une sauce durant la cuisson, elle est formidable. Utilisez cette sauce pour les viandes au grilleur ou au barbecue.

1 gousse d'ail coupée en deux
1/2 tasse (125 mL) de jus de citron frais
1/2 tasse d'huile végétale
2 c. à table (30 mL) de marjolaine ou de basilic
1/2 c. à thé (2 mL) de poivre
2 c. à thé (10 mL) de sel
1/3 de tasse (80 mL) de sauce Worcestershire

Mettez tous les ingrédients dans un bocal bien fermé. Agitez et conservez au réfrigérateur. Pour une saveur très douce, retirez l'ail après 24 heures. Cette sauce se conserve de 2 à 3 semaines. *Rendement : 1 1/3 tasse (335 mL).*

Marinade pour attendrir

Un rôti d'épaule ou de croupe ou toute autre coupe de viande moins tendre peut être excellente lorsque marinée dans ce mélange, qui se conserve au réfrigérateur de 10 à 12 jours, dans un bocal de verre bien fermé.

2/3 de tasse (160 mL) d'oignon haché
3/4 de tasse (200 mL) de céleri haché avec les feuilles
1/3 de tasse (80 mL) de vinaigre de cidre
1/2 tasse (125 mL) d'huile végétale
1 tasse (250 mL) de jus de raisin
1 c. à table (15 mL) de sauce Worcestershire
1/2 c. à thé (2 mL) de sel
1/8 c. à thé (0,5 mL) de poudre d'ail

Mélangez tous les ingrédients, versez-les dans un bocal, couvrez et réfrigérez. Pour utiliser : agitez le bocal, versez sur la viande. Couvrez et réfrigérez de 12 à 18 heures, retournant la viande quelques fois. Pour cuire : égouttez la viande de la marinade, faites dorer légèrement à feu moyen. Faites cuire à feu moyen-doux ou au four à 350°F (180°C), jusqu'à ce qu'elle soit tendre. Badigeonnez quelques fois avec la marinade durant la cuisson. *Rendement : une quantité suffisante pour faire mariner 12 lb (5,5 kg) de viande.*

Le spécial du Minnesota

Pour un gros « barbecue » pour 8 à 12 amis, le spécial de six livres du Minnesota est le bifteck à servir. Tendre, délicieux et aussi facile à dépecer qu'à faire cuire. Le fait de le frotter avec le whisky et les herbes en font un bifteck à part.

6 lb (3 kg) de bifteck de surlonge de 2 po (5 cm) d'épaisseur
scotch ou rye (soyez généreux)
1 c. à thé (5 mL) de sel
1/2 c. à thé (2 mL) de poivre frais moulu
1/2 c. à thé (2 mL) de thym ou d'estragon
2 c. à table (30 mL) de beurre fondu ou d'huile végétale
2 c. à table (30 mL) de sherry
2 c. à thé (10 mL) de sauce Worcestershire

Faites des incisions autour du bifteck ; badigeonnez des deux côtés de scotch ou de rye et couvrez. Laissez reposer 3 heures à la température ambiante. Mélangez le sel, le poivre, le thym ou l'estragon et frottez-en le steak avant de le faire cuire. Mélangez le reste des ingrédients et utilisez pour badigeonner

Lorsque le feu est à point, huilez le gril. Badigeonnez un côté du steak avec la marinade et mettez-le sur le gril, à 5 à 6 po (12, 5 à 15 cm) du feu. Faites griller 15 minutes d'un côté, badigeonnant toutes les 5 minutes ; retournez et faites griller 15 minutes, badigeonnant toutes les 5 minutes. Ne retournez qu'une seule fois. Cette durée de cuisson est pour un bifteck saignant ; faites cuire 25 minutes de chaque côté pour médium-saignant, et 35 minutes par côté pour un bifteck bien cuit.

Pour servir, déposez sur une planche et tranchez mince un peu en diagonale. *Pour 8 à 12 personnes.*

Bœuf braisé à la française

Cet épais bifteck de ronde, dont la saveur excite la curiosité, devient un plat de visite servi avec les pommes vertes ; une égale quantité de purée de pommes de terre et d'épinards cuits, battus ensemble pour obtenir un mélange vert pâle et assaisonné au goût.

une pièce de 2 à 3 lb (1 à 2 kg) de bas de ronde de bœuf
2 c. à table (30 mL) d'huile à salade
6 minces tranches de bacon ou de lard salé gras en dés
paprika au goût
4 carottes taillées en morceaux d'1 po (2,5 cm)
4 oignons tranchés mince
2 clous de girofle entiers
1 gousse d'ail hachée fin
1/2 c. à thé (2 mL) de thym
1/4 de c. à thé (1 mL) de sauge
zeste d'une orange taillé en lamelles

Enlevez tout le gras du bœuf. Faites chauffer dans une casserole le gras, l'huile et le bacon ou le lard salé jusqu'à ce qu'il soit doré. Saupoudrez de paprika un côté de la viande et faites dorer ce côté dans le gras. Puis, saupoudrez de paprika et retournez pour faire dorer l'autre côté, soit 20 à 25 minutes en tout.

Ajoutez les carottes, les oignons défaits en rondelles, les herbes et le zeste d'orange, en prenant soin de bien enlever tout le blanc de la pelure d'orange. Salez et poivrez au goût, brassez, faites cuire à couvert au four à 300° F (150° C) environ 1 1/2 heure, jusqu'à ce que la viande soit tendre.

Mettez la viande sur un plat chaud. Pour épaissir la sauce, les légumes peuvent être écrasés dans le jus de cuisson, ou dans une passoire et remis dans le jus de cuisson avec 1/2 tasse (125 mL) de crème sure. Réchauffez, mais évitez de laisser bouillir; versez sur la viande. *Pour 8 personnes.*

Bifteck grillé du chef

Une pièce gastronomique lorsque ce bifteck est tranché en diagonale. Pour 2 à 4 personnes, un bifteck T-Bone, club ou de côtes d'une épaisseur de 2 1/2 po (6,25 cm); pour 4 à 6, un bifteck dans le filet de 2 1/2 po (6,25 cm) d'épaisseur; pour 6 à 8 (ou plus, selon les tranches), un bifteck de surlonge de 2 1/2 à 3 po (6,25 à 7,5 cm). C'est ma façon préférée de faire un rôti de bœuf pour 2 personnes, tout à fait délicieux.

un bifteck de 2 1/2 po à 3 po (6,25 à 7,5 cm) d'épaisseur
sucre et poivre frais moulu
beurre mou ou huile d'olive de qualité

Retirez le bifteck du réfrigérateur 2 à 3 heures avant la cuisson. Enlevez l'excès de gras autour du bifteck et entaillez le reste à plusieurs endroits, en prenant soin de ne pas couper la viande. Huilez la grille du grilleur pour empêcher la viande de coller.

Mettez la viande sur la grille et poivrez généreusement (ne salez pas). Saupoudrez de sucre environ 1 c. à thé (5 mL) pour un bifteck de 5 lb (2,5 kg). Étendez le poivre et le sucre sur le dessus avec la lame d'un couteau; le poivre aromatise, le sucre caramélise, donnant une riche couleur brune (sans sucrer le bifteck). Badigeonnez d'huile ou de beurre.

Chauffez le grilleur 20 minutes avant la cuisson, mettez-y alors le bifteck à 2 po (5 cm) de la source de chaleur et laissez la porte entrouverte. Faites griller 10 minutes; retournez et grillez 4 minutes.

Placez la grille plus bas et réglez le four à 400° F (200° C). Fermez la porte du four et laissez-y le bifteck environ 10 minutes, pour qu'il soit saignant, 15 minutes, médium (cela est approximatif, ce qui est médium pour l'un peut être saignant pour l'autre).

Lorsque le bifteck est cuit au goût, retirez de la grille et mettez-le dans le récipient qui a recueilli le jus, remuez-y le bifteck quelques secondes des deux côtés. Tranchez-le ensuite en diagonale et servez dans des assiettes chaudes. Il peut aussi être mis sur un plat chaud et tranché à table mais les assiettes doivent toujours être chaudes.

Le bifteck au piment doux de Monique

Ma fille prépare en 10 minutes un délicieux bifteck au piment avec 1 à 1 1/2 lb (500 à 750 g) de bifteck de ronde. Délicieux accompagné de riz bouilli.

1 à 1 1/2 lb (500 à 750 g) de bifteck de ronde
1/3 de tasse (80 mL) de bifteck de ronde
1/4 c. à thé (1 mL) de grains de poivre écrasés
1/4 de tasse (60 mL) d'huile végétale
2 oignons pelés et coupés en quatre
2 à 3 piments doux
1 c. à thé (5 mL) de sel
1 c. à thé (5 mL) de racine de gingembre frais râpée (facultatif)
jus d'1/2 citron ou
* 2 c. à table (30 mL) de vinaigre de cidre*
3 c. à table (45 mL) d'eau froide
1 c. à table (15 mL) de fécule de maïs

Tranchez le steak très mince en diagonale. Mettez-le dans un bol avec la sauce de soja ou la sauce teriyaki et les grains de poivre. Laissez reposer durant la préparation des autres ingrédients.

Coupez les piments en eux en longueur. Enlevez les graines et taillez en minces filaments (lorsque le prix des piments est élevé ou que vous n'en avez pas à la main, remplacez par 2 tasses (500 mL) de céleri en lamelles).

Faites chauffer la moitié de l'huile dans un grand poêlon ou un wok, saupoudrez alors de sel et ajoutez les oignons; remuez pour défaire les oignons, puis ajoutez le piment ou le céleri et brassez pour enrober d'huile. Cela se fera en deux minutes. Retirez les légumes avec une écumoire.

Faites chauffer le reste de l'huile. Ajoutez la viande et remuez durant une minute. Ajoutez les piments et les oignons. Mélangez bien le tout.

Tenez prêt dans un bol, le mélange de jus de citron ou du vinaigre de cidre, de l'eau et de la fécule de maïs et ajoutez-le à la viande. Brassez pour obtenir une sauce crémeuse et servez aussitôt. *Pour 4 à 6 personnes.*

Fricassée de bœuf aux œufs

Un repas substantiel avec un reste de rôti de bœuf ou de bifteck grillé. La quantité de viande peut être réduite et celle des pommes de terre augmentée pour compenser. Un plat préféré des hommes de l'Ouest.

> *2 tasses (500 mL) de bœuf cuit en dés*
> *2 tasses (500 mL) de pommes de terre cuites, en dés*
> *1 petit oignon coupé en dés*
> *1 c. à thé (5 mL) de sel*
> *1/4 c. àthé (1 mL) de poivre frais moulu*
> *1/4 c. à thé (1 mL) de paprika*
> *2 c. à table (30 mL) de beurre mou*
> *4 à 6 œufs*

Mélangez tous les ingrédients sauf le beurre et faites brunir ce dernier légèrement dans un poêlon de fonte. Versez-y le mélange et aplatissez-le avec une spatule. (La fricassée peut aussi, à votre gré, être divisée en 4 à 6 pâtés). Faites dorer à feu doux de 10 à 15 minutes.

Retournez en sections, réunissez le tout de nouveau et faites 4 à 6 creux à intervalles réguliers avec le dos d'une cuillère ou le fond d'une tasse (ou faitesen dans chaque pâté). Cassez un œuf dans chaque creux, couvrez et faites cuire jusqu'à ce que le blanc se coagule, de 8 à 10 minutes environ. *Pour 4 personnes.*

Garniture au fromage bleu

Certaines personnes aiment leur bifteck sans garniture, tandis que d'autres l'aiment avec du sel fumé. Pour d'autres, il faut une garniture « piquante », telle que cette spécialité du Texas.

> *1/4 lb (125 mL) de fromage bleu danois ou autre*
> *1/4 de tasse (60 mL) d'huile végétale*
> *1 gousse d'ail écrasée*
> *2 c. à table (30 mL) de sauce Worcestershire ou de brandy*

Mélangez tous les ingrédients pour les mettre en crème. Faites griller un grand bifteck épais des deux côtés, et juste avant la fin de la cuisson, badigeonnez un côté de la garniture au fromage bleu, puis remettez à griller pour faire fondre le fromage. *Rendement : 1 1/4 tasse (315 mL)*.

Beurre à l'oignon pour le bifteck

Conservez dans un récipient couvert au réfrigérateur, pour l'avoir à la main pour les biftecks grillés, ou les saucisses ou le poulet. La chaleur de la viande fera fondre le beurre.

4 c. à table (60 mL) d'oignon râpé
4 c. à table (60 mL) de persil émincé
4 c. à table (60 mL) de beurre mou
1 c. à thé (5 mL) de sauce Worcestershire, ou A1, ou de chutney
1/2 c. à thé (2 mL) de sel
1/4 c. à thé (1 mL) de moutarde sèche
1/2 c. à thé (2 mL) de poivre frais moulu

Mélangez tous les ingrédients en une pâte lisse. Mettez dans un bocal couvert et conservez au réfrigérateur. *Rendement : 1/2 tasse (125 mL)*.

Ma sauce tout-usage

J'en conserve toujours dans mon réfrigérateur ou mon congélateur pour l'utiliser au besoin. Cette sauce sert à de multiples usages.

1 tasse (250 mL) d'oignons en dés
1/3 de tasse (80 mL) d'huile végétale ou d'huile d'olive
1 1/2 tasse (375 mL) de ketchup ou de sauce chili
1/2 tasse (125 mL) chacune d'eau et de jus de citron frais
1/4 de tasse (60 mL) de sucre
2 1/2 c. à thé (15 mL) de sel
1 c. à thé (5 mL) de thym
1/2 c. à thé (2 mL) chacune de poivre et d'ail en poudre
2 feuilles de laurier

Faites légèrement dorer les oignons dans l'huile chaude, jusqu'à ce qu'ils soient ramollis. Ajoutez le reste des ingrédients, remuez et laissez mijoter 15 minutes. Laissez refroidir, embouteillez et réfrigérez ou congelez. *Rendement : 4 tasses (1 L) environ*.

Avec le bœuf ou le veau haché : si la viande n'est pas cuite, faites-la dorer à feu vif dans 1 c. à table (15 mL) de gras, ajoutez la sauce au goût et laissez mijoter 20 minutes. Avec la viande cuite, remuez-la dans le gras fondu. Ajoutez la sauce et laissez mijoter 10 minutes. Vérifiez l'assaisonnement, servez sur petits pains grillés ou sur spaghetti.

Avec le poulet : dorez les morceaux de poulet dans le gras, recouvrez chaque morceau d'une cuillerée de sauce et faites mijoter jusqu'à parfaite cuisson.

Comme assaisonnement : mélangez 2 à 3 c. à table (30 à 45 mL) de sauce avec 1/2 tasse (125 mL) de mayonnaise et 1 œuf dur haché fin. Conservez au réfrigérateur jusqu'au moment de servir. Versez sur la salade ou utilisez dans les sandwichs, ou mettez-en une cuillerée sur des hamburgers chauds. Essayez-en une cuillerée mélangée à des légumes cuits.

Dans les sandwiches : mettez en crème 8 onces (227 g) de fromage à la crème ou 1 tasse (250 mL) de fromage râpé avec 1/4 de tasse (60 mL) de sauce.

La queue de bœuf qui fait de l'effet

Je vous promets que de l'achat à la préparation, le travail est aussi minime que le coût, et pourtant le résultat est formidable.

Je sers la queue de bœuf même à mes amis. À ceux qui sont intéressés à la côte d'Azur et parlent de Nice et de Cannes avec grand plaisir, et vantent avec délices la cuisine du Sud de la France, je sers la queue de bœuf Menton, qui réunit le charme et la saveur du Sud.

Pour faire plaisir à mon mari et à ma famille, je fais une épaisse soupe à la queue de bœuf et j'en fais un repas. Nous aimons la manger comme ils le font en Irlande, en mettant au fond d'une ancienne assiette creuse une pomme de terre bouillie, coupée en quatre, copieusement saupoudrée de ciboulette ou de persil émincé. Un tronçon ou deux de la délicieuse queue de bœuf bien tendre de chaque côté, la viande et la pomme de terre sont complètement recouvertes de l'épaisse soupe avec tous ses petits morceaux de légumes râpés.

Chez nous, c'est le signe annonçant l'arrivée de l'automne avec ses couleurs vives et son air frais. Notre assiettée de bonne soupe à la queue de bœuf chaude nous fait sentir le bien-être d'une saine nourriture dans la chaleur du foyer. Le bonheur n'est-il pas en somme l'ensemble de tous ces petits riens?

Queue de bœuf braisée

Commencez le repas avec des moitiés de pamplemousse saupoudrées d'un mélange de sucre et de quelques graines de cardamome écrasées. Des pommes de terre au four sont excellentes avec ce plat.

2 queues de bœuf taillées en tronçons de 2 po (5 cm)
2 c. à thé (10 mL) de sel
1/2 c. à thé (2 mL) de poivre
1 c. à table (15 mL) de sucre
3 c. à table (50 mL) de farine
4 c. à table (60 mL) de brandy
2 carottes tranchées mince
1 oignon piqué de 2 clous de girofle
1/2 c. à thé (2 mL) de thym
2 feuilles de laurier
2 tasses (500 mL) de vin rouge ou de consommé

Mettez les queues de bœuf sur une plaque à cuisson. Mélangez le sel, le poivre, le sucre et la farine; saupoudrez-en la viande et remuez pour bien l'en couvrir. Faites rôtir 30 minutes au four à 450°F (230°C), secouant la plaque de temps en temps pour arroser la viande de son propre jus.

Enlevez l'excès de gras. Versez le brandy sur la viande et flambez. Mettez ensuite les queues de bœuf dans une casserole profonde de deux pintes (2 L) et ajoutez le reste des ingrédients. Couvrez et faites cuire 3 heures au four à 325°F (160°C), jusqu'à ce que la viande soit tendre. Tout cela est encore meilleur lorsque préparé la veille, refroidi, et réfrigéré. Dégraissez le bouillon et faites réchauffer au four à 325°F (160°C). *Pour 6 personnes.*

Queue de bœuf Menton

Au cours de la longue cuisson à feu lent, la saveur de tous les ingrédients est réunie dans une succulente sauce. Les olives mûres prennent une texture riche et douce qui est intéressante. C'est un bon plat pour un dîner-buffet chaud.

1 ou 2 queues de bœuf coupées en tronçons
3 c. à table (50 mL) d'huile végétale
1 épaisse tranche de lard salé
1 gros oignon émincé
4 tomates fraîches
1/4 c. à thé (1 mL) de thym
2 feuilles de laurier
1 c. à table (15 mL) de sucre
1 gousse d'ail écrasée
1/2 tasse (125 mL) d'olives mûres
2 tasses (500 mL) d'eau

Faites chauffer l'huile et dorez-y à feu moyen, le lard salé taillé en petits carrés, jusqu'à ce que les lardons soient croquants. Ajoutez l'oignon et remuez jusqu'à ce qu'il soit légèrement doré. Ajoutez les morceaux de queue de bœuf et remuez pour les bien enrober des oignons et du gras. Salez et poivrez au goût. Ajoutez les tomates, le thym, les feuilles de laurier et le sucre. Brassez pour bien mélanger.

Ajoutez l'ail, les olives et l'eau. Amenez à ébullition, couvrez et laissez mijoter à feu doux de 3 à 4 heures, jusqu'à ce que la viande soit tendre. Le secret d'un bon plat à la queue de bœuf est une longue cuisson à feu lent. Il n'est pas nécessaire de remuer plus d'une fois ou deux. C'est un mets qui se réchauffe très bien et qui se congèle aussi très bien. Accompagnez d'un bol de riz persillé. *Pour 4 personnes.*

Fesse de porc marinée

Il est parfois difficile de nos jours de trouver du bon porc frais, car la plus grande partie est convertie en jambon, et on semble ne plus savoir faire rôtir le porc frais. Sachez le poids requis (c'est le même que pour le jambon). Il est également bon servi chaud ou froid.

L'important pour réussir à point une fesse de porc frais rôtie, c'est de faire mariner la viande de 24 à 48 heures avant la cuisson, de l'arroser avec la marinade, et de couvrir la viande de papier d'aluminium durant 15 minutes au moins avant de la dépecer, ou jusqu'à ce qu'elle soit refroidie, si elle soit être servie froide.

La meilleure température de rôtissage de toute pièce de porc frais est de 325°F à 350°F (160° à 180°C), de 22 à 24 minutes la livre.

Une fesse de porc frais entière (parfois appelée jambon frais) pèse généralement 8 lb (4 kg), désossée et roulée. Conservez les os lorsque le boucher vous les donne, pour les placer sous le rôti lors de la cuisson. Un rôti de ce poids peut servir de 12 à 16 personnes.

1 tasse (250 mL) de consommé ou d'eau ou de cidre
1/2 tasse (125 mL) de jus de citron frais
zeste râpé de 2 citrons
1/2 c. à thé (2 mL) de graines de fenouil
1/8 c. à thé (0,6 mL) de muscade
1 c. à thé (5 mL) de sarriette ou de sauge
3 gousses d'ail écrasées
une ou une demi-fesse de porc frais ou (tout autre coupe de porc frais)

Mélangez tous les ingrédients dans un grand bol. (N'utilisez pas de métal). Pour écraser l'ail, mettez une gousse d'ail non pelée sur une planche de bois, placez dessus la lame d'un grand couteau et donnez un bon coup sur la lame, l'ail sera écrasé et la mince pelure s'enlèvera facilement. Mettez l'ail tel quel dans la marinade. Couvrez et laissez mariner 2 à 3 jours au réfrigérateur.

Placez le rôti non cuit dans une rôtissoire sur une claie ou sur des os plats. Arrosez de la marinade. Faites rôtir au four préchauffé à 325° F (160° C), de 20 à 22 minutes la livre. (La marinade attendrit la viande, c'est pourquoi elle peut cuire en 20 minutes la livre). Badigeonnez le rôti toutes les 30 minutes avec le jus de cuisson. Disposez sur un plat chaud. Couvrez durant la préparation de la sauce.

Sauce simple : mettez la rôtissoire sur le feu. Ajoutez 1 tasse (250 mL) d'eau *froide* ou de thé *froid*, remuez avec une cuillère de bois, en grattant le fond et les parois de la rôtissoire, à feu moyen. L'eau froide fait fondre les résidus qui adhèrent à la casserole. Ajoutez ensuite 2 c. à table (30 mL) de madère sec. Tamisez dans une saucière chaude.

Pour épaissir la sauce : au gras de la rôtissoire, ajoutez 2 c. à table (30 mL) de farine, avant d'ajouter de l'eau. Délayez bien. Ajoutez l'eau froide ou le thé froid. Remuez et grattez à feu moyen jusqu'à consistance crémeuse. Épaississez la sauce à votre gré, en ajoutant d'abord le madère, puis, petit à petit, l'eau ou le thé froid. Brassez. Tamisez dans une saucière.

Sauce à l'orange du Sud : mélangez dans une casserole, 2 c. à table (30 mL) chacune de cassonade et de fécule de maïs. Délayez dans 1 tasse (250 mL) de jus d'orange frais, 1 tasse (250 mL) de consommé dilué ou 1 tasse (250 mL) de sauce de jambon préparée comme la sauce simple, 1/4 de tasse (60 mL) de sherry sec. Amenez lentement à ébullition en remuant presque sans cesse. Lorsque le mélange est transparent et crémeux, versez-le dans la rôtissoire. Grattez le fond et remuez, ajoutez un peu d'eau froide, au besoin. Coulez dans une saucière.

Filet de porc rôti, sauce au lait

C'est un plat de l'Ouest ; servez-le accompagné de sauce aux pommes, de pommes de terre réchauffées ou rôties.

1 à 2 lb (1 kg) de filets de porc
2 c. à table (30 mL) de farine
3/4 de tasse (200 mL) de lait

Martelez les filets de porc avec un maillet ou le plat d'un couperet. Frottez du mélange des assaisonnements, puis roulez dans la farine.

Placez sur le côté maigre, au fond d'une casserole à cuisson et mettez au four à 325°F (160°C), 35 minutes la livre, jusqu'à ce que les filets soient bien dorés.

Mettez sur un plat chaud et ajoutez la farine au jus de cuisson. Faites cuire à feu doux, remuant presque sans cesse jusqu'à ce que la farine ait grillé. Ajoutez le lait, remuez pour obtenir une consistance crémeuse, et assaisonnez au goût. Servez à part après avoir dégraissé la sauce. *Pour 3 à 4 personnes.*

Longe de porc braisée

Ceci est non seulement un préféré de la famille à longueur d'année, c'est aussi un authentique rôti du Québec. À la maison, la fameuse graisse de rôti était servie froide sur du pain de ménage grillé sur le gros « poêle à bois » tout reluisant. On la fait avec le jus de la viande. Le rôti était servi froid et la graisse de rôti était pour un autre repas.

3 à 4 lbs (1 1/2 à 2 kg) de longe de porc
2 gousses d'ail
1 c. à thé (5 mL) de moutarde sèche
1 c. à thé (5 mL) de sarriette
sel et poivre au goût
1 couenne de porc ou 1 patte
1 tasse (250 mL) d'eau

Faites quatre incisions dans la longe et insérez une demi-gousse d'ail dans chacune. Frottez la viande avec la moutarde sèche, laissant la majeure partie adhérer au gras. Saupoudrez de sarriette, surtout sur le gras.

Mettez dans une rôtissoire, le gras touchant le fond. Assaisonnez au goût.

Coupez la couenne ou la patte de porc en plusieurs morceaux et disposez-les tout autour de la viande. Ajoutez l'eau.

Il y a deux méthodes pour rôtir la viande :

1. Mettez la rôtissoire à feu très vif et amenez à ébullition. Couvrez et laissez mijoter à feu doux durant 2 heures. Découvrez et faites cuire à feu vif jusqu'à ce que le liquide soit évaporé et que le gras commence à grésiller et à dorer. Mettez la viande sur un plateau.

2. Rôtissez à découvert dans la rôtissoire à 300°F (150°C), 45 minutes par livre. La cuisson terminée, placez la viande sur un plateau et mettez la rôtissoire sur le feu pour faire la sauce ou la graisse de rôt.

Dans les deux cas, pour faire la sauce, ajoutez au jus de cuisson 1 tasse (250 mL) d'eau froide, et laissez mijoter 10 minutes, remuant souvent et grattant le fond et les parois de la casserole.

Pour faire de la graisse de rôt plutôt que de la sauce, ajoutez seulement 1/2 tasse (125 mL) d'eau froide, remuez et grattez le fond et les parois de la casserole à feu vif de 2 à 3 minutes, passez ensuite au tamis fin, dans un bol et réfrigérez jusqu'au lendemain.

Avec la patte ou la couenne de porc, faites des cretons. Mettez dans un bol ce qui reste dans la passoire. Retirez tous les os (il y en a beaucoup dans une patte) et coupez la viande en petits morceaux. Mettez dans un petit bol, versez 2 à 3 cuillerées de graisse de rôt sur le tout. Couvrez et réfrigérez pour faire prendre. Pour servir, démoulez, tranchez et accompagnez de cornichons et de pain grillé. *Pour 6 personnes.*

Les côtelettes de porc de tante Antoinette

Les pommes, en plus d'être servies en tarte et comme fruits couteaux, étaient utilisées souvent pour accompagner les viandes. Dans les années 20, les fermiers vendaient facilement leurs pommes qui étaient l'un des seuls fruits facilement accessibles, avec les bananes expédiées des possessions anglaises. On achetait les pommes au baril de 50 ou 100 livres, et les bananes au régime. Les oranges, pamplemousses, citrons et poires étaient des gâteries du temps des Fêtes.

6 côtelettes de porc
sel et poivre au goût
1/2 c. à thé (2 mL) de sauge ou de sarriette
1 c. à thé (5 mL) de beurre
3 pommes non pelées, le cœur enlevé et taillées en tranches rondes
*   épaisses*
1 c. à thé (5 mL) de cassonade
1/4 c. à thé (1 mL) de clous de girofle ou de cannelle

Enlevez un peu du gras des côtelettes, taillez-le en cubes et faites fondre dans un poêlon de fonte pour obtenir des petits lardons dorés et croustillants. Faites dorer les côtelettes des deux côtés à feu moyen-doux. Assaisonnez au goût, saupoudrez de sauge ou de sarriette. Mettez dans un plat.

Faites fondre le beurre dans le poêlon. Ajoutez la cassonade, les clous et la cannelle, et remuez délicatement pour bien en enrober les pommes. Faites cuire environ 10 minutes à feu moyen, brassant une ou deux fois.

Remettez les côtelettes dans le poêlon, versez les pommes dessus, couvrez et faites cuire à feu très doux, 10 minutes.

Servez chaque côtelette recouverte d'une portion de pommes. *Pour 4 à 6 personnes.*

Spécial du Manitoba

Cette recette est une combinaison des cuisines scandinave et mennonite.

6 côtelettes de porc
2 c. à table (30 mL) de farine
1 c. à thé (5 mL) de sel
1/2 c. à thé (2 mL) de poivre
1 c. à thé (5 mL) de paprika
2 c. à table (30 mL) de gras de porc frais taillé en dés
2 tasses de chapelure
1 oignon haché fin
1 pomme en dés
1/4 de tasse (60 mL) de raisins secs
1 c. à thé (2 mL) de sel
1/4 de c. à thé (1 mL) de poivre
1 c. à thé (5 mL) de sauge
1 œuf battu
2 c. à table (30 mL) de beurre fondu

Roulez les côtelettes dans le mélange de la farine, du sel, du poivre et du paprika. Faites dorer légèrement au poêlon dans le gras de porc fondu.

Mélangez bien le reste des ingrédients dans un bol.

Mettez le mélange dans une casserole beurrée de 8 X 8 po (20 X 20 cm), recouvrez des côtelettes, et faites cuire à découvert au four à 350° F (180° C), 40 à 50 minutes, jusqu'à ce que la viande soit tendre. *Pour 4 à 6 personnes.*

Côtelettes de porc diablées

Ce succulent plat est très bon servi avec des épinards et des pommes de terre en purée.

6 côtelettes de porc, d'épaule ou de côtes
1 oignon haché fin
3 c. à table (45 mL) de jus de citron
1 c. à thé (5 mL) de moutarde sèche

1 c. à table (15 mL) de cassonade
4 c. à table (60 mL) de sauce chili ou de ketchup
2 c. à thé (10 mL) de sauce Worcestershire

Enlevez presque tout le gras des côtelettes et mettez de côté. Faites mariner les côtelettes dans la marinade préparée avec le reste des ingrédients.

Faites fondre et dorez le gras réservé, dans un poêlon. Égouttez les côtelettes de la marinade, faites-les dorer des deux côtés dans le gras, puis ajoutez la marinade. Couvrez et laissez mijoter à feu doux, une heure pour les côtelettes de côtes. *Pour 4 à 6 personnes.*

Petites côtes de porc barbecue

Il y a des années que je fais cette recette avec succès. Elle est très commode car elle se conserve parfaitement au congélateur de 4 à 6 mois et au réfrigérateur de 8 à 10 jours. Elle se réchauffe toujours sans perdre de sa saveur.

3 lb (1,5 kg) de petites côtes de porc
1 gousse d'ail émincée
3 c. à table (45 mL) de gras de bacon
3 oignons
1 tasse (250 mL) de ketchup
1/2 tasse (125 mL) de vinaigre de cidre
1 c. à thé (5 mL) de cari
1 c. à thé (5 mL) de paprika
1/4 c. à thé (1 mL) de poudre de chili
1 c. à table (15 mL) de cassonade
1 tasse (250 mL) de consommé
1/2 c. à thé (2 mL) de sel
une pincée de poivre
1/2 c. à thé (2 mL) de moutarde sèche

Faites dorer l'ail dans le gras de bacon et taillez les petites côtes en portions individuelles. Retirez l'ail du poêlon, et faites-y dorer les petites côtes à feu vif. Mettez la viande et l'ail dans une casserole. Tranchez les oignons sur la viande.

Mélangez le reste des ingrédients. Versez sur la viande et les oignons. Couvrez et faites cuire 1 1/2 heure au four à 350°F (180°C). *Pour 6 personnes.*

Petites côtes Hoisin

Il y a les côtes levées de l'échine (dos) et celles du flanc. Les côtes d'échine sont toujours plus charnues que les côtes de flanc, ce qui explique l'écart dans le prix.

La sauce Hoisin (ou à « dix saveurs ») est une épaisse sauce brun rougeâtre faite de soja, d'épices, d'ail et de chili. Elle est douce et épicée. Elle se conserve pendant des mois au réfrigérateur, dans un récipient hermétique.

Vous trouverez la sauce Hoisin dans les boutiques orientales, elle vaut bien la peine qu'on se dérange pour l'obtenir. Elle est parfaite pour les petites côtes, mais peut toujours être remplacée par du sherry sec.

3 à 4 lb (1,5 à 2 kg) de petites côtes de porc
3 c. à table (50 mL) de sauce Hoisin
4 c. à table (60 mL) de cassonade
4 c. à table (60 mL) de sauce de soja
1/4 de tasse (60 mL) de bouillon de poulet ou de consommé
2 à 4 gousses d'ail écrasées
1 c. à table (15 mL) de sherry sec
2 tomates moyennes
2 c. à table (30 mL) de miel

Les petites côtes doivent être d'une seule pièce ou en deux morceaux. Mélangez dans un bol, la sauce Hoisin, la cassonade, la sauce de soja, le bouillon de poulet ou le consommé, l'ail et le sherry. Roulez les petites côtes dans ce mélange et mettez sur un plat. Arrosez du reste du mélange et laissez mariner 2 à 4 heures au réfrigérateur.

Préchauffez le four à 350°F (180°C). Placez les petites côtes marinées sur le gril d'une lèchefrite à griller et couvrez le fond d'eau chaude. Faites rôtir 60 à 70 minutes, retournant les petites côtes toutes les 20 minutes.

Durant la cuisson de la viande, coupez les deux tomates non pelées. Faites-les cuire à feu moyen jusqu'à ce que tout le jus soit évaporé et qu'elles soient en sauce épaisse. Ajoutez le miel et remuez fréquemment. Au cours des 20 dernières minutes de cuisson, badigeonnez les petites côtes de ce mélange. Pour les rendre croquantes, élevez la température du four à 400°F (200°C) durant les dernières minutes de cuisson. *Pour 6 personnes.*

Saucisses maison

Le mot saucisse vient du latin salsus. Les Romains furent les premiers fabricants de saucisses, dont il est fait mention, car ils considéraient que c'était une façon de conserver les diverses parties du porc pour manger durant l'hiver. Les Italiens demeurent les fabricants par excellence de saucisses séchées et fumées, mais lorsqu'il s'agit de saucisses fraîches, la France en est le pays. L'art de la fabrication des saucisses s'acquiert sans difficulté, car les recettes sont simples, et il est facile de se procurer le porc. Les saucisses fraîchement faites, bien aromatisées et cuites à point, sont un plaisir de la table dont on se souvient à peine maintenant.

Faire de la bonne saucisse n'est pas compliqué, car il ne faut que de la viande hachée et des assaisonnements, comme pour un pain de viande, même si vous n'avez pas l'appareil pour former les saucisses ou un carré de crépinette, qu'il est souvent facile d'obtenir de votre boucher. Vous aimerez peut-être essayer la méthode européenne qui consiste à faire un tube de coton propre (un essuie-vaisselle usager convient très bien) d'environ 1 1/2 à 2 po (3.65 à 5 cm) de diamètre. Coupez de la largeur désirée et cousez la longueur requise à la machine. Mouillez le linge et remplissez serré de viande à saucisse, puis enveloppez de papier d'aluminium. Réfrigérez 24 heures. Pour utiliser, coupez une tranche de l'épaisseur désirée, retirez le coton et faites cuire comme les saucisses ordinaires.

Les assaisonnements peuvent être adaptés à votre goût, cependant les proportions pour la quantité de viande et de gras doivent demeurer les mêmes que dans la recette.

Formule de base pour les saucisses

Doublez ou triplez la quantité, car les saucisses maison se congèlent de 3 à 4 mois, bien enveloppées. Une tasse (250 mL) de viande ou de gras, haché, équivaut à environ 1/2 lb (250 g).

1 lb (500 g) de porc maigre dans le cou ou l'épaule
1/2 lb (250 g) de gras de porc non salé
1 c. à table (15 mL) de sel
1/2 c. à thé (2 mL) de quatre-épices
1/2 c. à thé (2 mL) de poivre frais moulu
1/4 c. à thé (1 mL) de sauge ou de thym

Passez une fois ou deux au moulin à hacher le maigre et le gras de porc, selon la texture désirée. (Deux fois, pour une saucisse à texture fine.) Ajoutez les assaisonnements. Mélangez à fond avec les mains. *Pour 6 personnes.*

Variations : remplacez 1/2 lb (250 g) de gras de porc non salé par 1 lb (500 g), ajoutez 1/2 c. à thé (2 mL) de cannelle ou remplacez le quatre-épices par 1 c. à thé (5 mL) de cannelle.

Saucisses de veau et de porc : employez 1/2 lb (250 g) de porc, 1/2 lb (250 g) de veau dans l'épaule, 1/2 lb (250 g) de gras de porc non salé ou de gras du dessus du bacon, omettez les épices et réduisez le sel à 2 c. à thé (10 mL). La quantité de thym et de sauge reste la même.

Saucisses du chasseur (Hunter's sausage) : 1/2 lb (250 g) de poulet cru (de préférence les cuisses, les pattes et les ailes), de dinde, de canard ou de gibier; 1/4 de lb (125 g) de porc maigre, 1/4 de lb (125 g) de veau, 1/2 lb (250 g) de gras de porc non salé, 1/4 de tasse (60 mL) de chapelure fine. Les mêmes assaisonnements que pour la recette de base, ajoutez 1/4 de tasse (60 mL) de brandy ou de porto. Les saucisses du chasseur (Hunter's sausage) composaient le petit déjeuner de renommée mondiale à l'hôtel St-Régis de New York au début des années 20.

La cuisson des saucisses

Souvent les saucisses sont mises dans une casserole pour les faire dorer de n'importe quelle façon. J'aimerais vous donner trois méthodes faciles pour une cuisson parfaite.

Les saucisses grillées : pour chaque livre (500 g) de saucisses, mélangez dans une assiette 1/2 c. à thé (2 mL) de paprika, 1/4 de c. à thé (1 mL) de sucre, 1/2 c. à thé (2 mL) de sauge, de sarriette ou de poudre de cari, et 1 c. à thé (5 mL) de farine. Roulez individuellement les saucisses dans ce mélange. Mettez-les dans la lèchefrite d'un grilleur ou sur un gril. Préchauffez le grilleur 10 minutes. Placez la lèchefrite à 3 po (7,5 cm) de la source de chaleur. Faites griller 3 à 4 minutes, retournez les saucisses et grillez 2 minutes, jusqu'à ce qu'elles soient dorées. *Pour 4 personnes.*

Les saucisses frites au poêlon : placez les saucisses dans un seul rang dans un poêlon froid. *Couvrez* et faites cuire environ 8 minutes à feu doux, secouant le poêlon une fois, sans le découvrir. Découvrez alors et élevez le feu à moyen. Faites-les cuire jusqu'à ce qu'elles soient uniformément dorées, secouant le poêlon une ou deux fois pendant la cuisson. Égouttez le gras. Salez, poivrez et servez.

Les saucisses aigres-douces : faites frire au poêlon 1 lb (500 g) de saucisses. Faites chauffer à feu doux tout en remuant, dans une petite casserole, 1/4 de tasse (60 mL) de moutarde préparée, 1/2 tasse (125 mL) de gelée de gadelles rouges, 1 c. à table (15 mL) de brandy, 1 c. à thé (5 mL) de sauce de soja. Mélangez bien et versez sur les saucisses.

Laissez mijoter 5 minutes. Servez avec une purée de pommes de terre. *Pour 4 personnes.*

La viande à saucisses traditionnelles anglaises

Les saucisses anglaises diffèrent du type des saucisses françaises, car elles sont généralement recouvertes de chapelure fine ou de farine d'avoine.

2 1/4 lb (1,125 kg) de porc maigre
1 1/2 lb (750 g) de gras de porc non salé ou de dessus de longe
4 tasses (1 L) de chapelure fine
2 c. à table (30 mL) de sel
1 c. à thé (5 mL) de poivre blanc
1/4 c. à thé (1 mL) de macis
1/2 c. à thé (2 mL) de gingembre moulu
1/4 c. à thé (1 mL) de sauge

Passez la viande et le gras deux fois au hachoir, ensemble, si possible. Ajoutez le reste des ingrédients. Mélangez bien. Formez en saucisses au goût. Faites toujours cuire ces saucisses à feu moyendoux, dans 2 c. à thé (10 mL) de gras par livre (500 g), car l'enrobage les assèche. *Rendement : 4 lb (2 kg).*

Saucisses d'Oxford

Les saucisses maison sont si bonnes que vous désirerez toujours les faire vous-même lorsque vous aurez commencé. Si vous avez un mélangeur électrique, hachez vous-même la viande, et vous aurez un parfait contrôle de vos ingrédients. Les saucisses maison se conservent 4 à 5 jours au réfrigérateur, et 2 à 3 mois au congélateur.

1 lb (500 g) de porc frais haché ou d'épaule de porc maigre
3/4 lb (200 g) de suif de bœuf haché
2 tasses (500 mL) de chapelure fine de pain ou de biscuits
zeste râpé d'un citron
1/4 c. à thé (1 mL) de muscade
1 c. à thé (5 mL) de poivre
1 c. à thé (5 mL) de feuilles de sauge séchées
1 c. à thé (5 mL) de sel
1 c. à thé (5 mL) de marjolaine

Si un mélangeur électrique est utilisé, commencez par hacher très fin l'épaule de porc, environ 40 secondes suffiront. Retirez la viande et hachez le suif de la même façon (j'aime utiliser le suif du rognon de bœuf, ce que j'ai appris en Angleterre ; il est de saveur plus délicate que

Belles miches cuites dans un four en terre, petits pains, tresses et brioches, comment peut-on résister au pain « de ménage » ? ▷

tout autre gras. J'utilise aussi le gras du rognon de veau, si le bœuf n'est pas disponible.) Ou encore, demandez au boucher de hacher ensemble le porc et le suif.

Mettez dans un bol et ajoutez le reste des ingrédients. Mélangez et pétrissez avec les mains pour en faire un mélange lisse. Formez en saucisses de la grosseur qui vous plaît. Roulez dans la chapelure fine à laquelle on ajoute du paprika pour donner de la couleur. Conservez les saucisses dans un récipient de plastique en deux rangs séparés par une feuille de papier ciré. Faites griller ou frire au poêlon comme les saucisses ordinaires. *Pour 6 à 8 personnes.*

La saveur et la texture diffèrent suivant que du pain ou des biscuits sont utilisés pour la chapelure ; d'une façon ou de l'autre, elles sont très bonnes.

Saucisses de Cornell

Une formule facile et rapide créée par le département d'éducation en sciences alimentaires de l'université de Cornell ; elle se prépare en un tour de main avec la viande à saucisses vendue chez le boucher.

1 lb (500 g) de viande à saucisses de porc
1 c. à thé (5 mL) de sel
1/2 c. à thé (2 mL) de poivre frais moulu
1/2 c. à thé (2 mL) de sauge

Mélangez les ingrédients à fond. Formez en pâtés, en saucisses ordinaires, ou en longues saucisses. Faites cuire suivant les directives de base. Ce mélange se conserve de 3 à 5 semaines au congélateur. *Pour 4 à 6 personnes.*

Saucisses de Smyrne

Une spécialité grecque, inusitée et très savoureuse. Essayez-les lors de votre prochain petit déjeuner à la fourchette.

1 1/2 lb (750 g) d'épaule de porc
1 tasse (250 mL) de mie de pain
1/2 tasse (125 mL) de vin rouge
1 c. à thé (5 mL) de sel
1/4 c. à thé (1 mL) de poivre
1/2 c. à thé (2 mL) de pectin en poudre

Choisissez une pièce de viande qui a du gras, mais plus de maigre que de gras. Passez-la deux fois au hachoir. Remuez ensemble le pain et le vin pour humecter le pain. Ajoutez-le à la viande avec le reste des

◁ Un brunch pour la fête de la reine Victoria : fromage en petits pots, capitaine à la campagne et omelette au bacon. Comme tout cela est victorien !

ingrédients. Mélangez bien. Formez en saucisses, mettez sur une assiette, couvrez et réfrigérez quelques heures avant de faire cuire.

Pour les faire cuire à la grecque, faites chauffer 1 c. à table (15 mL) d'huile végétale dans un poêlon de fonte, ajoutez les saucisses, et faites cuire à feu moyen doux jusqu'à ce qu'elles soient dorées des deux côtés. Cela devrait prendre de 12 à 15 minutes. Ajoutez 1/2 tasse (125 mL) de sauce aux tomates et 1/4 de c. à thé (1 mL) de sucre. Laissez mijoter lentement, à découvert, durant 15 minutes. Accompagnez de riz ou de purée de pommes de terre. *Pour 6 à 8 personnes.*

Pâtés de pommes et de saucisses :

1/2 lb (250 g) de viande à saucisses ou de porc frais passée deux
   fois au hachoir
3/4 de tasse (200 mL) de chapelure
1 tasse (250 mL) de pommes râpées et non pelées
2 c. à table (30 mL) de farine tout-usage
1 oeuf
sel et poivre au goût

Mélangez la viande à saucisses (ou le porc haché), la chapelure, les pommes râpées et la farine. Mélangez avec les oeufs et assaisonnez au goût. Formez en petits pâtés plats, comme des croquettes de poisson. Roulez dans la chapelure fine, et faites frire à feu moyen dans la graisse végétale, 10 minutes de chaque côté. Servez chauds avec un bol de sauce chili maison, de grandes tranches de pain de ménage grillé sur le poêle de bois, et une grande tasse de thé vert fumant. C'est encore le petit déjeuner traditionnel dans bien des fermes canadiennes-françaises du bas de Québec. Mais, bien entendu, moi aussi je l'aime. *Pour 4 personnes.*

Les grillades

Préparez la viande sur le gril et conservez au réfrigérateur jusqu'au moment de servir. Mettez sous la flamme avant de faire cuire les oeufs.

1/2 lb (250 mL) de bacon
1 lb (500 mL) de saucisses
paprika au goût
porto

Étendez sur le gril le bacon puis les saucisses. Saupoudrez de paprika. Faites griller à 3 po (7,5 cm) de la source de chaleur, 5 minutes. Retournez les saucisses et retirez les morceaux grillés, les mettre sur un plat chaud. Continuez la cuisson 3 à 4 minutes. Disposez sur le plat. Versez un peu de porto sur chaque saucisse (mais non sur le bacon). *Pour 3 à 4 personnes.*

Chop Suey facile

Pour un plat de porc frais pratique, économique, celui-ci est difficile à battre. Lorsque tout est prêt, la cuisson ne présente aucun problème.

> *3 c. à table (45 mL) d'huile végétale*
> *2 c. à thé (10 mL) de sel*
> *1/2 c. à thé (2 mL) de poivre*
> *1 lb (500 g) d'épaule de porc en cubes*
> *3 c. à table (45 mL) de sauce de soja*
> *3 tasses (750 mL) de céleri en morceaux d'un po (2,5 cm)*
> *2 gros oignons taillés chacun en 6*
> *1 c. à table (15 mL) de mélasse*
> *2 tasses (500 mL) d'eau bouillante*
> *2 tasses (500 mL) de germes de haricot*
> *3 c. à table (45 mL) de fécule de maïs*
> *1/4 de tasse (60 mL) d'eau froide*
> *3 tasses (750 mL) de riz cuit*

Faites chauffer dans un grand poêlon l'huile, le sel et le poivre. Saisissez-y le porc à feu vif 2 à 3 minutes. Puis faites cuire à feu doux, à découvert, de 5 à 8 minutes.

Ajoutez la sauce de soja, mélangez bien, ajoutez le céleri et les oignons. Faites cuire 3 minutes, mélangez la mélasse et l'eau bouillante et versez sur le mélange. Couvrez et faites cuire à feu doux de 10 à 20 minutes. Ajoutez les germes de haricot et faites cuire 3 minutes.

Délayez la fécule de maïs dans l'eau froide. Ajoutez-le au chop suey et poursuivez la cuisson 3 à 4 minutes, en remuant sans cesse, jusqu'à ce que la sauce épaississe et devienne transparente. Accompagnez de riz. *Pour 6 personnes.*

Quelques mots sur l'agneau

Il est des gens pour qui l'agneau n'a jamais été en vogue. Durant un certain nombre d'années, il était même presque mal vu parce que trop souvent on le cuisait jusqu'à ce que la viande soit grise, filandreuse et sans saveur. Cependant, les Canadiens semblent avoir enfin compris ce que les Européens ont toujours su : la chair de l'agneau cuit pour être succulente doit être rosée.

Lorsque l'agneau est rôti, la forme de la pièce doit être prise en considération. Le gigot, la couronne et la selle sont rôtis à 325°F (160°C), soit 135° à 140°F (55° à 60°C) pour médium-saignant. Le très jeune agneau ou l'agneau de printemps est meilleur rôti à 425°F (225°C), soit 160°F (70°C) au thermomètre

Soit dit en passant, le thermomètre à viande est presque obligatoire pour bien réussir la cuisson de l'agneau. Et, ce qu'il ne faut pas oublier, l'agneau doit être servi dans des assiettes chaudes.

Gigot d'agneau glacé à la française

La saveur de ce rôti est aussi bonne, qu'il soit servi chaud ou froid accompagné d'une salade de pommes de terre. Pour le servir froid, retirez-le du réfrigérateur et gardez-le à la température ambiante durant au moins 4 heures, ou le faire cuire le matin et laissez-le attendre jusqu'à l'heure du dîner.

4 à 4 1/2 lb (2 à 2,25 kg) de gigot d'agneau
1/4 de tasse (60 mL) de moutarde préparée (de préférence de Dijon)
1/2 tasse (125 mL) de miel
1/2 c. à thé (2 mL) de romarin
1 c. à thé (5 mL) de sel
1/4 c. à thé (1 mL) de poivre

Placez l'agneau sur une claie dans une rôtissoire peu profonde et faites cuire à 325°F (160°C) durant 1 heure. Mélangez le reste des ingrédients, versez sur la viande et continuez la cuisson à la même température durant 2 heures, jusqu'à ce que la chaleur indiquée au thermomètre soit de 160°F (70°C) pour bien cuit. Badigeonnez 4 à 5 fois durant la cuisson. *Pour 6 à 8 personnes.*

Agneau cuit à la vapeur

Lorsque je suis très occupée, je prépare ce mets après le petit déjeuner; les casseroles sont mises au four à 200°F (95°C), et je reviens pour le repas. C'est un dîner complet.

3 à 4 pommes de terre pelées, taillées en tranches épaisses
4 carottes en bâtonnets épais
3 tomates non pelées, coupées en huit
2 oignons tranchés épais
3 à 4 gousses d'ail entières, pelées
2 à 3 lb (1 à 1,5 kg) d'agneau à bouillir, tranché ou en cubes
2 c. à table (30 ml) de beurre

196

1 piment doux taillé en bâtonnets
1/2 tasse (125 mL) de persil émincé
1 c. à thé (5 mL) de sel
1/2 c. à thé de grains de poivre écrasés

Deux casseroles sont nécessaires pour ce ragoût : une, non couverte, dans laquelle sont mis les ingrédients, l'autre assez grande, et hermétique, pour contenir la première.

Dans la plus petite casserole, mettez en rangs alternés les ingrédients dans l'ordre donné; les oignons sont défaits en anneaux, le beurre étendu sur la viande, le sel et le poivre saupoudrés ici et là. Répétez les rangs jusqu'à l'utilisation complète de tous les ingrédients.

Mettez la petite casserole dans la grande, versez de l'eau dans cette dernière pour atteindre le milieu de l'extérieur de la petite. Couvrez la grande casserole et laissez mijoter de 2 à 3 heures, jusqu'à ce que la viande soit tendre.

Il y aura beaucoup de bonne sauce claire; alors, pour servir, mettez une grande tranche de pain sec dans une assiette creuse pour chaque portion, arrosez de sauce et recouvrez de viande et de légumes.

Rognons d'agneau grillés au poêlon

C'est le petit déjeuner préféré de mon mari.

4 à 6 rognons d'agneau
vinaigre blanc
moutarde préparée (type Dijon) ou chutney
1 c. à table (15 mL) de gras de bacon ou de beurre
sel et poivre au goût
1 c. à thé (5 mL) d'eau

Enlevez la fine membrane qui recouvre les rognons. Laissez entiers ou coupez en deux en longueur. Frottez-les avec le vinaigre, puis badigeonnez-les avec la moutarde ou le chutney. Faites fondre le gras dans le poêlon; lorsqu'il est légèrement bruni, ajoutez les rognons et faites-les dorer. Faites cuire à feu moyen-doux 3 minutes de chaque côté. Salez et poivrez au goût. Remuez, ajoutez l'eau, remuez quelques secondes et servez. *Pour 2 à 3 personnes.*

Grillades Dorchester à l'anglaise

Pour un petit déjeuner à la fourchette, les côtelettes d'agneau sont pour moi le comble de l'extravagance et un véritable délice. Accompagnez ces grillades de bon chutney et de muffins anglais coupés en deux grillés et beurrés; ou encore de muffins maison.

4 saucisses
4 petites côtelettes des côtes de longe
paprika au goût
8 tranches de bacon
4 rognons d'agneau coupés
jus de chutney
4 tomates moyennes, en deux
1 c. à thé (5 mL) de sucre
1 c. à table (15 mL) de persil haché
2 c. à table (30 mL) de chapelure fine
sel et poivre au goût
beurre mou
jus d'1/2 citron

Réchauffez le grilleur pendant 15 minutes. Mettez les saucisses dans la lèchefrite du grilleur, placez-y les côtelettes à côté et saupoudrez de paprika. Mettez le bacon sur le côté, puis les rognons d'agneau, le côté tranché sur le fond. Badigeonnez les rognons d'un peu de jus de chutney.

Saupoudrez les moitiés de tomates de sucre, puis de persil, ensuite de chapelure. Mettez-les aussi dans la lèchefrite, salez et poivrez au goût et parsemez les rognons de petits morceaux de beurre mou.

Placez la lèchefrite dans le grilleur préchauffé, à 4 po (10 cm) au moins de la source de chaleur, et faites griller 4 à 5 minutes. Retournez les côtelettes, les saucisses, et faites griller encore 2 à 4 minutes. Mettez sur un plat chaud et saupoudrez de jus de citron frais. *Pour 4 personnes.*

Sauce à la menthe à l'oignon

La sauce par excellence pour accompagner de minces tranches d'agneau cuit, ou une assiettée de salade ou une salade verte.

1/4 de tasse (60 mL) de menthe fraîche, hachée fin
1 petit oignon blanc doux
1 petit piment doux haché fin
1/4 de tasse (60 mL) de vinaigrette au citron
sel au goût

Mettez tous les ingrédients dans un bocal, couvrez et agitez pour bien mélangez. Agitez bien avant l'usage. Il n'est pas nécessaire de conserver cette sauce au réfrigérateur; simplement dans un endroit frais. *Rendement : 2/3 de tasse (160 mL).*

Veau braisé

Cette méthode de cuisson du veau a à peu près disparu, même au Québec, où au printemps c'était le rôti traditionnel du dimanche. Il est vrai qu'un bon veau de lait est de plus en plus difficile à trouver. C'est le préféré de mon mari et aussi le mien.

Dans ma jeunesse, nous servions le gros rôti de bœuf l'hiver, mais au printemps, c'était le veau braisé. Je préfère utiliser un rôti de 4 à 6 lb (2 à 3 kg) parce que le veau braisé est également bon froid ou chaud. Les légumes perdent un peu de leur saveur s'ils sont réchauffés, alors je n'ajoute que la quantité requise pour le premier repas. L'épaule roulée était servie sur semaine. Pour un élégant dîner du dimanche, nous servions une longe de veau complète avec le rognon.

4 à 6 lb d'épaule de veau roulée (2 à 3 kg)
2 gousses d'ail écrasées
3 c. à table (45 mL) de gras de bacon ou d'huile d'olive
6 à 8 pommes de terre moyennes d'égale grosseur, pelées, entières
6 à 8 oignons moyens entiers, pelés
1/2 c. à thé chacune (2 mL) de thym et de sarriette
2 c. à thé (10 mL) de sel
1/4 de c. à thé (1 mL) de poivre

Écrasez l'ail avec le plat de la lame d'un gros couteau — la mince pelure s'enlèvera alors très facilement. Brisez l'ail en morceaux et insérez-les ici et là dans des incisions pratiquées dans la viande avec la pointe d'un couteau.

Faites fondre le gras choisi (nous utilisions toujours le gras de bacon) dans un chaudron de fonte, faites-y dorer la viande de tous côtés, à feu moyen. Ce procédé doit se faire lentement afin que la viande conserve son doré lorsque cuite et prendra environ 30 minutes.

Placez alors touchant le fond la partie du rôti que vous désirez avoir sur le dessus au moment de servir.

Disposez les pommes de terre et les oignons autour de la viande et saupoudrez le tout de thym, sarriette, sel et poivre (aucun liquide n'est ajouté, le veau fait son propre jus). Couvrez et braisez à feu moyen-doux de 1 1/2 à 2 heures ou jusqu'à ce que la viande soit tendre. La cuisson se poursuivant lentement, les légumes ne sont jamais trop cuits, ni défaits.

Il y aura une bonne quantité de sauce crémeuse et savoureuse au fond de la casserole, bien qu'aucun liquide n'ait été ajouté. Disposez la viande sur un plateau chaud. Pour glacer les légumes, faites bouillir la sauce à feu moyen pendant 5 minutes, y retournant les légumes délicatement avec une spatule de caoutchouc jusqu'à ce qu'ils soient bien enrobés de sauce. Retirez les légumes à l'aide d'une écumoire et placez-les sur un plat de service chaud. Mettez la sauce dans une saucière. *Pour 6 à 8 personnes.*

Veau forestière

Un ragoût digne de votre table. Il est aussi bon fait avec de l'agneau. Lorsque j'emploie du veau, j'aime un bifteck épais d'un po (2,5 cm) et qui se taille bien en cubes. Pour l'agneau, je recommande une épaule. Les deux se réchauffent très bien.

*2 c. à table (30 mL) chacune de beurre
   et d'huile végétale
12 petits oignons entiers
1 c. à thé (5 mL) de sucre
1/2 lb (250 mL) de champignons tranchés mince
2 lb (1 kg) de bifteck de veau ou d'épaule désossées
2 c. à table (30 mL) de brandy
2 c. à table (30 mL) de farine
1 c. à table (15 mL) de purée de tomate
1/2 tasse (125 mL) chacune d'eau et de vermouth sec
1 1/2 tasse (375 mL) de consommé en boîte non dilué
1/2 c. à thé (2 mL) chacune de sel, poivre et thym
1/4 de tasse (60 mL) de crème riche
persil haché
zeste râpé d'1/2 citron*

Faites chauffer le beurre et l'huile dans un poêlon. Ajoutez les oignons. Saupoudrez de sucre et remuez à feu moyen jusqu'à ce que les oignons commencent à dorer. Ajoutez les champignons et remuez à feu moyen 3 minutes. Retirez-les avec une écumoire et mettez-les dans une casserole de 2 pintes (2 L). Ajoutez le veau taillé en cubes d'un po (2,5 cm) au gras du poêlon. Remuez à feu vif pour faire dorer ici et là. Arrosez du brandy et faites flamber, ajoutez ensuite sur les oignons. Dans le même poêlon, remuez ensemble la farine et la purée de tomate. Ajoutez l'eau, le vermouth et le consommé. Amenez à ébullition en remuant, salez, poivrez et ajoutez le thym. Remuez et versez sur la viande et les oignons. Couvrez et faites cuire au four préchauffé à 350° F (180° C) une heure, jusqu'à ce que la viande soit tendre. Juste au moment de servir, ajoutez la crème et remuez pour bien mélanger, saupoudrez de persil et servez.

J'utilise une attrayante casserole de terre cuite, qui peut être portée sur la table; une économie de temps et de vaisselle. *Pour 6 personnes.*

Lièvre Tshiti-Shine

Un autre délice indien, que j'ai appris de grand-mère qui vivait sur une ferme près de Caughnawaga. En janvier, les Indiens de la montagne lui apportaient de beaux lièvres. Ce plat est ainsi nommé car le nom indien signifie «janvier, mois de la Grande Lune», et c'était le meilleur moment pour faire la chasse au délicieux lièvre de montagne. J'en ai six dans mon congélateur, et je ne manquerai pas de les apprêter Tshiti-Shine.

1 lièvre sauvage, 2 à 3 lb (1 à 1,5 kg)
1/2 tasse (125 mL) de farine
1/2 c. à thé chacune (2 mL) de sel et de poivre
1 c. à thé (5 mL) de sarriette ou de sauge
3 tranches de lard salé ou
   6 tranches de bacon
2 gros oignons, tranchés mince
2 gousses d'ail, hachées fin
3/4 de tasse (200 mL) d'eau ou de gin hollandais

Taillez le lièvre en morceaux individuels, (2 pattes avant, 2 pattes arrière ou épaule; coupez le dos en 2 ou 3 morceaux). Le dos est le morceau de choix.

Mélangez la farine, le sel, le poivre et la sarriette ou la sauge. Roulez la viande dans cette farine pour la bien enrober. Mettez de côté ce qui reste de la farine. Coupez en 3 à 4 morceaux chaque tranche de bacon ou de lard, et faites-les dorer à feu moyen dans une rôtissoire. Ajoutez les morceaux de lièvre et faites dorer de tous côtés, les déposant au fur et à mesure sur une assiette.

Ajoutez au gras, l'oignon et l'ail, remuez pour les bien enrober de gras. Remettez la viande dans la casserole et mélangez aux oignons. Ajoutez l'eau ou le gin. Si le chasseur vous a donné le foie et les rognons du lièvre, qui sont tous deux très petits, hachez-les et ajoutez-les à la viande.

Couvrez et mijotez à feu doux, 1 à 1 1/2 heure, ou jusqu'à ce que la viande soit tendre. À votre goût, la sauce peut être épaissie en y ajoutant le reste de la farine délayée dans de l'eau froide, et en laissant mijoter jusqu'à consistance crémeuse. Versez sur le lièvre et servez. À la maison, nous le servons avec des crêpes de sarrasin pour remplacer les pommes de terre habituelles. *Pour 4 personnes.*

Gras clarifié

Vous n'aurez pas à acheter tant de gras pour faire la cuisine, si vous apprenez, d'après l'ancienne méthode qui a fait ses preuves, à utiliser tous les gras que vous jetez généralement. Les gras stérilisés ci-après se conservent au réfrigérateur 2 à 3 mois ; au congélateur, 12 mois.

Gras normand

Conservez au réfrigérateur dans un bol couvert tous les morceaux de suif de steak, taillés en dés et fondus, le gras de bacon, le gras provenant des restes, des sauces sans farine, etc. Mettez ensemble, les uns sur les autres, et lorsqu'il y en aura 2 tasses (500 mL), mettez le tout dans une casserole, ajoutez 2 tasses (500 mL) d'eau, 1 pomme de terre, brossée, non pelée, coupée en deux. Amenez à ébullition. Couvrez et laissez mijoter 25 minutes à feu doux. Enlevez la pomme de terre. Versez dans un bol. Couvrez et réfrigérez 12 à 24 heures. Retirez le bloc de gras dur, solide, qui s'est formé sur le dessus de l'eau. Enveloppez le gras et conservez-le au réfrigérateur. Tous les petits morceaux de résidus qui auraient fait surir le gras demeurent dans l'eau et peuvent être jetés.

Variation : ajoutez un petit oignon coupé en quatre et 2 gousses d'ail avec la pomme de terre.

Gras de bacon pour la cuisine

Utilisez pour le pain de gingembre, le pain d'épices et les poudings, les biscuits à la farine d'avoine, pour frire les oignons, etc. Accumulez de la même manière que pour le gras normand, mais sans le mélanger avec d'autres gras que celui du bacon. Procédez pour le stériliser en utilisant 1 tasse (250 mL) de gras de bacon, 1 tasse (250 mL) d'eau, 1 petite pomme de terre. Faites cuire, égouttez, refroidissez et réfrigérez. Retirez le bloc de gras et conservez-le tel que le gras normand.

Gras nya ou gras cachir

Un des avantages de la cuisine cachir est l'usage intelligent et fréquent qu'ils font du gras de poulet clarifié. Il y a 30 ans que j'en prépare et que je l'utilise.

Retirez tout le gras jaune visible d'un poulet ou d'une dinde. Mettez dans une casserole (j'aime utiliser une casserole de fonte émaillée.) Couvrez le gras d'eau froide, et faites mijoter sans couvrir jusqu'à ce que l'eau soit évaporée. Ajoutez ensuite un petit oignon, haché, pour chaque tasse de gras utilisé.

Il m'arrive d'ajouter une gousse d'ail entière et une feuille de laurier; j'admets que ce n'est pas selon la tradition cachir.

Ajoutez ensuite une tranche épaisse de pomme de terre non pelée et faire cuire à feu doux, remuant souvent, jusqu'à ce que le gras jaune se transforme en petits morceaux croquants, la pomme de terre deviendra brune. Égouttez dans une passoire fine. Couvrez et réfrigérez. Le lendemain, démoulez et nettoyez le dessous du gras avec la lame d'un couteau. Enveloppez et réfrigérez.

Le poisson

Morue fraîche pochée

Dans ma jeunesse, on savait que pour le déjeuner du vendredi, c'était du poisson... rien de bien emballant, excepté dans les occasions où ma mère pochait avec soin une belle pièce de morue fraîche provenant des grands bancs de Terre-Neuve. Un délice!

La morue fraîche est méconnue; c'est un poisson maigre, bien feuilleté; elle s'achète fraîche, salée, fumée, marinée, séchée, etc., mais pour moi, le meilleur morceau est une pièce de 2 à 3 lb (1 kg à 1,5 kg) de morue fraîche, taillée dans le bout de la queue.

Traditionnellement, ma mère la servait avec une sauce au persil.

3 à 5 lb (1,5 à 2,5 kg) de morue fraîche
1 c. à table (15 mL) de gros sel
8 tasses (2 L) d'eau froide
10 grains de poivre
la pelure d'un citron

Lavez le poisson à l'eau froide courante, frottez-le ensuite de sel avec les mains. Couvrez et réfrigérez une heure. Mettez alors dans une grande casserole l'eau froide, les grains de poivre, la pelure de citron et la morue refroidie.

Chauffez l'eau à découvert, sans la laissez bouillir. Comptez 10 minutes de cuisson par pouce (2,5 cm) d'épaisseur de poisson ou 10 minutes par livre (0,5 kilogramme). Retirez de l'eau avec une écumoire. Mettez sur un plat chaud. Saupoudrez de persil frais haché, et servez avec les garnitures suivantes: pommes de terre non pelées, cuites à la vapeur; un plat de beurre fondu aromatisé avec le zeste ou le jus d'un demi-citron; un oignon moyen râpé et mélangé avec du persil haché; des œufs durs râpés; et quelques pommes non pelées, râpées et mélangées à un peu de jus de citron, ce qui les empêche de noircir. Chacun garnit son poisson selon son goût. *Rendement : 6 à 8 portions.*

Morue bouillie

La morue bouillie est tout à fait différente comme texture et saveur de la morue pochée; je n'ai jamais pu décider laquelle je préfère.

En 1900, il y avait des manières souvent très différentes de cuisiner un plat. Avec le temps, les goûts et les manières de faire ont évolué, mais je demeure convaincue que certaines bonnes choses ne doivent jamais se perdre. Par exemple, je ne connais plus personne qui prépare la morue de cette façon, qui lui donne une texture ferme et une excellente saveur. La sauce au persil de ma mère est délicieuse servie avec cette morue bouillie. Si vous le préférez, servez-la avec du beurre fondu auquel sont ajoutés du persil ou de l'aneth au goût et un œuf cuit dur, râpé.

6 à 9 tranches épaisses de morue fraîche
8 tasses (2 L) d'eau
1/2 c. à thé (2 mL) de gingembre moulu
2 feuilles de laurier
2 tranches épaisses de citron non pelées
1/2 tasse (125 mL) de beurre fondu
1/4 de tasse (60 mL) de persil ou d'aneth, haché
le zeste d'un citron

Mettez la morue dans un plat creux et laissez sous l'eau froide courante pendant 1 heure. Frottez ensuite chaque morceau de gros sel. Ce bain froid avec le sel (comme l'eau de mer) lui redonne sa texture ferme et sa saveur.

Amenez à l'ébullition l'eau, le gingembre, les feuilles de laurier et les tranches de citron, mettez-y les tranches de poisson une à la fois, pour éviter d'arrêter l'ébullition; faites ensuite bouillir de 5 à 7 minutes.

Retirez le poisson de l'eau avec une écumoire et mettez sur un plat de service chaud.

Faites fondre le beurre avec le persil ou l'aneth et le zeste de citron. Versez sur le poisson, ou omettez cette garniture et recouvrez de la «sauce au persil de ma mère». *Rendement : 6 à 9 portions.*

La sauce au persil de ma mère

2 c. à table (30 mL) de beurre
3 c. à table (50 mL) de persil haché
1 c. à thé (5 mL) de sel
poivre au goût
1/4 c. à thé (1 mL) de sucre
1 1/2 tasse (400 mL) de lait
3 c. à table (45 mL) de farine

1/4 de tasse (60 mL) de bouillon de cuisson du poisson
     ou
1/4 de tasse (60 mL) de vin blanc
1 c. à table (15 mL) de vinaigre de cidre

Faites fondre le beurre jusqu'à couleur noisette, retirez du feu, ajoutez le persil, le sel, le poivre et le sucre. Mélangez bien. Couvrez et faites mijoter 5 minutes à feu très lent. Ajoutez le lait et chauffez-le. Mélangez la farine et le bouillon froid de la cuisson du poisson ou le vin blanc. Ajoutez au lait et brassez, sans arrêt, à feu moyen jusqu'à l'obtention d'une sauce crémeuse. Gardez cette sauce chaude, de préférence au bain-marie. Au moment de servir, ajoutez le vinaigre. *Rendement : 2 tasses (500 mL).*

Aiglefin à la royale

Dans la cuisine classique, « à la royale » indiquait un aliment cuit dans le papier parchemin. Aujourd'hui, nous avons des sacs transparents pour la cuisson; l'avantage de ce mode de cuisson est qu'il conserve au poisson sa saveur délicate et sa texture légère.

4 filets d'aiglefin frais ou surgelés
2 c. à table (30 mL) de beurre fondu
4 c. à table (60 mL) de farine
1 c. à thé (5 mL) de sel
1/2 c. à thé de poivre
1/2 c. à thé (2 mL) de paprika
1/2 tasse (125 mL) de fromage cheddar râpé
1/2 tasse (125 mL) de lait

Ne décongelez les filets surgelés que juste ce qu'il faut pour les séparer. Coupez en portions individuelles les filets frais ou surgelés.

Badigeonnez chaque morceau de beurre fondu. Mélangez la farine, le sel, le poivre et le paprika. Roulez le poisson dans ce mélange et ensuite dans le fromage râpé.

Ouvrez le sac sur une plaque à cuisson, placez-y les filets, les uns à côté des autres, versez-y le lait. Attachez le bout du sac, faites deux petites incisions sur le dessus avec la pointe d'un couteau.

Mettez dans un four préchauffé à 400°F (200°C) et faites cuire 20 à 25 minutes.

Ouvrez le sac et mettez le poisson sur un plat de service chaud. Saupoudrez généreusement de persil haché et versez autour de la sauce contenue dans le sac. *Rendement : 4 à 5 portions.*

Sole amandine grenobloise

Trop souvent, cette délicieuse sole au beurre est noyée dans une sauce au beurre huileuse trop cuite. Attention!

1 c. à table (15 mL) d'huile d'olive ou à salade
1 c. à table (15 mL) de beurre doux
1 échalote française finement hachée
1 à 2 lb (500 à 1000 g) de filets de sole
sel et poivre au goût
1 c. à table (15 mL) de farine
1/4 de tasse (60 mL) chacune d'amandes et de noix de Grenoble
grossièrement hachées
1 c. à table (15 mL) de cognac ou de sherry (facultatif)

Mettez l'huile et le beurre dans un poêlon assez grand pour aisément contenir le poisson. Placez à feu moyen. Ajoutez l'échalote hachée.

Dans l'intervalle, essuyez le poisson avec un papier absorbant, salez et poivrez au goût, et saupoudrez chaque filet d'un peu de farine. Déposez dans le gras chauffé. Faites cuire 3 minutes de chaque côté, à feu moyen. Retournez le poisson avec une spatule large pour ne pas le briser. Lorsque cuit, le poisson devrait être d'un beau doré, et le gras qui reste dans le poêlon devrait aussi être d'un beau doré. Si le poisson est cuit trop rapidement ou à feu trop vif, il sèche et perd de sa délicate saveur. Disposez le poisson sur un plat chaud. Ajoutez les noix et les amandes au poêlon. Remuez quelques secondes à feu moyen. Ajoutez le cognac ou le sherry. Remuez et versez sur le poisson. Au goût, une autre cuillerée de beurre peut être ajoutée en même temps que le cognac. *Rendement: 3 à 5 portions.*

Filets de sole en cocotte

Aussi bons servis froids que chauds. Pour dresser une table très élégante, utilisez ces petites cocottes anglaises à couvercle d'argent. C'est alors une surprise pour les convives au moment de retirer le couvercle. Les cocottes individuelles de céramique françaises sont aussi très attrayantes.

6 petits morceaux de filets de sole frais
3 c. à table (50 mL) de beurre
le jus d'un citron
1/4 c. à thé (1 mL) de poudre de cari
1/2 tasse (125 mL) de champignons finement hachés

sel et poivre au goût
2 à 3 c. à table (30 à 50 mL) de persil émincé

Salez et poivrez les filets et roulez-les en portions individuelles. Mettez chaque portion dans une petite cocotte anglaise ou une cocotte de céramique. Faites fondre le beurre, ajoutez-y le jus de citron, le cari, les champignons et le persil. Versez quelques cuillerées de ce mélange sur chaque portion de poisson. Couvrez, mettez les cocottes dans 2 po (5 cm) d'eau bouillante, et faites bouillir de 6 à 8 minutes. Servez, garnis d'un bouquet de cresson sur le côté, ou accompagnés d'une salade verte. *Rendement : 6 portions.*

Sauce au pain à l'oignon et à la sauge

La sauce par excellence pour le poisson; en été, utilisez de la sauce fraîche. Formidable!

1 gros oignon
1 c. à table (15 mL) de beurre
sel et poivre au goût
1/2 c. à thé (2 mL) de sauge
1/2 tasse (125 mL) de crème légère
1/2 tasse (125 mL) de consommé
2 c. à table (30 mL) de chapelure fraîche faite de pain rassis

Pelez et hachez les oignons finement, ajoutez le beurre et cuire à feu moyen pour les ramollir. Salez et poivrez au goût, ajoutez la sauge. Bien mélangez, ajoutez la crème, le consommé et la chapelure. Faites cuire, à découvert, à feu doux, remuant souvent, jusqu'à l'obtention d'un mélange d'apparence crémeuse et légèrement épaissi. *Rendement : 1 1/3 tasse (330 mL).*

Fumet de poisson

Pour une touche française, le fumet qui constitue une portion du liquide dans les sauces à poisson de grande cuisine, est essentiel. Il s'agit d'un court-bouillon très concentré, il contient toujours des arêtes de poisson, des têtes ou des queues, ou les trois. Il se conserve quelques semaines au réfrigérateur ou trois mois au congélateur. Il est un bouillon de poisson délicat et de luxe.

1 1/2 à 2 lb (625 à 1000 g) de rognures de poisson (arêtes, têtes,
   queues, nageoires)
2 tasses d'eau (500 mL)
1 feuille de laurier

1 oignon tranché
2 tasses (500 mL) de vin blanc
1 carotte brossée et tranchée
2 branches de céleri, en morceaux d'1 po (2,5 cm)
2 c. à table (30 mL) de persil haché
1/4 c. à thé (1 mL) chacun de sel et de poivre

Amenez tous les ingrédients à ébullition dans une casserole lourde, couvrez et faites mijoter 1 heure, ou jusqu'à ce que le liquide ait été réduit de moitié. Versez dans une passoire tapissée d'un coton à fromage, et laissez couler sans y toucher 30 minutes environ. *Rendement : 3 tasses (1,5 L) environ.*

Saumon du printemps avec sauce à la ciboulette

À mon avis, les produits en saison sont les meilleurs compagnons. Essayez un saumon de Gaspé frais pêché dans les eaux froides du Saint-Laurent au printemps servi froid avec cette sauce simple mais délicieuse.

4 c. à table (60 mL) de ciboulette hachée
jus d'1/2 citron
3 oeufs durs
4 à 6 c. à table (60 à 90 mL) d'huile d'olive ou d'huile végétale
sel au goût
un soupçon de sucre

Remuez la ciboulette dans le jus de citron.

Écrasez les jaunes d'oeufs et hachez les blancs finement.

Ajoutez l'huile aux jaunes d'oeufs petit à petit, en brassant avec un fouet jusqu'à l'obtention d'une espèce de pâte. Ajoutez le sel et le sucre. Mélangez bien et ajoutez la ciboulette et le jus de citron. Brassez. Ajoutez les blancs d'oeufs hachés et mélangez le tout.

Conservez au réfrigérateur jusqu'au moment d'utiliser. Agitez bien avant d'utiliser. *Rendement : 2 à 3 lb (1 à 1,5 kg) de poisson poché.*

Saumon épicé Medway Lake

J'ai fait cette recette un jour en 1959, avec un invité à un programme de télévision enregistré en Nouvelle-Écosse. Des centaines de demandes m'ont depuis été adressées pour cette recette. Je puis vous assurer de sa saveur, car je la prépare tous les ans au printemps avec du

saumon de Gaspé. Les petites truites mouchetées sont aussi très savoureuses ainsi apprêtées.

1/2 tasse (125 mL) de vinaigre blanc ou de cidre
3 c. à table (50 mL) de gros sel
2 c. à table (30 mL) de miel
3/4 de tasse (200 mL) d'eau
2 c. à table (30 mL) de grains de poivre noir
2 bâtons de cannelle
2 à 4 livres (1 à 2 kg) de saumon frais ou de truite mouchetée

Dans un grand poêlon, (de préférence, en acier inoxydable) mélangez tous les ingrédients sauf le poisson et amenez à ébullition.

Tranchez le poisson en tranches d'environ 1 1/2 pouce (3,75 cm)
d'épaisseur et mettez dans le vinaigre en ébullition. Couvrez et faites
mijoter 20 minutes à feu doux. Disposez sur un plat autre que du métal
et versez le mélange vinaigré sur le dessus — le poisson doit en être
complètement recouvert. Retirez les bâtons de cannelle, mais non pas
les grains de poivre.

Laissez refroidir, couvrez hermétiquement et conservez au réfrigérateur. Servez froid avec pommes de terre bouillies ou une salade. Le
poisson mariné se conservera au réfrigérateur trois semaines. *Rendement : 3 à 6 portions.*

Mayonnaise chaud-froid

Une variation de base de mayonnaise. (Une mayonnaise simple ou une
mayonnaise préparée au mélangeur électrique peut être utilisée). On se
sert souvent d'un chaud-froid pour napper un saumon poché ou un
jambon cuit au four ou un poulet, servi sur une table de buffet. (Cette
mayonnaise est aussi très bonne ajoutée à des légumes chauds.)

1 c. à table (15 mL) de gélatine non aromatisée
2 c. à table (30 mL) d'eau froide
2 tasses (500 mL) de mayonnaise de votre choix

Faites tremper la gélatine 5 minutes dans l'eau froide. Faites dissoudre au-dessus de l'eau chaude. Versez lentement la gélatine fondue
sur la mayonnaise, en remuant fortement. *Rendement : 2 tasses (500
mL).*

Mousse au saumon rapide

Ma fille Monique a dans son répertoire quelques-unes de ces recettes qui se font en le disant, au mélangeur électrique. Celle-ci se prépare avec du saumon en boîte, c'est là son secret. Faites-la le matin pour la servir au dîner.

1 enveloppe de gélatine non aromatisée
2 c. à table (30 mL) de jus de citron frais
le zeste râpé d'un citron
2 échalotes françaises, pelées et coupées en deux ou
3 oignons verts, coupés en quatre, le blanc et le vert
1/2 tasse (125 mL) de jus de palourdes en boîte ou d'eau bouillante
1/2 tasse (125 mL) de mayonnaise
1 c. à thé (5 mL) d'estragon séché ou
1 c. à table (15 mL) d'aneth frais
1 boîte de 15 1/2 onces (439 g) de saumon rose ou sockeye
1 tasse (250 mL) de crème à fouetter

Mettez les 4 premiers ingrédients dans la jarre du mélangeur. Couvrez et mélangez à grande vitesse pour hacher les oignons finement. Ajoutez les 5 ingrédients suivants (assurez-vous que le liquide est bouillant), couvrez et mélangez de nouveau durant 1 minute. À ce moment, la crème peut être fouettée ou ajoutée telle quelle; la différence étant que la mousse est plus légère lorsque la crème est fouettée. La crème, d'une façon ou de l'autre, doit être ajoutée dans le mélangeur un tiers à la fois, en mélangeant 20 secondes chaque fois. Vérifiez l'assaisonnement. Rincez à l'eau froide un moule d'une pinte (1 L), versez-y la mousse. Couvrez et réfrigérez jusqu'à ce que le mélange soit pris.

Pour démouler, trempez le moule dans l'eau chaude pendant une seconde et renversez-le sur un plat.

Garnissez de cresson ou de persil ou entourez d'œufs farcis. *Rendement : 4 portions.*

Le pâté au saumon de Howard

Ce plat éclair de Monique est très bon en plus d'être économique, puisqu'il sert 4 personnes. C'est aussi un des mets préférés de Howard, son mari, qui aime bien manger, et qui de plus, en bon Écossais qu'il est, apprécie le saumon.

1 boîte de 15 1/2 onces (439 g) de saumon rouge ou rose
lait
1 tasse (250 mL) de cubes de pain frais
1 oignon émincé

1 c. à thé (5 mL) de sel
1/4 c. à thé (1 mL) de poivre
1/2 c. à thé (2 mL) de basilic ou d'aneth
le jus et le zeste râpé d'un citron
2 œufs bien battus

Chauffez le four au préalable à 350°F (180°C).

Égouttez le liquide du saumon dans une mesure d'une tasse (250 mL) et remplissez de lait.

Écrasez le saumon avec une fourchette, ajoutez le reste des ingrédients. Mélangez bien.

Faites fondre environ 2 c. à table (30 mL) de beurre dans une assiette à tarte, elle utilise une assiette à tarte en verre et la met au four avec le beurre. Versez le mélange du saumon dans l'assiette beurrée. Faites cuire 40 minutes ou jusqu'à beau doré. Accompagnez d'une salade verte ou d'une salade de chou. L'été, elle sert ce pâté avec ses délicieuses tomates au four. *Rendement : 4 portions.*

Quelques mots sur les pétoncles

En Amérique du Nord, les pétoncles sont vendus nettoyés et retirés de leur attrayante coquille striée. Cela facilite la préparation, mais prive de tout le côté romantique. (Les coquilles sont vendues à part dans les boutiques spécialisées, et peuvent servir de jolis plats à cuisson au four.)

Les pétoncles ont une forte teneur en protéines, leur composition est bien équilibrée et ils contiennent très peu de gras. Ils sont classés parmi les mollusques les moins coûteux, parce qu'on les pêche en grande partie sur les côtes de l'Atlantique. Ils sont surtout vendus surgelés et devraient être dégelés dans l'emballage au réfrigérateur. Une livre (500 g) dégèlera en quatre à six heures. Il faut ensuite les assécher en les laissant reposer durant une heure en un seul rang sur une serviette de papier pour en faire sortir l'eau.

Il faut surtout éviter de trop cuire les pétoncles, car ils seront durs et fibreux plutôt que tendres et crémeux.

Pétoncles de la Côte Ouest

Cette délicieuse présentation des pétoncles requiert un minimum de cuisson.

1 lb (500 g) de pétoncles
1 c. à table (15 mL) de jus de citron

1 tasse (250 mL) de vin blanc
2 pamplemousses
1/4 de tasse (60 mL) de beurre fondu
sel et paprika au goût
un bouquet de cresson ou de persil frais

Les pétoncles surgelés ne doivent être dégelés que juste assez pour les séparer. Amenez-les à ébullition à feu vif avec le jus de citron et l'eau ou le vin, couvrez-les ensuite et faites mijoter à feu très doux de 5 à 6 minutes. Égouttez et coupez les pétoncles en travers en tranches d'un quart de pouce (0,625 cm).

Pelez les pamplemousses, enlevez toute la peau blanche et divisez en sections, enlevez la membrane. Disposez les sections avec les pétoncles copieusement beurrées, ou dans des ramequins, ou dans un plat à cuisson peu profond.

Arrosez également les pétoncles du beurre fondu et saupoudrez légèrement de sel et de paprika. Faites cuire au four à 350° F (180° C) 6 minutes, ou jusqu'à ce qu'ils soient chauds d'un travers à l'autre, saupoudrez-les ensuite copieusement de cresson ou de persil haché et garnissez de branches de l'un ou de l'autre. *Rendement : 6 portions.*

Pétoncles au four

La cuisson des pétoncles au four à température élevée en assure le croustillant, utilise moins de gras, requiert moins d'attention et élimine les odeurs de friture.

1 lb (500 g) de pétoncles
1 tasse (250 mL) de lait
1/2 c. à thé (2 mL) de sel
1/2 c. à thé (2 mL) de curcuma (facultatif)
1 1/2 tasse (375 mL) de chapelure fine
1 c. à thé (5 mL) de paprika
1/4 de tasse (60 mL) de beurre fondu ou d'huile

Pour des pétoncles surgelés, dégelez-les et asséchez-les. Saucez-les dans le mélange du lait, du sel et du curcuma, puis passez-les dans la chapelure et le paprika mélangés. Mettez-les dans un plat à cuisson bien graissé, et badigeonnez chaque pétoncle de beurre fondu ou d'huile. Faites cuire au four à 500° F (260° C), en vous assurant que le four a atteint cette température, pour 8 minutes au plus. Servez aussitôt avec une remoulade ou une simple mayonnaise. *Rendement : 4 portions.*

Pétoncles à la mode de Canton

Ici, la courte durée de cuisson et l'assaisonnement parfait rehaussent la délicate saveur des pétoncles. Pour un repas complet, accompagnez de riz frit instantané en boîte.

1 lb (500 g) de pétoncles
1 c. à table (15 mL) de fécule de maïs
4 c. à table (60 mL) d'eau froide
2 c. à table (30 mL) d'huile végétale ou de sésame
1 c à thé (5 mL) de sel
1 oignon vert haché
2 tranches de gingembre frais

Pour des pétoncles surgelés, dégelez-les et asséchez-les. Coupez chacun en travers en 4 tranches. Délayez la fécule de maïs dans l'eau froide et mettez de côté.

Faites chauffer l'huile dans un grand poêlon à feu vif, ajoutez les pétoncles et remuez durant 1 minute. Ajoutez le sel, l'oignon vert et le gingembre (n'utilisez que du gingembre frais) et brassez à feu vif 2 minutes, ou jusqu'à ce que le jus de cuisson soit transparent et crémeux. (Les tranches de pétoncles seront opaques). Servez aussitôt. *Rendement : 4 portions.*

Beurre d'escargots

Si vous êtes amateur d'escargots, vous les trouverez tellement meilleurs apprêtés avec le beurre que vous aurez préparé. Il se conserve durant des mois au congélateur, bien couvert, et un mois au réfrigérateur. Il atteint la perfection lorsque mélangé dans le batteur cuisinart.

2 échalotes
2 gousses d'ail
4 c. à table (60 mL) de persil finement haché
sel et poivre au goût
2 c. à table (30 mL) de cognac
1 tasse (250 mL) de beurre

Hachez finement les échalotes, l'ail et le persil. Ajoutez au beurre, de même que le cognac, le sel et le poivre. Mélangez bien. Plus il est crémeux, meilleur il est.

Mettez les escargots bien égouttés dans les coquilles individuelles ou dans des assiettes à escargots. Nappez-les de beurre d'escargots maison. Si le beurre est préparé d'avance, conservez-le au réfrigérateur. Faites chauffer le four au préalable à 400°F (200°C), et faites-y cuire les escargots de 6 à 8 minutes. Servez très chauds. *Rendement : quantité suffisante pour 3 douzaines d'escargots.*

Queues de homard pochées

La fraîcheur de ce plat évoque le printemps. Pour moi, il en est bien ainsi car j'aime servir ce homard lorsque les premières feuilles de menthe parfument le jardin. Servez froides avec une bouteille de vin du Rhin bien rafraîchi et du céleri frais et croustillant. Que c'est bon !

4 à 6 queues de homard
1 tasse (250 mL) de vin blanc sec
1 tasse (250 mL) d'eau bouillante
1 c. à thé (5 mL) de sel
un gros bouquet de menthe fraîche
3 citrons non pelés tranchés mince

Choisissez les 4 queues de homard pour obtenir un total de 2 1/2 lb (1,25 kg), ce qui suffit pour servir 4 portions, mais vous pouvez désirer en avoir 1 ou 2 de plus, sans avoir à changer la recette.

Laissez dégeler les homards toute une nuit au réfrigérateur. Faites fondre chaque queue en longueur avec un couteau tranchant ou des ciseaux. Mettez dans une casserole avec le vin, l'eau bouillante et le sel. Amenez à forte ébullition. Couvrez asssitôt et éteignez le feu. Laissez reposer de 20 à 30 minutes ou jusqu'à ce que les carapaces rougissent.

Égouttez, laissez refroidir couvertes à température ambiante. Tapissez un plat de menthe, couvrez de tranches de citron. Mettez les queues de homard dessus. Recouvrez d'un papier de plastique. Laissez reposer au moins une heure avant de servir. J'aime manger ce mets avec des popovers chauds et une bonne bouteille de vin du Rhin. *Rendement : 4 à 6 portions.*

Remarque : il vaut mieux boire du même vin que celui qui a servi à la cuisson. Le muscadet français est moins cher que le vin du Rhin et il est aussi très bon.

Les volailles

Poulets et poules à toutes les sauces

Y a-t-il un oiseau plus obligeant et plus versatile que le poulet? On l'achète frais, congelé, prêt-à-cuire, coupé en morceaux, prêt-à-griller, ou à rôtir, et poule, et chapon, et même en conserve.

Pour le cuire, on peut le bouillir, le pocher, le griller, le braiser, le rôtir ou le cuire en fricassée, en sauce ou en pâté. Cuit, on peut en faire de très belles salades ou des soupes délicieuses, des sandwiches, ou le combiner avec du riz ou des légumes pour servir en casserole ; et pour couronner le tout, il vous offre aussi les œufs, tout aussi versatiles.

Il s'agit de maîtriser quelques connaissances de base, pour être capable, avec le poulet, de créer vous-même des plats nouveaux. Après tout, de toujours servir, chaque dimanche, un poulet rôti, n'indique pas qu'il doive être le seul plat de poulet à votre répertoire.

L'achat

La poule de Cornouailles pèse à peu près une livre. Utilisez une poule par personne. Le pigeonneau pèse à peu près une livre et demie (1/2 à 3/4 de kg). Utilisez un demi à un entier par personne.

Le poulet à griller et à frire pèse de 2 livres et demie (1 kg à 1,5 kg) à 3 livres et demie (1,5 kg à 1,75 kg). Servez 1/4 à 1/2 par personne. Le poulet à rôtir pèse 4 livres (2 kg) et plus. Comptez 3/4 à 1 livre (1/2 kg) par personne.

Le chapon a de 6 à 8 livres (3 à 4 kg) : la même quantité que le poulet à rôtir. La poule à bouillir atteint de 3 livres et demie à 6 livres (1,5 kg à 3 kg). Comptez la même quantité par personne que pour le chapon.

Comment reconnaître la qualité : la cage de la poitrine doit être large, le poulet d'une belle rondeur avec des pattes courtes. Un bon signe : des bandes de gras visibles le long du dos, sur les côtés et sur les cuisses. Assurez-vous que la peau est propre et rosée, avec le moins possible de duvet, et surtout pas de meurtrissures.

La conservation

Retirez-le de son emballage aussitôt arrivé à la maison. Placez le poulet sur une assiette et recouvrez-le de papier ciré. Placez-le dans la section la plus fraîche du réfrigérateur. Évitez de le mettre au congélateur. Réfrigérez les abattis séparément. Utilisez dans les deux ou trois jours suivants.

Le poulet acheté congelé doit être gardé ainsi jusqu'au moment de le cuire. Pour le dégeler, placez 24 heures au réfrigérateur dans une assiette ou un plat, sans toutefois le développer. Comptez 5 heures par livre de poulet ou placez-le congelé et enveloppé dans un plat d'eau froide, et comptez une heure par livre. Le poulet de tout genre est à son meilleur lorsque laissé à la température ambiante pour quelques heures avant de le cuire.

Comment savoir si la cuisson est à point

La façon ancienne de calculer le temps de cuisson par tant de minutes à la livre était basée sur le poids des poulets non éviscérés; ce qui n'est pas le cas aujourd'hui puisque tous les poulets sont vendus éviscérés.

Le thermomètre à viande placé dans la poitrine, touchant même la farce si telle est la préparation, est sans doute le meilleur guide. Un poulet farci doit indiquer 165°F (74°C) au thermomètre lorsqu'il est cuit. Un poulet non farci indiquera 189°F (90°C) lorsque cuit.

Si vous n'avez pas de thermomètre, vérifiez la cuisson ainsi : en tenant la patte avec un linge, bougez gentiment; si la jointure bouge, le poulet est cuit. Ne vérifiez jamais la cuisson en piquant la volaille à la fourchette, ce qui fait sortir le jus et assèche la volaille. La température idéale pour rôtir le poulet est 350°F (180°C) pour poulet jusqu'à 3 livres (1 kg 1/2), et de 325°F (160°C) pour poulet de 3 à 6 livres (1 kg 500 g à 3 kg).

Ajoutez votre « grain de sel »

Il est toujours intéressant de cuisiner avec un esprit aventureux. Évidemment, il faut avoir quelques bonnes notions de base, un certain flair et la connaissance des arômes, pour arriver à les manipuler avec de bons résultats.

Voici un bon exemple qui vous montrera comment varier même une bonne recette, plutôt que de croire qu'il vous faut suivre les indications à la lettre.

Comment faire mijoter le poulet

Si vous le préparez de cette façon, vous aurez du gras de poulet pour cuisiner, du bouillon et de la viande de poulet pour faire des sandwiches, des salades, des pâtés ou du poulet en crème. La recette qui suit vient de ma grand-mère, je l'ai apprise de ma mère, et maintenant ma fille et ma petite-fille l'utilisent.

Au temps des Fêtes, lorsque vous trouverez une dinde plus petite, un peu maigre et moins chère, faites-la mijoter. Laissez refroidir dans son bouillon, enlevez les os, le gras, la peau, et coupez la viande en petits morceaux. Tassez bien dans un moule à pain, de préférence en verre. Enlevez le gras accumulé sur le bouillon, coulez-le et réduisez-le à 1 1/2 tasse (400 mL) et versez-le sur la dinde coupée. Il y aura juste assez de liquide pour recouvrir la viande. Réfrigérez et laissez prendre en gelée. Tranchez et servez sur de belles feuilles de laitue avec une bonne mayonnaise maison au citron.

Voici maintenant la manière de mijoter la dinde ou le poulet :

4 à 5 livres (2 à 2,5 kg) de poulet
2 c. à table (10 mL) de gros sel
1 gros oignon pelé et piqué de 2 clous de girofle entiers
2 carottes pelées et entières
1 bonne branche de céleri avec feuilles
6 à 10 grains de poivre
2 feuilles de laurier
1 c. à thé (5 mL) de thym

Laissez le poulet entier ou coupez-le en quatre. Ajoutez 3 à 4 tasses (750 mL à 1 L) d'eau chaude et le reste des ingrédients. Couvrez et amenez à ébullition, ensuite laissez mijoter à feu doux de 2 à 4 heures. Le temps de cuisson varie selon l'âge et le poids du poulet. Lorsque cuit, retirez les morceaux ou le poulet et placez dans un grand bol. Coulez dessus le bouillon de cuisson et laissez reposer dans un endroit frais ou même sur le comptoir de la cuisine. Le lendemain, enlevez les os et la peau. Dégraissez le bouillon et utilisez selon votre désir. Le poulet cuit, prêt à être utilisé, peut être réfrigéré ou même congelé, de même pour le bouillon. *Rendement : 6 portions.*

Cette recette permet de préparer de bonnes choses au poulet, salades, sandwiches, sauces, etc., en peu de temps.

Poulet frit

Dans notre famille, si nous étions dix, ou douze, ou quinze à table, et que le poulet était au menu du jour, cette recette était la favorite. Moi-même, je l'ai souvent utilisée pour servir à un buffet chaud. Il se prépare d'avance et se réchauffe très bien au four à 200°F (95°C) pendant à peu près 20 minutes.

Le succès de cette recette dépend en grande partie du gras utilisé pour la cuisson. Grand-mère et maman utilisaient le saindoux ; pour ma part, je préfère moitié saindoux, moitié gras de bacon, ce qui rend le poulet doré, croustillant et savoureux.

Voici la manière de préparer le gras de bacon :

Mettez dans une casserole une à deux tasses (250 à 500 mL) de gras de bacon avec 1/2 tasse (125 mL) d'eau froide et une petite pomme de terre, non pelée et entière. Faites mijoter le tout pendant 15 minutes ; retirez la pomme de terre, versez le liquide dans un bol et réfrigérez jusqu'à ce que le gras forme un bloc de graisse. Soulevez le bloc avec soin. Il est alors pur et pasteurisé ; ses impuretés sont dans l'eau qui reste et que l'on jette. Ce gras se conserve quelques mois, bien couvert et réfrigéré. Il est même possible de mélanger toutes sortes de gras en procédant de la même manière. La préparation de ce gras est une économie puisqu'il peut remplacer toute autre matière grasse commerciale demandée dans une recette. En France, ce gras s'appelle gras normand. Quelquefois, on y ajoute, en même temps que la pomme de terre, 2 à 3 gousses d'ail, ou un oignon coupé en quatre et une feuille de laurier ou une branche de thym. J'utilise ce gras dans ma cuisine depuis de nombreuses années et je le recommande avec enthousiasme.

Voici une recette pour frire le poulet avec un de ces gras :

1 poulet à griller en morceaux ou 2 lb (1 kg) d'ailes ou de cuisses
gras stérilisé ou saindoux
1/2 tasse (125 mL) de beurre
1 c. à thé (5 mL) d'estragon, ou de basilic, ou de thym
1 grosse gousse d'ail entière
sel et poivre au goût

Faites frire les morceaux de poulet dans 1/2 po (1,5 cm) de gras. Utilisez un poêlon assez grand, de manière à ce que les morceaux de poulet ne soient pas trop tassés. Ne retournez qu'une fois. Aussitôt les morceaux bien dorés, placez-les sur une plaque à cuisson, les uns à côté des autres. Salez et poivrez au goût... et nous voilà au petit secret de la recette.

Faites fondre le beurre, ajoutez-y l'herbe aromatique de votre choix et la gousse d'ail. Badigeonnez chaque morceau de poulet doré

220

avec ce beurre aromatique. Lorsque la plaque à cuisson est **remplie,** placez dans un four préchauffé à 300° F (150° C) pour finir la **cuisson et** pour que les morceaux de poulet soient tendres et croustillants.

Le jus accumulé dans le plat de cuisson peut être utilisé pour faire une sauce, si tel est votre désir. Ajoutez-y une quantité de farine. Mélangez bien et dorez, ajoutez consommé, ou vin blanc, ou eau. On compte 2 c. à table (30 mL) de farine par tasse (250 mL) de liquide utilisé. Amenez le tout à ébullition en brassant sans arrêt, jusqu'à consistance crémeuse.

La cuisson terminée, placez les morceaux de poulet sur un plat chaud. Recouvrez de papier d'aluminium ; faites quelques entailles dans le papier avec la pointe d'un couteau. Éteignez le four, mettez-y le plat de poulet. Vous pourrez ainsi le garder bien chaud pendant une heure. Si par hasard, le poulet n'était pas assez chaud, chauffez le four à 200° F (95° C) de quinze à vingt minutes. *Rendement : 4 à 6 portions.*

Poulet frit au lait

Cette vieille recette de famille me fut donnée par une très gentille fermière des Cantons de l'Est. Elle me dit que jusqu'à l'année 1925, c'était la manière de frire le poulet. J'aime le servir aussi avec des biscuits chauds au babeurre.

1 poulet à frire de 2 1/2 à 3 lb (1,5 à 1,5 kg)
1/4 de tasse (60 mL) de farine
2 c. à thé (10 mL) de sel
1/4 c. à thé (1 mL) de poivre
1/4 c. à thé (1 mL) de sauge
une bonne pincée de curcuma
2 c. à table (30 mL) de gras de votre choix
3 c. à table (50 mL) de farine
2 tasses (500 mL) de lait

Coupez le poulet en morceaux ; mélangez 1/4 de tasse (60 mL) de farine avec les assaisonnements ; roulez les morceaux de poulet dans ce mélange. Faites fondre le gras. (Dans la recette originale, on faisait fondre le gras du poulet coupé en petits morceaux et bien grillé). Faites dorer les morceaux de poulet enfarinés de tous les côtés. Aussitôt dorés, placez-les dans un plat de cuisson.

Au gras qui reste dans le poêlon, ajoutez les 3 c. à table (50 mL) de farine, mélangez bien et ajoutez le lait. Cuisez à feu moyen en brassant sans arrêt jusqu'à l'obtention d'une sauce lisse et crémeuse. Versez sur le poulet. Couvrez et faites cuire au four à 350° F (180° C) de 45 à 60 minutes, ou jusqu'à ce que le poulet soit tendre. *Rendement : 4 portions.*

Le poulet frit épicé de Monique

Encore une des spécialités éclair de Monique. Très bon chaud ou froid. Lorsqu'il en reste, mettez les morceaux dans un plat, versez une cuillerée de madère sur le dessus, couvrez et mettez au four à 300° F (150° C) de 5 à 10 minutes selon la quantité. Utilisez du poulet en morceaux ou des cuisses ou des ailes.

1/4 de tasse (60 mL) de farine
1 c. à thé (5 mL) de cannelle
1/2 c. à thé (2 mL) de poudre d'ail
1/2 c. à thé (2 mL) de poudre de cari
1/2 c. à thé (2 mL) de thym
2 lb (1 kg) de poulet
le jus d'un citron
2 c. à table (30 mL) d'huile, de margarine ou de beurre

Mélangez les 5 premiers ingrédients dans une assiette. Frottez chaque morceau de poulet de jus de citron, roulez dans le mélange des épices.

Faites fondre le gras dans un grand poêlon. Faites-y dorer le poulet lentement des deux côtés. Faites cuire à découvert à feu doux de 30 à 40 minutes, ou jusqu'à ce que le poulet soit tendre. Retournez une fois durant la cuisson. *Rendement : 4 portions.*

Les cuisses de poulet de Monique

Le samedi soir, alors que de trois à huit personnes peuvent s'attabler pour le dîner, ce plat est un des préférés de Monique, car il est facile d'utiliser plus ou moins de poulet et aussi d'ajouter des biscuits chauds et de la sauce. Ces cuisses sont également bonnes froides ; elle suggère d'en faire cuire plus que requis et de les avoir prêtes pour un repas vite fait.

4 à 8 cuisses de poulet
1/2 tasse (125 mL) de farine
1 c. à thé (5 mL) de sel
1 c. à thé (5 mL) d'estragon ou de sarriette
1/2 c. à thé (2 mL) de curcuma ou de paprika
3 c. à table (50 mL) de beurre, margarine ou graisse de bacon

Mettez la farine, le sel, l'estragon ou la sarriette, le curcuma ou le paprika, dans un sac de plastique. Agitez pour mélanger.

Faites fondre le gras dans une lèchefrite de 15 X 10 X 2 po (37,5 X 25 X 5 cm). Mettez quelques cuisses de poulet dans le sac, agitez-le pour bien les enrober de la farine assaisonnée, puis mettez-les dans le gras fondu les unes à côté des autres. Répétez ainsi jusqu'à ce que le poulet ait été enrobé. Faites cuire au four préchauffé à 400° F (200° C) de 35 à 45 minutes, ou jusqu'à ce que le poulet soit tendre, doré et croustillant.

Dans l'intervalle, préparez la pâte à biscuits chauds, ou s'il le faut, utilisez le mélange préparé.

Repoussez les cuisses de poulet cuites d'un seul côté, les empilant, et mettez les biscuits de l'autre côté, les uns à côté des autres, dans la sauce. Faites cuire 15 minutes ou jusqu'à ce que les biscuits soient dorés. *Rendement : 4 à 8 portions.*

Les biscuits chauds de Monique

2 tasses (500 mL) de farine tout-usage ou
1 tasse (250 mL) de farine de blé entier ou
1 tasse (250 mL) de farine tout-usage
3 c. à thé (15 mL) de poudre à pâte
1/2 c. à thé (2 mL) de sel
1/4 de tasse (60 mL) de graisse végétale, ou de gras de bacon, ou de
    margarine
2/3 de tasse (200 mL) environ de lait

Mettez ensemble dans un bol la farine, la poudre à pâte et le sel. Laissez tomber le gras dans ce mélange, et avec un couteau ou le bout des doigts manipulez le mélange pour le rendre granuleux. Ajoutez le lait et donnez quelques bons coups pour mélanger. Il se peut qu'un peu plus de lait doive être ajouté car la texture de la farine varie, mais n'en ajoutez qu'une cuillerée à la fois. Renversez la pâte sur une planche légèrement enfarinée et pétrissez délicatement avec le bout des doigts durant 30 secondes.

Abaissez ou roulez la pâte à 1/2 po (2,5 cm) d'épaisseur. Coupez les biscuits et faites cuire tel qu'indiqué. *Rendement : 4 à 8 portions.*

Ailes de poulet au bacon

La façon inusitée dont Monique fait cuire les ailes de poulet, aussi savoureuses chaudes que froides. C'est un plat idéal pour manger avec les doigts l'été, au jardin. Monique les sert avec un plat de nouilles chaudes persillées et une salade verte.

8 à 12 ailes de poulet
1/2 à 3/4 lb (250 à 450 g) de bacon

Taillez le bacon en dés. Recouvrez-en le fond d'une casserole de métal lourd à friture profonde. Disposez les ailes sur le bacon. Couvrez et mettez à feu doux pendant 30 minutes, retournez les ailes, qui seront recouvertes de dés de bacon croustillants. Couvrez de nouveau et faites cuire 30 minutes à feu doux — et voilà ! Salez et poivrez au goût et servez. *Rendement : 4 portions.*

Poulet mariné Monaco

Servez chaud ou faites cuire 12 à 24 heures d'avance et gardez à la température ambiante, car il ne sera pas aussi bon réfrigéré.

6 moitiés de poitrines de poulet ou
2 poulets à griller de 3 lb (1,5 kg) chacun, coupés en quatre
1/4 de tasse (60 mL) de jus de lime
1/4 de tasse (60 mL) de jus de citron frais
1/3 de tasse (80 mL) de vin blanc
1 gousse d'ail écrasée
1 c. à thé (5 mL) de sel
1/4 c. à thé (1 mL) de poivre
1/2 c. à thé (2 mL) d'estragon
3 c. à table (50 mL) de beurre

Coupez le poulet entier en quatre portions. Mélangez dans un plat, les jus de lime et de citron, le vin blanc, l'ail, le sel, le poivre et l'estragon. Ajoutez les morceaux de poulet ou les demi-poitrines et roules-les dans le mélange. Couvrez et réfrigérez de 2 à 24 heures.

Pour le cuire, retirez les morceaux de poulet de la marinade et placez-les sur une plaque de cuisson, les uns à coté des autres. Parsemez le tout des dés de beurre. Faites cuire à découvert, au four préchauffé à 350° F (180° C) à peu près 40 minutes, ou jusqu'à ce qu'il soit tendre et doré. Arrosez de la marinade toutes les 10 minutes.

Refroidissez. Couvrez. Servez chaud ou à la température ambiante. Il est possible de le réfrigérer, mais on doit le laisser à la cuisine au moins 2 heures avant de le servir, parce que trop froid, sa saveur et sa texture seront moins fines. *Rendement : de 4 à 8 portions.*

Poulet à la Lester Sinclair

Depuis longtemps, j'admire le savoir de monsieur Sinclair, écrivain, acteur, critique et mathématicien. Un jour, il fit ce plat à l'un de mes programmes télévisés, *Take 30,* qui me fit découvrir un autre de ses talents. Monsieur Sinclair aime accompagner ce plat de choux de Bruxelles au beurre et de frites.

4 poitrines de poulet avec la peau
sel et poivre au goût
1/4 à 1/3 de tasse (60 à 80 mL) de beurre
une bonne pincée de thym
un gros citron non pelé, tranché mince

Coupez les poitrines de poulet en deux ; beurrez copieusement le fond d'un plat allant au four, placez-y les poitrines de poulet, la partie peau sur le dessus. Salez et poivrez. Parsemez de dés de beurre, saupoudrez avec le thym et recouvrez le poulet complètement avec les tranches de citron.

Rôtissez, sans couvrir, au four préchauffé à 350°F (180°C) de 30 à 40 minutes ou jusqu'à ce que le poulet soit tendre. Servez chaud ou froid. *Rendement : de 4 à 6 portions.*

Casserole de poulet du Club Embassy

Pour moi, la préparation d'un menu pour le dîner est une tâche que je prends au sérieux, pour donner satisfaction et plaisir de table à mes invités. On peut croire qu'autrefois, il était plus facile de composer un menu, parce que nous n'avions que le choix des aliments en saison. Maintenant que nous avons une variété de primeurs à longueur d'année, le tout semble simplifié. En ce qui me concerne, je préfère toujours utiliser des aliments en saison. De nos jours, le service a presque disparu, voilà donc un plat cuit en casserole, pouvant nourrir de 8 à 10 personnes, et simplifier encore le service.

La recette qui suit fut créée par le chef du club Embassy de Londres, et je vous assure qu'elle est délicieuse et très élégante.

3 poulets à griller, coupés en quatre
4 tasses (1 L) de petits oignons blancs
1/4 de tasse (60 mL) de beurre
1 c. à thé (5 mL) de basilic
1 tasse (250 mL) de bouillon de poulet ou de consommé en boîte
*   non dilué*
2 tasses (500 mL) de crème légère

1 1/2 tasse (375 mL) de riz à longs grains
1/2 tasse (125 mL) de persil émincé
1/4 de tasse (60 mL) de whisky
sel et poivre au goût

Mettez dans le haut d'un bain-marie, les oignons, le beurre et le basilic, sur eau bouillante. Couvrez et faites cuire une heure ; brassez une ou deux fois, et assurez-vous qu'il ne manque pas d'eau en dessous.

Au bouillon de poulet ou au consommé, ajoutez assez d'eau pour obtenir 3 tasses (750 mL) de liquide. Amenez à ébullition, ajoutez les quartiers de poulet, salez et poivrez. Couvrez et faites mijoter à feu lent jusqu'à ce que le poulet soit tendre. Retirez les morceaux de poulet cuits du bouillon à l'aide d'une écumoire ; versez les oignons et leur jus sur le poulet et la crème sur le tout. Couvrez.

Versez le riz dans le jus de cuisson du poulet, amenez à ébullition, brassez et laissez mijoter de 15 à 16 minutes ou jusqu'à ce qu'il soit attendri. Versez le tout sur le poulet et mélangez le riz avec soin, utilisant une fourchette. Ajoutez le persil, le sel et le poivre. Tout cela peut être préparé d'avance, refroidi couvert et réfrigéré jusqu'au moment de servir.

Quarante ou cinquante minutes avant de servir, préchauffez le four à 400° F (200° C) et faites cuire le poulet 30 à 40 minutes, ou jusqu'à ce qu'il soit bien chaud. Juste au moment de servir, arrosez-le du whisky. Le bourbon américain ou le whisky irlandais peut remplacer le whisky anglais, mais la saveur sera différente. *Rendement : de 8 à 10 portions.*

Poulet Sindhi

Je fis cette recette à la télévision avec un de mes invités, le fils d'un missionnaire anglais aux Indes, où il avait passé sa jeunesse. Il apprit à faire le curry à l'indienne, en travaillant avec les femmes de la campagne. Il était un merveilleux cuisinier amateur et me laissa un précieux cadeau en me donnant sa recette de pilau de poulet au riz.

Il préparait le tout avec de l'eau parfumée aux épices, qui portait le nom d'akni. J'ai toujours continué de cuire mon riz avec l'eau akni, pour servir avec les poulets rôtis et grillés.

5 graines de cardamome
5 clous de girofle entiers
10 grains de poivre
2 bâtons de cannelle, 2 po (5 cm) chacun

1 c. à thé (5 mL) de grains de coriandre
1 tranche épaisse de gingembre frais
3 à 4 lb (1,5 à 2 kg) de poulet
4 oignons tranchés mince
1/4 à 1/2 tasse (60 à 125 mL) de beurre
2 tasses (500 mL) de riz à long grain non cuit
1 tasse (250 mL) de lait ou de crème légère
1 c. à thé (5 mL) de curcuma
1 gousse d'ail, hachée fin
1/2 tasse (125 mL) d'eau froide

Placez les cinq ingrédients dans un carré de toile ; attachez et mettez dans une grande casserole avec 6 tasses (1,5 L) d'eau. Ajoutez le gingembre. (Ne remplacez pas le gingembre frais par du gingembre moulu, simplement l'omettre). Amenez le tout à ébullition, couvrez et laissez mijoter 20 minutes.

Faites frire les oignons dans le beurre, retirez du gras avec une écumoire et ajoutez au poulet. Au gras qui reste dans le poêlon, ajoutez le riz et brassez à feu moyen pour le faire dorer. Versez sur le poulet ainsi que le lait ou la crème. Salez au goût.

Mélangez le curcuma et l'ail dans 1/2 tasse (125 mL) d'eau froide, ajoutez au poulet. Mélangez, couvrez et mijotez à feu lent jusqu'à ce que le poulet soit tendre et le riz bien cuit. Brassez avec une fourchette avant de servir.

On peut préparer ce plat 12 à 24 heures d'avance et le réfrigérer. Avant de servir, réchauffez-le dans un four préchauffé à 300° F (150° C) jusqu'à ce que le poulet soit bien chaud ; il ne perdra rien de sa saveur. *Rendement : 6 portions.*

Comment rôtir une poule

Voici une vieille recette de ma grand-mère. On trouvait autrefois à l'automne, de belles poules qui avaient fini de pondre ; elles n'étaient pas très tendres, mais quelle saveur ! Aujourd'hui, c'est plus difficile de trouver des poules fraîches, mais en cherchant, vous y arriverez. Toutefois, on trouve de la poule à bouillir, généralement congelée, sur nos marchés. Si vous la cuisez de la manière qui suit, vous aurez une agréable surprise. Ces poules ont de la saveur et leur chair a une texture intéressante.

Pour faire cuire la poule, il faut une rôtissoire avec un couvercle. Retirez le gras visible à l'entrée de la poule. Frottez la peau et l'intérieur de la poule avec un citron coupé en deux, en pressant le jus ici et là, tout en faisant le travail. Mettez les deux moitiés de citron dans la cavité de la poule, ainsi qu'une ou deux gousses d'ail écrasées, mais non pelées, et un gros oignon coupé en deux. J'ajoute 1 c. à thé (5 mL) d'estragon ou de sarriette et une bonne grosse poignée de persil. Grand-mère utilisait une farce au pain et à la sauge, mais je préfère les herbes et l'ail qui aromatisent et c'est moins lourd.

Frottez la poule fortement avec une égale quantité de sel et de poivre mélangés. Placez dans la rôtissoire sans double fond. Ajoutez 1 tasse (250 mL) d'eau. Couvrez et rôtissez dans un four à 300°F (150°C), de 3 à 4 heures, ou jusqu'à ce que la poule soit tendre.

Découvrez durant la dernière demi-heure de cuisson, pour faire dorer. Arrosez 3 à 4 fois avec le jus de la lèchefrite durant cette période.

Dégraissez le jus et utilisez comme sauce. Pour servir froid, laissez la poule dans le jus pendant 7 à 8 heures, dans un endroit frais. Lorsque le gras a durci sur le dessus de la sauce, retirez la poule, dégraissez le jus qui sera pris en gelée. Coupez la gelée avec deux couteaux pour en faire de petits morceaux ; placez-les autour de la poule et servez.

Foies de poulet Francesca

Ce plat peut être préparé une heure d'avance et conservé chaud dans le haut d'un bain-marie, couvert et gardé sur feu lent, de manière à ce que l'eau reste chaude, mais sans bouillir. Excellente recette pour préparer dans un réchaud de table, devant vos invités.

1/2 lb (250 g) de foies de poulet
2 c. à table (30 mL) de farine
1 c. à thé (5 mL) de paprika
1/2 c. à thé (2 mL) de poudre de cari
1/4 c. à thé (1 mL) de sel
3 c. à table (50 mL) de beurre
4 oignons verts hachés
1/2 tasse (125 mL) chacun de vin rouge et de consommé de bœuf
*   non dilué*
1/2 tasse (125 mL) de persil émincé

Nettoyez les foies et coupez-les en petits morceaux. Mélangez farine, paprika, poudre de cari et sel ; roulez les morceaux de foie dans ce mélange.

Faites fondre le beurre jusqu'à couleur noisette, faites-y dorer les

228

foies, à feu vif, de 2 à 3 minutes, tout en brassant. Ajoutez les oignons verts, le vin et le consommé. Amenez à ébullition, tout en brassant, jusqu'à ce que la sauce ait une belle texture. Couvrez et laissez mijoter à feu très lent 5 à 10 minutes. Servez chaud saupoudré de persil. *Rendement : 2 à 3 portions.*

Foies de poulet aux pommes

Essayez cette recette si vous voulez une saveur et une texture diffé-rentes. Je remplace les foies de volaille par du foie d'agneau, coupé en petites lamelles.

> *1 lb (500 g) de foies de poulet*
> *3 c. à table (50 mL) de farine*
> *1 c. à thé (5 mL) de paprika*
> *1/2 c. à thé (2 mL) chacun de sel et de poivre*
> *1/3 de tasse (80 mL) de beurre ou de margarine*
> *2 c. à table (30 mL) de cognac*
> *1 gros oignon émincé*
> *4 pommes moyennes*
> *2 c. à table (30 mL) de cassonade*

Nettoyez les foies et les couper en deux. Mélangez la farine, le paprika, le sel et le poivre. Roulez les foies dans ce mélange.

Faites dorer 4c. à table (60 mL) de beurre dans un poêlon de fonte, ajoutez-y les foies et brassez à feu vif jusqu'à ce qu'ils soient bien dorés. Versez le cognac sur le tout ; brassez pour bien mélanger, et placez sur un plat de service chaud.

Dans le même poêlon, ajoutez les oignons, mais sans gras ; brassez à feu moyen jusqu'à ce qu'ils soient dorés ici et là. Ajoutez aux foies.

Faites fondre le reste du beurre dans le poêlon, ajoutez les pommes tranchées et non pelées, et la cassonade. Brassez à feu moyen à peu près 5 minutes, ou jusqu'à ce que les pommes soient tendres. Remettez les foies et les oignons dans le poêlon et chauffez le tout ensemble en brassant pour bien mélanger. Vérifiez l'assaisonnement et servez. *Rendement : 4 à 5 portions.*

Souvenirs de recettes de dinde à l'ancienne

Tout au long des années, j'ai vu beaucoup de changements dans la préparation et le service de la dinde. Certaines recettes étaient sans intérêt, mais d'autres ne doivent pas se perdre. Ce sont celles dont je veux vous parler. Quelques-unes viennent de bien loin, telle que « la petite dinde grillée », servie chaque Nouvel An, simplement parce que c'était le moment d'utiliser les jeunes dindes qui ne prenaient pas de poids assez vite. Je n'ai jamais oublié leur saveur. Ou encore, la dinde montée, servie froide sur un lit de sapin et de houx, au réveillon de la Messe de Minuit. Ma grand-mère faisait une farce aux pruneaux que je trouve toujours bonne, et servait cette dinde avec une sauce au pain. Une autre recette dont je n'ai jamais parlé et qui est délicieuse : la dinde rôtie au champagne, plat que ma mère avait préparé à l'occasion de mon mariage. Ces recettes vont suivre ; j'espère qu'elles vous plairont.

Dinde rôtie au champagne

À l'occasion de mon mariage, ces dindes étaient servies deux à la fois, sur un grand plat de service bleu et blanc, en poterie du Québec, que j'utilise encore chez moi. Je me souviens encore des belles feuilles vertes qui séparaient les dindes avec beaucoup de grâce — et de chaque côté, des couronnes de tranches d'oranges, fruits qui n'étaient que saisonniers à l'époque dont je parle. Chaque tranche d'orange était recouverte d'un carré de gelée de porto et cassis, bien entendu, faite à la maison.

Aujourd'hui, on peut toujours remplacer le champagne par du muscadet blanc ou du rosé pétillant bien sec. Évidemment, la finesse du champagne manquera.

une dinde de 10 à 12 lb (5 à 6 kg)
sel et poivre au goût
1 c. à thé (5 mL) d'estragon
1 gros bouquet de persil
1 gros oignon coupé en deux
1/2 tasse (125 mL) de beurre
3 c. à table (45 mL) de farine
1/2 tasse (125 mL) de champagne
1/3 de tasse (80 mL) de madère sec
3 c. à table (45 mL) de beurre
2 c. à table (30 mL) de farine
1 1/2 tasse (400 mL) de champagne
1/4 de tasse (60 mL) de cognac chaud

Lavez et bien asséchez la dinde. Salez et poivrez généreusement la cavité de la dinde, mettez-y le persil et l'oignon. (On ne doit pas farcir la dinde cuite de cette manière). Préparez la dinde, ficelez, etc., pour la cuisson.

Mettez en crème la demi-tasse de beurre (125 mL) et les 3 c. à table (50 mL) de farine ; beurrez ce mélange sur la poitrine de la dinde. Placez la dinde sur le côté, sur le double fond de la rôtissoire. Sans couvrir, rôtissez dans un four préchauffé à 425°F (230°C) pour 20 minutes. Réduisez la chaleur à 375°F (190°C) et continuez de rôtir, allouant 20 minutes par livre (500 g).

Au moment où la température est réduite, trempez un bon carré de coton à fromage dans la demi-tasse (125 mL) de champagne mélangé avec 1 c. à table (15 mL) de beurre fondu. Retournez la dinde sur le dos et recouvrez-la avec le coton imbibé de champagne. Arrosez 1 ou 2 fois avec un peu de champagne, pendant la cuisson.

La cuisson terminée, mettez la dinde sur un plat de service et laissez reposer 20 minutes avant de dépecer.

Dans l'intervalle, faites la sauce : enlevez le plus de gras possible du jus de la lèchefrite. Versez le jus dans une tasse-mesure de 2 tasses. S'il n'y a pas assez de jus, remplissez la tasse avec du champagne. Versez le madère dans la lèchefrite, grattez bien le fond avec une cuillère de bois. Faites une boule avec le beurre et la farine qui restent. Ajoutez au madère, la tasse et demie de champagne, amenez à ébullition en brassant et grattant bien le fond. Ajoutez la boule de farine et beurre, battez bien avec un fouet métallique, à feu moyen, jusqu'à l'obtention d'une sauce lisse et crémeuse. Tamisez et conservez au chaud.

Versez le cognac chaud sur la dinde, flambez et servez.

À mon mariage, ma mère flamba la dinde. Si elle flambait bien, cela voulait dire « amour éternel » — que nous étions romantiques à cette époque ! Je me demande quelquefois si un peu plus de romance dans notre vie moderne ne serait pas agréable. *Rendement : 9 à 12 portions.*

Jeune dinde grillée

On peut griller une jeune dinde sur le feu de bois, en suivant cette recette. En ce qui me concerne, je préfère la cuire au four.

Si vous avez du thym-citron dans votre jardin, n'hésitez pas à l'employer ; remplacez simplement le zeste et le jus de citron et le thym par 1 c. à thé (5 mL) de thym-citron.

1 jeune dinde de 4 à 6 lb (2 à 3 kg)
1/2 tasse (15 mL) de beurre
le zeste et le jus d'un citron
1/4 c. à thé (1 mL) de thym

sel et poivre au goût
1/4 tasse (60 mL) de beurre
1/2 tasse (125 mL) de vinaigre de vin blanc ou de vermouth blanc

Enlevez le double fond de la rôtissoire et tapissez le fond avec du papier d'aluminium. Coupez la dinde en 4 morceaux. Mélangez la 1/2 tasse (125 mL) de beurre, le zeste et le jus de citron et le thym ; badigeonnez chaque morceau de dinde avec ce beurre. Salez et poivrez. Placez les morceaux, la peau touchant le fond. Grillez à 4 po (10 cm) de distance de la flamme, 25 minutes ou jusqu'à ce que les morceaux soient dorés.

Pendant ce temps, chauffez ensemble le 1/4 de tasse de beurre, le vinaigre ou le vermouth. Retournez les morceaux de dinde et arrosez de ce mélange. Faites griller un autre 25 minutes ou jusqu'à beau doré.

Préchauffez le four à 350°F (180°C). Recouvrez la dinde de papier d'aluminium et faites cuire au four jusqu'à ce qu'elle soit tendre, à peu près 25 minutes. *Rendement : 6 à 8 portions.*

Roulade de dinde

Cette roulade préparée avec des restes de dinde cuite, peut se servir au déjeuner et même au dîner, en famille, ou avec des amis. Une fois cuite et congelée, on peut la conserver 2 mois ; sa texture étant celle d'un pâté, elle fait aussi d'excellents sandwiches, ou encore on la sert sur canapés.

1 1/2 tasse (400 mL) de dinde cuite
1 tasse (250 mL) de jambon cuit
1 oignon émincé
1/4 c. à thé (1 mL) de macis
1 c. à thé (5 mL) de sel
1/2 c. à thé (2 mL) de marjolaine ou d'estragon
1 œuf légèrement battu
1 tasse (250 mL) de chapelure fine
2 c. à table (30 mL) de persil sec

Passez au hachoir la dinde et le jambon ; mesurez la quantité requise, une fois la viande hachée. Ajoutez l'oignon, le macis, le sel, la marjolaine ou l'estragon ; mélangez bien le tout. Ajoutez l'œuf et continuez de mélanger, cette fois, de préférence avec les mains.

Tassez bien dans un moule à pain ; couvrez de papier d'aluminium. Placez le moule sur un double fond dans une casserole, ajoutez assez d'eau chaude pour couvrir jusqu'à la moitié du moule. Couvrez la casserole, placez sur feu lent et cuire 1 heure. Vérifiez l'eau à quelques reprises ; s'il est nécessaire d'en ajouter, mettez de l'eau chaude pour ne pas arrêter la cuisson.

Retirez le moule de l'eau, laissez reposer 20 minutes. Démoulez sur un plat de service. Mélangez la chapelure et le persil, saupoudrez sur le dessus et les côtés de la roulade. Couvrez et réfrigérez 12 heures avant de servir. *Rendement : 6 à 8 portions.*

Sauce au pain pour la dinde

Cette sauce était la favorite au commencement du siècle. Aujourd'hui, elle est remplacée par des canneberges ou la sauce épaissie à partir du jus de la cuisson de la dinde. Je vous recommande la sauce au pain, qui est délicieuse et beaucoup moins riche que le jus.

1 tasse (250 mL) bien tassée de cubes de pain
1 tranche épaisse d'oignon
1 tasse (250 mL) de bouillon de poulet, bouillant
1/8 c. à thé (0,5 mL) de muscade
sel et poivre au goût
2 c. à table (30 mL) de beurre
crème riche, au besoin

Enlevez les croûtes du pain, coupez-le en cubes, et tassez-les bien dans la tasse-mesure. Mettez dans une casserole la tranche d'oignon, le consommé, la muscade, le sel et le poivre ; ajoutez le pain et faites mijoter à feu lent, en brassant souvent, jusqu'à ce que le pain ait absorbé le liquide. Retirez les morceaux d'oignon, ajoutez le beurre et assez de crème pour obtenir une sauce de l'épaisseur désirée. *Rendement : 1 tasse (250 mL).*

Casserole de dinde

Ma manière préférée d'utiliser un reste de dinde. Je détermine les quantités requises des différents ingrédients selon la quantité de dinde dont je dispose, ce qui ne change rien à la recette.

5 à 7 tranches de bacon
à peu près 2 tasses (500 mL) de reste de dinde
à peu près 2 tasses (500 mL) de reste de farce
à peu près 1 tasse (250 mL) de sauce canneberge
à peu près 1/2 tasse (125 mL) de consommé

Tapissez une assiette à tarte ou un petit moule à pain avec les tranches de bacon ; sur le bacon, placez la dinde en tranches ou en petits morceaux ; sur la dinde mettez les canneberges, et sur les canneberges, le consommé.

Sans couvrir, mettez dans un four préchauffé à 325°F (160°C) pour 30 minutes. Recouvrez avec la farce et faites cuire encore de 20 à 30 minutes. Réduisez le temps de cuisson si la quantité des ingrédients est moindre que ci-haut mentionnée. Laissez refroidir 20 à 30 minutes sur une grille à gâteau. Démoulez et servez. *Rendement : 4 à 6 portions.*

Manière de préparer le canard

Si vous avez un canard domestique surgelé de 4 à 5 lb (2 à 2,5 kg), il faut le dégeler sans le développer, au réfrigérateur de 24 à 48 heures.

Ne lavez pas le canard à l'eau courante ; étanchez la cavité avec un papier absorbant et ensuite frottez-le en dedans et sur la peau avec un chiffon imbibé de jus de citron, ou de brandy, ou de vinaigre.

Pour faire fondre le surplus du gras d'un canard avant la cuisson, faites-le dorer à feu moyen, dans un poêlon de fonte, ce qui fera fondre une bonne quantité de graisse.

Retirez alors le canard du poêlon et faites-le cuire ou rôtir au four selon les indications données dans votre recette. Ce travail peut être fait la veille, le canard sera ensuite réfrigéré jusqu'au moment de le faire cuire.

Comment rôtir le canard

Je préfère une lèchefrite de fonte émaillée, mais une rôtissoire de 10 à 15 po (25 à 37,5 cm) peut être utilisée.

Mettez le canard nettoyé, poitrine en haut, sur un grand croûton de pain, ou un os plat de bœuf, ou une grille. Ceci empêche le canard de sécher à la cuisson. Je préfère le croûton de pain que je grille au four avant de l'utiliser, ce qui absorbe beaucoup de l'excès de gras qui se dégage du canard à la cuisson. Mais un os de bœuf donne une belle couleur dorée à la sauce.

Rôtissez le canard dans un four à 325°F (160°C) 25 minutes par livre si vous le désirez rosé, et 35 minutes par livre si vous le désirez bien cuit. Ne couvrez pas, n'arrosez pas, ne piquez pas avec une fourchette pendant le rôtissage.

J'aime, durant la dernière heure de cuisson, badigeonner le canard avec un mélange de 2 c. à table (30 mL) de miel et 1 c. à thé (5 mL) de Kitchen Bouquet ou de sauce soja japonaise, ce qui donne au canard une couleur d'un brun laqué et rend la peau croustillante.

Pour dépecer un canard

Le canard peut être dépecé de la même manière qu'un poulet mais attention ! Il est nécessaire de plus ou moins gratter une partie de la viande qui adhère à l'os de la poitrine. Servez une moitié de poitrine et une cuisse par assiette.

Une autre manière est la suivante : placez le canard les bouts de pattes vers votre droite. Avec des ciseaux à volaille, coupez la poitrine en deux d'un bout à l'autre. Retournez le canard et répétez l'opération sur le dos ; vous aurez alors deux moitiés. Coupez chaque moitié en deux, juste avant la cuisse, ce qui donne deux portions avec la cuisse et l'arrière-cuisse et un peu de poitrine et deux portions avec l'aile et une plus grande portion de poitrine. C'est la meilleure façon de servir le canard.

Canard sauvage à la Cardinal

Tous les automnes, chez ma grand-mère Cardinal, il y avait fête aux canards sauvages de Châteauguay, chassés par les hommes de la maison qui étaient de bons fusils.

On parfumait le canard au gin hollandais, l'alcool favori des Canadiens-Français de l'époque. Je n'ai jamais vu cette manière de cuire le canard, qui était une des recettes de ma grand-mère ; elle m'expliqua comment le cuire dans l'année de mes douze ans.

2 canards sauvages plumés et nettoyés
2 pintes (2 L) d'eau froide
1/4 de tasse (60 mL) de cognac
1 c. à table (15 mL) de sel
2 oignons pelés et coupés en quatre
2 pommes non pelées et coupées en quatre
1 c. à table (15 mL) de cassonade
1/2 c. à thé (2 mL) chacune de clous de girofle et de cannelle
1 tasse (250 mL) de gin Genever
1 c. à table (15 mL) de baies de genièvre
1 tasse (250 mL) de marmelade d'oranges amères

Mettez le canard dans l'eau froide, ajoutez le sel. Amenez à ébullition et faites bouillir 15 minutes. Retirez de l'eau et laissez refroidir 10 minutes ; frottez la cavité et l'extérieur du canard avec le cognac.

Roulez les pommes et les oignons dans le sucre mélangé avec le clou de girofle et la cannelle. Utilisez pour farcir les canards en mettant la moitié du mélange dans chaque canard.

Mettez les canards dans une rôtissoire sur un double fond. Versez le gin sur les canards, ajoutez les baies de genièvre et badigeonnez chaque côté et les poitrines avec la marmelade.

Couvrez et rôtissez dans un four préchauffé à 300°F (150°C) pour 1 1/2 à 2 heures ou jusqu'à ce que les canards soient tendres.

Ma grand-mère faisait sa sauce en ajoutant au jus bien dégraissé, 1 tasse (250 mL) de thé noir chinois bien fort. Ensuite, elle coulait le tout et ajoutait la farce (pommes et oignons) du canard à la sauce. Moi, je les passe au mélangeur électrique pour en faire une purée. Le tout, canard et sauce, servi très chaud. *Rendement : 4 à 8 portions.*

Le canard à l'orange de ma mère

Au cours des années, j'ai préparé le canard de bien des manières. Mes deux recettes préférées restent le canard à l'orange de ma mère et le shew-opp chinois, également bonnes quoique différentes ; préparées avec du canard domestique ou du canard sauvage. La différence est dans la saveur.

Attention ! Assurez-vous bien du poids de l'oiseau qui doit cuire 25 minutes par livre (500 mL), domestique ou sauvage.

1 canard de 4 à 5 lb (2 à 2,5 kg)
1/4 de tasse (60 mL) de cognac
1 c. à thé (5 mL) de sel
2 c. à table (30 mL) de menthe fraîche, émincée
2 c. à thé (10 mL) de cassonade
le zeste d'une orange et le jus d'1/2 orange
1 orange non pelée et tranchée mince
2 tasses (500 mL) de dés de pain grillé
1/2 c. à thé (2 mL) de marjolaine ou de sarriette
10 baies de genièvre écrasées
1 oignon moyen haché

Mélangez le cognac et le sel ; frottez la cavité et le canard entier avec le mélange.

Avec le dos d'une cuillère de bois, écrasez ensemble la menthe, la cassonade et le zeste d'orange, en ajoutant graduellement le jus d'orange ; puis ajoutez le reste des ingrédients. Mélangez bien et utilisez pour farcir le canard.

Placez le canard sur le double fond d'une rôtissoire. Rôtissez, sans couvrir, dans un four préchauffé à 325°F (160°C), 25 minutes par livre. Arrosez 2 ou 3 fois avec le jus accumulé au fond de la lèchefrite.

Quinze minutes avant la fin de la cuisson, arrosez avec le mélange suivant, que ma grand-mère appelait : «le feu du diable» : 1 c. à table (15 mL) de chutney, 1 c. à thé (5 mL) de moutarde de Dijon, 1/2 c. à thé (2 mL) de sauce Worcestershire et 1 goutte de Tabasco ou une pincée de poivre rouge. *Rendement : 3 à 4 portions.*

Sauce au pain pour le canard

Ma mère ne faisait jamais de sauce avec le jus de la lèchefrite, mais servait le canard avec la sauce au pain que voici :

1 oignon moyen
8 clous de girofle
1 1/2 tasse (400 mL) de lait
1 tasse (250 mL) de dés de pain sans croûte
1 c. à thé (5 mL) de sel
1/4 c. à thé (1 mL) de poivre frais moulu
1/4 c. à thé (1 mL) de muscade
le zeste d'1/2 citron 2 à 3 c. à table (30 à 50 mL) de beurre

Coupez l'oignon en deux et piquez chaque moitié de 4 clous. Chauffez le lait à feu lent, ajoutez l'oignon et chauffez à feu très lent pendant une heure. Mélangez les dés de pain, le sel, le poivre, la muscade et le zeste de citron. Laissez reposer 30 à 40 minutes. Vingt minutes avant de servir, versez la moitié du lait chaud sur le pain — ne brassez pas. Couvrez et laissez reposer dans un endroit chaud ; le pain aura tout absorbé le lait. Ajoutez alors tout en brassant, ce qu'il faut de lait chaud pour obtenir une sauce crémeuse. Ajoutez le beurre, brassez pour le faire fondre.

Ma mère préparait son canard domestique de cette manière, mais quelques instants avant de le servir, elle faisait dorer quelques bonnes cuillerées de chapelure dans le beurre et les ajoutait à la sauce au pain, et elle la recouvrait de persil éminé, au moment de servir.

Ce qui fait que cette sauce au pain est différente de toute autre, c'est le fait que le pain ne cuit que par la chaleur du lait épicé qui est ajouté graduellement.

Méthode de ma mère pour décongeler le canard

Dans ma jeunesse, il n'y avait pas de congélateur. En hiver, on enveloppait l'aliment à congeler, on le plaçait dans un sac de jute et on l'enterrait dans la neige en mettant du gros sel sur la première couche de neige pour la rendre plus froide. Au premier rayon de soleil de février, on se hâtait de manger ce qui restait, de crainte que le tout ne dégèle. Ce qui arrivait quelquefois.

Pour décongeler le canard domestique ou sauvage, ma mère préparait la marinade qui suit, la versait sur le canard congelé et développé, et le laissait un jour ou deux dans la « glacière ».

La marinade piquante et aromatique donnait une saveur particulière au canard. J'utilise encore cette recette avec le canard, mais aussi avec l'agneau congelé.

1 tasse (250 mL) de jus d'orange frais
le jus d'un citron
3 c. à table (45 mL) d'huile à salade
2 c. à thé (10 mL) de miel
2 c. à thé (10 mL) de moutarde sèche
1/4 de tasse (60 mL) de menthe fraîche ou séchée
2 gousses d'ail écrasées
8 grains de poivre concassés

Mélangez bien le tout. Versez sur le canard. Couvrez et laissez mariner de 12 à 24 heures. Égouttez le canard et le rôtir suivant la recette employée. Réservez la marinade, coulez-la et utilisez-la pour arroser le canard à la fin de la cuisson.

Farce au pain et au persil

Farce simple, délicieuse, vite faite ; également bonne avec le poulet, la dinde, et même le canard et la perdrix.

Placez 6 à 8 tranches de pain brun ou de pain aux œufs sur une plaque à biscuits ; mettez dans un four préchauffé à 400°F (200°C) jusqu'à ce que le pain soit bien doré. Pelez une gousse d'ail et coupez-la en deux ; frottez chacune des tranches de pain des deux côtés avec l'ail qui fondra dans le pain. Vous aurez besoin de 2 à 3 gousses d'ail selon la quantité de pain et la grosseur de l'ail. Coupez le pain ainsi préparé en petits dés, mettez dans un bol et ajoutez 1 tasse (250 mL) de persil frais émincé, 6 oignons verts, émincés, 1/2 c. à thé (2 mL) de thym et le zeste d'un citron. Salez et poivrez l'intérieur de l'oiseau. Et remplissez-le de ce mélange. Rôtissez selon les règles propres à chacun. *Rendement : suffisant pour farcir un poulet de 4 à 5 lb (2 à 2,5 kg), ou 2 poulets à griller, ou canard, ou perdrix. Pour une dinde de 10 à 12 lb (5 à 6 kg), doublez la quantité.*

Canard à la chinoise

Le canard est cuit à la vapeur dans la sauce de soja, quelques arômes et son jus naturel. Servez-le à l'orientale, tranché très mince, entouré de la peau du canard aussi croustillante que des noix grillées. Servez avec un verre de sherry bien refroidi et un bol de riz. Superbe !

5 champignons secs trempés
1 canard de 3 lb (1,5 kg)
3 tranches épaisses de gingembre frais
3 oignons verts, émincés
2 c. à thé (10 mL) d'huile de sésame
2 c. à thé (10 mL) de sel
1 c. à table (15 mL) de sherry sec
1 c. à table (15 mL) de sauce de soja chinoise
2 c. à thé (10 mL) de cassonade
1/2 tasse (125 mL) d'eau

Si possible, utilisez des champignons secs chinois (dans les épiceries orientales). Mettez dans un bol et recouvrez d'eau chaude ; laissez tremper une heure. Coupez ensuite en languettes avec des ciseaux. Lavez le canard et enlevez la peau en tirant dessus et en gardant les morceaux aussi grands que possible.

Placez le canard dans une casserole avec les ingrédients qui restent, ajoutez les languettes de champignons et leur eau de trempage. Amenez à ébullition. Couvrez et faites mijoter à feu lent 1 1/2 heure ; la cuisson doit être lente.

Pour servir, mettez le canard sur un plat pour être dépecé. Égouttez le jus de la casserole, dégraissez et coulez ; au moment de servir, chauffez et offrez une petite coupe de ce jus à chaque convive. Les Orientaux le versent sur leur bol de riz.

Pendant que le canard mijote, placez les morceaux de peau sur une plaque à biscuits, dans un four à 300° F (150° C), en les retournant 2 à 3 fois, jusqu'à ce que la peau soit dorée et croquante ; mettez-en avec chaque portion de canard. On mange cette peau avec les doigts, en ayant l'impression de manger des noix. *Rendement : 3 à 4 portions.*

Le poulet de Chichester

un poulet de 3 livres (1 kg 500 g) coupé en morceaux
1/4 de tasse (60 mL) de beurre
8 échalotes hachées
sel et poivre au goût

1 c. à thé (5 mL) de sauce Worcestershire
2 tasses (500 mL) de crème

Faites dorer le poulet dans le beurre fondu. Mettez-le à mesure dans une cocotte ayant un bon couvercle. Saupoudrez les échalotes sur le tout. Versez dessus le gras qui reste dans le poêlon, salez et poivrez. Mélangez la crème et la sauce Worcestershire et versez sur le poulet. Couvrez et faites cuire dans un four à 350° F (180° C) à peu près une heure ou jusqu'à ce que le poulet soit tendre et la crème légèrement épaissie. *Rendement : 4 portions.*

Mon « grain de sel »

J'aime saupoudrer mes morceaux de poulet avec une bonne pincée de muscade avant de les dorer, ce qui les parfume agréablement. Au beurre fondu, j'ajoute 1 c. à thé (5 mL) de poudre de cari ou d'estragon, ce qui change la saveur. J'utilise de la crème légère ou de la crème à fouetter et remplace la sauce Worcestershire par 1 c. à table (15 mL) de brandy ou 3 c. à table (45 mL) de vin blanc. Quelquefois, au lieu de hacher les échalotes, je les laisse entières et les place sur le dessus du poulet, avant de le mettre au four. J'aime servir ce poulet avec du riz rosé ; je fais cuire 2 tasses (500 mL) de carottes râpées avec une tasse (250 mL) de riz, ce qui rend le riz rosé et la saveur très agréable. Simplement, ajoutez du beurre au goût et le jus d'un demi-citron. Vérifiez l'assaisonnement. Ces quelques changements font un plat tout à fait différent.

Farce aux marrons

Préparez 2 tasses (1/2 L) de dés de pain. Faites fondre 1/3 de tasse (80 mL) de beurre, ajoutez les dés de pain et faites dorer à feu moyen en brassant sans arrêt. Retirez du feu et ajoutez 1 c. à thé (5 mL) de sel, 1/4 c. à thé (1 mL) de poivre, 1 c. à thé (5 mL) de marjolaine ou d'estragon, 12 oignons verts, hachés. Brassez pour bien mélanger. Ajoutez 1 à 2 tasses (250 à 500 mL) de marrons en conserve, au naturel ; égouttez bien (conservez l'eau des marrons) ; coupez chaque marron en deux ou en quatre, selon sa grosseur.

Ajoutez 3 c. à table (45 mL) de sherry sec et 3 c. à table (50 mL) de l'eau des marrons. Mélangez avec une fourchette et utilisez. *Rendement : suffisant pour farcir une dinde de 10 à 16 lb (5 à 8 kg).*

Farce cuite

Souvent, je préfère cuire une farce à part plutôt que dans la volaille.

Préparez la farce de votre choix, 35 à 45 minutes avant la fin de la cuisson de la volaille ; prenez quelques cuillerées de gras dans la lèchefrite. Placez ce gras dans un plat allant au four, ajoutez-y la farce. Avec le manche d'une cuillère de bois, faites 5 à 6 creux dans la farce. Versez ensuite quelques cuillerées de jus de cuisson sur le dessus, et placez sur la grille du haut du four.

Lorsque la dinde ou tout autre oiseau est cuit, éteignez le four, couvrez la farce et gardez-la ainsi jusqu'au moment de servir.

Sauce aux abattis

Utilisez avec poulet ou chapon ou dinde rôtie. Par abattis, on entend le cou, les bouts des ailes, le gésier, le cœur, le foie et les débris de peau.

abattis d'une volaille
1 petit oignon, coupé en deux
une branche de céleri avec ses feuilles
1 petite carotte tranchée
1 feuille de laurier
1/4 c. à thé (1 mL) de thym
1 c. à thé (5 mL) de sel
10 grains de poivre
2 tasses (500 mL) d'eau

Placez tous les ingrédients, sauf le foie, dans une casserole, amenez à ébullition et faites mijoter à feu lent 1 1/2 heure. Ajoutez le foie 15 minutes avant la fin de la cuisson. Coulez le tout, en réservant le bouillon. Hachez le foie, le cœur et les petits morceaux de poulet. Réservez.

Pour faire 3 à 4 tasses (750 à 1000 mL) de sauce aux abattis, dégraissez le jus de cuisson de la volaille, ajoutez au résidu, 1/3 de tasse (80 mL) de farine. Brassez pour bien mélanger, en grattant le fond de la lèchefrite. Lorsque la farine est bien dorée, ajoutez 2 tasses (500 mL) du bouillon d'abattis. Continuez de brasser à feu moyen jusqu'à l'obtention d'une sauce légère. Ajoutez 2 c. à table (30 mL) de sherry sec.

Vérifiez l'assaisonnement, coulez et servez telle quelle. Pour garder la sauce chaude pendant un certain temps, mettez au bain-marie.
Rendement : 2 tasses (500 mL).

Gelée au porto

Presque indispensable avec l'oie ou la dinde rôtie. Elle se conserve très bien réfrigérée.

1/2 tasse (125 mL) de sucre
1 tasse (250 mL) d'eau
zeste et jus d'un citron
1 enveloppe de gélatine non aromatisée
1 tasse (250 mL) de porto

Amenez à ébullition le sucre, l'eau et le zeste de citron ; faites bouillir à feu moyen 5 minutes, en brassant jusqu'à ce que le sucre soit dissous.

Trempez la gélatine dans le jus de citron 5 minutes. Versez le sirop bouillant sur la gélatine et brassez jusqu'à ce que cette dernière soit fondue. Laissez refroidir 20 minutes et ajoutez le vin. Versez dans un moule huilé ou dans trois verres à gelée, couvrez et réfrigérez jusqu'à ce que la gelée soit bien prise. *Rendement : 2 tasses (500 mL).*

Les légumes

La beauté des légumes

Nous vivons dans un âge de complications, même de chaos, et souvent, dans ces moments difficiles nous viennent des vérités oubliées. L'une d'elles, dont on parle souvent maintenant, c'est que la santé à travers la nutrition est une de nos plus précieuses possessions.

Dans ma jeunesse, nous n'avions pas ces nombreuses cures miracles, ni ces produits de beauté sortant de multiples laboratoires. Un rhume était soulagé avec un thé de fleurs ou d'herbes sucré avec du miel; nous mangions beaucoup de légumes crus et de fruits en saison, parce que nous savions instinctivement qu'ils nous donnaient un teint clair et de bons yeux.

Les légumes frais, aux couleurs vives, verts, oranges, rouges ou jaunes, si attrayants lorsque bien présentés et si bons à manger, peuvent aussi être des moins appétissants, servis mouillés, pâles et sans goût. La connaissance de quelques règles fondamentales vous permettra d'apprécier vos légumes.

Un légume est encore vivant quand on le cueille, mais il perd graduellement sa fraîcheur aussitôt exposé à la chaleur du soleil ou d'une pièce, et ses cellules perdent leur activité.

L'eau chaude ou la vapeur ramollit ses celluloses, ses substances pectines se fondent pour former une pectine et leurs fécules se gonflent et absorbent l'humidité. Il est facile de suivre ces changements physiques, lorsque l'on fait bouillir des pommes de terre.

Pour devenir amateur de légumes, il faut d'abord apprendre à les bien cuire. Tout comme les viandes et poissons, les légumes se cuisent à chaleur humide ou sèche. Si on préfère la chaleur humide, on les présentera bouillis, blanchis ou cuits à la vapeur. Les méthodes de cuisson à chaleur sèche sont les suivantes : au four, à l'orientale, ou à vapeur sèche.

Tour de main et doigté avec vos légumes

Le meilleur des légumes nous donnera plus et tant si on le traite gentiment. Il faut éviter de trop le cuire, égouttez bien et n'hésitez pas à lui donner un peu de piquant en ajoutant une pincée d'herbes ou d'épices ici et là.

Aux légumes légèrement sucrés : tels que le chou et les épinards, ajoutez un peu de jus de citron ou de lime, ou un peu de zeste de l'un ou l'autre de ces fruits, ou une pincée de romarin ou quelques clous de girofle, ou encore une pincée de poudre de cari.

Aux carottes, pommes de terre et navets : ajoutez de la ciboulette, ou du persil, ou du poivre noir frais moulu, ou peut-être préférez-vous une pincée de thym ou une feuille de laurier.

Aux épinards : ajoutez une pincée de muscade ou de macis; c'est classique en cuisine française. On varie en ajoutant quelques gouttes de vinaigre. Également bon, de l'ail écrasé ou frit; très oriental : des graines de sésame et de la crème sure.

À vos betteraves : ajoutez deux clous de girofle entiers à l'eau de cuisson; ou servez avec de la crème sure ou des oignons verts émincés. Agréables avec quelques gouttes de vinaigre, ou une pincée de fenouil frais, ou de graines de fenouil.

Avec les petits pois et les haricots : il y a toujours la méthode classique, un peu de menthe fraîche et du beurre; variez avec une pincée de sarriette ou des petits dés de bacon bien croustillants ajoutés au moment de servir. Pour varier, essayez une pincée de cari mélangé au bacon. Avec l'addition d'un peu de jus de citron frais, ou du chutney, ou de vinaigrette, vos légumes deviendront les vedettes de vos repas.

Les légumes crus

La meilleure façon de les manger!

Servez tels quels nettoyés, frais ou croquants; soit les radis avec beurre, en France; les tomates avec sucre et sel, en Italie; les carottes avec sel, en Angleterre.

Passez au mélangeur électrique avec 1/2 tasse (125 mL) d'eau.

Créez vos combinaisons, vous en aurez des favorites.

Pour le minimum de perte en valeur nutritive, lavez à l'eau froide courante, juste ce qu'il faut, brossez au lieu de peler, préparez les légumes frais juste au moment de servir.

Aromatisez les carottes râpées avec de la ciboulette, du persil, du jus de citron frais pressé, zeste de citron au goût, ajoutez de l'huile de carthame (safflower) ou d'arachide.

244

Mélangez des betteraves crues, pelées et râpées, avec de l'huile, du jus de citron frais et un peu de miel.

Râpez la chair d'une petite gourde, mélangez avec petits pois, au goût, salez, ajoutez citronnelle et huile à salade.

Taillez des haricots verts frais en minces languettes, ajoutez un peu d'oignons verts et aromatisez avec de la sauce de soja.

Coupez une tomate non pelée en petits dés, émincez des têtes de brocoli, de la ciboulette ou de l'oignon vert, aromatisez avec sel, zeste de citron, menthe ou basilic frais, au goût.

Les crudités

Les pays d'Orient et d'Europe ont toujours apprécié les crudités. Nous avons tendance à les ignorer. Quelle différence, me dites-vous, y a-t-il entre les légumes non cuits et les crudités?

On ne mange les crudités qu'en saison, tout frais cueillies du jardin avant leur maturité, comme de toutes petites carottes, simplement frottées sous l'eau froide avec une brosse à légumes; du concombre non pelé, croustillant et servi sur cubes de glace; de beaux radis rouges, nettoyés et trempés 24 heures à l'eau froide, et gardés au réfrigérateur (ainsi, ils sont délicieux!); des quartiers de tomate encore chaude du soleil du jardin (ne les réfrigérez jamais, ce qui leur fait perdre leur douceur); un grand bol de feuilles de laitue ou de cresson bien fraîches et croquantes; un panier de fines herbes où chacun fait son choix, coupées avec des ciseaux sur ses légumes, de même que quelques oignons verts ou échalotes françaises.

Pour conserver la valeur nutritive et la saveur des légumes

Ne laissez jamais tremper les légumes dans l'eau froide pendant des heures, à l'exception des choux, des radis et du céleri.

Pelez et coupez les légumes juste au moment de les cuire.

Ne mettez pas de soda dans l'eau des légumes verts, ce qui diminue la valeur de leurs vitamines. Une méthode supérieure à suivre, pour leur conserver, et leur valeur nutritive et leur apparence, est de les blanchir.

Ne salez pas les légumes (à l'exception des pommes de terre) pendant la cuisson. Par contre, ajoutez 1/2 cuillerée à thé (2 mL) de sucre par livre de légumes. Le sucre accentue non seulement la saveur du légume, mais aussi sa couleur; les légumes ne seront pas sucrés, mais leur saveur douce naturelle sera accentuée.

Lorsqu'il se peut, faites cuire les légumes entiers ou coupés en gros morceaux. Exemple : les nutriments de la pomme de terre sont près de la peau. Lorsque pelée et coupée en quatre, la surface est exposée à l'air, qui est l'ennemi des vitamines.

Utilisez des fines herbes pour accentuer le goût fin d'un légume sans affecter sa saveur naturelle. J'aime bien la sarriette avec les haricots verts ou blancs, la menthe avec les petits pois, la sauge avec les fèves de Lima, et le flageolet et le thym avec les carottes.

Quelques-uns disent que tous les légumes doivent être couverts à la cuisson, d'autres disent de ne jamais couvrir les légumes verts, ce qui leur fait perdre leur couleur. Évidemment, si le légume est cuit au four ou braisé, il doit être couvert; les épinards qui doivent cuire dans leur jus, sont aussi couverts.

Il est donc important de bien étudier les méthodes de cuisson qui suivent, puisqu'il y a des règles différentes pour chaque légume. Une règle qui ne varie pas, c'est d'éviter de trop cuire un légume, ce qui le rend mou et lui fait perdre sa saveur.

Les légumes chauffés

Si vous désirez trouver dans votre légume la texture d'un légume cru, mais que vous n'aimez pas le manger froid, voici comment procéder : tassez dans un petit bol une portion du légume de votre choix nettoyé et coupé, couvrez et placez dans une casserole, versez un pouce (2,5 cm) d'eau chaude au fond de la casserole. Couvrez et chauffez à feu lent 10 minutes, le légume sera chaud mais non cuit.

Une autre méthode consiste à huiler une casserole en acier inoxydable avec de l'huile de sésame ou d'arachide, à y placer les légumes préparés, à couvrir et à laisser chauffer à feu très lent 10 à 20 minutes, ou jusqu'à ce que les légumes soient chauds.

Pour appliquer cette méthode aux légumes surgelés, placez-les dans une casserole sans les dégeler, sans eau, couvrez et chauffez 10 minutes à feu lent. Brassez et vérifiez la texture.

Quelques combinaisons de légumes servis chauds

Artichauts de Jérusalem brossés et râpés, oignons verts et dés de tomates; navet pelé et râpé, céleri haché fin et fenouil ou aneth haché; panais râpés, carottes râpées ou tranchées, noix de coco fraîche, un peu de crème ou de yaourt; carottes râpées, raisins de Corinthe ou raisins secs épépinés, et noix de Grenoble écrasées avec le rouleau à pâte.

Légumes cuits

Tout végétarien sait qu'un légume ou un fruit n'a jamais gagné à être trop cuit ou mal cuit. Il faut cuire le légume le moins longtemps possible dans le moins de liquide possible. Utilisez les liquides de cuisson d'un légume, même du mélange de plusieurs légumes, comme bouillon pour sauces ou soupes.

Pour blanchir et rafraîchir

Pour servir un légume vert plus vert qu'avant sa cuisson, il faut le blanchir; un travail facile qui de plus vous permet de pré-cuire vos légumes plusieurs heures avant le repas. Juste avant de servir, jetez-les simplement dans une casserole d'eau bouillante pour 2 minutes, ou réchauffez-les au beurre, à feu lent, ou dans une sauce.

Les légumes ainsi préparés ne perdent pas leur saveur, ni leur texture, ni leur couleur. Pour blanchir, amenez une casserole d'eau à forte ébullition, ajoutez les légumes, soit un morceau à la fois, ou le légume entier. Il est important d'avoir beaucoup d'eau bouillante, ce qui empêchera l'ébullition de s'arrêter, lorsque vous ajouterez vos légumes. C'est un détail important, car plus le travail se fait vite, plus le légume est parfait.

Le temps de cuisson varie selon les légumes, leur fraîcheur ou la manière dont ils sont taillés. En moyenne, comptez 8 à 12 minutes pour les légumes entiers, 3 à 4 minutes pour légumes tranchés. Il est toutefois facile de vérifier la cuisson en goûtant un petit morceau de légume.

Si le legume blanchi est servi sans délai, simplement égouttez-le bien dans une passoire, remettez dans la casserole encore chaude et ajoutez beurre, sel et autre saveur de votre choix.

Si par contre, il doit être mangé chaud, ou froid plus tard dans la journée, il faut le rafraîchir de la manière qui suit : aussitôt le légume égoutté dans la passoire, faites couler de l'eau froide dessus ou versez dans un plat d'eau glacée pour 1 à 2 minutes, ce bain froid arrête la cuisson et empêche le légume de perdre sa saveur et sa couleur.

Ensuite, égouttez bien et placez le légume sur un linge dans un plat, couvrez avec du papier et réfrigérez jusqu'au moment de servir. Pour réchauffer le légume, mettez dans une casserole, recouvrez d'eau bouillante, faites bouillir 30 secondes, égouttez et servez, ou tel qu'indiqué plus haut, réchauffez au beurre ou dans une sauce.

Légumes cuits à la vapeur en casserole

Tous les légumes entiers, coupés, pelés ou non pelés, peuvent se cuire à la vapeur. Toutefois, avec ce mode de cuisson, on ne peut obtenir la couleur vive d'un légume blanchi.

Pour cuire à la vapeur, utilisez une casserole d'acier inoxydable lourde ou de fonte émaillée. Mettez dans la casserole juste ce qu'il faut d'eau, de bouillon ou de consommé, ou d'eau de légumes, ou de lait, pour avoir 1 po (2,5 cm) de liquide au fond de la casserole. À ce liquide, ajoutez herbes aromatiques ou épices au goût, ou tranche de citron, mais ni sel, ni poivre. Amenez à forte ébullition. Ajoutez les légumes préparés, ramenez à ébullition, couvrez et laissez mijoter à feu lent, jusqu'au degré de cuisson désiré. Par cette méthode, la chaleur lente et constante est importante, car si le liquide bout trop, il diminuera et le légume ne sera pas bien cuit; son rôle est de créer une vapeur constante. Utilisez cette eau remplie de saveur pour faire sauces, soupes, etc.

C'est la méthode parfaite pour servir un légume en sauce; on utilise le bouillon du légume comme sauce, en y ajoutant beurre et farine, lait ou crème, assaisonnant la sauce à son gré, pour ensuite la verser sur les légumes cuits.

Le temps de cuisson varie de 5 à 25 minutes, selon le genre et la préparation du légume.

Un légume peut être cuit d'avance selon cette méthode, refroidi dans un plat et réchauffé dans une sauce chaude, ou tout simplement dans son bouillon de cuisson, ramené à ébullition au moment de servir.

Légumes poêlés à la chinoise

Il est rare de rencontrer quelqu'un qui n'aime pas cette manière de cuire les légumes; avec l'habitude, on peut atteindre un haut degré de perfection; les légumes restent savoureux, brillants et croustillants, et le tout se fait en un tour de main. Le temps de cuisson est presque le même pour tous les légumes; il est facile de juger, en croquant un petit morceau.

Les légumes, quels qu'ils soient, doivent être taillés sur le biais, en tranches minces. Facile à faire avec un bon couteau qu'on couche presque sur le légume, en glissant la lame sur le légume.

Pour chaque livre (ou à peu près 3 à 4 tasses) de légumes préparés, mesurez 1/2 tasse (125 mL) d'eau ou de bouillon, ajoutez 1/2 c. à thé

(2 mL) de sucre. **Pour varier, ajoutez à ce mélange 1 c. à table (15 mL)** de sauce de soja, ou de jus de citron frais, ou de vinaigre de cidre.

Maintenant, pour chaque livre (500 g) de légumes utilisés, chauffez dans un wok ou un grand poêlon de fonte, 2 c. à table (30 mL) d'huile végétale, ajoutez 1/2 c. à thé (2 mL) de sel à l'huile chaude, brassez une seconde. (À ce moment, ajoutez au goût 3 minces tranches de racine de gingembre frais). Versez les légumes préparés dans cette huile chaude et brassez sans arrêt, à feu vif, quelques secondes ou jusqu'à ce que les légumes soient brillants d'huile. Ce travail ferme les pores des légumes, ce qui leur permet de conserver leur saveur et leur couleur.

Ajoutez alors le liquide préparé, brassez vivement, sans arrêt, à feu vif, pendant quelques secondes. Couvrez, baissez le feu et mijotez 3 à 7 minutes, selon la quantité de légumes et votre goût personnel.

Pour cuire des légumes entiers ou en gros morceaux, selon cette méthode, on doit en premier lieu les blanchir de 3 à 5 minutes, de la même manière que pour la cuisson ordinaire, et ensuite les rafraîchir, égouttez-les bien et laissez cuire tel qu'indiqué ci-haut.

Si vos légumes poêlés à la chinoise ne sont pas prêts à être servis, au moment où la cuisson est à point, découvrez-les, sans cela, l'intensité de la chaleur changera leur couleur et leur texture.

Lorsque différents légumes sont cuits en même temps, on doit mettre en premier dans l'huile chaude les plus longs à cuire, tels qu'oignons, piments verts, carottes, brassez-les ensuite quelques secondes. Ajoutez alors les légumes plus tendres, tels que tomates, épinards, oignons verts, etc. Vous pouvez varier à volonté les mélanges, les liquides et les saveurs. C'est sans nul doute la méthode la plus facile et la plus créatrice de cuire les légumes.

Cuisson à la vapeur au four

Lorsqu'il s'agit de mode de cuisson, on pense rarement à un autre légume que la pomme de terre. Pourtant, tous les légumes racines d'hiver, sont délicieux ainsi cuits; il y la carotte, la betterave, le panais, le topinambour ou artichaut de Jérusalem.

Brossez bien les légumes, lavez-les et essuyez-les avec un papier absorbant, ensuite badigeonnez-les d'huile à salade, de gras de bacon ou de margarine. Placez un peu du gras choisi dans le creux de votre main, roulez-y le légume prêt à cuire. Mettez dans un plat allant au four, évitez de le tasser ou de l'empiler, ajoutez juste assez d'eau pour couvrir le fond du plat. Couvrez. Utilisez du papier d'aluminium si le plat n'a pas de couvercle.

Faites cuire au four préchauffé à 350° à 375° F (160° à 190° C), 40 à 50 minutes ou jusqu'à ce que les légumes soient tendres. Le temps varie selon la grosseur des légumes et la chaleur du four. À la mi-cuisson, retournez chaque légume. Découvrez pour la fin de la cuisson, si vous désirez que le liquide s'évapore et que le dessus des légumes soit doré.

Cuisson au four à sec

Betteraves, oignons, pommes de terre, citrouille, courges de tous genres, courgettes peuvent être cuites suivant cette méthode. Vous aurez d'agréables surprises; par exemple, un simple oignon cuit au four à sec est de beaucoup supérieur à l'oignon bouilli.

Brossez les légumes, mais ne les pelez pas. Si nécessaire, enlevez les imperfections. Frottez les légumes avec de l'huile ou du gras, roulez-les dans le gros sel. Étendez sur la grille du four une feuille double ou simple, selon l'épaisseur, de papier d'aluminium, placez-y les légumes en laissant un petit espace entre eux. Dans un four préchauffé à 375° ou 400° F (190° ou 200° C), cuire à peu près une heure ou jusqu'à ce que les légumes soient tendres.

Citrouilles et courges peuvent être coupées en deux, les graines et filaments enlevés et remplacés par un morceau de beurre, une pincée de sel et quelques cuillerées de miel ou de sirop d'érable.

Les beaux légumes de la mi-été

À ce moment de l'été, le jardin de légumes est à son apogée. Pour moi, chaque année, c'est le moment fantastique où l'on peut à son gré, à sa faim, manger les légumes frais cueillis de son jardin, les croquer crus ou les cuire avec soin suivant la méthode préférée. C'est vraiment une expérience extraordinaire.

Avez-vous jamais mangé le maïs jeté dans l'eau bouillante avec toutes ses feuilles aussitôt entré à la cuisine et bouilli 2 à 3 minutes? Superbe! Avez-vous jamais cueilli des haricots verts ou blancs, si tendres et si croquants qu'ils se cassent sous vos doigts? Avez-vous déjà mordu une petite carotte de trois à quatre pouces (7,5 à 10 cm), nettoyée de sa bonne terre avec vos mains? C'est une expérience à vivre! Je l'aime aussi brossée, coupée en deux et mijotée quelques minutes dans l'eau aromatisée avec du basilic frais ou de la sauge ananas.

Drôle de chose! Les légumes cueillis par vous, dans votre jardin, semblent être tout à fait différents des légumes achetés. Dans les villes, il y a des marchés où les fermiers et les fermières apportent leurs légumes frais. Prenez la bonne habitude d'y aller plus souvent.

Que l'on cueille ses légumes au jardin, qu'on les achète au marché, au bord de la route ou dans les grands marchés, il est important de les choisir avec soin, et ensuite de les bien cuire.

Les petits pois

On a surnommé les petits pois, les perles des cosses. Chez mes grands-parents et chez mes parents, si les petits pois étaient au menu du jour, tôt le matin, on envoyait les enfants au jardin pour les cueillir, dans un grand panier qui devait être bien rempli. Ensuite, on se mettait en cercle sur le grand balcon et on les écossait; sans délai ma mère les faisait cuire pour le déjeuner. Ils étaient servis avec du pain maison, tout frais cuit, et des bouquets de menthe fraîche, ici et là. Chacun en coupait à son gré, sur ses petits pois, et comme dessert, de la confiture des fraises de juin. Combien je m'amusais, quand chaque été venait cet agréable moment.

Il est difficile d'acheter les petits pois frais. Assurez-vous qu'ils soient bien fermes, veloutés au toucher et la cosse brillante et verte, sans taches jaunes.

Lavez les pois dans leur cosse, juste avant de les cuire. Si les pois doivent être écossés quelque temps avant de les cuire, enveloppez-les dans un linge humide ou placez-les dans un sac de plastique bien fermé. Ne lavez jamais le pois même car ceci le ferait sécher et il deviendrait dur à la cuisson.

Il y a plusieurs méthodes de cuisson pour les petits pois, la plus facile est de les placer dans une casserole d'acier inoxydable et d'y verser assez d'eau bouillante pour qu'il y en ait un pouce (2,5 cm). Ajoutez 1 c. à thé (5 mL) de sucre pour 2 lb (1 kg) de petits pois. Couvrez et laissez bouillir à feu moyen, 8 à 10 minutes. Alors, il ne reste plus qu'à les savourer!

Petits pois nouveaux

Si vous doublez cette recette vous pourrez la servir pour le déjeuner, avec du pain français chaud et des tranches minces de fromage suisse, ou cheddar, ou hollandais. L'été, c'est un de mes déjeuners ou un léger dîner.

3 c. à table (45 mL) de beurre
2 oignons blancs, émincés

1 petite laitue
2 à 3 lb (1,5 kg) de petits pois non écossés
1/2 c. à thé (2 mL) de sucre
4 branches de persil

Faites fondre le beurre dans un poêlon, ajoutez les oignons et **faites** mijoter à feu lent jusqu'à ce qu'ils soient transparents et mous, **mais non** grillés.

Mettez de côté les grosses feuilles de la laitue, émincez le reste et ajoutez aux oignons. Retirez le poêlon du feu. Écossez les pois, placez-les sur la laitue et saupoudrez le sucre sur le tout. Recouvrez avec les grandes feuilles de laitue réservées. Couvrez et mijotez jusqu'à ce que les pois soient tendres ; le temps varie selon la qualité et la variété des pois. Vérifiez la cuisson après 20 minutes en goûtant un pois et décidez.

Pour servir, retirez les grandes feuilles de laitue. Assaisonnez au goût, ajoutez un morceau de beurre et 1 c. à thé (5 mL) de jus de citron frais. Mélangez, garnissez de branches de persil ou de menthe. *Rendement : 4 à 5 portions.*

Pois mange-tout

Leur nom indique bien ce qu'ils sont : cosses et pois sont cuits et mangés. Leur saveur est fine, leur texture délicate. Ils sont plutôt difficiles à trouver sur nos marchés, bien que les épiceries orientales en aient toujours lorsqu'ils sont en saison. Le pois mange-tout est vraiment un des plaisirs de la table.

Pour ma part, je les trouve faciles à cultiver, les bonnes maisons de jardinage ont généralement les graines de mange-tout. Ils sont à leur meilleur lorsqu'ils ont deux pouces (5 cm) de long. Contrairement à nos petits pois, la cosse est très plate, les pois en sont tout petits et très tendres.

Ils se préparent comme les haricots. On enlève un petit morceau à chaque bout de la cosse, et les fils si nécessaire, mais il ne faut pas couper les pois ; ils doivent être cuits et mangés entiers. Faites cuire 5 à 10 minutes à la vapeur ou poêlés à la méthode chinoise. Salez et poivrez, ajoutez du beurre au goût, et servez.

Carottes glacées

Servez avec jambon ou rôti de porc ou gibier ou avec les abats de viande.

6 carottes moyennes
1 tasse (250 mL) d'eau bouillante
1/2 c. à thé (2 mL) de sucre
1/4 c. à thé (1 mL) de thym
2 c. à table (30 mL) de beurre
2 c. à table (30 mL) de miel
2 c. à table (30 mL) de menthe fraîche, émincée
la râpure d'un demi-citron ou
3 c. à table (45 mL) de madère sec

Pelez les carottes et taillez-les 1/2 po (1,25 cm). Mettez dans une casserole avec le sucre et le thym, versez l'eau bouillante sur le tout. Couvrez et faites bouillir à feu moyen, de 15 à 20 minutes ou jusqu'à ce que les carottes soient juste un peu tendres. Évitez de trop les cuire. Au goût, vous pouvez aussi les cuire à la vapeur, ce qui prendra de 20 à 25 minutes.

Faites fondre le beurre dans un poêlon, ajoutez-y les carottes bien égouttées, versez le miel sur les carottes, saupoudrez de la menthe et de la râpure de citron ou arrosez avec le madère. Mélangez avec une fourchette. Couvrez et faites mijoter à feu lent, en brassant une fois, jusqu'à ce que le tout soit bien chaud, ou mettez le tout dans une jolie casserole de service, couvrez et faites cuire dans un four préchauffé à 300°F (150°C) jusqu'à ce que le jus mijote, à peu près 15 minutes.

Les carottes glacées peuvent être préparées d'avance, gardées en attente jusqu'au moment de les servir, et alors mises au four ou chauffées au poêlon tel qu'indiqué ci-haut. *Rendement : 5 à 6 portions.*

Carottes à la menthe

Il y a beaucoup d'affinités entre la carotte et la menthe fraîche. Servez avec agneau, veau ou viandes froides ou omelettes.

5 à 6 carottes moyennes
1/2 tasse (125 mL) de bouillon de poulet
2 c. à table (30 mL) de menthe fraîche, émincée
sel et poivre au goût

Pelez les carottes et coupez-les en tout petits bâtonnets. Amenez le bouillon de poulet à forte ébullition, ajoutez-y les carottes et ramenez à ébullition, couvrez et faites cuire à feu moyen jusqu'à ce qu'elles soient tendres, mais attention de ne pas trop cuire. Le temps requis sera de 10 à 20 minutes, selon les carottes et la manière dont elles sont taillées. Découvrez durant les cinq dernières minutes de cuisson et faites bouillir à feu vif pour faire évaporer le liquide. Ajoutez la menthe et un petit morceau de beurre. Salez et poivrez au goût. Brassez bien. *Rendement : 4 à 5 portions.*

Haricots verts et haricots jaunes

Il y a deux genres de haricots, soit cultivés en taillis ou sur perches, de couleur jaune ou de couleur verte. Il y a des cosses rondes, d'autres ovales, et même des plates.

Il faut les choisir de belle couleur, sans meurtrissures et croquants. On compte à peu près 3 lb (1,5 kg) pour servir 6 à 8 portions généreusement.

Pour les cuire, il faut d'abord couper les bouts, en enlever le moins possible, les laisser entiers ou les couper en deux en longueur, ou en quatre sur le biais, ou à la française, c'est-à-dire en petits filets sur la longueur.

Lorsqu'ils sont préparés, mettez-les dans une casserole, saupoudrez avec 1/4 c. à thé (1 mL) de sucre pour chaque 3 lb (1,5 kg). Ne salez pas. Au goût, ajoutez 1/2 c. à thé (2 mL) de sarriette. Recouvrez d'eau bouillante. Ne couvrez pas et faites bouillir 10 minutes. Vérifiez la cuisson, et selon votre goût faites cuire de 3 à 8 minutes de plus. Égouttez-les bien à la passoire, aussitôt cuits. Ajoutez sel et poivre.

Si vous désirez servir les haricots froids en salade, blanchissez-les, rafraîchissez-les et égouttez bien, en les étendant sur un linge. Réfrigérez et ajoutez une vinaigrette ou autre sauce au moment de servir.

Lorsque les haricots sont préparés d'avance, faites-les cuire et procédez comme s'ils allaient être servis froids. Pour les réchauffer, mettez les haricots froids dans une casserole et remuez avec 1 c. à table (15 mL) de beurre fondu chaud par livre (500 g). Assaisonnez, couvrez et laissez réchauffer à feu très doux. N'arrosez pas les haricots verts de jus de citron ; cela leur donne une apparence fanée.

Haricots verts à la crème fraîche

L'oignon et la crème sure leur donnent une saveur spéciale.

2 c. à table (30 mL) chacun de beurre et de farine
1/4 c. à thé (1 mL) de poivre
1 c. à thé (5 mL) chacun de sucre et de sel
1 oignon moyen, râpé
1 tasse (250 mL) de crème sure commerciale
1 1/2 lb (750 g) de haricots verts, frais

1/2 lb (250 g) de fromage cheddar râpé
1/2 tasse (125 mL) de chapelure
1 c. à table (15 mL) de beurre ou de margarine, fondu

Faites fondre le beurre, ajoutez la farine, mélangez bien. Retirez du feu, ajoutez sucre, sel, poivre, oignon et crème sure. Mélangez bien. Réservez.

Faites cuire les haricots verts selon la méthode préférée. Égouttez et mettez dans une casserole de 2 pintes (2 L), versez dessus le mélange de la crème sure, mélangez avec une spatule. Saupoudrez le tout de fromage râpé, de façon qu'il y en ait une couche assez épaisse. Mélangez le beurre fondu et la chapelure. Saupoudrez sur le fromage. Faites cuire à découvert, dans un four à 350°F (180°C), à peu près 30 minutes. *Rendement : 5 à 6 portions.*

Haricots verts ou jaunes à l'américaine

Vers 1920, le « Ladies Home Journal » publia une recette de betteraves sous le nom de « Harvard », et depuis ce temps, cette recette fut utilisée avec toutes sortes de légumes, les haricots n'y ont pas échappé — c'est différent et très agréable servi avec viandes ou volailles rôties.

3 tasses (750 mL) de haricots verts émincés
2 c. à table (30 mL) de cassonade
1 c. à table (15 mL) de fécule de maïs
1/2 c. à thé (2 mL) de sel
1/4 c. à thé (1 mL) de poudre de cari ou de sarriette
1/2 c. à thé (2 mL) de moutarde type Dijon
1/4 de tasse (60 mL) d'eau froide
1/4 de tasse (60 mL) de vinaigre de cidre
1 c. à table (15 mL) de beurre

Mettez les haricots verts dans une casserole, recouvrez-les d'eau bouillante et ramenez l'eau à ébullition, faites bouillir de 6 à 8 minutes. Égouttez dans une passoire.

Mesurez dans une casserole tous les ingrédients qui restent moins le beurre. Faites mijoter en brassant sans arrêt, à feu moyen, jusqu'à l'obtention d'une sauce crémeuse, lisse et transparente. Ajoutez les haricots verts cuits et bien égouttés. Mélangez avec soin. Couvrez et placez sur un feu très doux, durant 15 minutes. Ajoutez le beurre, brassez, vérifiez l'assaisonnement et servez. *Rendement : 4 portions.*

Les asperges

Pour les anciens Grecs, les asperges étaient un plat d'une grande délicatesse. Il y a bien longtemps qu'elles font les délices de nos tables. Tout comme les Grecs, nous considérons l'asperge comme l'aristocrate des légumes — au même rang que les artichauts et les cœurs de palmiers.

Le printemps est le moment parfait pour les apprécier, car elles sont en saison, mais hélas, une saison de courte durée. C'est le moment où leur prix et leur qualité sont à leur meilleur.

Voici quelques conseils sur la manière d'acheter, de préparer et de cuire ces tendres tiges vertes de la famille du lys.

À l'achat : choisissez des tiges vertes et fermes, plutôt cassantes que molles. Elles peuvent avoir 6 à 10 po (15 à 25 cm) de long, mais attention : choisissez-les petites ou longues, mais d'égale grosseur.

Une livre (500 g) donne 2 bonnes portions.

À la maison : voici comment les préparer pour les conserver, au plus 3 à 4 jours réfrigérées. Cassez la partie ligneuse de l'asperge en la tenant vers le milieu avec les deux mains, elle cassera là où elle doit. Maintenant prenez un plat rond, juste assez grand pour contenir les asperges, mettez-les dans le bol debout dans un paquet, tête en haut, et versez dans le plat assez d'eau pour couvrir 1/3 des tiges, attachez-les si vous n'avez pas de contenant qui les empêche de tomber ici et là.

Pour les cuire, jetez les asperges dans une bonne quantité d'eau froide et brassez-les car elles ont souvent beaucoup de sable — Ensuite, faites-les cuire selon votre goût.

Une autre méthode est de les détacher, et de les bien envelopper dans une feuille de papier d'aluminium et de les mettre à plat sur une grille du réfrigérateur — on fait alors le nettoyage au moment de la cuisson.·

La cuisson

1. Attachez ensemble en haut et en bas, en paquets de 8 à 10 asperges. Assurez-vous qu'elles sont toutes de la même longueur. Placez-les debout, dans le fond d'un bain-marie, versez-y 1 1/2 tasse (400 mL) d'eau bouillante. Ne salez pas. Couvrez avec le dessus du bain-marie renversé sur le fond. Faites bouillir à peu près 15 minutes ou jusqu'à ce que les têtes soient tendres, en évitant toutefois de trop les cuire. Elles seront très vertes et légèrement croquantes lorsque cuites à leur meilleur. Au goût, vous pouvez ajouter 5 à 8 minutes de cuisson. Retirez de l'eau avec une ou deux fourchettes, placez sur une

Si vous avez une surface de bois, un hachoir, un mélangeur, un mortier et un ▷ pilon, vous pouvez faire vous-même la saucisse. Le veau, le porc frais et même le bœuf peuvent donner des saucisses délicieuses. En variant les assaisonnements et les épices, vous pouvez varier les saveurs presque à l'infini.

serviette pliée en quatre, ne les détachez qu'au moment du service. Servez le beurre ou la sauce de votre choix à part, en laissant chacun en prendre à son gré.

2. Une seconde méthode est de couper chaque asperge nettoyée en deux en longueur jusqu'à 1 po (2,5 cm) de la tête. Placez dans un grand poêlon, les unes à côté des autres. Saupoudrez d'une pincée de sucre et recouvrez d'eau bouillante. Couvrez le poêlon et faites bouillir à feu modéré 5 à 7 minutes, selon la grosseur des asperges. Retirez de l'eau, et placez sur une serviette pliée en quatre. Assaisonnez et servez.

3. Voici la manière extravagante de les cuire. N'utilisez que les têtes des asperges et assurez-vous que chacune a la même longueur que l'autre, la longueur classique est de 3 po (8 cm), mais rien n'empêche de tricher un peu sur cette longueur. On utilise les bouts pour faire de la soupe ou en salade.

Laissez tremper les têtes 10 minutes à l'eau froide, égouttez bien. Faites cuire à la vapeur, 15 minutes. Servez.

Asperges amandines

Faites fondre 3 c. à table (45 mL) de beurre jusqu'à couleur noisette, jetez-y 1/4 de tasse (60 mL) d'amandes blanchies et émincées. Remuez à feu moyen jusqu'à ce que les amandes soient d'un beau doré. Versez sur les asperges égouttées et salées.

Asperges au jus

Faites cuire les asperges suivant la méthode 1 ou 2 donnée ci-haut, utilisant du consommé de poulet pour remplacer l'eau. Durant la cuisson des asperges, battez un jaune d'œuf avec le jus d'un demi-citron. Ajoutez une cuillerée de jus de cuisson en brassant fortement. Ajoutez ensuite au reste du consommé et battez avec un fouet métallique. Versez sur les asperges ou servez en saucière.

Asperges à la hongroise

Mettez les asperges cuites dans un plat de service, gardez au chaud. Mélangez 1 tasse (250 mL) de crème sure commerciale, 2 c. à table (30 mL) de jus de citron, sel et poivre au goût. Chauffez tout en brassant et sans laisser bouillir. Versez sur les asperges. Mesurez 1/2 tasse (125 mL) de chapelure fine, et versez dans 2 c. à table (30 mL) de beurre noisette. Jetez sur la sauce. *Quantité : cette quantité de sauce est suffisante pour 1 à 2 lb (0,5 à 1 kg) d'asperges.*

◁Pour la plupart des gens, la citrouille évoque le mardi gras et la tarte, sans plus. Mais il y a plusieurs autres plats délicieux que l'on peut préparer avec la citrouille. J'espère que vous aimerez quelques-uns de ceux que je propose dans ce livre.

Asperges à l'orientale

Cuites selon la méthode des légumes poêlés à la chinoise, les asperges conservent leur valeur nutritive, leur saveur délicate et en plus elles restent bien croquantes.

2 lb (1 kg) d'asperges fraîches
3 c. à table (45 mL) d'huile d'arachide
1 c. à thé (5 mL) de gros sel
1/2 c. à thé (2 mL) de sucre
3 c. à table (45 mL) d'eau froide
beurre doux au goût

Nettoyez les asperges et coupez-les en diagonale et le plus allongées possible, en morceaux d'à peu près 2 po (5 cm). Chauffez l'huile dans un grand poêlon ou un wok, ajoutez les asperges et remuez avec une cuillère de bois, jusqu'à ce que chaque morceau d'asperge soit huilé. Ajoutez sel et sucre, brassez quelques secondes, ajoutez l'eau. Couvrez et faites cuire à feu moyen, 3 à 4 minutes. Découvrez, ajoutez le beurre et servez aussitôt prêtes. *Rendement : 4 à 6 portions.*

Marinade d'été aux tomates

5 grosses tomates bien fermes
3 c. à table (45 mL) d'oignons verts hachés ou
3 c. à table (45 mL) de ciboulette hachée
1/2 tasse (125 mL) d'huile à salade
1/4 de tasse (60 mL) de vinaigre de cidre
1 gousse d'ail écrasée
2 c. à table (30 mL) de persil haché
1 c. à thé (5 mL) chacun de sucre et de cari
1/2 c. à thé (2 mL) de sel
1/4 c. à thé (1 mL) de poivre frais moulu

Tranchez les tomates, enlevez le cœur. Mettez dans un plat de service, saupoudrez chaque rang de tomates avec un peu d'oignons verts ou de ciboulette.

Mesurez le reste des ingrédients dans un pot de verre. Couvrez et agitez fortement. Versez sur les tomates. Ne mélangez pas. Couvrez et réfrigérez 1 à 12 heures.

Pour servir, égouttez la vinaigrette et placez les tranches de tomates marinées sur un lit de laitue échiffée. La marinade peut se conserver de 2 à 3 semaines, réfrigérée. *Rendement : 4 à 6 portions.*

Mousse de tomates fraîches

Servez dans un nid de cresson ou de laitue échiffée. Excellent plat léger pour le déjeuner ou au dîner avec un saumon poché froid ou chaud.

6 à 8 tomates moyennes pelées
3 c. à table (50 mL) de beurre
1 c. à table (15 mL) de sucre
1/2 c. à thé (2 mL) de basilic
2 c. à table (30 mL) de beurre
2 c. à table (30 mL) de farine
1 tasse (250 mL) de lait
1 enveloppe de gélatine non aromatisée
2 c. à table (30 mL) d'eau froide
1 tasse (250 mL) de crème riche

Versez de l'eau bouillante sur les tomates, laissez reposer 3 à 4 minutes, placez dans l'eau froide, pelez-les et coupez-les en quatre. Faites fondre les 3 c. à table (45 mL) de beurre dans une casserole, ajoutez les tomates, le sucre et le basilic. Faites mijoter 15 minutes, à feu lent, en brassant souvent.

Faites une sauce blanche avec la seconde portion de beurre, la farine et le lait.

Trempez la gélatine dans l'eau froide pendant 5 minutes. Ajoutez alors à la sauce blanche bien chaude. Brassez pour faire fondre la gélatine. Salez et poivrez. Ajoutez les tomates et battre avec un fouet métallique. Vérifiez encore une fois l'assaisonnement. Refroidissez une demi-heure. Fouettez la crème et incorporez la à la sauce refroidie. Versez le mélange dans un moule de votre choix ou dans des moules individuels. Couvrez et réfrigérez 12 heures. *Rendement : 6 portions.*

Casserole de tomates et d'aubergine

Vite préparée, cette casserole peut être réfrigérée de 8 à 24 heures, prête à mettre au four à l'heure du repas. Servez comme plat unique ou comme légume pour un dîner d'invités.

1 petite aubergine
4 tomates moyennes
1 petit oignon râpé
1 c. à table (15 mL) de persil éminé
1 c. à thé (5 mL) de sucre
1/2 c. à thé (2 mL) de basilic

4 biscuits soda écrasés
3 c. à table (45 mL) de fromage râpé

Pelez l'aubergine et coupez-la en cubes de 1/2 po (1,25 cm). Coupez en quatre les tomates non pelées, et mélangez à l'aubergine avec une fourchette. Salez et poivrez, ajoutez l'oignon, le persil, le sucre et le basilic, ainsi que les biscuits écrasés. Mélangez bien. Versez dans une casserole d'une pinte (1 L) beurrée généreusement. Saupoudrez avec le fromage et cuire dans un four à 375° F (190° C) jusqu'à ce que le plat soit bien doré et bien chaud, à peu près 1 heure. *Rendement : 4 portions.*

Tomates Vancouver

À un barbecue de saumon à Vancouver, on me servit cette délicieuse salade, préparée avec de très grosses tomates garnies d'une sauce tartare au citron. Je fais cette salade au moment où les tomates sont à leur meilleur.

6 à 8 grosses tomates non pelées
1 citron
1 tasse (250 mL) de mayonnaise
1/4 de tasse (60 mL) d'oignons verts, hachés
1/4 de tasse (60 mL) d'olives vertes, hachées
1/4 de tasse (60 mL) de persil frais, émincé
1 c. à table (15 mL) de sucre
ciboulette et estragon au goût

Pelez le citron, enlevez toute la peau blanche qui reste et coupez la pulpe en tout petits morceaux. Ajoutez-la à la mayonnaise ainsi que les oignons verts, les olives et le persil. Mélangez bien.

Lavez les tomates, coupez-les en tranches épaisses et placez-les joliment sur un plat à viande. Saupoudrez avec le sucre. Étendez la sauce sur le dessus, saupoudrez de ciboulette et d'estragon. Réfrigérez jusqu'au moment de servir. *Rendement : 8 à 10 portions.*

Petite courgette de jardin

Quoique la courgette (ou zucchini) appartienne à la famille des brassica (les choux), il est très doux. Ceux qui ne l'ont jamais goûté ne l'apprécieront que s'il est bien préparé. Il doit être frais cueilli et cuit à la vapeur ou poêlé et aussi bien aromatisé. Le zucchini aime particulièrement le basilic, le citron, l'oignon vert et le cerfeuil, le romarin, l'origan. Servi chaud au beurre, servi froid à la vinaigrette. Comme il est très apprécié des Italiens, on le trouve assez facilement chez les marchands italiens.

Betteraves mijotées

Mon légume préféré pour servir avec casseroles de tous genres, et surtout avec poisson. Pour détacher les doigts, frottez-les avec un morceau de citron.

4 à 6 betteraves moyennes
1/2 c. à thé (2 mL) de sel
1 c. à thé (5 mL) de cassonade ou de miel
la râpure d'un citron
le jus d'1/2 citron
1/4 c. à thé (1 mL) de grains d'anis ou de carvi
persil émincé au goût

Pelez et râpez les betteraves crues. (Si vous avez un mélangeur électrique, utilisez le couteau hachoir fin). Mettez dans une casserole de fonte émaillée. Ajoutez le sel, la cassonade ou le miel et la râpure de citron. Mélangez bien et laissez reposer 20 à 30 minutes. Mettez à feu lent, couvert, et faites mijoter 25 à 30 minutes, en brassant une fois pendant la cuisson. Ajoutez le jus de citron et les grains d'anis ou de carvi. Laissez mijoter 5 minutes. Saupoudrez de persil et servez. *Rendement : 6 portions.*

Betteraves soleil

Betteraves et oranges sont d'excellentes amies. Elles s'entraident pour accentuer leurs couleurs et leurs saveurs. Même les betteraves de conserve en dés sont excellentes préparées de cette manière.

la râpure d'1/2 orange
1/2 tasse (125 mL) de jus d'orange
2 c. à table (30 mL) de jus de citron
1/4 de tasse (60 mL) de sucre
1 c. à table (15 mL) de fécule de maïs
1/2 c. à thé (2 mL) de sel
2 c. à table (30 mL) de beurre ou de margarine
3 à 4 tasses (750 mL à 1 L) de betteraves cuites

Chauffez ensemble la râpure d'orange, le jus d'orange et le jus de citron. Mélangez le sucre avec la fécule de maïs et le sel. Ajoutez au jus d'orange, brassez vivement jusqu'à ce que le mélange soit crémeux et transparent. Ajoutez le beurre et les betteraves, coupées en dés. Chauffez et servez. *Rendement : 4 à 6 portions.*

Les artichauts

Il est facile de reconnaître l'artichaut en sachant que les botanistes le considèrent comme un cousin germain de la bette-carde, mais qui ressemble au chardon sauvage. C'est une sorte de tête de fleur qui se développe, dont les parties comestibles sont les parties charnues au bas de chaque feuille et le cœur en forme de petite assiette, considéré comme le morceau de choix. C'est un excellent légume, de digestion facile, qui présente une certaine valeur nutritive. Il est même considéré par plusieurs comme un véritable remède pour le foie. Ceci est surtout vrai si on fait une infusion avec les feuilles qui restent après le repas, car c'est surtout à leur extrémité qu'est la valeur médicinale.

Les artichauts sont en saison d'octobre à juin dans les secteurs froids de l'Amérique du Nord, mais plus longtemps dans les climats tempérés. On les trouve surtout sur les marchés italiens ou grecs. Ils sont petits, moyens ou gros. La grosseur n'affecte en rien la qualité, ce n'est qu'une question de préférence et de ce que l'on désire en faire.

Un bon artichaut doit être lourd, par rapport à sa taille, bien entendu. Il doit avoir des feuilles d'un beau vert et bien serrées autour du cœur. Si l'artichaut a des feuilles qui s'ouvrent en corolle, c'est qu'il est trop mûr, alors la cellulose de son cœur et de ses feuilles devient ligneuse et moins digeste. Les artichauts qui ont les pointes noires sont des artichauts qui ont été conservés trop longtemps.

J'aime servir l'artichaut seul, soit pour remplacer la salade, comme entrée, ou comme légume après la viande, parce qu'il est particulièrement difficile de le manger en même temps qu'un autre plat.

Pour le manger, il suffit de tirer sur chaque feuille, une à la fois, de saucer le bout charnu dans du beurre fondu ou dans une autre sauce de votre choix et de glisser la feuille entre ses dents pour en retirer la chair. On jette ou garde pour infusion le reste des feuilles.

Arrivé au cœur, qui est recouvert de petites feuilles piquantes et d'une sorte de duvet, on doit retirer tout ceci avec une cuillère ou même un couteau, et il reste alors le cœur, que l'on coupe en quatre, et que l'on savoure... presque les yeux fermés.

Pour cuire les artichauts

Coupez le bout de la tige avec un couteau bien tranchant, laissant à peu près 1 po (2,5 cm) de tige. Enlevez les quelques feuilles flétries à la base.

Avec des ciseaux, coupez les bouts piquants des feuilles. Lavez à l'eau froide et frottez le fond et le bout des feuilles avec un morceau de citron, ce qui empêche la décoloration.

Amenez une casserole d'eau à ébullition. N'utilisez pas d'aluminium ou de fonte noire, ce qui causerait une décoloration à l'artichaut. Assurez-vous qu'il y a assez d'eau pour bien recouvrir les artichauts. Mettez-les dans l'eau un à un et amenez encore une fois l'eau à ébullition. Comme ils ont tendance à flotter, il est nécessaire de les bouger 2 ou 3 fois pendant la cuisson, de manière à ce qu'ils gardent leur couleur. Faites bouillir 35 à 45 minutes ou jusqu'à ce qu'il soit facile de retirer une feuille.

Retirez-les de l'eau avec une écumoire et égouttez-les sur un plat. Servez chauds ou froids. Chauds, accompagnez-les de beurre et de jus de citron ou de sauce hollandaise; froids, servez-les avec une vinaigrette, ou une mayonnaise, ou avec de l'huile et du jus de citron mélangés.

La citrouille

Un dîner mémorable m'a fait voir toutes les possibilités que nous offre la citrouille. Un ami oriental à Vancouver, qui recevait à dîner, nous servit une soupe à la citrouille présentée de la manière qui suit. Ce potage à la mode chinoise, servi dans une grosse citrouille vidée, dont l'écorce avait été longuement polie avec un linge imbibé d'huile à salade, ensuite placée dans une espèce de couronne de fer noire et ayant de très jolies petites pattes, le tout placé sur une magnifique grande assiette de porcelaine blanche à bords dentelés.

La surprise venait de ce que la soupe à la citrouille était claire et légère, remplie d'huîtres, le tout ayant cuit directement dans la citrouille, de plus chaque bol servi contenait un morceau de la chair de la citrouille. Quelques petites fleurs et des filets de champignons noirs flottaient sur le tout.

Mon ami me dit qu'en Chine la citrouille est un symbole de santé et de prospérité. Je souris en me souvenant des rêves qu'éveillait chez moi, enfant, l'histoire de la citrouille qui devenait carosse d'or. On nous disait qu'il n'en tenait qu'à nous pour que pareille chose nous arrivât. Plus tard, ce furent les délices de ma saison favorite: l'automne, quand je regarde les couleurs magiques de septembre, et que je sens l'air frisquet qui donne la couleur de la paille (le doré de ma jeunesse) aux feuilles auparavant si vertes du maïs. Pour moi, c'est le symbole du bonheur tranquille.

Que de bonnes recettes à la citrouille se sont perdues avec les années, plusieurs sont même oubliées. Je me souviens d'un pouding à la citrouille, garni de crème épaisse levée de sur le petit lait, et le tout généreusement saupoudré de sucre d'érable.

Qui pense à la citrouille pense tarte et oublie que, tout comme pour le carosse d'or, on peut la transformer en soupe, en potage, pouding, gâteau, galettes, biscuits, desserts délicieux car c'est un légume qui a la faculté de s'adapter à toutes les sauces.

La France est reconnue pour son potage au potiron, crème délicate et dorée; des Indes, nous recevons un délicieux plat au cari, qui se sert comme plat principal; les Turcs nous offrent l'ara strambouli, un dessert intrigant, puisqu'on n'y reconnaît pas facilement la citrouille.

Pourquoi ne pas vous-même préparer votre purée de citrouille, à l'automne, pour ensuite l'utiliser de toutes sortes de manières jusqu'à la saison suivante?

Préparation de la purée

Une purée de citrouille est facile à transformer en tarte, pouding, galettes, gâteaux, etc.

Une fois cuite et refroidie, mesurez dans des récipients à congélation d'une ou deux tasses (250 à 500 mL). Inscrivez le contenu et la date sur la boîte et congelez. Vous pouvez la conserver de 10 à 12 mois. Il faut compter 4 à 5 heures à la température ambiante pour dégeler.

Voici comment faire la purée : lavez, coupez en quatre et enlevez les graines d'une grosse citrouille, pelez et coupez en cubes. Mettez dans un cuiseur à vapeur ou dans une grande passoire, placez sur l'eau bouillante, faites cuire à la vapeur 30 à 40 minutes ou jusqu'à ce qu'elle soit tendre. Passez au presse-purée ou au mélangeur électrique ou au tamis; le but est de faire une purée épaisse avec la citrouille cuite.

On peut aussi la laisser en cubes une fois cuite, mais elle ne se congèle pas bien sous cette forme.

Pour garder les cubes cuits, mettez-les en pots ou en boîtes de conserve et stérilisez sous pression de 10 livres, 55 minutes par chopine (500 mL).

Graines de citrouille grillées

Même les graines peuvent être utilisées. Si vous êtes allé au Mexique,

264

vous les connaissez sûrement. Mais voyez combien il est facile de les faire chez soi. Une fois grillées, elles se conserveront un an congelées et quelques mois au réfrigérateur, dans un bocal de verre fermé.

Enlevez les fibres des graines et mettez-les dans une casserole. Ajoutez assez d'eau froide pour bien recouvrir toutes les graines. Ajoutez 1 c. à thé (5 mL) de sel, couvrez et laissez mijoter à feu lent pendant 2 heures. Égouttez à la passoire et étendez sur papier absorbant, 4 à 8 heures, ou ce qu'il faut pour bien les assécher.

Étendez alors les graines sur une plaque à biscuits, versez quelques cuillerées d'huile végétale sur le tout et frottez-les bien entre vos mains pour huiler toutes les graines.

Mettez dans un four à 350° F (180° C) 20 à 35 minutes ou jusqu'à ce qu'elles soient dorées. Brassez 1 ou 2 fois avec une fourchette. Versez sur papier brun, salez au goût comme des arachides et laissez refroidir. Mangez telles quelles. Pour les servir chaudes, mettez au four à 350° F (180° C) pour 10 à 15 minutes. *Rendement : 2 à 4 tasses.*

Casserole d'aubergine et d'oignon

Recette d'origine turque, souvent nommée « délices du sultan ». Se sert chaude ou froide. Très agréable comme hors-d'œuvre, servie froide, pour un party autour d'un barbecue. Ne vous inquiétez pas des gros morceaux d'ail sur le tout, vous les goûterez à peine, l'ail fond dans les légumes au moment où vous les servez.

1 aubergine moyenne
2 gros oignons
3 grosses tomates
1/2 c. à thé (2 mL) de sucre
1/2 tasse (125 mL) de persil émincé
sel et poivre au goût
2 c. à table (30 mL) d'huile d'olive ou végétale
2 à 4 gousses d'ail coupées en quatre
1/4 de tasse (60 mL) d'eau froide
jus d'1/2 citron

Lavez l'aubergine et enlevez une tranche en haut et en bas. Pelez et tranchez 1/2 pouce (1,25 cm) d'épaisseur. Tranchez les oignons de la même épaisseur que l'aubergine. Tranchez les tomates, non pelées. Mélangez l'ail à l'huile.

Mettez les tranches d'aubergine dans le fond d'un poêlon moyen en acier inoxydable. Placez les oignons sur les aubergines et ensuite les tomates. Saupoudrez avec le sucre, le sel et le poivre. Saupoudrez le persil sur le tout et versez l'ail et l'huile sur le tout. Ajoutez l'eau froide et amenez à ébullition. Couvrez et laissez mijoter à feu lent 30 à 35 minutes. Ne brassez pas. Laissez en attente, si vous n'êtes pas prêt à servir.

Pour servir, découvrez, placez à feu vif pour bouillir et réduisez le liquide. Il ne doit rester que l'huile. Ajoutez le jus de citron et servez. *Rendement : 6 portions.*

Casserole de chou-fleur

J'aime beaucoup les casseroles composées de plusieurs légumes, mis en rangs superposés, sans être brassés. Celle qui suit et ma casserole d'aubergines et d'oignons sont mes favorites.

1 chou-fleur moyen
2 c. à thé (10 mL) de sel
3 tranches de bacon
2 tasses (500 mL) de mie de pain frais
1/4 à 1/2 c. à thé (1 à 2 mL) de graines d'aneth
2 grosses ou 3 moyennes tomates, tranchées
une pincée de poivre

Défaites le chou-fleur nettoyé en petits bouquets. Mettez dans une casserole avec 1 c. à thé (5 mL) de sel. Recouvrez d'eau bouillante, laissez bouillir sans couvrir 10 à 12 minutes. Évitez de trop cuire.

Faites frire le bacon croustillant et égouttez-le sur papier absorbant. Mélangez dans un bol la mie de pain, l'aneth, le bacon brisé en petits morceaux et 3 c. à table (50 mL) de gras de bacon.

Faites des rangs superposés dans l'ordre qui suit : tranches de tomate, sel et poivre au goût, chou-fleur bien égoutté, mélange-chapelure. Répétez si nécessaire, de manière à utiliser tous les ingrédients. Assurez-vous d'avoir le mélange-chapelure sur le dessus. Faites cuire au four préchauffé à 400°F (200°C) de 30 à 40 minutes ou jusqu'à ce que le dessus soit bien doré. *Rendement : 4 à 5 portions.*

Chou-fleur à la crème

Spécialité irlandaise; léger et doré, le chou-fleur à la crème à son meilleur.

1 chou-fleur
eau bouillante

2 c. à table (30 mL) de beurre
2 c. à table (30 mL) de farine tout-usage
1 1/2 tasse (400 mL) de lait
1/2 tasse (125 mL) de crème légère
1/2 tasse (125 mL) de fromage cheddar râpé
1/2 c. à thé (2 mL) de moutarde sèche
1 c. à thé (5 mL) de sel
1/4 c. à thé (1 mL) de poivre
2 œufs séparés

Nettoyez et divisez le chou-fleur en bouquets. Mettez dans une casserole. Recouvrez d'eau bouillante, faites cuire à feu vif, sans couvrir, 15 à 18 minutes, évitez de trop cuire. Égouttez bien.

Faites une sauce blanche avec le beurre, la farine, le lait et la crème. Lorsque lisse et crémeuse, ajoutez le fromage râpé, moins 2 c. à table (30 mL) que vous réservez, brassez et ajoutez la moutarde, le sel et le poivre. Retirez du feu et brassez jusqu'à ce que le tout soit très bien mélangé. Ajoutez les jaunes d'œufs à la sauce, un à la fois, en battant fortement à chaque addition. Battez les blancs d'œufs en neige ferme et incorporez-les à la sauce.

Mettez le chou-fleur dans un plat allant au four, recouvrez avec la sauce. Saupoudrez le tout avec le fromage râpé qui reste. Faites cuire le tout dans un four préchauffé à 350°F (180°C), 25 à 30 minutes. Servez aussitôt prêt. *Rendement: 6 portions.*

Pommes de terre nouvelles à la menthe

Quel plaisir en juillet de surveiller les petites fleurs blanches des pommes de terre, ce qui veut dire que dans quelques jours on pourra retirer de la terre les petites pommes de terre, qui ressemblent à de grosses billes rondes. C'est pour moi chaque année un plaisir renouvelé.

Un dicton chinois dit : « Ce qui pousse sous la même lune doit être mangé ensemble ». C'est bien vrai. Au moment des premières petites pommes de terre, il y a beaucoup de menthe fraîche dans le jardin, voilà pourquoi il faut les réunir !

Brossez les petites pommes de terre, fraîches cueillies, en leur laissant le plus de pelure possible.

Tapissez généreusement le fond d'un cuiseur à vapeur de feuilles de menthe fraîche. Placez les pommes de terre sur la menthe. Ne salez pas. Couvrez et faites cuire à la vapeur 20 à 30 minutes, selon leur grosseur et la quantité. Évitez de trop cuire. Mettez les pommes de terre cuites sur un plat de service. Préparez un beurre de menthe en mélangeant 2 c. à table (30 mL) de beurre et une égale quantité de menthe fraîche, hachée fin. Ajoutez au goût aux pommes de terre. Salez et servez.

Pommes de terre soleil

Ces petites galettes dorées, croustillantes et vite faites font un agréable repas léger, servies avec des œufs et du bacon.

4 grosses pommes de terre, pelées
1/2 c. à thé (2 mL) de sel
huile végétale

Râpez les pommes de terre, ajoutez-y le sel. Chauffez assez d'huile à salade, dans un poêlon de fonte, pour en recouvrir le fond. Chauffez à feu modéré. Versez-y les pommes de terre, par cuillerée à table (15 mL), les étendant aussi mince que possible. Faites dorer des deux côtés à feu modéré, ne les retournant qu'une fois. *Rendement: 4 à 5 portions.*

Pommes de terre purée à l'aneth

Quel intéressant mélange que celui du fromage blanc, de l'aneth et des pommes de terre. Excellent servi avec côtes de porc, poulet rôti ou simplement une salade verte.

4 tasses (1 L) de pommes purée chaudes
1 tasse (250 mL) de fromage blanc, de votre choix
3 c. à table (50 mL) de beurre
2 oignons verts, émincés
1/2 c. à thé (2 mL) d'aneth séché ou
1 c. à table (15 mL) d'aneth frais
1/2 tasse (125 mL) de fromage parmesan ou cheddar râpé

Battez ensemble la purée chaude de pommes de terre, le fromage blanc, le beurre, les oignons verts et l'aneth. Salez et poivrez au goût. Mettez dans un plat, saupoudrez du fromage parmesan et servez ou chauffez au four à 350°F (180°C) 15 minutes. *Rendement : 4 portions.*

Les champignons

Si vous avez une passion pour la saveur et la versatilité des champignons, espérons qu'avec moi vous arriverez à convaincre les non-passionnés des mérites de ce délicieux légume, aussi facile à servir comme plat quotidien que comme plat de grand dîner.

Voici quelques règles qui vous aideront à les apprécier :

1. Les champignons doivent être très frais, ce qui veut dire, lisses, blancs ou beiges, à texture ferme et non épanouie.

2. Les champignons beiges ont une saveur un peu plus prononcée que les blancs. Les deux sont également bons, ce n'est qu'une question de goût personnel.

3. Les champignons sont gros, moyens ou petits ou champignons boutons.

4. Généralement vendus en boîte d'1/2 lb (250 g) ou en vrac, à la livre (500 g); dans ce dernier cas, les grosseurs sont assorties ou ils sont d'une seule grosseur.

5. Ne laissez jamais les champignons frais tremper dans l'eau. Ne les lavez jamais à l'eau chaude, simplement rincez-les vivement sous l'eau froide courante, très facile à faire lorsque les champignons sont placés dans un tamis.

6. Certaines recettes demandent des champignons pelés. Pelez les gros champignons à partir des bords en allant vers le centre. Le petit champignon bouton se pêle comme une pomme, en spirale.

   Ne pelez que si la recette le demande.

7. Pour préparer les champignons à la cuisson, coupez une petite tranche au bout de la queue, ou si la recette demande de l'enlever, cassez-la plutôt que de la couper.

8. Séchez les champignons lavés sur des feuilles de papier absorbant. Faites cuire aussitôt nettoyés.

9. Ne pelez ni ne lavez jamais les champignons d'avance pour la cuisson, ils changeraient de couleur.

10. Avec les pelures et les bouts, vous pouvez faire un bouillon de champignons ou une soupe, ou en hachant finement les bouts, ajoutez-les à une sauce ou à un légume.

11. Lorsque les champignons deviennent mous, remplis d'eau et sans goût, ceci veut dire qu'ils sont trop cuits ou qu'ils ont été laissés en attente.

    Il faut les cuire à feu vif, aussi vite que possible, et juste au moment de les servir. Un champignon cuit de 30 secondes à 2 minutes, selon la grosseur. Il est nécessaire de les brasser sans arrêt.

Les champignons secs : dans les grandes villes, il est facile de trouver des champignons secs. Il sont très variés par la couleur, la forme et la saveur. J'aime souvent ajouter 1 ou 2 champignons secs à une sauce ou à un mélange de champignons frais, ce qui donne une saveur spéciale. Excellent dans les sauces pour spaghetti ou pizza. Avant d'utiliser les champignons secs, il est nécessaire de bien les laver sous l'eau froide courante, ensuite laissez-les tremper de 1 à 3 heures dans un bol d'eau chaude, égouttez-les et utilisez-les.

Pour les couper ou les émincer, utilisez des ciseaux.

Utilisez l'eau de trempage comme partie du liquide demandé par la recette ou utilisez pour soupes ou pour champignons étuvés.

Les champignons en boîte, entiers ou tranchés, ont une saveur différente des champignons frais ou séchés. Ils sont excellents dans une sauce blanche, des casseroles ou ragoûts. Tâchez d'ajouter leur liquide aux plats que vous préparez.

Frais, secs ou en conserve, les champignons ajoutent une note subtile et élégante à tout repas.

Les tomates du jardin de Monique

Les tomates d'hiver sont farineuses ou remplies d'eau à la cuisson, alors Monique nous avise de faire cette recette durant la pleine saison des tomates. Servez-les chaudes ou froides avec une tourte au saumon ou pour un souper d'été servi au jardin.

6 tomates moyennes
3 c. à table (45 mL) d'huile à salade
1 oignon coupé en rondelles
le zeste râpé d'1 citron
1 c. à thé (5 mL) de sucre
1 c. à thé (5 mL) de basilic ou d'origan
sel et poivre au goût

Lavez les tomates, taillez une tranche sur le dessus. Disposez-les dans une cocotte les unes à côté des autres. Arrosez-les de l'huile et recouvrez des rondelles d'oignon. Mélangez le zeste du citron, le sucre, le basilic ou l'origan, le sel et le poivre. Saupoudrez sur les tomates.

Faites cuire à découvert de 40 à 45 minutes, au four à 350°F (180°C). Servez chaudes ou froides. *Rendement : 4 portions.*

Le chou gratiné de ma mère

Le secret de la réussite de ce chou gratiné est la sauce blanche bien épaisse, et le four préchauffé. Servez aussitôt prêt. Parfait avec un rôti de boeuf.

4 tasses (1 L) de chou haché
1/4 de tasse (60 mL) de beurre
1/2 tasse (125 mL) de farine
3 tasses (750 mL) de lait
1 c. à thé (5 mL) de sel
1/2 c. à thé (2 mL) de poivre
1/4 de tasse (60 mL) de chapelure fine
2 c. à table (30 mL) de beurre fondu

Placez le chou haché dans une casserole de 2 pintes (2 L). Faites une sauce blanche avec le beurre, la farine et le lait. Salez et poivrez. Versez chaude sur le chou et bien mélangez le tout.

Mélangez la chapelure et le beurre fondu. Saupoudrez sur le dessus du chou. Mettez au four préchauffé à 400°F (200°C), faites cuire à peu près 20 minutes ou jusqu'à ce que le dessus soit doré et la sauce mijotant tout autour.

Servez aussitôt cuit. Pour être parfait, le tout sera chaud et croustillant et non pas mou et aqueux. *Rendement : 6 portions.*

Céleri à la crème à l'ancienne

Durant de longues années, il était indispensable de servir du céleri à la crème avec le rôti de veau, le poisson poché et les plats aux œufs — et pour cause ! Essayez vous-même, vous aurez peut-être la tentation de recréer cette « mode de table »

2 tasses (500 mL) de dés de céleri
1/2 tasse (125 mL) de feuilles de céleri, émincées
1/2 c. à thé (2 mL) de sel
1/2 tasse (125 mL) d'eau de cuisson du céleri
2 c. à table (30 mL) de beurre
2 c. à table (30 mL) de farine
3 oignons verts hachés fin ou
2 c. à table (30 mL) de ciboulette fraîche
1/2 tasse (125 mL) de lait ou crème légère
1 feuille de laurier
sel et poivre au goût

Mettez le céleri et les feuilles dans une casserole. Ajoutez le sel et versez 2 tasses (500 mL) d'eau bouillante sur le tout. Amenez à forte ébullition et faites bouillir 10 minutes. Égouttez tout en conservant 1/2 tasse de l'eau de cuisson.

Faites fondre le beurre, ajoutez la farine et les oignons verts ou la ciboulette. Mélangez bien et ajoutez l'eau de céleri, le lait ou la crème, le sel et le poivre. Faites cuire, tout en brassant, jusqu'à l'obtention d'une sauce légère. Ajoutez le céleri. Mélangez bien et servez.

Pour servir en casserole, mettez le céleri cuit dans une cocotte beurrée. Versez la sauce sur le céleri, et saupoudrez le dessus avec 1/2 tasse (125 mL) de fromage doux râpé. Faites cuire dans un four préchauffé à 350°F (180°C) jusqu'à ce que le dessus soit doré. *Rendement : 4 portions.*

Savoir-faire avec les oignons

La versatilité de l'oignon est extraordinaire — il est indispensable à notre cuisine, se cuit et se sert de toutes les manières, aromatise un plat avec force et subtilité — En résumé, il est indispensable dans une cuisine.

L'oignon fut un grand voyageur, il partit de la Syrie pour se rendre en Égypte, et de là fit le tour du monde et devint le légume universel. Son nom lui vient du mot latin *unio*, qui veut dire unité et plusieurs choses en une seule. En effet, il a des propriétés médicinales de réelle valeur ; on dit qu'il est un stimulant pour la digestion. Il contient de la vitamine C, des protéines et des sels minéraux. C'est l'huile volatile des oignons, riche en composés soufrés, qui leur donne leur saveur particulière, leur odeur et c'est aussi ce qui nous fait pleurer.

Il y a plusieurs variétés et types d'oignons, c'est une grande famille. L'oignon ordinaire s'achète partout, à l'année longue, d'autres sont saisonniers. Presque toutes les variétés d'oignons sont vendues séchées, à l'exception des oignons verts, des poireaux et de la ciboulette, qui sont vendus frais.

Les oignons jaunes : de forme ronde, variant comme grosseur de petit à gros, à saveur pénétrante. On les emploie pour bouillir, hachés dans les sauces et ragoûts et dans les soupes.

Les oignons espagnols : à peau brune ou jaune. Ce sont de gros oignons à saveur douce, excellents tranchés crus dans les salades ou pour frire en anneaux ou dans la cuisine orientale.

Les oignons blancs : à peau blanche, très petits à moyens, très doux. Utilisez entiers comme garniture de ragoût ou de rôtis ou dans les casseroles, et surtout dans le vinaigre, comme conserve.

Les oignons rouges : les gros sont souvent appelés « oignons italiens », ils sont doux et quelque peu sucrés, excellents servis en salade, tranchés mince ou dans les sauces délicates. Il y a aussi l'oignon rouge fort, souvent appelé l'oignon du Québec ; il est plus fort que le rouge de type italien, parfait pour les fricassées et les ragoûts ; toutefois, il est de plus en plus difficile à trouver.

Les oignons verts : jeunes oignons, qui se trouvent sur nos marchés 12 mois de l'année. La partie blanche et la partie verte se mangent. Émincée, la partie verte peut remplacer la ciboulette lorsque celle-ci est hors saison.

Voici la manière de les conserver plusieurs jours réfrigérés. Détachez-les, nettoyez-les en enlevant les feuilles flétries, surtout ne les lavez pas, ceci se fait au moment de l'utilisation.

Enveloppez-les dans un papier absorbant ou transparent et placez-les dans le tiroir à légumes du réfrigérateur. Ils sont délicieux cuits comme des asperges, servis sur pain grillé avec une sauce au beurre.

La ciboulette : bien connue, elle s'utilise de mille façons, à son mieux pendant l'été. Facile à cultiver, la ciboulette est un gentil plaisir gourmand.

La fine échalote française : un petit oignon rouge à pelure sèche, à saveur bien déterminée d'oignon, avec un cœur à saveur d'ail. Plutôt utilisée comme arôme comme les herbes aromatiques. Deux ou trois dans un plat sont suffisantes pour donner une saveur intéressante. Elles sont toujours coûteuses, parce qu'il y en a peu et que leur culture est un travail « fait main ».

Un oignon moyen contient à peu près 125 calories, voilà pourquoi il est recommandé de les servir bouillis avec jus de citron frais et sans beurre, saupoudrés généreusement de persil, de menthe ou de thym, dans les diètes amaigrissantes.

La moitié d'un gros oignon - 1 tasse (250 mL) d'oignon haché. Deux oignons moyens, jaunes ou rouges - 1 tasse (250 mL) d'oignons hachés.

Pour faire du jus d'oignon. Pelez et enlevez une petite tranche sur le bout de la racine de l'oignon et passez sur une râpe fine ou pressez comme une orange, en le tournant sur le pressoir.

N'ajoutez le jus d'oignon à un plat qu'au moment de le servir, car il perd vite sa saveur.

Pour donner une saveur délicate d'oignon à une casserole qui n'en contient pas, frottez bien le fond et le tour de la casserole avec une moitié d'oignon cru, avant d'y verser les ingrédients requis.

Pour conserver de l'oignon coupé ou des morceaux, mettez dans un pot de verre ayant un couvercle de verre ou de matière plastique, le couvercle en métal ayant tendance à rouiller.

Si l'on désire servir des oignons comme plat de légume, on compte généralement 1 lb (500 g) ou 4 à 6 oignons, pour 4 personnes. Comme plat principal, comptez 3 oignons moyens par personne.

Pelez les oignons partant de la racine allant vers le haut. Une petite tranche coupée à la racine permet de peler avec facilité les deux ou trois premières couches de l'oignon. Pour bouillir, il est préférable d'utiliser des petits oignons ou des moyens.

Pour épargner du temps et rendre le travail facile avec les gros oignons, tranchez-les avant de les peler. La pelure est alors très vite retirée de chaque cercle d'oignon. Il est important de faire une incision en forme de croix sur le haut de chaque oignon pelé qui doit bouillir, ceci est fait pour empêcher le cœur de l'oignon de sortir de son enveloppe.

Si vous faites bouillir les oignons entiers ou tranchés, ajoutez toujours à l'eau de cuisson une cuillerée à thé (5 mL) de jus de citron ou de vinaigre blanc, ce qui les rendra bien blancs et affinera leur saveur. Si un oignon devient foncé à la cuisson à l'eau, c'est qu'il est trop cuit ou qu'il n'y a pas suffisamment d'eau dans la casserole. Commencez à cuire les oignons d'hiver à l'eau froide et les oignons nouveaux à l'eau chaude. Selon leur grosseur, les oignons prennent 25 à 45 minutes à cuire couverts, à feu moyen.

Si le four est utilisé à 350° ou 375°F (180° ou 190°C), mettez les oignons pelés dans un plat de verre à four ou de terre cuite, à peine recouvrir d'eau chaude. Couvrez le plat et faites cuire de 20 à 40 minutes, selon la grosseur des oignons. Égouttez et finissez selon la recette. L'eau est excellente pour faire la sauce d'un poulet ou d'un rôti ayant cuit en même temps.

Voici une de mes méthodes favorites pour cuire des oignons servis nature comme légume. Mettez, non pelés, sur la grille du four, ou si vous le préférez, sur un carré de papier d'aluminium placé sur la grille. Faites-les cuire comme des pommes de terre au four, de 40 à 60 minutes, dans un four de 350° à 400°F (180° à 200°C). Pour enlever la pelure, coupez de haut en bas avec des ciseaux et tirez simplement la peau, garnissez de beurre et de persil. L'oignon cuit de cette façon vous offre une saveur parfaite.

274

Pour aromatiser les oignons, apprenez à connaître leurs affinités et faites votre choix : poivre frais moulu, muscade, paprika, thym, aneth, sarriette, moutarde du type Dijon, et clous de girofle entiers.

Pour enlever l'odeur des oignons sur les mains, rincez à l'eau froide, frottez vos mains avec du sel ou des feuilles de céleri ou un morceau de citron, ensuite lavez-vous les mains à l'eau froide avec du savon.

Rincez toujours vos couteaux à l'eau froide aussitôt le travail fini, essuyez bien.

Manière de frire les oignons

Pour que les oignons soient uniformément dorés et croustillants, pelez-les, hachez-les, tranchez-les ou taillez-les en cubes. Pour 6 à 8 oignons, faites chauffer 1 c. à table (15 mL) de beurre et 1 c. à table (15 mL) d'huile. Mettez-les dans l'huile chaude, ajoutez 1 c. à table (15 mL) d'eau froide et 1/2 c. à thé (2 mL) de sucre.

Commencez à faire dorer à feu vif, remuant souvent. Lorsque les oignons commencent à dorer, continuez la cuisson à feu moyen jusqu'à ce qu'ils soient bien dorés. Salez, poivrez et servez. *Rendement : 4 portions.*

Pour fondre les oignons à la française

Pour utiliser comme garniture ou pour ajouter à une sauce.

12 oignons moyens
1/4 de tasse (60 mL) de beurre ou de margarine
1 c. à thé (5 mL) de sel
une pincée de poivre
1/2 c. à thé (2 mL) de sucre

Pelez et tranchez les oignons 1/4 de pouce d'épaisseur (5 cm).

Faites fondre le beurre dans une poêle. Ajoutez les oignons tranchés et le reste des ingrédients. Laissez mijoter lentement, en brassant seulement quelques fois, durant 25 à 30 minutes.

Pour que les oignons soient légèrement dorés, faites cuire à découvert. Ils sont meilleurs s'ils cuisent lentement. *Rendement : 6 portions.*

Oignons frits à la française

Ces oignons peuvent être cuits, refroidis sur papier absorbant puis enveloppés et congelés. Ils se conservent de 3 à 4 mois. Pour les réchauffer, placez-les sans les dégeler sur une tôle à cuisson, les uns à côte des autres. Placez au four à 400°F (200°C) jusqu'à ce qu'ils soient chauds et croustillants, à peu près de 5 à 8 minutes.

2 gros oignons blancs
1 blanc d'œuf, légèrement battu
1/3 de tasse (80 mL) de lait
1/2 tasse (125 mL) de chapelure fine

Tranchez les oignons 1/4 de pouce d'épaisseur (5 cm). Défaites -les en rondelles.

Battez les blancs d'œufs légèrement et incorporez au lait. Trempez chaque rondelle d'oignon dans ce mélange puis roulez-la dans la chapelure.

Placez quelques rondelles à la fois dans un panier à friture profonde et plongez dans la friture chaude (375°F (195°C). Faites-les frire jusqu'à ce qu'elles soient bien dorées. Égouttez sur papier absorbant et servez aussitôt. *Rendement : 4 à 6 portions.*

Oignons délices

Au printemps, j'ajoute une livre ou deux (1/2 à 1 kg) de petits pois frais cuits en même temps que la crème. Pour un repas végétarien, ajoutez aussi 6 à 8 pommes de terre nouvelles.

18 à 20 petits oignons blancs moyens 1/4 de tasse (60 mL) de beurre ou de margarine
1/4 de tasse (60 mL) de crème épaisse

Pelez les oignons et mettez-les dans une casserole. Les recouvrir d'eau bouillante, saler au goût. Couvrez et laissez mijoter à feu moyen de 20 à 25 minutes. Égouttez.

Mettez le sucre et le beurre dans un poêlon de métal épais, et remuez à feu moyen pour faire fondre les deux. Ajoutez les oignons et remuez jusqu'à ce que les oignons soient glacés et brillants. Ajoutez la crème au moment de servir. Laissez mijoter jusqu'à ce que le mélange soit bien chaud, assaisonnez au goût et servez. *Rendement : 4 portions.*

Oignons à la crème

Un plat préféré sur lequel on peut toujours compter. Pour une occasion spéciale, entourez-les d'une couronne de petits pois frais ou surgelés.

276

8 à 10 oignons de moyenne grosseur
2 clous de girofle par oignon
1 c. à table (15 mL) de beurre
une pincée de thym
1 feuille de laurier
sel et poivre au goût
chapelure au goût
fromage râpé au goût

La sauce :

2 c. à table (30 mL) de beurre
2 c. à table (30 mL) de farine
1 1/2 tasse (350 mL) de liquide (eau de cuisson des oignons et du
lait pour remplir, au besoin)

Piquez 2 clous dans chaque oignon. Mettez dans une casserole. Recouvrez d'eau bouillante. Ajoutez le beurre, le thym, la feuille de laurier, le sel et le poivre. Ramenez à ébullition, puis laissez mijoter (ne laissez pas bouillir) à découvert, de 40 à 50 minutes. Retirez les oignons du liquide et faites bouillir l'eau à feu vif pour réduire de moitié.

Préparez une sauce blanche moyenne avec le beurre, la farine et l'eau de cuisson des oignons.

Versez cette sauce sur les oignons égouttés. Saupoudrez de chapelure et de fromage râpé. Faites dorer au four à 450°F (230°C) de 15 à 20 minutes et servir. *Rendement : 6 portions.*

Oignons madère

Excellents avec gibier, porc et bœuf rôtis.

1 1/2 lb (750 g) d'oignons blancs, petits ou moyens
1/4 de tasse (60 mL) de miel
1/4 de tasse (60 mL) de beurre
1 feuille de laurier
une pincée de clous de girofle moulus
1/2 tasse (125 mL) de madère sec
2 c. à table (30 mL) de raisins de Corinthe
1/2 tasse (125 mL) d'amandes émincées et grillées

Pelez les oignons. Faites fondre le beurre dans un poêlon, ajoutez le miel et brassez jusqu'à formation d'un sirop. Ajoutez les oignons et faites cuire à feu moyen, en brassant souvent le poêlon, de manière à glacer les petits oignons et à les faire dorer également. Facile à faire, si la chaleur reste constamment modérée. Ce travail requiert de 30 à 40 minutes.

Lorsque les oignons sont bien brillants et dorés, versez-les dans un plat allant au four, ajoutez la feuille de laurier et le clou. Salez et poivrez au goût. Versez le madère et les raisins secs sur le tout. Couvrez, un papier suffit. Faites cuire au four préchauffé à 350°F (180°C), à peu près 25 à 30 minutes. Le jus qui reste autour des oignons peut être ajouté à la sauce du rôti. *Rendement : 6 portions.*

Sauce à l'oignon

Une recette ancienne qui mérite d'être conservée. Le sens inné d'économie de nos grands-mères leur avait fait découvrir la valeur des pelures d'oignons pour colorer et aromatiser. Faites-en une double recette et conservez au congélateur ou au réfrigérateur pour garnir, rehausser ou réchauffer une foule d'aliments.

> *la pelure de 3 à 4 gros oignons rouges ou jaune foncé*
> *1 petit oignon, haché fin*
> *3 c. à table (250 mL) de consommé*
> *2 c. à table (30 mL) de margarine ou gras de bacon*
> *1/2 tasse (125 mL) de farine*

Mettez les pelures d'oignon dans l'huile chaude, remuez à feu moyen jusqu'à ce que l'huile rougisse ou jaunisse.

Retirez la pelure de l'huile, ajoutez l'oignon haché et brassez jusqu'à ce qu'il soit légèrement doré. Mettez la margarine ou le gras de bacon dans un poêlon de métal épais, à feu moyen. Lorsque le mélange est fondu, ajoutez la farine et faites cuire en remuant sans cesse jusqu'à ce que le mélange soit doré. C'est un roux de base. Ajoutez aux oignons. Remuez et ajoutez le consommé. Brassez jusqu'à ce que le mélange soit crémeux et lisse. Assaisonnez au goût. Coulez. Réchauffez au besoin. *Rendement : environ 2 tasses (500 mL).*

Marinade d'été sans cuisson

Savoureuse et attrayante. Conservez au réfrigérateur dans un plat de verre ou un bocal, de 6 à 8 jours. On peut remplacer le concombre par 1 tasse de céleri taillé en languettes.

> *3 à 4 oignons moyens, tranchés mince*
> *1 piment vert tranché mince*
> *1 tomate pelée et tranchée mince*

1 concombre pelé et tranché mince
le jus d'un citron
1/2 tasse (125 mL) de vinaigre de cidre ou de vin rouge
2 à 4 c. à table (30 à 60 mL) d'huile à salade

Mélangez tous les ingrédients et conservez au réfrigérateur jusqu'au moment d'utiliser. *Rendement : 4 à 6 portions.*

Les poireaux

Les poireaux appartiennent à la famille des lys. On peut donc dire qu'ils sont les « purs » et « doux » de la famille des oignons. Ils ne sont pas toujours faciles à trouver et ils sont plutôt chers, excepté à l'automne quand on en trouve en abondance.

En France, où ils font partie de la cuisine de tous les jours, on les nomme « les asperges du pauvre ». Au pays de Galles, non seulement on les cultive en grande quantité, on les cuisine à la perfection, et de plus ces messieurs de Galles les portent en panache sur leurs chapeaux les jours de fête. C'est l'emblème de leur pays.

Les poireaux ont de longues feuilles plates et vertes, bien serrées les unes sur les autres, le bulbe, qui est le bout de la racine, est blanc et long, c'est la partie délicate. Mais tout est comestible, le vert et le blanc.

Préparation pour la cuisson

Coupez le bout de la racine et à peu près 2 po (5 cm) dans le haut des feuilles vertes. Pelez la première feuille du haut en bas. Faites une incision du haut en bas de la partie verte, ouvrez et lavez bien, sous l'eau froide courante; l'intérieur des feuilles contient souvent beaucoup de sable ou de terre, alors ouvrez bien les feuilles vertes, pour vous assurer qu'il ne reste pas de sable.

Cuisson

Les poireaux se cuisent et se servent un peu comme le céleri et les asperges. On peut les blanchir 20 minutes (surtout la partie blanche) et vivement les rafraîchir à l'eau froide, ceci pour les servir en salade ou en hors-d'œuvre avec une vinaigrette-citron.

On les utilise aussi dans les soupes, les sauces et comme garniture.

Sauce aux poireaux et aux tomates

Une sauce, lorsque servie sur des nouilles ou autres pâtes au choix. Une casserole, lorsque versée sur du poulet cuit, en dés, ou du bœuf haché, recouverte de croûtons et cuite au four de 15 à 20 minutes, ou simplement une sauce pour accompagner le poisson ou le poulet.

4 à 6 poireaux
3 c. à table (45 mL) d'huile à salade
1 gros oignon émincé
1/2 tasse (125 mL) de carottes crues, râpées
1 tasse (250 mL) de tomates fraîches, en dés
1 c. à thé (5 mL) de sucre
1/2 c. à thé (2 mL) de sel
1/2 c. à thé (2 mL) de basilic
poivre au goût

Nettoyez les poireaux et coupez-les en morceaux d'un pouce (2,5 cm), les parties vertes et blanches.

Chauffez l'huile, faites-y dorer les oignons à feu vif. Ajoutez les carottes, tomates, sucre, sel, poivre et basilic. Brassez bien et laissez mijoter 5 minutes. Ajoutez les poireaux et laissez mijoter, couvert, 20 minutes ou jusqu'à ce que les poireaux soient tendres et que la sauce ait épaissi légèrement. *Rendement : 3 tasses (750 mL).*

Poireaux braisés

Au printemps, les grands restaurants de Paris les servent avec élégance comme légume. Au Canada, les délicats et jeunes poireaux sont à leur meilleur à la fin de juillet.

6 jeunes poireaux
4 c. à table (60 mL) de sucre
1/2 c. à thé (2 mL) de sel
une pincée de poivre
le jus d'un citron

Lavez les poireaux. Laissez-les entiers, mais taillez-les tous de la même longueur. Étalez-les à plat dans un poêlon. Recouvrez-les d'eau bouillante, mettez le couvercle et faites bouillir 10 minutes. Égouttez l'eau. Remettez-les dans le poêlon.

Faites brunir le beurre jusqu'à couleur noisette et versez sur les poireaux. Saupoudrez de sel, de poivre et de sucre. Faites cuire à découvert 20 minutes, à feu moyen, retournant une fois. Arrosez de jus de citron au moment de servir. *Rendement : 4 à 5 portions.*

La ciboulette

Ces petits bulbes légers et gracieux sont vivaces. En ce qui me concerne, je les trouve indispensables l'été dans mon jardin, l'hiver, dans un grand pot — mais je suis certaine, chaque année, que le printemps est arrivé pour de bon lorsque je puis en couper un petit bouquet dans le jardin, pour faire l'omelette-ciboulette du printemps. C'est le membre le plus doux de la famille des oignons. On dit qu'elle stimule l'appétit et renforcit l'estomac. Je ne sais si cela est vrai, mais ce qui est certain, c'est que je ne saurais m'en passer dans ma cuisine.

Mayonnaise à la ciboulette

La ciboulette et la mayonnaise donne un mariage parfait. J'aime servir cette mayonnaise sur des crevettes ou du homard refroidis ou sur une darne de saumon froid poché.

1 grosse gousse d'ail
1 tasse (250 mL) de mayonnaise
3 c. à table (45 mL) de ciboulette fraîche, hachée
1 c. à table (15 mL) de persil frais haché
1 c. à table (15 mL) de pimiento haché
sel et poivre au goût

Enlevez une tranche de la gousse d'ail non pelée. Frottez l'intérieur d'un bol avec le côté coupé, en pressant fortement sur la gousse d'ail. Jetez-la. Mélangez le reste des ingrédients dans le bol. Versez dans un récipient de votre choix. Couvrez et mettez au réfrigérateur. *Rendement 1 1/4 tasse (300 mL).*

L'ail

Un autre membre de la grande famille des oignons —, peut-être le moins compris, quoique presque le plus vieux, puisque l'ail date de la première période grecque. Si vous n'aimez pas l'ail et que vous avez un jardin, pourquoi ne pas en semer quelques gousses, vous verrez une jolie plante avec de longues feuilles plates, d'un beau vert grisâtre, portant une fleur délicate en forme de boule à tête blanche. Chaque été, je cède à la tentation d'en couper quelques-unes pour piquer dans un joli bouquet de roses ou dans un bol de capucines à couleurs variées.

Il est amusant de constater que l'ail est aussi aimé que détesté. J'ai la conviction qu'à partir du moment où on apprend à l'utiliser à sa pleine valeur, on ne peut s'empêcher de l'apprécier. Ne soyez pas esclave des indications d'une recette lorsqu'il s'agit d'ail, on peut en mettre moins ou en mettre davantage sans gâcher la recette, puisque le rôle de l'ail est d'ajouter de la saveur et non de modifier la texture d'un plat.

Pour obtenir une saveur très douce d'ail, ajoutez la gousse d'ail requise sans la peler, ou retirez-la au moment du service, ou encore écrasez une gousse d'ail, non pelée, avec le plat de la lame d'un grand couteau. Ajoutez cette dernière à votre plat, sans la peler; elle est surtout employée de cette façon autour des rôtis de viande.

Vinaigre à l'ail

J'aime avoir à la main du vinaigre à l'ail; l'un fait avec du vinaigre de cidre, et un autre avec du vinaigre de vin blanc ou rouge. Il rehausse les salades d'été ou d'hiver, etc. Une cuillerée à table ajoutée à un ragoût de bœuf ou d'agneau, juste au moment de servir, éveille la curiosité. Utilisez-la pour aromatiser une sauce, ou encore versez-en un soupçon sur des œufs brouillés. Plus vous l'utiliserez, plus vous l'aimerez.

6 gousses d'ail
1 chopine (1/2 L) de vinaigre de cidre ou de vin blanc ou rouge
1 c. à thé (5 mL) de sucre
1/2 c. à thé (2 mL) de sel

Écrasez la gousse d'ail non pelée avec la lame d'un gros couteau. Ajoutez-la au vinaigre de cidre ou de vin avec le sucre et le sel. Agitez bien. Bouchez la bouteille. Laissez reposer de 2 à 6 semaines, selon que vous le désirez plus ou moins fort. Coulez-le dans une passoire fine, et embouteillez-le de nouveau. Il se conserve comme un vinaigre ordinaire.

De l'huile «à l'ail» peut se préparer de la même façon. Tout simplement, remplacez le vinaigre de cidre ou de vin par de l'huile d'olive pure.

L'échalote française

Une des gloires de la cuisine française. Chefs, grands ou petits, ménagères et cuisinières, ne voudraient cuisiner sans leurs échalotes.

C'est un mélange idéal d'oignon doux et d'ail, à peine perceptible. Même un petit morceau finement haché ajouté à une salade fait des merveilles de saveur. Elles coûtent cher et sont difficiles à trouver. Conservez-les dans un récipient ouvert, non réfrigérées, mais dans un endroit sec.

Voici quelques petites idées: émincez et saupoudrez au moment de servir, sur bifteck ou poulet grillé, ou mélangez aux amandes de la sole amandine, ou ajoutez à votre salade de pommes de terre.

Voici un petit truc de cuisine qui me fut donné par un chef français. Remplacez une échalote par un petit oignon jaune émincé : à peu près 2 c. à table (30 mL) mélangé avec 1/8 de c. à thé (0,5 mL) d'ail émincé.

Gâteaux, tartes, biscuits et bonbons

Voici quelques-uns de mes gâteaux préférés que je fais lorsque je dois servir jusqu'à 20 personnes. Le mélange peut s'effectuer en 20 minutes environ, avec l'aide d'un mélangeur électrique.

Gâteau au citron à la crème sure

Ce gâteau peut être conservé durant 3 semaines dans un endroit frais, enveloppé de papier d'aluminium.

1 tasse (250 mL) de margarine
2 tasses (500 mL) de sucre granulé fin
6 œufs
le zeste râpé de 2 citrons
4 tasses (1 L) de farine tout-usage
2 c. à thé (10 mL) chacune de soda et de poudre à pâte
1/2 c. à thé (2 mL) de sel
2 tasses (500 mL) de crème sure commerciale
1 1/2 à 2 tasses (400 à 500 mL) de brisures de chocolat
1 tasse (250 mL) de noix de Grenoble hachées (facultatif)
la garniture

Préparez deux moules de 9 X 13 po (22,5 X 32,5 cm) ou deux moules à couronne de 10 po (25 cm) ou trois moules à pain de 9 X 5 po (22,5 X 12,5 cm).

Mettez la margarine en crème légère à grande vitesse au mélangeur électrique. Ajoutez le sucre petit à petit et battez jusqu'à ce que le mélange soit léger et crémeux. Ajoutez les œufs un à un, en battant après chaque addition. Ajoutez le zeste de citron. Arrêtez le mélangeur.

Tamisez la farine avec le soda, la poudre à pâte et le sel. Ajoutez d'un seul coup au mélange en crème, versez la crème sure sur le dessus. Mélangez avec une spatule, juste pour couvrir la farine, mélangez ensuite à grande vitesse 2 minutes. Ajoutez les brisures de chocolat et les noix, battez une minute à grande vitesse.

Répartissez la pâte dans les moules, et faites cuire de 40 à 60 minutes au four à 350°F (180°C), selon les moules utilisés. Vérifiez la cuisson et laissez refroidir sur une grille à gâteau durant 10 minutes.

Démoulez sur un papier ciré et badigeonnez pendant qu'ils sont chauds avec le sirop suivant comme garniture; amenez à ébullition à feu doux 1 tasse (250 mL) de sucre, le jus d'un citron et 4 c. à table (60 mL) de jus d'orange frais ou de liqueur à l'orange. *Rendement : 20 à 30 portions.*

Gâteau léger à l'érable

C'est un gâteau léger comme une plume, recouvert d'un succulent glaçage. Le gâteau par lui-même se congèle très bien.

3/4 de tasse (200 mL) de sirop d'érable
4 oeufs séparés
1/2 c. à thé (2 mL) de vanille
1 tasse (250 mL) de farine tout-usage tamisée
1 c. à thé (5 mL) de poudre à pâte
1/8 c. à thé (0,5 mL) de coriandre moulue (facultatif)
1/4 c. à thé (1 mL) de sel
glaçage :
1 1/4 tasse (325 mL) de sirop d'érable
2 blancs d'oeufs

Faites bouillir les 3/4 de tasse (200 mL) de sirop d'érable précisément 2 minutes. Battez les 4 blancs d'oeufs ferme et mettez-les de côté. Battez les 4 jaunes avec la vanille jusqu'à ce que le mélange soit pâle, puis mélangez petit à petit au sirop bouilli.

Incorporez délicatement les jaunes d'oeufs aux blancs. Tamisez le reste des ingrédients secs ensemble 3 fois et incorporez au mélange des oeufs. Versez la pâte dans un moule à couronne non graissé de 9 ou 10 po (22,5 ou 25 cm). Faites cuire 50 minutes à 325° F (160° C), jusqu'à complète cuisson. Renversez alors le moule sur une grille à gâteau et laissez refroidir 1 heure. Pour démouler, passez un couteau tout autour pour détacher le gâteau du moule.

Pour faire le glaçage, faites bouillir le sirop d'érable jusqu'à ce qu'une boule ferme se forme lorsqu'on en verse dans de l'eau glacée 328° F (160° C) au thermomètre à bonbons. Battez les blancs d'oeufs ferme, ajoutez-y le sirop chaud, en battant sans arrêt avec un batteur électrique. Si vous utilisez un batteur à manivelle, versez un peu de sirop, battez, versez-en encore, battez. Continuez ainsi jusqu'à complète utilisation du sirop. Continuez à battre jusqu'à ce que le glaçage soit ferme ou jusqu'à ce qu'il soit refroidi. Recouvrez de ce glaçage le dessus et les côtés du gâteau. *Rendement : 1 gâteau*

Gâteau aux pommes

Ce délicieux gâteau à texture légère a remporté plus de rubans bleus que tout autre dans les foires champêtres au Canada.

1/2 tasse (125 mL) de graisse végétale
1/2 tasse (125 mL) chacune de sucre blanc et de cassonade
1 œuf
1 1/2 tasse (400 mL) de farine tout-usage
1/2 c. à thé (2 mL) chacune de poudre à pâte, soda, sel et cannelle
1/4 c. à thé (1 mL) de muscade
un soupçon de clous de girofle
1/2 tasse (125 mL) de babeurre
1 1/2 tasse (400 mL) de pommes pelées, hachées fin
1/2 tasse (125 mL) chacune de cassonade et de noix de Grenoble
   hachées
1/2 c. à thé (2 mL) de cannelle

Mettez en crème la graisse végétale, le sucre et la cassonade. Ajoutez l'œuf et battez 3 minutes. Tamisez la farine avec la poudre à pâte, le soda, le sel, la cannelle, la muscade et le clou de girofle. Ajoutez au mélange en crème en alternant avec le babeurre, puis incorporez les pommes.

Versez dans un moule de 8 X 8 po (20 X 20 cm) graissé et enfariné. Mélangez le reste des ingrédients et en saupoudrez la pâte. Faites cuire de 40 à 45 minutes au four à 350° F (180° C). Démoulez et servez chaud ou refroidi avec de la crème fouettée ou de la crème glacée. *Rendement : 1 gâteau carré*

Gâteau aux pommes Grasmere

Un léger gâteau, à texture rugueuse ; l'intérieur est un genre de sablé avec pommes crémeuses. Il peut être conservé de 8 à 10 jours, couvert, dans sa casserole, dans un endroit frais.

4 tasses (1 L) de farine tout-usage
1/2 c. à thé (2 mL) de sel
1 c. à thé (5 mL) de poudre à pâte
1/2 tasse (125 mL) de sucre
3/4 lb (200 mL) de beurre ou de margarine
2 œufs, battus
6 à 9 pommes
3/4 de tasse (200 mL) de sucre
1/2 c. à thé (2 mL) de cardamome

1/2 c. à thé (2 mL) de cannelle moulue ou
1 c. à thé (5 mL) de cannelle
1 tasse (250 mL) de sucre à glacer tamisé
le jus d'1/2 citron

Préparez un moule de 9 X 13 po (22,5 X 32,5 cm). Tamisez ensemble la farine, le sel et la poudre à pâte. Ajoutez la 1/2 tasse (125 mL) de sucre, coupez-y le beurre ou la margarine avec deux couteaux ou avec un couteau à pâtisserie jusqu'à ce que la pâte ait une apparence rugueuse. Ajoutez les œufs battus et mélangez avec les doigts. Divisez la pâte en deux, et abaissez-en une moitié dans le fond du moule. Râpez les pommes non pelées et recouvrez-en la pâte dans le moule.

Mélangez les 3/4 de tasse de sucre et les épices. Saupoudrez sur les pommes, abaissez-y délicatement l'autre morceau de pâte. (Il ne faut pas l'abaisser autant que la pâte du fond car la texture serait trop lourde).

Faites cuire 55 minutes au four à 325°F (160°C). Laissez refroidir dans le moule sur une grille à gâteau, puis glacez le dessus avec le sucre à glacer mélangé au jus de citron (il en faudra suffisamment pour obtenir une consistance qui permette de l'étendre). Coupez en carrés pour servir. *Rendement : 10 à 15 portions.*

Gâteau roulé

Le gâteau favori de mon mari est le gâteau moka français; le mien, c'est le gâteau roulé lorsque j'ai une bonne gelée maison pour le garnir. La gelée de cassis est ma préférée, et je mets 2 pétales de rose sauvage dans chaque verre. J'utilise toujours mon mélangeur électrique pour faire ce gâteau; un batteur électrique peut aussi être utilisé.

4 jaunes d'oeufs
1/2 tasse (125 mL) de sucre
1/2 c. à thé (2 mL) de vanille
4 blancs d'oeufs
1/3 de tasse (80 mL) de sucre
3/4 de tasse (200 mL) de farine tout-usage
1 c. à thé (5 mL) de poudre à pâte
1/2 c. à thé (2 mL) de sel
1/3 de tasse (80 mL) de sucre à glacer

Chauffez le four au préalable à 375°F (190°C). Beurrez (n'utilisez pas d'autre gras) un moule à gelée de 15 X 10 X 2 po (37,5 X 25 X 5 cm).

Mettez les jaunes d'œufs dans le bol du mélangeur et battez à grande vitesse jusqu'à ce que le mélange soit épais et mousseux, et d'un jaune pâle. Ajoutez petit à petit en battant la première 1/2 tasse (125 mL) de sucre et la vanille.

Battez les blancs d'œufs jusqu'à ce qu'ils forment une pointe molle, commencez alors à ajouter l'autre 1/2 tasse (125 mL) de sucre, 2 c. à table (30 mL) à la fois environ. Incorporez délicatement avec une spatule les blancs aux jaunes.

Tamisez ensemble la farine, la poudre à pâte et le sel. Incorporez au mélange des œufs jusqu'à ce que le tout soit homogène.

Étendez la pâte dans le moule préparé et faites cuire 18 à 20 minutes ou jusqu'à ce que la pâte remonte lorsque pressée du doigt, et soit légèrement dorée.

Saupoudrez un linge de sucre à glacer. Détachez les bords du gâteau avec une petite spatule et renversez-le sur la serviette sucrée. À l'aide de la serviette, roulez le gâteau, laissez-le reposer pour refroidir. Déroulez-le, tartinez-le de confiture ou de gelée au choix. Roulez-le et mettez-le sur un plat, saupoudrez-le copieusement de sucre à glacer. *Rendement : 1 gâteau roulé.*

Remarque : j'ai en ma possession le plat à gâteau roulé de ma mère ; c'est un long plat étroit de Limoges bleu, décoré de roses roses et d'arabesques dorées, il comprend aussi un couteau et des assiettes de service assortis. Il paraît qu'il est encore possible d'en obtenir, bien que ce soit difficile à trouver. Si vous aimez une table élégante, ce plat, rempli d'un gâteau roulé parfait, et servi avec du thé noir chinois parfumé d'un lys blanc ou d'une rose, ne s'oublie pas,

Petits gâteaux au citron

Ces petits gâteaux faisaient leur apparition dans l'édition de 1896 du *Boston School Cookbook*, dont je possède un exemplaire. J'ai réduit de moitié la recette, mais elle n'en perd aucunement de sa délicieuse saveur originale.

1/4 de tasse (60 mL) de beurre mou
1/2 tasse (125 mL) de sucre granulé fin
le zeste râpé d'1/2 citron
1 c. à thé (5 mL) de jus de citron
2 jaunes d'oeufs
2/3 de tasse (160 mL) de farine tout-usage
1/4 c. à thé (1 mL) de sel

1/8 c. à thé (0,5 mL) de soda
2 blancs d'oeufs

Mettez en crème légère le beurre et le sucre, et battez 5 minutes au batteur électrique. Ajoutez le zeste et le jus de citron et mélangez.

Battez les jaunes d'œufs jusqu'à ce que le mélange soit épais et jaune pâle, ajoutez au mélange du beurre et mélangez bien. (Il est important de bien battre la pâte car il n'y entre aucun liquide).

Tamisez ensemble la farine, le sel et le soda, puis ajoutez par cuillerées au mélange en crème, en battant fortement à chaque addition.

Battez les blancs d'œufs ferme, mais sans les assécher, et incorporez-les très délicatement à la pâte.

Mettez-les par cuillerées dans des moules à petits gâteaux de 2 po (5 cm) bien beurrés et enfarinés. Faites-les cuire à 350° F (180° C) de 20 à 30 minutes, ou jusqu'à ce que les petits gâteaux se détachent légèrement des moules. Démoulez sur une grille à gâteau et laissez refroidir. *Rendement : 16 petits gâteaux.*

Gâteau étagé Tom Collins

Il y a certains gâteaux que je fais toujours d'année en année. En voici un.

5 œufs
3/4 de tasse de sucre
1 tasse (250 mL) de rhum
1 tasse (250 mL) de chapelure très fine
1 tasse (250 mL) de noix de Grenoble hachées fin
1/2 c. à thé (2 mL) de cannelle
1/2 c. à thé (2 mL) de cardamome moulue
le zeste râpé d'un citron
1 c. à thé (5 mL) de poudre à pâte
2 c. à table (30 mL) de sucre
1 tasse (250 mL) d'eau bouillante
1/4 de tasse (60 mL) de gin
crème fouettée au goût

Séparez les œufs. Battez les blancs en neige. Avec le même batteur, battez les jaunes ajoutez le sucre et battez de nouveau jusqu'à couleur jaune citron. Ajoutez les 7 ingrédients suivants et brassez pour mélanger. Incorporez les blancs en neige.

Beurrez deux moules ronds de 8 po (20 cm) et répartissez-y la pâte.

Faites cuire 25 minutes au four à 350°F (180°C) jusqu'à doré. Démoulez sur un papier d'aluminium.

Préparez la garniture « Collins » en mélangeant le reste des ingrédients, et en remuant à feu moyen pour dissoudre le sucre. Versez 1/2 tasse (125 mL) du mélange sur chaque gâteau. Lorsqu'ils sont refroidis, mettez les gâteaux l'un sur l'autre. Enveloppez et conservez au réfrigérateur jusqu'au moment de servir.

Pour servir, recouvrez de fraises tranchées sucrées et de crème fouettée. (En hiver, je ne mets que la crème). *Rendement : 2 étages de 8 po.*

Gâteau à l'orange

1/2 tasse (125 mL) de beurre mou
1 tasse (250 mL) de sucre à fruits
2 oeufs
1 tasse (250 mL) de crème sure
1 orange non pelée
1 c. à thé (5 mL) de soda
2 1/2 tasses (625 mL) de farine tout-usage
1 c. à thé (5 mL) de vanille ou d'eau de fleur d'oranger

Graissez et enfarinez légèrement un moule de 8 X 8 X 2 po (20 X 20 X 5 cm). Mettez en crème légère le beurre et le sucre, ajoutez-y les oeufs et la crème sure en battant. Coupez l'orange en quatre et passez-la au hachoir. Ajoutez-la au mélange avec tout le jus possible, mélangez bien, ajoutez le soda et remuez quelques secondes.

Ajoutez la farine en trois opérations, remuant chaque fois pour bien mélanger. Ajoutez la vanille ou l'eau de fleur d'oranger (achetez-la à la pharmacie ou dans une boutique de gourmet), mélangez et versez dans le moule. Faites cuire à 350°F (180°C), 40 à 45 minutes, jusqu'à ce qu'il soit cuit. Ce gâteau se conserve très bien et peut être fait la veille du jour où il sera servi. Coupez-le en petits carrés et accompagnez d'un bol de crème fouettée sucrée. *Rendement : 1 gâteau carré.*

Gâteau bouilli aux raisins

Souvent désigné comme gâteau bouilli des pionniers, c'est un genre de gâteau aux fruits peu coûteux, qui se conserve très bien.

1 tasse (250 mL) de cassonade foncée
1/2 tasse (125 mL) de saindoux

1 tasse (250 mL) de raisins secs sans pépins
1 tasse (250 mL) d'eau chaude
1 c. à thé (5 mL) de soda
1 c. à table (15 mL) d'eau
1 ou 2 oeufs battus
1/2 c. à thé (2 mL) de sel
1 c. à thé (5 mL) de poudre à pâte
1 1/2 tasse (400 mL) de farine tout-usage
2 c. à thé (10 mL) de quatre-épices
1 c. à thé (5 mL) de clous de girofle
1 c. à thé (5 mL) de cannelle

Amenez à ébulliton tout en remuant, le sucre, le saindoux, les raisins et l'eau chaude, puis faites bouillir à feu moyen 5 minutes. Versez dans un bol et laissez refroidir.

Délayez le soda dans 1 c. à table (15 mL) d'eau. Ajoutez au mélange des raisins avec l'oeuf (2 oeufs donneront un gâteau plus riche), le sel, la poudre à pâte, et mélangez bien. Ajoutez la farine tamisée avec les épices, et battez jusqu'à ce que le mélange soit parfait.

Faites cuire dans un moule à pain graissé de 9 X 5 po (22,5 X 12, 5 cm), au four à 325° F (160° C) durant 1 heure, ou jusqu'à ce qu'il soit cuit. Laissez refroidir 10 minutes, puis démoulez sur une grille à gâteau. Lorsqu'il est refroidi, conservez-le enveloppé dans un papier d'aluminium dans un endroit frais. *Rendement : 1 gâteau*

Gâteau aux bananes de Monique au mélangeur

Il ne demande que dix minutes de préparation — ingrédients et casserole et cinq minutes pour mélanger, trente-cinq minutes de cuisson, pour obtenir deux gâteaux légers et délicieux de 9 po (22,5 cm). Il se conserve très bien et peut être mis au congélateur.

2 1/2 tasses (625 mL) de farine
1 1/4 c. à thé (6 mL) de poudre à pâte
1 1/4 c. à thé (6 mL) de soda
1/2 c. à thé (2 mL) de sel
1/2 tasse (125 mL) de noix de Grenoble
3 bananes mûres ou 1 1/2 tasse (400 mL) de bananes tranchées
3 oeufs
2/3 de tasse (160 mL) de beurre mou
2/3 de tasse (160 mL) de lait sur ou de babeurre
1 2/3 tasse (410 mL) de sucre
1 c. à thé (5 mL) de vanille

Mettez dans un bol les 4 premiers ingrédients.

Mettez les noix dans le mélangeur, couvrez et mélangez 2 secondes. Ajoutez-les à la farine.

Ajoutez le reste des ingrédients dans la jarre, couvrez et mélangez de 20 à 30 secondes ou jusqu'à ce que le mélange soit lisse.

Versez sur les ingrédients secs et remuez pour bien mélanger. Divisez la pâte et répartissez-la dans deux moules ronds à gâteau-étage de 9 pouces (22,5 cm) beurrés.

Faites cuire au four à 325°F (180°C) de 30 à 35 minutes, démoulez et laissez refroidir sur une grille à gâteau. *Rendement : 2 gâteaux d'un étage chacun.*

Préparation à gâteau au gingembre

Nellie Lyle Pattinson était bien en avance de son temps. Dans son livre de recettes *Canadian Cook Book*, publié d'abord en 1923 (une édition révisée fut publiée en 1977), elle donnait une recette de préparation à gâteau au gingembre épicé, que j'ai trouvée très utile, et que j'ai adaptée pour en faire ma propre formule.

9 tasses (2,5 L) de farine tout-usage tamisée
2 tasses (500 mL) de sucre
2 c. à table (30 mL) de poudre à pâte
3 c. à thé (15 mL) de soda
2 c. à thé (10 mL) de sel
4 c. à table (60 mL) de gingembre
2 c. à table (30 mL) de cannelle
1 tasse (250 mL) de graisse végétale très froide
1/2 tasse (125 mL) de gras de bacon très froid

Mélangez bien la farine, le sucre, la poudre à pâte, le soda, le sel, le gingembre et la cannelle, puis tamisez 2 ou 3 fois. Râpez la graisse végétale sur les ingrédients secs sur une râpe moyenne. Coupez-y le gras de bacon.

Lorsque le mélange est prêt, versez-le dans un contenant hermétique d'une pinte (ne tassez pas le mélange) et conservez-le dans un endroit frais. Généralement, je double la recette et j'en conserve une partie dans mon congélateur.

Pour faire le gâteau au gingembre : mélangez 1 œuf battu avec 3/4 de tasse (200 mL) de mélasse et 3 tasses (750 mL) du mélange au gingembre. Ajoutez-y en remuant 3/4 de tasse (200 mL) d'eau bouillante.

Faites cuire 35 à 40 minutes dans un moule graissé de 8 X 10 po (26 X 20 cm) au four à 325°F (160°C). *Rendement : 1 gâteau au gingembre.*

Gâteau sensationnel

Il y a plus de dix ans, je donnais cette recette au temps des Fêtes, et chaque année je continue à recevoir des douzaines de demandes à cette période. Elle vient des États-Unis, mais je n'ai jamais réussi à en découvrir l'auteur.

3/4 de tasse (200 mL) de farine
3/4 de tasse (200 mL) de sucre
1/2 c. à thé (2 mL) de poudre à pâte
1/2 c. à thé (2 mL) de sel
3 tasses (750 mL) de noix du Brésil écalées
2 paquets (454 g chacun) de dattes dénoyautées
1 tasse (500 mL) de cerises marasques, égouttées
3 œufs bien battus
1 c. à thé (5 mL) de vanille

Préchauffez le four à 300°F (150°C). Graissez, puis tapissez de papier ciré un moule à pain de 9 X 5 X 3 pouces (22 X 12 X 7 cm).

Mélangez bien la farine, le sucre, la poudre à pâte et le sel. Mettez dans un grand bol les noix, les dattes et les cerises. Versez-y la farine et mélangez avec les mains pour bien recouvrir les noix et les fruits du mélange. Ajoutez la vanille aux œufs battus et versez sur les fruits enfarinés. Mélangez avec les mains plutôt qu'avec une cuillère car c'est plus facile.

Étendez le mélange dans le moule préparé. Mettez au four préchauffé et faites cuire 1 heure et 45 minutes ou plus. Vérifiez la cuisson avec une paille. Laissez tiédir 15 minutes dans le moule sur une grille. Démoulez et enlevez le papier. Laissez refroidir complètement sur la grille. Enveloppez de papier transparent, puis de papier d'aluminium. Ce gâteau se conserve 3 mois au réfrigérateur, 6 mois au congélateur.

Remarque : il faut environ 2 lb (1000 g) de noix non écalées et 1 lb (500 g) de noix écalées.

Sauce au citron du Québec

Au Canada, au début de 1900, le citron était considéré un article de grand luxe qu'on ne pouvait se permettre qu'au temps des Fêtes; il fallait donc en tirer le meilleur parti. Tous ici aiment les sauces; celle-ci n'a jamais cessé d'être en vogue... et pour cause! Dans ce temps-là, elle accompagnait le pouding au riz ou le gâteau au gingembre. Aujourd'hui, en tout temps elle est la sauce au citron par excellence.

1 tasse (250 mL) de cassonade
1 tasse (250 mL) d'eau
1 citron non pelé tranché très mince
2 c. à table (30 mL) de fécule de maïs
2 c. à table (30 mL) d'eau froide

Mettez dans une casserole la cassonade, l'eau et les tranches de citron; faites bouillir 10 minutes. Épaississez la sauce avec la fécule de maïs délayée dans l'eau froide. *Rendement : 1 3/4 tasse (450 mL).*

Une pâte feuilletée formidable

Une façon rapide de faire une pâte feuilletée légère. Cette recette me vient de ma fille; elle l'utilise pour faire les napoléons, le seul ennui est de ne jamais réussir à en faire une quantité suffisante pour contenter tout le monde. Cette pâte a l'avantage de se conserver 2 semaines au réfrigérateur. Même au prix où sont le beurre et la crème sure, c'est encore plus économique que d'acheter ses pâtisseries.

1 tasse (250 mL) de beurre
1 1/2 tasse (375 mL) de farine tout-usage tamisée
1/2 tasse (125 mL) de crème sure commerciale

Coupez le beurre dans la farine avec deux couteaux ou un couteau à pâtisserie pour bien mélanger, ou pour l'obtention d'une consistance granuleuse. Remuez-y la crème sure avec une fourchette et mélangez bien. Divisez la pâte en quatre portions égales. Enveloppez chacune serrée, réfrigérez au moins de 8 à 12 heures avant d'utiliser.

Pour la cuisson, chauffez le four au préalable à 350° F (180° C). Abaissez une portion de pâte en un rectangle de 12 X 6 po (30 X 15 cm) sur une planche bien enfarinée. Mettez sur une plaque à cuisson non graissée. Faites cuire de 15 à 18 minutes ou jusqu'à ce que la pâte soit gonflée et dorée. Répétez avec les trois autres portions.

Lorsque la pâte est toute cuite, transférez-la avec soin sur des grilles à gâteau. Refroidissez complètement.

Pour faire des napoléons, égalisez tout autour avec un couteau tranchant, afin que tous les rangs soient égaux. J'utilise une feuille de papier que je coupe aux dimensions désirées (12 X 6 po) (30 X 15 cm), et j'y place la pâte pour la tailler. Avec un peu de pratique vous atteindrez rapidement la perfection. (Conservez les retailles, mettez-y un peu de confiture, recouvrez de crème fouettée ou de crème sure et servez comme dessert supplémentaire).

Mettez sur une grille un rang de la pâte taillée, le côté gonflé sur le dessus, pour la garniture de dessus du napoléon. Mettez un rang sur un plat de service, le côté gonflé sur le dessus, nappez de crème pâtissière froide et faites de même pour les troisième et quatrième rangs.

Garnissez le premier rang comme suit, et mettez-le sur les 3 autres :

1/4 de tasse (60 mL) de brisures de chocolat
1 c. à thé (5 mL) de graisse végétale
1 tasse (250 mL) de sucre à glacer tamisé
1 c. à table (15 mL) de sirop de maïs
1 c. à table (15 mL) d'eau
1/2 c. à thé (2 mL) de vanille

Faites fondre le chocolat et la graisse végétale au bain-marie. Remuez pour mélanger.

Mélangez dans une casserole le sucre à glacer, le sirop de maïs, l'eau et la vanille. Faites cuire à feu doux, remuant presque sans cesse jusqu'à ce que le glaçage soit lisse et brillant et adhère au dos d'une cuillère de bois. Évitez de trop cuire, car le glaçage durcirait. Retirez du feu. Versez délicatement sur le dessus du rang de pâte sur la grille. Étalez également avec une longue spatule de métal.

Versez le mélange chocolaté dans un piston à décorer. Avec une douille fine, faites des bandes en longueur à 1 po (2,5 cm) d'intervalle sur le glaçage. En utilisant un pic de bois ou de métal, chevronnez aussi à 1 po (2,5 cm) d'intervalle — tirant le pic délicatement de gauche à droite, puis de droite à gauche. Lorsque le glaçage a durci, placez avec soin ce rang sur les autres. Faites refroidir 1 heure avant de servir. En coupant, vous obtiendrez 6 pâtisseries.

Pâte à tarte au réfrigérateur

Conservez cette pâte à la main au réfrigérateur, enveloppée de papier d'aluminium; sortez-la une heure avant de l'abaisser. Elle est légère, feuilletée et d'un beau doré à la cuisson. Elle se conserve un mois.

5 tasses (1,25 L) de farine tout-usage
1/2 c. à thé (2 mL) de poudre à pâte
1 c. à thé (5 mL) de sel
1/4 de tasse (60 mL) de cassonade
1 lb (500 mL) de saindoux

1 oeuf
2 c. à table (30 mL) de vinaigre
eau froide

Tamisez ensemble la farine, la poudre à pâte, le sel et la cassonade. Coupez-y le saindoux avec 2 couteaux jusqu'à la grosseur de petits pois.

Battez l'œuf dans une tasse à mesurer, ajoutez le vinaigre et assez d'eau pour obtenir 3/4 de tasse (200 mL) de liquide. Versez sur la pâte, incorporez-y le liquide jusqu'à ce qu'elle forme une boule, pétrissez-la quelques secondes.

Enveloppez la pâte et réfrigérez-la. *Rendement : 4 croûtes doubles, ou 5 fonds de tarte et 5 dessus en bandes de pâte.*

Tarte au citron formidable

Une de mes tartes préférées. Je n'ai jamais réussi à en trouver une meilleure.

1 croûte de tarte de 9 po (22,5 cm)
1 1/2 tasse (400 mL) de sucre
1/4 de tasse (60 mL) de fécule de maïs
1 c. à thé (10 mL) de sel
1/2 tasse (125 mL) d'eau froide
1/2 tasse (125 mL) de jus de citron frais
3 jaunes d'œufs bien battus
2 c. à table (30 mL) de beurre
1 1/2 tasse (400 mL) d'eau bouillante
1 c. à thé (5 mL) de zeste de citron râpé

Mélangez dans une casserole le sucre, la fécule de maïs et le sel. Battez constamment avec un fouet, en ajoutant l'eau froide, le jus de citron et les jaunes d'œufs. Lorsque le mélange est lisse, ajoutez le beurre et l'eau bouillante. Brassez, puis amenez lentement le mélange à ébullition, à feu moyen, en remuant sans cesse. Lorsque le mélange commence à épaissir en bouillonnant, baissez le feu et faites mijoter 1 minute. Retirez du feu. Ajoutez le zeste de citron. Mélangez bien et versez ce remplissage dans une croûte de pâte au citron refroidie. Laissez refroidir, il se formera alors une mince pellicule sur le dessus ce qui empêchera la formation de gouttelettes sur la meringue à la cuisson.

297

La meringue

3 blancs d'oeufs
1/4 c. à thé (1 mL) de crème de tartre
6 c. à table (100 mL) de sucre

Battez les blancs d'oeufs à vitesse moyenne jusqu'à ce qu'ils moussent, ajoutez alors la crème de tartre. Battez à grande vitesse jusqu'à ce que les blancs perdent leur apparence mousseuse; continuez à battre à vitesse moyenne et ajoutez le sucre, 1 c. à table (15 mL) à la fois, battant à chaque addition. Remettez à grande vitesse et battez les blancs jusqu'à ce qu'ils soient fermes, mais encore luisants. Mettez d'abord la meringue tout autour de la tarte, puis repoussez-la délicatement avec une spatule vers le milieu. Faites cuire au four préchauffé à 350°F (180°C), 12 à 15 minutes ou jusqu'à ce que la meringue soit dorée. Refroidissez sur une grille, à l'abri des courants d'air. Il lui faut au moins 2 heures pour refroidir. *Rendement : une tarte de 9 po (22,5 cm).*

Ma tarte aux pommes favorite

pâte pour une tarte de 9 po (22,5 cm)
5 tasses (1,25 L) de pommes pelées tranchées
1/2 tasse (125 mL) de cassonade
1/2 c. à thé (2 mL) de cardamome
1 c. à thé (5 mL) d'essence de vanille
2 c. à table (30 mL) de dés de beurre

Mélangez dans un bol les tranches de pommes, la cassonade, la cardamome, le zeste de citron et l'essence de vanille. Remuez délicatement. Versez dans un fond de tarte non cuit. Parsemez de dés de beurre et recouvrez de pâte. Faites cuire au four préchauffé à 425°F (215°C), de 35 à 45 minutes ou jusqu'à ce que le dessus soit bien doré. *Rendement : une tarte de 9 po (22,5 cm).*

Tarte aux pommes avec raisins

Une très bonne tarte, à servir tiède avec de minces pointes de fromage cheddar fort, ou flambée au rhum.

5 ou 6 pommes
le jus d'1/2 citron
pâte à tarte pour 2 croûtes
1/2 tasse (125 mL) de sucre
1/3 de tasse (80 mL) de cassonade

1 c. à table (15 mL) de farine
1/4 c. à thé (1 mL) de coriandre moulue
1/2 c. à thé (2 mL) de cannelle
zeste râpé d'1/2 citron
zeste râpé d'1/2 orange
1/2 tasse (125 mL) de raisins secs épépinés
2 c. à table (30 mL) de jus d'orange
2 c. à table (30 mL) de beurre

Pelez les pommes, enlevez le cœur et taillez-les en tranches épaisses. Faites tremper les tranches dans l'eau froide additionnée de jus de citron pendant la préparation de la pâte. Tapissez de pâte le fond d'une assiette à tarte de 9 po (22,5 cm). Mélangez le sucre, la cassonade, la farine et les épices. Saupoudrez 1 c. à thé (5 mL) du mélange sur la pâte et frottez-la avec les doigts. Ajoutez le zeste râpé du mélange.

Mettez les tranches de pommes bien égouttées dans le fond de pâte, saupoudrez ici et là de raisins et du mélange de sucre. Alternez ainsi pour bien remplir, arrosez de jus d'orange et parsemez de dés de beurre.

Recouvrez de pâte, pressez tout autour et pincez le bord. Faites des incisions sur le dessus de la pâte et faites cuire au four à 400°F (200°C), de 35 à 40 minutes, pour obtenir un beau doré. *Rendement : 6 portions.*

Tarte à la rhubarbe

Cette spécialité estivale est parfumée à l'essence d'amande, un vieux truc qui fait des merveilles pour une tarte à la rhubarbe.

4 tasses (1 L) de rhubarbe coupée en bouts d'1/2 po (1,25 cm)
pâte à tarte pour une croûte simple de 9 po (22,5 cm) et bandes de
   pâte sur le dessus
2 œufs
2/3 de tasse (160 mL) de sucre
2 c. à table (30 mL) de farine
le jus d'1/2 citron
un soupçon de sel
1/4 c. à thé (1 mL) d'essence d'amande
2 c. à thé (10 mL) de sucre

Mettez la rhubarbe dans une assiette à tarte bien beurrée de 9 po (22,5 cm) tapissée de pâte. Battez légèrement les œufs, et brassez-y la première quantité de sucre, la farine, le jus de citron, le sel et l'essence d'amande, versez le tout sur la rhubarbe.

Entrelacez les bandes de pâte en forme de losange sur le dessus et saupoudrez des 2 c. à thé (10 mL) de sucre. Faites cuire à 450°F (230°C) 15 minutes, baissez ensuite la température à 350°F (180°C) et laissez dorer la pâte, environ 25 à 35 minutes. *Rendement : 6 portions.*

Tarte aux framboises de Chicago

J'ai découpé cette recette dans le Chicago Tribune en 1949, et je ne manque jamais de la sortir de mes dossiers chaque année durant la saison des framboises. C'est un excellent dessert très élégant.

2 c. à thé (10 mL) de gélatine non aromatisée
2 c. à table (30 mL) d'eau froide
1/2 tasse (125 mL) de sucre
1/8 c. à thé (0,5 mL) de sel
1/3 de tasse (80 mL) d'eau
2 blancs d'oeufs, battus en neige
1 c. à table (15 mL) de jus de citron
1 tasse (250 mL) de crème fouettée
1 fond de tarte cuit et refroidi de 9 po (22,5 cm)
3 à 4 tasses (750 à 1000 mL) de framboises
1/3 de tasse (80 mL) de sucre
4 c. à thé (60 mL) de fécule de maïs
framboises entières pour la garniture

Saupoudrez la gélatine au-dessus des 2 c. à table (30 mL) d'eau froide, et laissez reposer 5 minutes. Remuez dans une casserole la 1/2 tasse (125 mL) de sucre, le sel et le 1/3 de tasse (80 mL) d'eau jusqu'à dissolution du sucre, faites cuire ensuite jusqu'au stage d'une boule molle — 235 à 240°F (113 à 116°C) au thermomètre à bonbons.

Versez le sirop chaud en un mince jet sur les blancs d'oeufs battus, en battant sans cesse, ce qui est très facile avec un mélangeur électrique. Ajoutez le jus de citron et continuez de battre jusqu'à épaississement.

Laissez dissoudre la gélatine au-dessus de l'eau chaude jusqu'à ce qu'elle soit transparente. Versez doucement sur les blancs d'oeufs battus, battez une minute, et réfrigérez pour refroidir. Fouettez la crème, incorporez dans le mélange et versez dans le fond de tarte refroidi. Réfrigérez de 4 à 5 heures.

Mélangez les framboises (elles peuvent être mises en purée en les passant à travers un tamis pour enlever les grains, mais ce n'est pas nécessaire), le 1/3 de tasse (80 mL) de sucre et la fécule de maïs, faites cuire à feu moyen, en remuant constamment jusqu'à ce que le mélange soit épais et clair. Laissez refroidir et étendez au centre du fond de tarte. Garnissez tout autour avec des framboises fraîches ou de la crème fouettée, puis réfrigérez jusqu'au moment de servir. *Rendement : 6 à 8 portions.*

La tarte à la citrouille de ma mère

La seule différence entre la tarte à la citrouille de ma mère et tout autre tarte à la citrouille est le séchage de la citrouille avant de la mélanger aux autres ingrédients. Croyez-moi, c'est là la différence entre une tarte ordinaire et un magnifique dessert.

1 1/2 tasse (400 mL) de citrouille en purée, dorée
3 c. à table (50 mL) de farine tout-usage
1 tasse (250 mL) de cassonade pâle
2 tasses (500 mL) de lait
1 tasse (250 mL) de crème riche
1 c. à thé (5 mL) de cannelle
1/2 c. à thé (2 mL) de gingembre
1/2 c. à thé (2 mL) de muscade
2 œufs, bien battus
pâte à tarte pour 2 assiettes à tarte de 8 po (20 cm)
2 c. à table (30 mL) de sucre
un soupçon de gingembre ou de cardamome

Pour faire dorer la citrouille, mesurez 2 tasses (500 mL) de citrouille égouttée (ou en boîte). Beurrez copieusement le fond d'un grand poêlon de fonte. Faites-y cuire la citrouille à feu moyen, en remuant presque sans arrêt, et retournant le tout quelques fois pour tout assécher. Continuez ainsi jusqu'à ce que le mélange soit réduit à 1 1/2 tasse (400 mL). Il aura légèrement doré et la douceur naturelle de la citrouille en sera rehaussée.

Mettez la citrouille dorée dans un bol, saupoudrez de 2 c. à table (30 mL) de farine, ajoutez la cassonade, et remuez pour bien mélanger. Chauffez le lait juste au point d'ébullition, et ajoutez-y la crème, la cannelle, le gingembre et la muscade. Versez sur la citrouille. Mélangez et ajoutez les œufs. Battez le tout pour bien mélanger. Tapissez de pâte une assiette à tarte qui a un bon bord.

Mélangez les 2 c. à table (30 mL) de sucre, la c. à table (15 mL) de farine qui reste et le soupçon de gingembre ou de cardamome. Saupoudrez sur la pâte, ce qui empêche le fond de la tarte de devenir humide. Remplissez aux trois quarts du mélange de citrouille. Couvrez le tour de la tarte de papier d'aluminium pour l'empêcher de dorer trop rapidement.

Faites cuire 15 minutes dans le four préchauffé à 450°F (250°C). Réduisez la température à 325°F (160°C) et faites cuire encore 30 minutes. Maman savait que la tarte à la citrouille était cuite lorsque la garniture tremblait légèrement au milieu quand la tarte était remuée. Cette tarte se sert chaude ou froide avec des pointes de fromage cheddar canadien. *Rendement : 6 portions.*

Tarte citrouille-abricots

Il m'arrive de verser cette garniture de tarte dans de petits pots ou des petites coupes à dessert pour la faire cuire sans la croûte.

1 1/2 tasse (400 mL) de purée de citrouille
1 tasse (250 mL) d'abricots séchés cuits et écrasés
1/3 de tasse (80 mL) de beurre doux
3/4 de tasse (200 mL) de cassonade pâle
1/3 de tasse (80 mL) de crème légère
1/2 c. à thé (2 mL) de macis
1/4 c. à thé (1 mL) de muscade
zeste râpé d'1 orange et d'1 citron
1/4 de tasse (60 mL) de brandy
3 œufs séparés
1/4 c. à thé (1 mL) de sel
un fond de tarte de 9 po (22,5 cm) non cuit

Battez tous les ingrédients sauf les œufs, le sel et la pâte à tarte pour les bien mélanger. Battez les jaunes d'œufs et ajoutez-les, puis incorporez les blancs battus avec le sel.

Versez dans le fond de tarte et faites cuire à 400°F (200°C) 15 minutes. Baissez la température à 325°F (160°C) et faites cuire 30 à 35 minutes, ou jusqu'à ce que la garniture soit prise. Elle épaissit en refroidissant, alors évitez de la trop cuire. *Rendement : 6 portions.*

Tarte à la mélasse

Elle est aussi appelée tarte à la ferlouche, tarte à la pichoune. Quel qu'en soit le nom, la recette est la même, et elle est de celles qui sont presque oubliées.

1/2 tasse (125 mL) de farine

1 tasse (250 mL) de mélasse
1 tasse (250 mL) d'eau
1/2 tasse (125 mL) de raisins secs
1 c. à thé (5 mL) de beurre
1/4 c. à thé (1 mL) d'essence d'amande

Remuez ensemble dans une casserole la farine, la mélasse et l'eau, puis faites cuire à feu moyen-doux, en remuant sans cesse, jusqu'à ce que le mélange soit lisse et crémeux. Il est prêt lorsqu'il devient quelque peu transparent. Ajoutez les raisins, le beurre et l'essence d'amande. Brassez. Couvrez et laissez refroidir.

Versez dans un fond de tarte de 8 po (20 cm) cuit et refroidi. Couvrez légèrement de papier ciré. Servez froide telle quelle ou avec crème glacée ou crème fouettée. *Rendement : 6 portions.*

La tarte oubliée de Monique

Elle appelle ainsi ce fabuleux dessert parce qu'elle prépare la meringue et la fait cuire après le repas du soir. Le temps de cuisson écoulé, il faut éteindre le four et y oublier la tarte jusqu'au lendemain matin, c'est la méthode qui donne toujours une meringue croustillante qui n'est pas gommeuse au milieu. L'été, comme garniture ce sont tous les fruits frais en saison, recouverts de sauce au citron ; l'hiver, elle est magnifique garnie de boules de crème glacée recouverte de sauce à l'érable ou simplement remplie d'une garniture cuite à l'érable ou au citron.

4 blancs d'oeufs, ou la quantité requise pour 1/2 tasse (125 mL)
1/4 c. à thé (1 mL) de sel
1 c. à thé (5 mL) de vinaigre blanc
1 tasse (250 mL) de sucre
4 jaunes d'oeufs
2/3 de tasse (160 mL) de sucre
1/3 de tasse (80 mL) de jus de citron frais
2 c. à thé (10 mL) de zeste de citron râpé
sucre au goût (pour les fruits)

Battez les blancs d'oeufs légers. Ajoutez le sel et le vinaigre et continuez de battre jusqu'à ce que les blancs montent en pointe. Ajoutez la tasse (250 mL) de sucre, 1 c. à table (15 mL) à la fois, en battant une minute entre chacune des 6 premières c. à table (90 mL) ; le reste du sucre peut être ajouté rapidement, mais doit être bien battu à chaque addition.

Beurrez copieusement une assiette à tarte de 8 po (20 cm). Remplissez-la des blancs d'œufs, en creusant le milieu légèrement avec une cuillère pour former un genre de nid.

Faites cuire au four préchauffé à 250°F (120°C), 1 1/2 heure environ ou jusqu'à ce que la meringue soit dorée. Laissez dans le four jusqu'au lendemain ou laissez refroidir dans le four durant 2 heures, puis laissez sur une grille à gâteau jusqu'au moment de servir.

Garniture au citron : battez les jaunes d'œufs pour qu'ils soient épais et jaune pâle. Ajoutez le sucre, tout en battant, 1 c. à table (15 mL) à la fois. Ajoutez ensuite le jus et le zeste de citron, en remuant sans cesse ; faites cuire à feu doux jusqu'à consistance lisse et crémeuse, de 5 à 8 minutes environ. Évitez de laisser bouillir. Refroidissez, couvrez, puis réfrigérez.

Pour servir, glissez la meringue sur une assiette de verre, remplissez-la de petits fruits sucrés ou de fruits frais tranchés et arrosez de la sauce au citron. Pour ceux qui ne se préoccupent pas des calories, surmontez de crème fouettée. *Rendement : 6 portions.*

Tarte crémeuse au sirop d'érable

Je fais souvent cette tarte exquise sous forme de tartelettes que je recouvre d'une touche de crème fouettée pour un dîner ou un buffet.

pâte à tarte à votre choix
2 c. à table (30 mL) de beurre
2 c. à table (30 mL) de farine tout-usage
2 jaunes d'œufs
1 tasse (250 mL) de sirop d'érable
1/3 de tasse (80 mL) d'eau
1/2 tasse (125 mL) de noix de Grenoble hachées

Faites fondre le beurre et ajoutez-y la farine en remuant pour bien mélanger. Battez les jaunes d'œufs avec le sirop et l'eau. Ajoutez au mélange beurre-farine, et faites cuire au bain-marie jusqu'à consistance épaisse et crémeuse, en remuant presque tout le temps. Ajoutez les noix et laissez refroidir. Versez dans un fond de tarte de 8 po (20 cm) ou divisez entre 6 moules à tartelettes tapissés de pâte. Pour varier, saupoudrez les noix sur le dessus plutôt que de les mettre dans la garniture.

Pour faire une tarte chiffon à l'érable, battez 2 blancs d'œufs en neige, incorporez dans la crème d'érable cuite et refroidie, puis versez dans le fond de tarte cuit. *Rendement : 4 à 5 portions.*

Tarte au sucre

Je reçois chaque été des demandes pour cette tarte sucrée mais crémeuse. Les gens voyagent, ils la mangent dans les restaurants, et alors ils désirent avoir la recette, qui remonte à la découverte du Canada. Cette recette est celle que m'a enseignée ma grand-mère, mais il y en a bien d'autres.

pâte à tarte au choix pour une seule croûte
1/2 c. à thé (2 mL) de soda
1/4 c. à thé (1 mL) de vanille
1 1/2 tasse (375 mL) de sirop d'érable
1 tasse (250 mL) de farine tout-usage
1 tasse (250 mL) de cassonade foncée
un soupçon de muscade
1/3 de tasse (80 mL) de beurre

Tapissez de pâte une assiette à tarte de 9 po (22,5 cm). Brassez le soda et la vanille dans le sirop et versez dans la pâte.

Mélangez avec le bout des doigts le reste des ingrédients pour obtenir un mélange granuleux, puis étendez-le sur le sirop. Étendez un morceau de papier d'aluminium sous l'assiette à tarte, car il arrive souvent que le remplissage déborde à la cuisson. Faites cuire à 350°F (180°C) durant 30 minutes, et laissez refroidir; elle est meilleure froide. *Rendement: 6 à 8 portions.*

Cinq règles pour les sablés

1. Utilisez toujours du beurre (doux ou salé) de première qualité et à la température ambiante.

2. Utilisez de la farine de riz; généralement difficile à trouver, mais qui s'obtient assez facilement dans les boutiques d'aliments santé.

3. Tamisez la farine, la fécule de maïs et la farine de riz au moins 3 fois.

4. Faites cuire les sablés légèrement; ne les faites pas trop cuire jusqu'à ce qu'ils soient foncés, ni même dorés. Ils doivent être d'un beige pâle.

5. Laissez-les « mûrir » au moins 6 jours, bien couverts, dans un récipient de plastique.

Si vous suivez ces conseils, le succès vous est assuré. La recette peut, à votre gré, être réduite de moitié, mais n'oubliez pas qu'ils se conserveront quatre mois, bien couverts, dans un endroit frais. (Ne les réfrigérez pas.)

Les sablés de Noël

Au début des années 60, nous avions organisé un concours à la télé des meilleures recettes de sablés, qu'elles soient traditionnelles ou familiales. Je les ai toutes éprouvées... les 75 recettes ou plus qui furent reçues. Trois furent choisies comme gagnantes.

Monsieur A. remporta le premier prix. À cette époque, il était naturel que les hommes participent à ce qui était considéré du « domaine de la femme ». Les trois gagnants furent invités à venir faire leur recette respective à la télévision. Ma recette préférée est demeurée celle de monsieur A.

1 tasse (250 mL) de beurre
2 tasses (500 mL) de farine à pâtisserie tamisée
1/3 de tasse (80 mL) de sucre à fruits
1/3 de tasse (80 mL) de farine de riz

Utilisez une plaque à cuisson non graissée. Chauffez le four au préalable à 325° F (160° C). Temps de cuisson : 30 minutes.

Battez le beurre dans un grand bol avec une cuillère de bois pour le rendre très crémeux. Ajoutez la farine tamisée et battez fortement.

Mélangez le sucre à fruits et la farine de riz. Ajoutez au mélange du beurre et faites un mélange très homogène de tous les ingrédients. Couvrez le bol et mettez au réfrigérateur durant 1 heure.

Avec la paume de la main, abaissez la pâte à 1/4 de po (0,625 cm) d'épaisseur. Taillez avec un emporte-pièce de 2 po (5 cm). Mettez sur une plaque à cuisson non graissée. Piquez chaque sablé plusieurs fois avec une fourchette. *Rendement : 28 sablés ronds de 2 po (5 cm).*

Biscuits aux carottes aux flocons d'avoine

Autrefois, les enfants aimaient ces gros biscuits mous épicés, et maman disait qu'ils se conservaient très bien. Ils sont sûrement plus nourrissants que les marques commerciales.

1 tasse (250 mL) de cassonade pâle bien tassée
1/2 tasse (125 mL) de graisse végétale molle
2 œufs
1/3 de tasse (80 mL) de lait
1 tasse (250 mL) de carottes crues, râpées
1 1/2 tasse (400 mL) de farine tout-usage
1 c. à thé (5 mL) de poudre à pâte
1/2 c. à thé (2 mL) de soda

1/2 c. à thé (2 mL) de sel
1/2 c. à thé (2 mL) de cannelle et de muscade
2 tasses (500 mL) de flocons d'avoine
1 tasse (250 mL) de raisins secs épépinés

Mettez en crème légère le sucre, la graisse végétale et les œufs. Ajoutez le lait et les carottes, et brassez pour mélanger. Tamisez ensemble la farine, la poudre à pâte, le soda, le sel, la cannelle et la muscade. Ajoutez le reste des ingrédients et remuez jusqu'à ce que les raisins soient bien enrobés du mélange de farine.

Incorporez au mélange en crème — cette pâte est plutôt ferme. Laissez tomber par cuillerées sur une plaque à biscuits graissée et faites cuire à 350°F (180°C) 15 minutes environ, ou jusqu'à ce qu'ils soient bien dorés. *Rendement : 4 douzaines.*

Biscuits à la citrouille

Lorsque j'étais jeune, il était d'usage à l'Halloween de donner aux enfants des biscuits à la citrouille. Ils sont gros et mous et se conservent de 9 à 10 semaines au congélateur.

1/2 tasse (125 mL) de saindoux ou de gras de bacon
1 1/4 tasse (325 mL) de cassonade foncée
2 œufs
1 c. à thé (5 mL) de vanille
1 1/2 tasse (400 mL) de purée de citrouille
2 1/2 tasses (625 mL) de farine tout-usage
4 c. à thé (20 mL) de poudre à pâte
1/2 c. à thé (2 mL) de sel
1/2 c. à thé (2 mL) de cannelle
1/2 c. à thé (2 mL) de muscade
1 tasse (250 mL) de noix hachées
1 tasse (250 mL) de raisins secs

Mettez le saindoux en crème avec le sucre, puis ajoutez les œufs, la vanille et battez jusqu'à consistance légère et crémeuse. Ajoutez la purée et mélangez bien.

Tamisez la farine, la poudre à pâte, le sel et les épices, ajoutez au mélange en crème, puis ajoutez les noix et les raisins en brassant. Laissez tomber par grandes cuillerées (5 à 6 mL) sur une plaque à cuisson enduite de graisse. Faites cuire à 375°F (190°C) 15 minutes ou jusqu'à ce qu'ils soient dorés légèrement. *Rendement : 4 à 5 douzaines.*

Les carrés de Noël quatre saisons de Monique

De Noël, parce qu'ils sont faits avec du « mincemeat » (compote de raisins secs, pommes, amandes etc. liés avec de la graisse et conservés dans du cognac) en boîte, qu'elle garde à la main. Ils sont excellents avec une tasse de thé ou un verre de porto ou de cognac.

3/4 de tasse (200 mL) de margarine
1 tasse (250 mL) de cassonade
1 1/2 tasse (400 mL) de farine
1/2 c. à thé (2 mL) de soda
1 c. à thé (5 mL) de sel
1 tasse (250 mL) de flocons d'avoine
1 à 1 1/2 tasse (250 à 400 mL) de mincemeat
1 tasse (250 mL) de pommes non pelées râpées

Battez ensemble les 6 premiers ingrédients. Étendez la moitié du mélange dans un moule graissé de 13 X 9 po (32,5 X 22,5 cm). Pressez avec la main pour couvrir le fond.

Mélangez le « mincemeat » et les pommes, recouvrez-en le mélange. Saupoudrez le « mincemeat » du reste des ingrédients secs. Étendez et pressez délicatement sur le dessus.

Faites cuire au four préchauffé à 400°F (200°C), 25 à 30 minutes, ou jusqu'à ce qu'ils soient légèrement dorés. Coupez en carrés lorsqu'ils sont tièdes. *Rendement : de 9 à 12 portions.*

Croquants écossais de Monique

Ils sont mous le premier jour, croquants le lendemain ; ils se conservent longtemps et sont toujours un plaisir à servir tout autant qu'à manger.

1/2 tasse (125 mL) de beurre ou de margarine
1 tasse (250 mL) de cassonade
2 tasses (500 mL) de flocons d'avoine de tous genres
1/4 c. à thé (1 mL) de sel
1 c. à thé (5 mL) de poudre à pâte

Faites fondre le beurre dans un poêlon, ajoutez la cassonade et remuez jusqu'à ce qu'elle amollisse dans la sauce. Ajoutez les flocons d'avoine et le sel. Mélangez bien. Étendez aussi également que possible dans un plat bien beurré de 8 X 8 po (20 X 20 cm). Faites cuire au four à 350°F (180°C), 20 à 25 minutes, ou jusqu'à ce qu'ils soient dorés. Refroidissez de 20 à 30 minutes et taillez en barres ou en carrés. Conservez dans une boîte de plastique couverte. *Rendement : 12 à 16 carrés ou barres.*

Bonbons roses à la noix de coco

J'aime cette croyance qui remonte au moyen âge d'après laquelle c'est à la Saint-Valentin que les oiseaux ont commencé à s'accoupler. Je suis sûre qu'ils n'avaient jamais eu à supporter les froids intenses de février au Canada.

Cependant, même en dépit de la température, les traditions se perpétuent. Lorsque j'étais étudiante, nous donnions en cadeau des friandises spéciales, que nous faisions pour ceux que nous aimions, garçons et filles. Cette coutume est passée, mais le désir de manger des friandises nous est inné. Hélas! beaucoup trop.

Voici un des bonbons que je faisais enfant, et dernièrement il m'en fut offert lors d'un voyage dans l'Ouest; avec la différence que celui-là était blanc et on l'appelait « Ranch Candy ». Blanc ou rose, c'est un ancien « valentin » délicieux.

3 tasses (750 mL) de sucre
1 tasse (250 mL) de crème légère
3 c. à table (50 mL) de sirop de maïs
2 c. à table (30 mL) de beurre
1/2 c. à thé (2 mL) d'essence d'amande
1 c. à thé (5 mL) d'essence de vanille
1/8 à 1/4 c. à thé (0,5 à 1 mL) de colorant végétal rose
1 tasse (250 mL) de noix de coco

Remuez à feu doux dans une grande casserole le sucre, la crème et le sirop de maïs, jusqu'à ce que le sucre soit dissous.

Nettoyez les parois de la casserole avec un linge humide enroulé autour des dents d'une fourchette, ou avec un pinceau à pâtisserie. Couvrez alors la casserole et faites cuire 3 minutes pour déloger à la vapeur les cristaux de sucre qui pourraient encore y adhérer.

Découvrez et faites cuire à feu moyen, en remuant quelquefois, jusqu'à ce que le bonbon ait la consistance d'une boule molle dans l'eau froide, soit 240°F (112 à 115°C) au thermomètre à bonbons. Retirez du feu et mettez la casserole sur une grille à gâteau. Ajoutez le beurre, mais ne remuez pas.

Laissez tiédir jusqu'à ce que le dessous de la casserole puisse être touché à la main. Ajoutez le reste des ingrédients, puis battez jusqu'à ce que le mélange commence à perdre son luisant et se tienne. Assurez-vous d'une belle couleur rose.

Versez rapidement dans un moule à gâteau beurré de 8 X 8 po (20 X 20 cm). Tracez aussitôt des carrés avec un couteau tranchant ou utilisez un emporte-pièce en forme de cœur. Laissez refroidir une heure environ, brisez en carrés ou en cœurs et servez. *Rendement : 12 à 14 pièces.*

Fudge au caramel

Ce fudge, un des plus crémeux et des plus riches, est à peu près oublié. Il était un des favoris de la Saint-Valentin au cours des années trente, pourquoi ne pas le faire revivre?

3 tasses (750 mL) de sucre
2/3 de tasse (160 mL) d'eau froide
1 tasse (250 mL) de crème riche
1/8 c. à thé (0,5 mL) de soda
1/4 de tasse (60 mL) de beurre
1/2 c. à thé (2 mL) de vanille
1/2 lb (250 mL) de pacanes ou de noix de Grenoble

Mettez 1 tasse (250 mL) du sucre dans un poêlon avec l'eau. Remuez pour bien dissoudre le sucre, puis faites bouillir sans brasser jusqu'à ce que le sucre caramélise et soit d'un beau doré. Surveillez de près.

Mettez dans une grande casserole la crème et le reste du sucre et faites cuire à feu modéré, en remuant jusqu'à ce que le sucre soit dissous. Nettoyez la casserole comme pour la recette des bonbons roses à la noix de coco, puis ajoutez le sucre doré.

Poursuivez la cuisson, remuant quelquefois, jusqu'à la formation d'une boule molle dans l'eau froide — soit 235°F (110°C) au thermomètre à bonbons.

Ajoutez le soda en remuant rapidement, retirez du feu, ajoutez le beurre et faites refroidir comme pour les bonbons roses à la noix de coco.

Lorsque le mélange est tiède, ajoutez la vanille, les noix et battez jusqu'à consistance crémeuse. Versez rapidement dans un moule beurré de 8 X 8 po (20 X 20 cm), coupez en carrés et laissez refroidir. *Rendement : 1 lb (500 g).*

Sucre à la crème du Lac Saint-Jean

Un délicieux bonbon à l'érable, différent à cause de la farine et de la poudre à pâte dans la recette. Utilisez un thermomètre à bonbons pour vous assurez d'une cuisson parfaite. Il doit être épais, crémeux et fondant. Une charmante vieille dame originaire de la région du lac

Saint-Jean me fit cadeau de cette recette de famille, il y a environ 23 ans. Je m'en régale avec plaisir depuis des années.

2 tasses (1/2 L) de sirop d'érable
1 tasse (250 mL) de cassonade
1 tasse (250 mL) de sucre
2 c. à table (30 mL) de farine
2 c. à thé (10 mL) de poudre à pâte
2 tasses (1/2 L) de crème légère
un soupçon de sel
1 c. à table (15 mL) de beurre
2 c. à thé (10 mL) d'essence de vanille ou d'érable
noix de Grenoble au goût

Mettez dans une grande casserole tous les ingrédients, sauf le beurre et la vanille. Amenez à ébullition, à feu moyen, en brassant sans cesse. Le sirop gonflera au commencement de la cuisson, mais diminuera ensuite rapidement. Laissez mijoter à feu modéré jusqu'à 234 à 240° F (112 à 115°C) au thermomètre à bonbons (ou lorsqu'une goutte jetée dans de l'eau froide reste molle).

Retirez la casserole du feu. Ajoutez le beurre et la vanille, mais sans remuer. Laissez tiédir. Ajoutez ensuite les noix au goût et remuez jusqu'à ce que le sirop tourne en sucre. J'utilise mon batteur électrique, car ce travail est long si on le fait avec le batteur manuel. Versez dans un plat beurré, couvrez et laissez refroidir. *Rendement : 2 lb (1 kg)*

Croquants aux noix de Grenoble

Ce qui fait ici la différence, c'est la mélasse : une touche ancienne, mais délicieuse. Des arachides peuvent remplacer les noix de Grenoble, selon votre goût.

1 à 1 1/2 tasse (250 à 400 mL) de noix de Grenoble entières ou
d'arachides salées
3 tasses (750 mL) de cassonade pâle
2 tasses (500 mL) de mélasse
1/2 tasse (125 mL) de beurre ou de margarine
1 c. à table (15 mL) de vinaigre de cidre

Beurrez copieusement un moule de 8 X 8 po (20 X 20 cm). Saupoudrez également les noix dans le fond.

Mettez le reste des ingrédients dans une casserole et faites bouillir à feu modéré jusqu'à la formation d'une boule cassante dans l'eau froide, soit 260 à 265°F (121 à 130°C) au thermomètre à bonbons.

Versez immédiatement sur les noix aussi également que possible; ne grattez pas la casserole. Laissez refroidir sur une grille et brisez en morceaux pour servir. *Rendement : 16 à 18 morceaux.*

Petits cœurs de meringue

4 blancs d'œufs
un soupçon de sel
1/2 c. à thé (2 mL) de crème de tartre
1 tasse (250 mL) de sucre fin
1/2 c. à thé (2 mL) d'essence de vanille ou d'amande

Battez en mousse légère les blancs d'œufs avec le sel et la crème de tartre, avec un fouet ou un batteur à manivelle (un batteur électrique bat trop rapidement et ne permet pas à une quantité suffisante d'air de pénétrer dans les blancs). Saupoudrez 1 c. à thé (5 mL) de sucre sur les œufs et battez pour les incorporer complètement. Continuez à ajouter le sucre, 1 c. à table à la fois (15 mL), en battant fortement chaque fois. Lorsque tout le sucre est ajouté, ajoutez l'essence de votre choix en continuant de battre jusqu'à ce que les blancs soient fermes et se tiennent.

Recouvrez une plaque à biscuits de papier à congélation (ciré d'un côté). Formez les meringues en petits cœurs ou simplement en cercles, laissant 1/2 po (2,5 cm) entre les meringues.

Faites cuire au four à 300° F (150° C) jusqu'à ce que les meringues soient délicatement dorées. Selon la grosseur, la cuisson variera de 20 à 60 minutes.

Trois des sauces à dessert préférées de Monique

Monique sert l'une ou l'autre soit sur gâteau éponge, crème anglaise, crème glacée, pouding commercial, pommes au four et pouding au riz. Elles apparaissent en temps opportun ici et là; elles sont toujours un succès. Ces sauces se conservent de 4 à 5 semaines au réfrigérateur; 6 mois au congélateur.

Sauce à l'orange

Pour une sauce à crêpe de fantaisie, ajoutez simplement à la sauce 2 c. à table (30 mL) d'une liqueur à l'orange de votre choix.

1 1/2 tasse (375 mL) de jus d'orange frais
1/3 de tasse (80 mL) de jus de citron frais
zeste râpé d'une orange

3/4 de tasse (200 mL) de sucre
2 c. à table (30 mL) de fécule de maïs

Réservez 3 c. à table (50 mL) de jus d'orange. Versez le reste du jus dans une casserole avec le jus de citron, le zeste d'orange et le sucre. Amenez à ébullition, baissez le feu, remuez et laissez bouillir douce-ment 5 minutes. Délayez la fécule de maïs dans le jus d'orange réservé. Versez dans le sirop et remuez sans arrêt jusqu'à ce que la sauce soit crémeuse et transparente. Refroidissez, versez ensuite dans un bocal de verre. Couvrez er conservez au réfrigérateur. *Rendement : 2 1/2 tasses (625 mL).*

Sauce aux framboises

Elle peut être utilisée tout comme la sauce à l'orange, mais elle est à son meilleur sur tous les fruits pochés ou les fruits en boîte bien égouttés.

1 récipient de fraises surgelées
1/2 tasse (125 mL) de gelée de cassis ou de gadelle rouge
1/2 tasse (125 mL) de sucre
jus d'1/2 citron
2 c. à table de fécule de maïs
2 c. à table (30 mL) d'eau froide

Mettez les fruits surgelés dans une casserole avec la gelée et le sucre. Amenez à ébullition, en remuant souvent, et faites bouillir 3 minutes.

Mélangez le jus de citron, la fécule de maïs et l'eau froide. Ajoutez au mélange des framboises en remuant ; faites mijoter jusqu'à consis-tance crémeuse et transparente, en remuant souvent. Utilisez telle quelle, ou coulez-la pour enlever les graines. Conservez-la comme la sauce à l'orange. *Rendement : 2 1/4 tasses (625 mL)*

La meilleure sauce au chocolat

C'est moi qui dis qu'elle est la meilleure — elle est vraiment la plus facile. C'est une sauce commode à avoir à la main, pour verser sur la crème glacée, le gâteau éponge, les poires en boîte — ou même sur un biscuit digestif pour un dessert éclair.

un paquet de 12 oz (34 mL) de brisures de chocolat semi-doux
un soupçon de sel
1/2 tasse (125 mL) de crème sure commerciale
2 c. à thé (10 mL) de vanille

313

Faites fondre le chocolat dans le haut d'un bain-marie au-dessus d'eau chaude, mais non bouillante ; puis ajoutez-y en remuant le sel et la crème sure. Retirez du feu et ajoutez la vanille. Ajoutez plus de crème pour une sauce plus légère, et pour varier, ajoutez 1/2 tasse (125 mL) de noix hachées ou de guimauves miniatures en même temps que la vanille.

Cela se conserve 2 à 3 semaines au réfrigérateur, dans un bocal couvert. Pour réchauffer lorsque le mélange est froid et épais, placez le bocal dans un plat d'eau chaude à feu doux. *Rendement : 1 1/2 tasse (400 mL).*

Les Desserts

Je n'ai aucun complexe lorsqu'il s'agit de desserts; au contraire, j'ai plutôt l'impression d'avoir un plaisir sensuel en créant, préparant et servant un dessert parfait. Je triche avec mon plaisir et je m'illusionne en servant avec élégance des portions miniatures, soit dans des petits ramequins de porcelaine ou de jolies demi-tasses à café, ou des flûtes à champagne, etc., évidemment garnis avec soin. De cette façon, ma gourmandise est satisfaite et j'ai l'impression que le beau et bon dessert n'affecte en rien le régime alimentaire qui demanderait qu'on l'évite.

Après tout, le dessert reste la « grande scène » d'un bon dîner. On ne sait pourquoi, il nous donne une sensation de luxe, de bien-être et de détente et souvent devient sujet de conversation, surtout lorsqu'il est suivi d'une tasse de thé ou de café.

Il n'est pas du tout nécessaire d'être un professionnel ou un grand expert pour préparer un délicieux et même spectaculaire dessert. De longues années d'expérience m'ont appris que le point le plus important à observer est de servir des desserts saisonniers. Même un plat de fraises servies avec sirop d'érable ou vin rouge et sucre est superbe lorsque ces fraises sont cueillies près de chez vous; un fruit d'hiver poché servi avec un verre de liqueur rappelle les jours froids, les flambées sont des délices d'hiver; les framboises en juillet et août, les pêches en septembre, les soufflés froids, les tartes aux petits fruits, etc.; voilà de bons desserts d'été. Un joli panier de fruits assortis est un succès des quatre-saisons. Ce n'est malheureusement pas la coutume dans notre pays. Essayez pourtant, c'est facile, vous n'avez qu'à faire un choix de trois à six fruits différents, joliment placés dans un panier, mettre une jolie petite assiette devant chaque convive, et un bon couteau. À côté du panier de fruits, je place un plat de cristal rempli d'eau où quelquefois je mets une ou deux fleurs qui flottent. Chacun peut laver ses fruits à son gré. Il faut aussi bien choisir son dessert. Par exemple, on ne doit pas servir un dessert crémeux et blanc pour faire suite à un poulet avec sauce blanche. Les textures aussi bien que les couleurs et les saveurs doivent s'allier avec intelligence.

Le temps des fraises

Un des premiers délices d'été, c'est la fraise mûre, juste à point, petite ou grosse et si versatile. Les toutes premières de la saison doivent se servir aussi simplement que possible, non équeutées, placées sur une assiette blanche, autour d'un petit mont de sucre vanillé, accompagnées d'un verre de liqueur à l'orange ou d'un petit contenant d'eau de rose — cette dernière s'utilise au gré de chacun, quelques gouttes sur le sucre. Fraises et eau de rose sont une combinaison parfaite de saveur.

Il y a tant de fraises, et pour si peu de temps, lorsque la saison bat son plein, qu'il faut varier sa présentation et finir en beauté, en utilisant les dernières fraises pour faire de la confiture qui nous rappellera à tous les bons moments de l'été, l'hiver venu.

Voici quelques-unes de mes façons favorites de servir les fraises :

- prendre 3 bols, un grand rempli de fraises légèrement sucrées, un moyen rempli de crème sure, et un tout petit, rempli de racines de gingembre fraîches et râpées. Chacun se sert à son gré ;
- faire un mont de sucre à glacer, en saupoudrer le dessus de sucre rose, et entourer d'une couronne de crème fouettée non sucrée. Autour de la crème, mettre des fraises entières, non équeutées. Chacun roule la fraise dans le sucre et la trempe dans la crème. C'est une sorte de fondue à la fraise, où chacun se sert dans le plat placé au milieu de la table ;
- fouetter une tasse de crème avec une tasse de fraises tranchées et 6 à 8 pétales de roses sauvages (si possible) coupés en languettes avec des ciseaux, ou remplacer par 4 gouttes d'eau de rose. Utilisez cette crème fouettée comme garniture sur une pointe de gâteau éponge ;
- dans un plat de verre, faire des rangs alternés de fraises, de cassonade et de crème sure. Ne mélangez pas. Réfrigérez 5 à 8 heures avant de servir.

Pouding aux fraises et à la rhubarbe

On peut faire ce pouding soit seulement aux fraises soit seulement à la rhubarbe, mais il est loin d'être aussi bon ; tout simplement à cause de l'affinité qui existe entre les fraises et la rhubarbe.

1 tasse (250 mL) de sucre
1 tasse (250 mL) de jus de pomme
2 tasses (500 mL) de dés de rhubarbe
2 tasses (500 mL) de fraises tranchées

1 c. à thé (5 mL) de vanille
1 tasse (250 mL) de farine tout-usage
2 c. à table (30 mL) de sucre
1 1/2 c. à thé (7 mL) de poudre à pâte
1/2 c. à thé (2 mL) de macis
1/4 de tasse (60 mL) de beurre
1/4 de tasse (60 mL) de lait ou crème
sucre et muscade
beurre mou

Amenez à ébullition le sucre et le jus de pomme, en brassant jusqu'à ce que le sucre soit fondu. Retirez du feu, ajoutez la rhubarbe, les fraises et la vanille. Mélangez bien et versez dans un plat à pouding.

Tamisez ensemble la farine, le sucre, la poudre à pâte et le macis. Coupez-y le beurre avec un couteau, jusqu'à ce qu'il soit en petits morceaux. Ajoutez le lait ou la crème. Brassez juste ce qu'il faut pour mélanger le tout, en évitant de trop brasser. Versez par cuillerée sur les fruits, les unes à côté des autres. Mélangez sucre et muscade au goût, saupoudrez sur le dessus de la pâte, ensuite frottez ici et là de beurre mou. Faites cuire dans un four à 450°F (230°C), 20 à 25 minutes ou jusqu'à ce qu'il soit d'un beau doré. Servez chaud ou tiède. *Rendement : 6 portions.*

Fraises nuage

Préparez-les dans un bol de verre taillé, ce qui permet de bien voir les rangs de couleurs et de textures variées.

4 tasses (1 l) de fraises fraîches
4 c. à table (60 mL) de sucre à glacer 8 à 10 petites meringues de
1 tasse (250 mL) de crème à fouetter
2 c. à table (30 mL) de sucre à glacer
vanille ou eau de rose, au goût

Lavez et équeutez les fraises et tranchez-en la moitié, laissez les autres entières. Mettez dans 2 bols et ajoutez 2 c. à table (30 mL) de sucre à glacer dans chacun des bols.

Garnissez le fond du plat de service avec les meringues, versez les fraises tranchées sur les meringues. Recouvrez de la crème fouettée, sucrée avec les 2 c. à table (30 mL) de sucre à glacer et aromatisée à la vanille ou à l'eau de rose. Placez les fraises entières sur le dessus, pointes en haut. Ne mélangez rien. Réfrigérez 1 à 2 heures avant de servir. *Rendement : 6 portions.*

Fraises à la rhubarbe

J'aime particulièrement les desserts « fruits sur fruits ». De plus, cela permet de découvrir des desserts nouveaux. Procédez ainsi pour trouver vos propres mélanges. D'abord les couleurs doivent s'harmoniser, ensuite les saveurs doivent se compléter, et finalement, il doit y avoir une différence de texture ; par exemple, une sauce rhubarbe versée sur des fraises offre un contraste de texture intéressant. Comme couleur : et bien, c'est rose sur rose. Quant à la saveur, elle a une fraîcheur toute printanière puisque les deux fruits sont en saison à la même époque.

2 tasses (500 mL) de rhubarbe
2/3 de tasse (160 mL) de sucre
1 c. à table (15 mL) de fécule de maïs
la râpure d'1/2 citron
1/4 c. à thé (1 mL) de cardamome moulue ou de cannelle
1/2 tasse (125 mL) d'eau froide
jus d'1/2 citron
4 tasses (1 L) de fraises entières
2 c. à table (30 mL) de liqueur d'orange ou de liqueur Sahre

Nettoyez et coupez la rhubarbe en bouts d'un demi-pouce (1,25 cm) et mesurez.

Mettez le sucre, la fécule de maïs, râpure de citron et cardamome ou cannelle dans une casserole. Ajoutez l'eau froide et faites cuire à feu lent, en brassant quelques fois jusqu'à ce que le sucre soit fondu. Ajoutez la rhubarbe et faites cuire 5 minutes à feu moyen ou jusqu'à ce que la rhubarbe soit cuite. Ajoutez le jus de citron. Mélangez bien.

Mettez les fraises dans un plat de service, versez dessus la liqueur de votre choix, mélangez avec soin et versez la rhubarbe chaude sur les fraises. Couvrez et réfrigérez de 6 à 12 heures avant de servir. *Rendement : 6 portions.*

Sauce aux fraises pour glace

Dessert éclair, si vous avez de la crème glacée, des fraises et un mélangeur électrique.

1 pinte (1 L) de fraises nettoyées
1 tasse (250 mL) de jus d'orange frais
le zeste d'1/2 orange
1/4 de tasse (60 mL) de sucre à fruits
2 à 3 c. à table (30 à 50 mL) de liqueur d'orange ou de vodka

Mettez tous les ingrédients, excepté la liqueur ou la vodka, dans le verre d'un mélangeur électrique. Couvrez et mélangez 40 à 50 secondes. Versez dans un pot. Ajoutez la liqueur de votre choix. Servez sur crème glacée ou sur des fruits frais ou du gâteau éponge, ou utilisez avec du soda comme breuvage.

Pudding victorien

Il est rare de trouver cette recette, pourtant si populaire en 1900. C'est un dessert vite fait, délicieux, qui se prépare avec différents fruits, se sert froid, et même démoulé. On le sert avec de la crème ou une sauce aux petits fruits ou une liqueur ou tout simplement tel quel.

2 tasses (500 mL) de fraises tranchées
1/2 tasse (125 mL) de gelée de groseilles rouges
1/2 tasse (125 mL) de sucre
6 tranches de pain blanc ou de brioche
beurre mou

Chauffez ensemble à feu lent, de 3 à 5 minutes, les fraises, la gelée de groseilles et le sucre, en brassant et écrasant les fruits, ce qui donnera un jus de fruits. Aussitôt que le sucre est fondu, retirez du feu.

Beurrez les tranches de pain ou de brioche. Faites des rangs alternés de pain et de sauce aux fruits jusqu'à l'utilisation de tous les ingrédients. Mettez un papier sur le dessus et placez-y un poids, tel qu'une boîte de conserve. Réfrigérez 8 à 12 heures. Démoulez au goût ou servez dans son plat. *Rendement : 4 portions.*

Fraises à la crème

Dessert d'été vite fait et très élégant. Remplissez de petits verres à liqueur de sauce à la crème. Placez-les, au moment de servir, sur une feuille verte, dans une assiette rose pâle ou blanche, entourés de fraises fraîches. Chacun trempe une fraise dans la sauce et la déguste.

1 gros panier (1 L) de fraises
1 tasse (250 mL) de crème sure commerciale
1 c. à thé (5 mL) de jus de citron frais
1/2 tasse (125 mL) de sucre à glacer

N'équeutez pas les fraises, égouttez-les bien dans une passoire et réfrigérez-les jusqu'au moment de les servir.

Mélangez le reste des ingrédients et réfrigérez. *Rendement : 4 portions.*

Fraises à la victorienne

Ma mère servait ces fraises dans l'ananas évidé, coiffé de son panache de feuilles et placé sur un napperon de toile brodée à la main, le tout sur une assiette de céramique vert pâle, en forme d'ananas.

1 ananas frais
4 c. à table (60 mL) de brandy ou de madère sec
4 tasses (1 L) de fraises fraîches
sucre au goût
1 tasse (250 mL) de sauce d'abricots
1 tasse (250 mL) de crème à fouetter

Enlevez une tranche sur le dessus de l'ananas et évidez avec une cuillère, si vous désirez le servir tel qu'indiqué ci-haut, ou procédez de la manière qui suit : pelez l'ananas et coupez-le en tranches d'un demi-pouce (1,25 cm) d'épaisseur. Taillez les 4 tranches du milieu en deux et marinez-les, sans les réfrigérer, dans 2 c. à table (30 mL) de brandy ou de madère sec.

Taillez le reste de l'ananas en petits dés. Lavez et équeutez les fraises, réservez les 10 ou 12 plus belles, et tranchez le reste. Ajoutez-les aux dés d'ananas. Sucrez au goût. Couvrez et réfrigérez 2 à 3 heures. Chauffez la gelée d'abricots, sans toutefois la laisser bouillir, ajoutez-y le reste du brandy ou du madère sec et réfrigérez. Pour servir, mettez les fruits coupés en pyramide, dans un plat rond, versez dessus presque toute la sauce d'abricots. Fouettez la crème, sucrez au goût, placez autour des fruits, garnissez le tout avec les fraises entières, versez une petite cuillerée de sauce d'abricots sur chaque fraise.

N.B. : si la sauce d'abricots est prise en gelée, chauffez-la dans l'eau chaude juste ce qu'il faut pour la ramollir. *Rendement : 6 à 8 portions.*

Compote de fraises et rhubarbe

Voilà un dessert que je refais à chaque nouvelle saison des fraises, toujours avec le même plaisir gourmand. Servez avec crème fouettée ou crème glacée.

1/2 tasse (125 mL) de jus d'orange frais
3/4 de tasse (200 mL) de sucre
2 lb (1 kg) de rhubarbe
1 chopine (500 g) de fraises ou
1 boîte de 15 oz (425 g) de fraises surgelées

Mes principes pour le petit déjeuner : modération, simplicité, élégance discrète et ▷ respect pour les goûts matinaux de chacun.

Amenez le jus d'orange et le sucre à ébullition, brassez jusqu'à ce que le sucre soit fondu. Ajoutez la rhubarbe, coupée en dés de 2 po (5 cm). Mijotez à feu moyen 5 minutes, et retirez du feu.

Ajoutez les fraises fraîches équeutées et lavées ou la boîte de fraises surgelées, il n'est pas nécessaire de les dégeler, cela se fait par la chaleur de la sauce à la rhubarbe. Couvrez et réfrigérez. *Rendement : 4 à 5 portions.*

Les pommes

Les pommes en français; apfels en allemand; appils en norvégien; et eppels en hollandais; en somme, dans n'importe quelle langue, elles sont délicieuses.

Il y a aussi beaucoup de dictons populaires sur la pomme, mais jamais sur d'autres fruits. En voici quelques-uns: «Une pomme mangée chaque jour éloigne le médecin», «La pomme qui pousse si colorée, si haute, finit ses jours dans la tarte ou dans la purée.» «Année venteuse, année pommeuse.» Le Canada est particulièrement riche en pommes. Nous avons des variétés bien connues et délicieuses, telles que la « McIntosh », que j'appelle la pomme à tout faire, la «Délicieuse» blanche, excellente pour les salades parce qu'elle n'oxyde pas lorsque coupée ou pelée, et la grosse rouge, excellente pomme couteau, la « Northern Spy » et la « Greening » à leur meilleur en tarte ou cuites au four, et la « Winesap » d'hiver avec son petit goût viné, fort agréable.

En France, on trouve dans les magasins d'alimentation de luxe, ce qu'on appelle les pommes du Canada — et à quel prix !

Que de voyages sont faits chaque printemps pour aller voir les pommiers en fleurs et en respirer le parfum.

Je me souviens quand nous étions enfants, mes frères et moi-même allions en cachette dans le « grenier aux pommes » pour y respirer le délicieux parfum qui s'en dégageait. Mais nous en descendions les poches remplies de pommes, tout en croquant à pleines dents dans les plus belles.

Les pommes du Canada

La Délicieuse rouge: pomme couteau parfaite, elle n'est pas recommandée pour la cuisson.

La Greening : une excellente pomme pour la cuisson; elle est disponible du mois d'octobre au mois d'avril.

◁   C'est un grand plaisir pour moi de cuisiner avec ma fille Monique. Je l'ai surnommée « Chop-Chop » parce qu'elle peut tailler les aliments très finement avec une patience bien plus grande que la mienne.

La Northern Spy : excellente pour la cuisson, mais aussi très agréable comme pomme couteau, se trouve du mois d'octobre au mois de mai.

La Cortland : bonne pour manger et cuire ; à son meilleur dans les salades, on la trouve d'octobre à février.

La McIntosh : toujours bonne de toutes les manières, parfaite pour faire de la sauce aux pommes, on la trouve de septembre à juin.

Brillantes, de couleurs variées, les pommes croquantes et fraîches donneront de la couleur et de la variété dans un bol de fruits d'hiver, elles sont aussi très agréables avec le fromage par leur contraste de textures, etc. De plus, elles apaisent la soif, elles sont aussi excellentes dans les diètes. En Europe, et dans les pays scandinaves, on les retrouve même dans d'excellentes soupes servies chaudes et froides.

Il est important à l'achat de pommes de les demander par leur nom, puisque chaque variété diffère d'apparence, de saveur, de texture et de caractéristiques de cuisson.

Si à l'achat les pommes sont fermes, on peut les laisser à la température de la cuisine jusqu'à ce qu'elles atteignent le degré de maturité désiré. On doit alors les réfrigérer. Pour les manger à leur point de perfection, il est important de retourner les pommes à servir à la température ambiante.

Il ne faut jamais laisser une mauvaise pomme parmi les bonnes, car elles se gâteront toutes très vite.

La pomme est recommandée pour les diètes sans sel et sans gras puisqu'elle est riche en vitamines A et C, et très pauvre en sodium. De plus, une pomme ne contient que 60 calories. Pendant l'hiver, prenez la bonne habitude de manger 2 à 3 pommes par jour, ce qui diminuera vos rhumes, maux de tête et votre tension nerveuse.

Sauce aux pommes maison

Facile et rapide à préparer et à cuire, en plus d'être délicieuse. Comme la recette qui suit en est une de base, on peut en faire un gallon, aussi bien que deux tasses, en suivant le même procédé. Elle se conserve 3 semaines réfrigérée et 10 à 12 mois congelée.

2 tasses (500 mL) de pommes non pelées, tranchées épais
1/2 tasse (125 mL) d'eau
sucre blanc ou cassonade, ou miel, au goût
1 c. à table (15 mL) de jus de citron frais

Lavez les pommes. Ne les pelez pas, n'enlevez pas le cœur. Coupez-les en tranches épaisses : environ 5 tranches par pomme. Mettez l'eau dans une casserole de fonte émaillée. Ajoutez les pommes tranchées. Couvrez et amenez à ébullition à feu modéré, brassez, couvrez de nouveau, et faites cuire de 5 à 8 minutes, ou jusqu'à ce que les pommes se défassent en les brassant.

Mettez environ 1/4 de tasse (60 mL) de sucre ou de cassonade ou de miel dans le fond d'un bol assez grand pour contenir les pommes cuites. Placez sur le bol une passoire ou un presse-purée et versez-y les pommes. Ajoutez le jus de citron et coulez au-dessus du sucre (la chaleur des pommes fera dissoudre le sucre). Disposez des pelures de pommes accumulées dans la passoire. Remuez la sauce au pomme avec le sucre, goûtez-y, et ajoutez plus de sucre selon votre goût.

Pour varier la quantité, multipliez simplement les ingrédients selon vos besoins. *Rendement : environ 2 tasses (500 mL).*

Sauce aux pommes surprise de Monique

Au printemps, les pommes d'entreposage n'ont rien de bien excitant. Monique prépare donc une « sauce aux pommes maison » ou bien elle utilise une sauce aux pommes en conserve pour faire un dessert «éclair» et « super ».

Dans un joli plat de verre, mettez un rang épais de sauce aux pommes de votre choix, saupoudrez généreusement de chocolat à cuire non sucré et râpé. Recouvrez avec une autre couche de sauce aux pommes, couche qui sera cependant moins épaisse que la première. Recouvrez le tout de crème fouettée, légèrement sucrée, et recouvrez la crème d'une autre couche de chocolat non sucré et râpé. Réfrigérez au moins une heure avant de servir.

Pommes au massepain

Un dessert superbe que je fais chaque Noël et qui remporte toujours le même succès.

4 grosses pommes
1/2 tasse (125 mL) de massepain (pâte d'amande)
1 à 2 c. à table (15 à 30 mL) de rhum
2 c. à table (30 mL) de raisins de Corinthe
beurre mou
1 tasse (250 mL) de vin blanc sec
4 c. à table (60 mL) de confiture d'abricots

Je préfère les grosses pommes « Roman Beauty » pour préparer ce dessert, mais toute grosse pomme à cuire peut être utilisée. Enlevez le cœur et pelez 1/3 de la pomme.

Écrasez le massepain (ou pâte d'amande) avec le rhum, jusqu'à ce qu'il soit ramolli. Ajoutez les raisins de Corinthe. Divisez également et placez une boule dans chaque pomme, ajoutez à chacune un dé de beurre.

Mettez les pommes farcies dans un plat de cuisson. Versez le vin dans le fond du plat, jusqu'à ce qu'il couvre 1/3 des pommes. Faites cuire dans un four préchauffé à 350°F (180°C), 25 à 30 minutes, ou jusqu'à ce que les pommes soient tendres. Elles seront légèrement dorées sur le dessus. Arrosez deux fois avec le vin pendant la cuisson.

Lorsque cuites, placez les pommes sur un plat de service. Versez le vin qui reste dans une casserole, ajoutez-y la confiture d'abricots et faites bouillir jusqu'à la formation d'un sirop épais, ce qui ne prend que quelques minutes. Brassez assez souvent, et versez un peu de cette sauce sur chaque pomme pour les glacer. Laissez refroidir, mais ne réfrigérez pas. Elles sont parfaites servies à la température ambiante. *Rendement : 4 portions.*

Charlotte aux pommes

Un superbe dessert victorien, riche et anti-diète, mais si bon, bien qu'il soit composé de quatre ingrédients simples, pain, beurre, cassonade et pommes. Je mélange quelquefois pommes et poires, la poire Bosc étant particulièrement bonne. À l'époque victorienne, on servait cette charlotte avec une sauce anglaise, je ne trouve pas que ce soit nécessaire. Je prèfère une petite cuillerée de rhum ou de brandy sur chaque portion ou simplement servie nature.

> *5 tranches de pain aux raisins ou de pain blanc*
> *1/2 tasse (125 mL) de beurre*
> *3/4 de tasse (200 mL) de cassonade*
> *1/4 de tasse (60 mL) de sucre*
> *2 c. à table (30 mL) de rhum*
> *1 c. à thé (5 mL) de vanille*
> *3 tasses (750 mL) de tranches de pommes*

N'enlevez pas les croûtes du pain. Beurrez copieusement un côté de chaque tranche. Mettez dans un poêlon de métal lourd, le côté beurré au fond, à feu moyen. Faites dorer, retournez et faites dorer l'autre côté. À mesure qu'elles sont prêtes, disposez-les tout autour d'un moule à charlotte ou d'un plat rond de 8 po (20 cm). (Un moule français à charlotte est de 6 1/2 X 5 X 3 po (16 X 10 X 5 cm) avec une poignée de chaque côté, il y en a de plus grands, mais pour cette recette, c'est le meilleur). La dernière tranche de pain est mise au fond du moule.

Mettez le reste du beurre dans le poêlon, ajoutez le sucre et la cassonade, et remuez jusqu'à ce que le tout bouillonne. Ajoutez alors les tranches de pommes, remuez pour mélanger, ajoutez le rhum et la vanille. Faites mijoter, jusqu'à ce que les tranches de pommes soient tendres, mais non en purée, ce qui devrait nécessiter 15 minutes environ à feu moyen.

Versez le tout dans le moule tapissé de pain. S'il y a du pain qui demeure à découvert, il suffit simplement de le replier pour former comme un couvercle ou des bords sur les pommes. Laissez refroidir une heure avant de servir. Ne réfrigérez pas. *Rendement : 4 à 5 portions.*

Pommes à l'écossaise

Ma mère les servait à l'écossaise, chaudes dans un bol de céramique ou de porcelaine, avec un carafon de whiskey. L'été, elle les servait froides avec un pot de limonade ou d'eau de puits bien froide.

4 pommes non pelées et râpées
2 c. à table (30 mL) de miel
le jus d'1/2 citron
1 tasse (250 mL) de flocons d'avoine

Pour faire griller les flocons d'avoine, étendez-les dans un moule à gâteau peu profond, et mettez-les au four à 350°F (180°C) jusqu'à ce qu'ils soient dorés et bien croustillants. Mélangez-les ensuite avec les pommes, le miel et le citron et servez. *Rendement : 4 portions.*

Omelette aux pommes

On peut remplacer les pommes par des pêches ou des poires ou des abricots, en les préparant de la même manière. C'est une recette facile à doubler.

2 pommes
1 c. à table (15 mL) de rhum ou de jus de citron
4 c. à table (60 mL) de sucre granulé fin
6 oeufs

1 c. à table (15 mL) de sucre
4 c. à thé (20 mL) d'eau froide

Pelez les pommes, enlevez les cœurs et tranchez-les très mince (il est important qu'elles soient tranchées très mince car elles doivent à peine cuire). Ajoutez le rhum ou le jus de citron et le sucre. Mélangez bien et laissez reposer jusqu'au moment de servir.

Battez les œufs avec le sucre et l'eau froide, ajoutez alors le mélange des pommes. Faites fondre 1 c. à table (15 mL) de beurre dans une casserole. Lorsque le beurre cesse de bouillonner, versez-y le mélange des œufs. Ne remuez que quelques secondes avec le plat d'une fourchette. Laissez cuire en soulevant les œufs ici et là pour permettre à la portion liquide de l'omelette de couler dessous. Évitez de trop cuire.

Pour faire une omelette repliée, il faut la plier de gauche vers le centre pendant que la surface est encore molle et reluisante. Faites le troisième pli en la retournant sur l'assiette de service.

Pour flamber une omelette, saupoudrez le dessus de 2 c. à table (30 mL) de sucre et versez 3 à 4 c. à table (50 à 60 mL) de rhum chaud sur le sucre et faites flamber en continuant de verser le rhum sur l'omelette jusqu'à ce que la flamme s'éteigne. *Rendement : 4 à 5 portions.*

Poires fraîches, au four

Les poires cuites se servent chaudes ou froides, garnies de crème ou de brandy ou de cointreau.

4 à 6 poires mûres fermes
1/3 de tasse (80 mL) de sucre
un soupçon de sel
4 à 5 lamelles de zeste de citron

Coupez une tranche de dessous des poires, mais n'enlevez pas la queue, puis placez-les debout dans une casserole profonde (3 à 4 po ou 7,5 à 10 cm). Dans le haut d'un bain-marie, ajoutez le reste des ingrédients à 1/2 tasse (125 mL) d'eau et amenez à ébullition, versez sur les poires, couvrez et faites cuire au four à 400°F (200°C) une heure, ou jusqu'à ce qu'elles soient tendres.

Placez chaque poire dans un plat individuel et faites bouillir le sirop à feu vif jusqu'à ce qu'il soit plutôt épais, environ 2 à 3 minutes. Versez le sirop par cuillerée sur les poires pour les glacer. *Rendement : 4 portions.*

Les poires farcies C.P.

Dans les années quarante, ce dessert était un des plus en demande au wagon-salle à manger du Canadien Pacifique.

4 poires
1/4 de tasse (60 mL) de raisins secs (muscatels si possible)
2 c. à table (30 mL) de noix de Grenoble hachées fin
2 c. à table (30 mL) de sucre d'érable ou de cassonade
1 c. à table (15 mL) de jus de citron
2 c. à table (30 mL) d'eau
1/2 tasse (125 mL) de sirop d'érable ou de maïs

Pelez les poires et enlevez le cœur par le dessous, laissant la queue intacte, ce qui peut se faire aisément avec une petite cuillère à café ou un vide-pomme.

Mélangez les raisins, les noix, le sucre d'érable ou la cassonade et le jus de citron. Farcissez chaque poire d'une quantité égale du mélange. Mettez-les debout dans un plat de cuisson profond. Ajoutez l'eau et versez le sirop sur les poires. Couvrez. Faites cuire une heure au four à 350°F (180°C). La cuisson terminée, découvrez, saupoudrez légèrement chaque poire de sucre et passez au grilleur quelques minutes jusqu'à ce que le tout soit bien doré. Servez chaud ou froid, avec de la crème. *Rendement : 4 portions.*

Les pêches

Quel plaisir gourmand que celui de mordre dans une pêche mûre à point, juteuse et sucrée! Mais j'aime aussi le goût des pêches marinées quelques heures dans du miel ou du brandy, pour être dégustées avec de la crème sure épaisse ou du yogourt. Pour 2 tasses (500 mL) de pêches pelées et tranchées, il faut 1/4 de tasse (60 mL) de miel et 2 à 3 c. à table (30 à 50 mL) de brandy.

Et puis, il y a les pêches et la crème ou encore les pêches tranchées et sucrées avec du sirop d'érable ou de la cassonade et aromatisées de quelques gouttes d'essence d'amande. Vous désirez les savourer chaudes, alors il n'y a qu'à les faire griller. Placez des moitiés de pêches pelées sur une plaque à cuisson, mettez un dé de beurre sur chaque moitié, saupoudrez d'un peu de cassonade et arrosez de quelques gouttes de brandy ou de rhum. Grillez à 3 po (7,5 cm) de la source de chaleur, jusqu'à ce que le sucre caramélise ici et là, à peu près 5 minutes. Servez avec poulet grillé ou tranches de jambon.

Et pour finir la saison en beauté, pourquoi ne pas en congeler. Pelez et tranchez la quantité de pêches que vous désirez congeler, coupez-les en deux ou en quatre ou en tranches, placez-les dans un bol d'eau froide avec un peu de jus de citron aussitôt pelées et coupées, ce qui évite la décoloration des fruits. Faites un sirop moyen avec 3 tasses (750 mL) de sucre et 4 tasses (1 L) d'eau, amenez à ébullition et faites bouillir 5 minutes. Ajoutez 1/2 c. à thé (2 mL) d'acide ascorbique (acheté à la pharmacie) ou 1 c. à table (15 mL) de jus de citron frais. Cette quantité de sirop est suffisante pour 6 à 9 grosses pêches.

Égouttez bien les pêches et remplissez chaque récipient à congélation, versez le sirop sur les fruits, il est important de laisser un espace libre de 1 1/2 po (3,75 cm). Froissez un carré de papier ciré et placez-le sur les pêches pour éviter qu'elles remontent à la surface du sirop. Couvrez, étiquetez et congelez. Pour les servir, laissez dégeler à la température de la pièce pendant 3 à 4 heures ou toute la nuit au réfrigérateur. Les pêches congelées se conservent en bon état de 6 à 8 mois.

Pêches pochées

Pour que les pêches conservent leur teinte rosée et leur délicate saveur, il faut les pocher non pelées, ce qui ne complique rien puisque la pelure est très facile à retirer lorsque les pêches sont cuites. Rien de mieux pour parfumer pêches et pommes pochées qu'un bâton de vanille ou quelques tranches de citron ou d'orange non pelées. Si vous utilisez un bâton de vanille, une fois les pêches pochées, essuyez la vanille avec un papier, laissez le bâton sécher et mettez-le dans une boîte de sucre, ce qui vous donnera du sucre vanillé, délicieux saupoudré sur tous les fruits nature. On continue à ajouter du sucre aussi longtemps que la vanille le parfume.

6 à 8 pêches mûres
1 tasse (250 mL) de sucre
1/2 tasse (125 mL) de miel
1 gousse de vanille ou 4 à 6 tranches d'orange ou de zeste de citron
3 tasses (750 mL) d'eau

Dans une grande casserole peu profonde (une sauteuse), amenez à ébullition le sucre, le miel, la gousse de vanille ou l'orange ou le zeste de citron, et l'eau. Faites mijoter à feu doux 10 minutes. Mettez les pêches non pelées dans le sirop chaud, couvrez et faites mijoter 15 à 20 minutes, jusqu'à ce que les pêches soient tendres. Brassez-les délicatement dans le sirop une fois ou deux. La cuisson terminée, retirez les

328

pêches sur un plat de service. Enlevez la pelure en tirant dessus. Coulez le sirop sur les pêches. Couvrez, laissez reposer 24 heures au réfrigérateur avant de servir.

Le sirop peut être dans un bocal, couvert et réfrigéré. Utilisez aussi longtemps qu'il y en a suffisamment pour faire pocher, non seulement des pêches, mais tout fruit frais.

Pour pocher les pommes : pelez et enlevez le cœur des pommes, ensuite pochez de la même manière que les pêches. Selon la grosseur et la variété de la pomme, le temps de cuisson sera forcément différent. Ce qui importe, c'est de pocher les pommes à feu assez lent, de manière à ce que le sirop mijote sans toutefois bouillir. De plus, il ne faut pas les couvrir, ce qui fait éclater la pomme. Frottez chaque pomme avec un peu de jus de citron ou une moitié de citron, surtout si elle est pelée, ce qui évite la décoloration pendant la cuisson.

Pêches soleil

Ce sont des pêches congelées au jus d'orange frais. Servez telles quelles sur crème glacée ou nature comme dessert « soleil » pendant la saison d'hiver, ou comme fruit au petit déjeuner. Elles se conservent de 6 à 8 mois congelées, tout comme les pêches congelées au sirop.

12 à 14 pêches
3 tasses (750 mL) de jus d'orange frais
1/4 de tasse (60 mL) de sucre
le jus d'un citron

Mélangez le jus d'orange, les noyaux enlevés mais non coulé, le sucre et le jus de citron. Remuez jusqu'à ce que le sucre soit dissout. Remplissez des récipients à congélation (d'un demiard) au tiers du mélange de jus d'orange.

Ébouillantez les pêches, laissez-les reposer 3 minutes et mettez-les dans l'eau froide. Pelez et tranchez directement au-dessus du récipient. Laissez un bon espace libre sur le dessus, puis ajoutez assez de jus d'orange pour recouvrir les pêches. Froissez un papier à congélation et placez-le sur les pêches, ajustez le couvercle ; cela empêchera les pêches de remonter à la surface. Pour utiliser, dégelez et servez. *Rendement :* *6 à 8 demiards (250 mL).*

Sauce à l'orange sur tranches d'orange

Fruit sur fruit donne toujours une composition parfaite. J'aime servir cette sauce sur d'autres fruits, fraises ou pêches, etc., ou comme sauce sur crème glacée ou sur une pointe de gâteau éponge ou de pain de gingembre, ou simplement versée chaude sur une crème anglaise bien froide.

1 tasse (250 mL) de marmelade à l'orange
1/3 de tasse (80 mL) de liqueur à l'orange
3 c. à table (50 mL) de sherry sec
6 à 8 oranges pelées et tranchées

Faites mijoter dans une petite casserole la marmelade, la liqueur et le sherry, en remuant souvent, jusqu'à ce que le mélange bouillonne de toute part. Versez sur les tranches d'orange, disposées dans un bol. Ne mélangez pas. Couvrez et réfrigérez 24 heures avant de servir. *Rendement : 6 portions.*

Pruneaux en pot

J'aime bien les pruneaux, pourvu qu'ils ne soient pas cuits. Ils auront une saveur intéressante simplement recouverts de thé de votre choix, et chaque variété de thé, un thé à la rose, à la menthe ou un souchong ou un thé vert, chacun bien infusé, leur donnera une saveur différente. Après 24 heures, les pruneaux seront tendres et savoureux. Gardés au réfrigérateur, ils se conserveront de 2 à 3 semaines.

pruneaux de toutes variétés
thé bouillant
2 à 3 c. à table (30 à 50 mL) de miel
le jus d'1/2 ou d'un citron

Lavez les pruneaux et mettez-les dans un bocal à confiture. Ajoutez le miel et le citron, et versez le thé bouillant dessus. Remuez pour mélanger. Couvrez le bocal. Laissez quelques heures à la température ambiante, puis conservez au réfrigérateur.

Pour varier, omettez le citron et ajoutez quelques clous de girofle ou de l'anis étoilé ou un peu de macis ou un bâton de cannelle.

Figues turques séchées

On trouve les figues turques pendant l'hiver, elles sont vendues séchées et enfilées sur une corde de raphia. Elles sont intéressantes servies avec une tasse de café noir, pour remplacer le sucre, à la mode turque on en prend une bouchée suivie d'une gorgée de café. N'utilisez pas les figues « Black Mission » qui ne se cuisent pas, mais se mangent nature comme les dattes.

1 corde (à peu près 1 lb (500 mL) de figues turques séchées
2 anis étoilés ou 3 tranches d'orange non pelées
1 bâton de cannelle de 2 po (2,5 cm)
1/4 de tasse (60 mL) de cassonade au goût
café noir pour recouvrir les figues

Retirez les figues de la corde et mettez-les dans un bol. Recouvrez d'eau froide. Laissez reposer toute la nuit. Le lendemain, retirez les figues une à une, coupez les queues avec des ciseaux et tranchez les figues en deux. Amenez-les à ébullition dans une casserole avec le reste des ingrédients. Couvrez et laissez mijoter à feu doux 30 à 40 minutes. Versez dans des bocaux avec juste assez de jus pour couvrir et scellez. Conservez au réfrigérateur. *Rendement : 4 tasses (1 L).*

Compote de cerises au vin rouge

Cette compote est superbe préparée avec les grosses cerises noires de la Colombie-Britannique, généralement sur nos marchés la deuxième semaine de juillet. Mettez-les dans un grand pot de verre et à réfrigérer pour les conserver deux semaines. Elle peut aussi accompagner une crème glacée ou un gâteau éponge.

1 lb (500 g) de cerises Bing
1/2 tasse (125 mL) de cassonade pâle
1/2 tasse (125 mL) de vin rouge canadien ou de jus d'orange frais
3 c. à table (50 mL) de brandy ou de jus de cerises marasques

Dénoyautez les cerises directement dans un plat et égouttez l'excès de jus dans une casserole. Ajoutez-y le sucre, le vin ou le jus d'orange, faites bouillir à feu moyen pour obtenir un sirop épais. Versez sur les cerises froides et laissez refroidir. Remuez, ajoutez le brandy ou le jus, remuez encore, et réfrigérez. *Rendement : 4 portions.*

Pouding aux cerises de Colombie-Britannique

Cette recette fut créée par le propriétaire d'un restaurant de Vancouver, renommé pour son poulet grillé et ses succulents desserts. Ce pouding est servi soit tiède avec de la crème riche soit chaud avec de la sauce anglaise rosée.

2 tasses (500 mL) de mie de pain
2 c. à table (30 mL) de beurre fondu
2 tasses (500 mL) de cerises dénoyautées, en deux
1/4 de tasse (60 mL) de sucre
le zeste râpé et le jus d'1/2 citron

1/2 tasse (125 mL) d'eau chaude

Mélangez le pain et le beurre et mettez environ un tiers du mélange au fond d'une casserole de 8 X 8 po (20 X 20 cm). Saupoudrez la moitié des cerises et du sucre, du zeste et du jus de citron. Continuez d'alterner les rangs, terminant avec le pain. Versez l'eau avec soin sur le côté du plat, couvrez et faites cuire au four à 400° F (200° C) environ 30 minutes. Découvrez et laissez au four juste assez longtemps pour dorer le dessus ici et là. *Rendement : 4 portions.*

Compote de rhubarbe

Le secret d'une bonne compote à la rhubarbe est d'ajouter le sucre seulement une fois la rhubarbe cuite; la quantité de sucre ou de miel peut varier selon l'acidité de la rhubarbe.

2 tasses (500 mL) de rhubarbe en morceaux d'1 po (2,5 cm)
1 tranche de citron non pelée
1/4 de tasse (60 mL) de miel et 1/4 de tasse (60 mL) de sucre

Mettez la rhubarbe et la tranche de citron dans un plat de cuisson de verre ou émaillé ou dans une casserole d'acier inoxydable, ajoutez 1/4 de tasse (60 mL) d'eau froide et couvrez. Faites cuire à feu moyen 5 à 8 minutes, en brassant une ou deux fois. Retirez du feu, ajoutez le miel et le sucre, et brassez pour dissoudre le sucre. Retirez la tranche de citron, versez le mélange dans un plat, couvrez et réfrigérez. *Rendement : 4 portions.*

Rhubarbe cuite au four

La rhubarbe cuite au four demeure entière quoique bien tendre, contrairement à l'autre méthode de cuisson où la rhubarbe se défait en compote. Il va sans dire que la cuisson au four est plus longue que celle de la compote.

2 tasses (500 mL) de rhubarbe coupée en morceaux de 2 po (5 cm)
1/2 tasse (125 mL) de miel ou de sucre
zeste râpé d'1/2 orange ou citron

Couvrez le fond d'une casserole de verre pour cuisson au four ou d'un plat en terre cuite d'une pinte (1 L) d'une partie de la rhubarbe, étendez sur le dessus le reste des ingrédients, puis recouvrez du reste de la rhubarbe. Arrosez de 2 c. à table (30 mL) d'eau froide, couvrez et laissez reposer 3 heures à la température ambiante.

Faites cuire à découvert au four à 300° F (150° C) 45 à 60 minutes, ou jusqu'à ce que la rhubarbe soit tendre. *Rendement : 4 portions.*

Gelée Cupidon

Il n'y a pas tant d'années passées depuis que la célébration de la Saint-Valentin, patron des amoureux, était une occasion de plaisir et de joie. Un des desserts souvent servis à cette occasion était la gelée de vin rouge ou la gelée Cupidon. Évidemment, elle prenait la forme d'un cœur, et je suppose, pour rappeler aux amoureux que l'amour a ses bons et ses mauvais moments, on démoulait le beau cœur rouge sur une mousse glacée au rhum, le tout garni de petites meringues en forme de cœur.

1 enveloppe de gélatine non aromatisée
1/4 de tasse (60 mL) de jus de pomme ou d'atocas (airelles d'Amérique)
1/2 tasse (125 mL) de jus de pomme ou d'atocas (airelles d'Amérique) bouillant
1/4 c. à thé (1 mL) de sel
1/2 tasse (125 mL) de sucre
1 tasse (250 mL) de vin rouge sec
1 c. à table (15 mL) de jus de citron frais

Saupoudrez la gélatine sur la première mesure de jus, et laissez reposer 5 minutes. Versez ensuite dans le jus en ébullition. Retirez du feu et brassez jusqu'à ce que la gélatine soit dissoute. Versez dans un moule en forme de cœur bien huilé (l'huile d'amande douce est la meilleure, on peut se la procurer à la pharmacie), ou dans 6 petits moules. Réfrigérez jusqu'au lendemain. *Rendement : 6 portions.*

Gelée de fruits moulée

Il est si facile de faire ses gelées de fruits plutôt que de toujours utiliser des produits préparés. Une fois que vous en aurez fait l'expérience, vous verrez vite combien il est aisé de les varier et combien plus savoureuses elles sont. C'est une excellente recette de base à conserver dans votre cuisine. Je fais même mes bouillons en gelée en remplaçant les jus sucrés par du bouillon de bœuf ou de poulet ou de jus de tomate, et omettant le sucre.

1 enveloppe de gélatine non aromatisée
1/4 de tasse (60 mL) d'eau froide
1 3/4 tasse (425 mL) de jus chaud au choix
1/4 à 1/2 tasse (60 à 125 mL) de sucre

Saupoudrez la gélatine au-dessus de l'eau froide et laissez reposer 5 minutes.

Chauffez le jus choisi, ajoutez la gélatine et brassez jusqu'à dissolution. Ajoutez le sucre et brassez jusqu'à ce qu'il soit dissout. Versez dans un plat ou un moule. Refroidissez, puis mettez au réfrigérateur pour faire prendre. *Rendement : 4 portions.*

N.B. : vous pouvez utiliser comme jus chaud le jus de pomme, de raisins, d'atocas (airelles d'Amérique) ou le jus coulé de fraises ou de framboises surgelées (il sera un peu plus épais); tous les jus surgelés, n'utilisant que l'eau requise pour faire la quantité voulue; le vin rouge ou le vin blanc; ou le jus d'orange frais. (Le miel peut remplacer une partie du sucre.)

Gélatine fruit et citron

Pendant la saison des petits fruits : fraises, framboises, bleuets ou pêches, je verse cette gelée sur les fruits frais tranchés. Démoulez et servez très frais, c'est un dessert élégant et très agréable.

1 enveloppe de gélatine non aromatisée
1/4 de tasse (60 mL) de jus d'orange frais ou d'eau froide
1 1/2 tasse (400 mL) d'eau bouillante
1/2 tasse (125 mL) de sucre ou de miel
3 c. à table (50 mL) de jus de citron frais

Faites tremper la gélatine 5 minutes dans le jus d'orange ou l'eau froide. Ajoutez l'eau bouillante et le miel ou le sucre. Remuez à feu doux jusqu'à ce que le sucre soit dissous. Ajoutez le jus de citron frais. Mélangez bien. Versez dans un moule ou sur 1 à 1 1/2 tasse (250 à 400 mL) de fruits frais. Réfrigérez quelques heures ou jusqu'à ce que la gelée soit prise. *Rendement : 4 portions.*

Raisins Concord moulés

Quelle belle couleur prennent nos raisins bleus lorsqu'ils sont cuits. Je sais que l'automne est avec nous lorsque je prépare ce délicieux dessert. J'aime beaucoup le démouler et l'entourer d'un nuage blanc de crème fouettée, ou je le prépare comme une sauce épaisse pour utiliser en garniture sur glaçages, gâteau, poudings au riz, yogourts, etc.

Comme ces raisins ne se trouvent que durant une courte période à l'automne, il est sage de préparer une certaine quantité de sauce et de la congeler; elle se conserve plusieurs mois et est facile à décongeler.

Pour mouler la sauce aux raisins, utilisez 4 c. à table (60 mL) au lieu de 2 c. à table (30 mL) dans la recette qui suit.

5 tasses (1,25 L) de raisins bleus Concord
1/2 tasse (125 mL) de sucre
2 c. à table (30 mL) de fécule de maïs
1/8 c. à thé (0,5 mL) de sel
2 c. à table (30 mL) de jus de citron frais

Lavez et enlevez les raisins des tiges. Mesurez 5 tasses combles. Enlevez la peau des raisins et mettez la pulpe dans une casserole. Réservez la peau. Amenez la pulpe à ébullition, baissez le feu et faites mijoter 5 minutes. Pressez dans un tamis ou un presse-purée pour enlever les noyaux. Mélangez la peau et la pulpe et ajoutez le reste des ingrédients mélangés. Amenez à l'ébullition à feu modéré, remuant sans cesse jusqu'à ce que la sauce épaississe et soit transparente. Utilisez la sauce chaude ou froide. *Rendement : 5 tasses (1,25 L).*

Ajoutez 4 c. à table (60 mL) de brandy à la sauce cuite. Remplacez le jus de citron frais par une égale quantité de jus d'orange frais. Ajoutez le zeste râpé d'une demi-orange.

Mon sirop à l'anis pour salade aux fruits

J'utilise ce sirop pour remplacer le sucre dans une salade aux fruits, ce qui donne un goût fin et différent.

3/4 de tasse (200 mL) d'eau
1/2 tasse (125 mL) de sucre
2 c. à table (30 mL) de jus de lime ou de citron
1/2 c. à thé (2 mL) d'anis, écrasé
un soupçon de sel

Mélangez tous les ingrédients dans une casserole et bien mélangez. Amenez lentement à ébullition et laissez bouillir 2 minutes. Couvrez et laissez refroidir 30 minutes, puis réfrigérez. Pour utiliser, coulez la quantité désirée du sirop sur les fruits de votre choix. J'aime la servir garnie de feuilles de menthe fraîches. Ce sirop se conserve durant des mois au réfrigérateur. *Rendement : 1 1/4 tasse (330 mL).*

Garniture de salade aux fruits

Dans les années 30, il était « chic » de déjeuner chez Eaton, où on servait une chose jamais vue, une salade de fruits frais avec du fromage blanc, copieusement garnie de leur « sauce rose ». C'est maintenant une salade d'été très connue, garnissez la vôtre de cette très bonne sauce.

1/3 de tasse (80 mL) de fromage à la crème mou
1/3 de tasse (80 mL) de jus d'orange frais
1 c. à table (15 mL) de jus de citron ou de lime frais.
1 c. à table (15 mL) de miel
un soupçon de sel
1 tasse (250 mL) de fraises fraîches

Laissez amollir le fromage quelques heures à la température ambiante. Écrasez-le avec une fourchette et ajoutez le jus d'orange petit à petit, puis le jus de lime ou de citron, le miel et le sel. Mélangez bien. Écrasez les fraises et incorporez à la sauce au fromage en battant.

J'utilise maintenant mon mélangeur électrique pour cette opération. J'écrase d'abord les fraises, puis j'ajoute le reste des ingrédients et je fais fonctionner l'appareil, ouvrant et fermant alternativement le circuit durant 1 minute. Conservez au réfrigérateur. *Rendement : 1 1/2 tasse (750 mL).*

Quelques fruits exotiques

Kumquats : en saison de novembre à février. C'est un petit fruit qui ressemble à l'orange avec la forme d'une noix pacane. Conservez-les réfrigérés. Pour servir, lavez-les, coupez-les en tranches pour les salades aux fruits ou sucrez au goût, de préférence avec un sucre à fruits (sucre extra-fin) et un peu de sherry sec ou sucré. Délicieux servis sur un gâteau éponge ou une crème glacée.

Mangues : en saison de mai à septembre. Leur poids varie de quelques onces à une livre. De couleur rouge ou jaune, elles ont une chair molle juteuse et aromatique. Pour les conserver, enveloppez chacune dans un morceau de papier ciré et réfrigérez. Pour les manger, pelez une lisière assez large tout le tour du fruit, avec un couteau bien coupant, séparez et mangez le fruit à la cuillère. Particulièrement bonnes servies comme dessert, tranchées et sucrées au goût et aromatisées avec du rhum ou de l'eau de fleur d'oranger, ou servies sur crème glacée ou dans un nid de crème fouettée.

Brugnons : une sorte de pêche avec peau très lisse comme les prunes. En saison de juin à août. La chair est vert pâle avec une légère teinte rosée. Utilisez et mangez de la même manière que les pêches.

Kakis ou plaquemines de Virginie : ces fruits sont de couleurs variées selon la variété et le degré de maturité; il y en a des jaune citron, d'autres orange foncé ou d'une belle couleur violette. C'est un fruit ayant un peu la forme d'une tomate qui aurait un bout pointu en dessous. C'est aussi un fruit qu'il faut manger seulement lorsque bien mûr. Coupez une tranche sur le dessus du fruit et dégustez-le à la cuillère. On peut aussi le mélanger avec quelques gouttes de sauce vinaigrette ou quelques sections de pamplemousse, ou encore pelez-le, tranchez et mangez avec sucre et crème comme la pêche. Ma façon favorite de les manger est avec pain français grillé et tartiné de fromage en crème.

Groseilles chinoises ou kiwi : un superbe fruit originaire de Chine, il est commercialisé par la Nouvelle-Zélande et la Floride. Ceux de la Nouvelle-Zélande sont de beaucoup supérieurs en qualité et en saveur à ceux de la Floride.

Ils ont acquis le nom de kiwi à cause de la ressemblance de leur pelure brune et rude au plumage d'un oiseau de la Nouvelle-Zélande qui porte ce nom de kiwi, ne vole pas et est recouvert de demi-plumage, demi-cheveux brun et vert. Le kiwi fruit est rond, de 2 à 3 po (5 à 7,5 cm) de long et à peu près 3/4 de pouce (2 cm) de diamètre. Il est juteux, à chair vert pâle et foncé ayant une ligne beige au milieu, celle-ci entourée de minuscules noyaux noirs. Sa saveur et sa texture rappelle un peu celle du melon-miel. Tout le fruit se mange, exception faite de la peau. Pour le manger, on le pèle, le tranche ou le coupe en quatre, ou on le coupe simplement en deux, sans le peler et on le mange à la cuillère. Quelques gouttes de jus de citron ou de lime rehausse sa saveur. Les kiwis de la Nouvelle-Zélande sont sur nos marchés en mai, juin et juillet. Réfrigérés et enveloppés séparément, ils se conservent de deux à trois mois, tout simplement à cause de leur teneur en vitamine C. C'est donc un fruit important à inclure dans nos diètes.

Papayas : quelques fois nommé « melon d'arbre ». Il fut découvert a l'état sauvage en Floride, vers les années 1780, mais on savait que des siècles auparavant les Aztèques et les Indiens mayas l'avaient cultivé. Le papaya d'Hawaï, portant le nom de « solo » est très gros et délicieux, il est assez difficile à trouver. Le papaya et le kiwi sont mes deux fruits favoris, le papaya est aussi important pour sa teneur en vitamine C, et de plus, ses enzymes aident à la digestion. Pour le manger, coupez-le simplement en deux, enlevez les graines noires, qui ressemblent à de petites perles noires et brillantes (je les donne à mes poules qui en font un festin de gourmet). Servez tel quel ou avec un quartier de lime ou un peu de racines de gingembre fraîches et râpées et du jus de citron.

Grenades : fruit tropical de couleur rouge vif, avec une peau très dure. En fait, plus la peau est dure, meilleur est le fruit. La grenade est composée de multiples petits noyaux beiges entourés d'une chair rosée et est très juteuse. C'est avec son jus que l'on prépare le sirop de grenadine ou une gelée très fine comme goût. Dans les pays chauds, on en met souvent plusieurs grains sur les salades aux fruits ou dans les compotes pour donner une note de piquant. Pour les servir comme dessert, coupez le fruit en deux, placez les moitiés sur une assiette avec couteau, fourchette et cuillère. Alors coupez simplement ou sortez à la cuillère le jus et les graines, mais attention, car le jus fait de vilaines taches. On peut aussi en extraire le jus, en la coupant comme une orange et en la pressant sur un pressoir à fruit. Délicieux servi sur glaçons, ou encore versé sur une viande un peu coriace, pour l'attendrir, en la laissant mariner 2 à 3 heures.

Les sorbets frais et élégants

Pour faire un sorbet, il faut congeler en paillettes de glace un mélange de jus de fruit, d'eau et de sucre, ensuite ajouter de la gélatine non aromatisée ou des blancs d'œufs battus en neige et congeler le tout jusqu'à ce qu'il ait une bonne consistance de sorbet. Un de leurs bons côtés, c'est qu'ils ont beaucoup moins de calories que les crèmes glacées. Alors, pour vous rafraîchir et ne pas trop tricher sur votre diète, préparez vos sorbets et évitez la crème glacée.

Sorbet au citron

Si vous avez des invités à dîner, servez votre sorbet dans des coquilles de citron, placées sur une belle feuille verte. L'été, j'aime entourer mon sorbet de fleurs de capucines. Laissez vos invités verser une liqueur de café sur le sorbet.

Les coquilles de citron

Pour la recette qui suit, il vous faudra 8 coquilles de citron. Enlevez une mince tranche sur le côté de 8 gros citrons. Avec une cuillère, au-dessus d'un bol, évidez le citron de son jus et de sa pulpe. Pressez ensuite le jus dans le bol à travers un tamis et mesurez-le; il en faut 3/4 de tasse (200 mL), si nécessaire ajoutez du citron pressé.

1 tasse (250 mL) de sucre
2 c. à table (30 mL) de gélatine non aromatisée
2 tasses (500 mL) de lait
1/2 tasse (125 mL) de crème légère ou de lait
un soupçon de sel
le zeste râpé d'un citron

3/4 de tasse (200 mL) de jus de citron frais
2 blancs d'oeufs

Mélangez dans une casserole le sucre, la gélatine, le lait et la crème, et remuez à feu doux de 5 à 10 minutes pour dissoudre la gélatine. Ajoutez le sel. Laissez tiédir. Mesurez le jus de citron et en ajoutez si nécessaire pour obtenir 3/4 de tasse (200 mL). Lorsque le lait est refroidi, ajoutez-y le citron en brassant et versez dans un grand ou deux plus petits plats à congélation.

Lorsque le mélange commence à prendre tout autour du plat, ajoutez les blancs d'oeufs et battez ensemble jusqu'à ce que le mélange soit léger et mousseux. (J'utilise mon mélangeur ou un batteur électrique.) Faites congeler de nouveau, cette fois jusqu'à ce que le mélange soit assez ferme pour entasser dans les coquilles de citron. Enveloppez chacune individuellement dans un papier d'aluminium ou placez-les les unes à côté des autres dans une grande boîte de plastique ayant un bon couvercle. Congelez au moins 12 heures et servez. *Rendement : 10 portions.*

Sorbet au melon

Entrée rafraîchissante avant un dîner chaud, ou un agréable dessert d'été. Très élégant servi dans de petits verres à parfait garni de menthe fraîche.

4 tasses (1 L) de melon pelé, les graines enlevées
le jus d'un citron ou d'une lime
1/3 de tasse (80 mL) de miel
1/2 c. à thé (2 mL) de gélatine sèche non aromatisée
1/4 de tasse (60 mL) de vin blanc ou d'eau
liqueur à l'orange

Taillez le melon en dés et écrasez-le à travers un tamis, ou mettez-le en purée au mélangeur électrique pour faire 3 1/2 à 4 tasses de purée. Ajoutez le jus et le miel, remuez pour bien mélanger. Faites tremper la gélatine 5 minutes dans le vin ou l'eau, puis faites-la dissoudre au-dessus de l'eau chaude jusqu'à ce qu'elle soit claire. Ajoutez-la au melon en remuant, et versez ce mélange dans le bac à glace du congélateur. Ce sorbet ne doit pas être trop ferme, alors retirez-le du congélateur 30 minutes avant de le servir. *Rendement : 6 à 8 portions.*

Crème glacée maison

Il y a plusieurs années déjà, je reçus cette recette du ministère de l'Agriculture de l'Ontario. Je n'ai jamais eu de meilleure recette pour une glace faite au congélateur-réfrigérateur ou dans un congélateur. Avec les années, j'y ai ajouté mes propres variations.

1 paquet de 8 oz (227 g) de fromage à la crème ramolli
2/3 de tasse (160 mL) de sucre
2 c. à thé (10 mL) d'essence de vanille, de café ou d'érable
1 tasse (250 mL) de crème riche
1 tasse (250 mL) de crème légère

Battez ensemble pour mettre en crème, le fromage, le sucre et la vanille.

Ajoutez la crème lentement, en mélangeant bien le tout. (Je préfère utiliser mon batteur électrique pour cette opération.) Mettez dans un moule au choix, couvrez et faites congeler au congélateur du réfrigérateur jusqu'à ce que le tout soit pris en crème molle, soit de 1 à 3 heures, selon le réfrigérateur.

Aux bananes : ajoutez 2 bananes écrasées au fromage et au sucre, et remplacez la vanille par 1 c. à table (15 mL) de rhum.

Au café : ajoutez 3 c. à table (50 mL) de café instantané, au sucre, et 1/2 c. à thé (2 mL) d'essence de café.

À l'orange : ajoutez au sucre le zeste râpé d'une orange et remplacez la demi-tasse (125 mL) de crème légère par 1/2 tasse (125 mL) de jus d'orange.

Aux fraises : écrasez 1 1/2 tasse (375 mL) de fraises avec 3 c. à table 15 mL) de sucre, 1 c. à table (15 mL) de liqueur à l'orange de votre choix (facultatif). Ajoutez au mélange le fromage à la crème et le sucre.

Glace au rhum et aux raisins

Une glace délicieuse, facile à démouler une fois bien glacée. J'aime la servir avec un bol de rhum au beurre chaud, chacun en met à son gré sur la glace.

5 jaunes d'oeufs
1/2 tasse (125 mL) de cassonade, bien tassée
un soupçon de sel
2 tasses (500 mL) de lait chaud
1 tasse (250 mL) de raisins secs
2 tasses (500 mL) de crème riche
3 c. à table (50 mL) de rhum

Battez les jaunes d'œufs jusqu'à épaississement. Ajoutez le sucre et le sel, et battez de nouveau 5 minutes. (Utilisez le mélangeur électrique.) Ajoutez le lait chaud et les raisins. Faites cuire dans le haut du bain-marie, brassant jusqu'à épaississement, en évitant de laisser venir à ébullition.

Versez dans un bol, couvrez et réfrigérez pour refroidir. Ajoutez la crème et le rhum. Versez dans un moule ou un récipient à crème glacée ou le contenant à glaçons et faites congeler. Remuez 3 à 4 fois au cours des 3 premières heures pour empêcher des cristaux de se former. *Rendement : 1 1/2 pinte (1 1/2 L).*

Glace à la citrouille

Une spécialité de l'Amérique du Sud. Je la garnis d'amandes blanchies, effilées et grillées, ou je laisse chaque convive en prendre à son gré.

1 tasse (250 mL) de purée de citrouille
1/2 tasse (125 mL) de cassonade bien tassée
1/4 c. à thé (1 mL) d'épices à citrouille
1/4 c. à thé (1 mL) de sel
1 c. à thé (5 mL) de zeste d'orange râpé
3 c. à table (50 mL) de sherry ou de rhum
1 tasse (250 mL) de crème à fouetter

Mélangez tous les ingrédients sauf la crème et brassez pour dissoudre le sucre. Fouettez la crème jusqu'à ce qu'elle soit ferme et incorporez-la; versez le mélange dans le contenant à glaçons, et faites congeler jusqu'à ce que le mélange soit ferme. Couvrez alors de papier d'aluminium pour éviter tout changement de texture. *Rendement : 4 tasses (1 L).*

Glace à l'érable

J'aime toujours faire cette recette de famille dans la sorbetière de ma grand-mère. Maintenant, on en trouve qui sont électriques, pour faire le travail. Quel que soit le type de sorbetière utilisé, il y a un point important à observer: faire des rangs alternés de 4 tasses (1 L) de glace concassée et 1/3 de tasse (80 mL) de gros sel (n'utilisez jamais de sel fin). Lorsque le baquet est bien rempli de glace et de sel, versez sur le tout 1 tasse (250 mL) d'eau froide, ce qui empêche la crème glacée de granuler.

4 tasses (1 L) de sirop d'érable
1 1/2 tasse (480 mL) d'eau
1/4 de tasse (60 mL) de farine

4 oeufs séparés
1/4 c. à thé (1 mL) de sel
4 tasses (1 L) de crème riche
2 c. à thé (10 mL) d'essence d'érable
2 c. à thé (10 mL) de jus de citron frais

Chauffez le sirop d'érable juste au-dessous du point d'ébullition. Liez la farine à l'eau petit à petit pour faire une pâte lisse. Ajoutez-la au sirop bouillant et battez au fouet jusqu'à ce que le sirop épaississe et perde son brillant. Battez les jaunes avec le sel et l'essence d'érable. Versez une tasse de sirop chaud sur les oeufs, battez pour bien lier, ajoutez au reste du sirop et battez de nouveau. Retirez du feu et ajoutez la crème et le jus de citron en battant. Couvrez et réfrigérez pour refroidir.

Versez le mélange froid dans le récipient de la sorbetière, qui est déjà rempli de glace et de sel. Couvrez vous assurant que le récipient n'est rempli qu'aux trois-quarts, et tournez jusqu'à ce que le mélange soit à demi-pris; ce qui devrait prendre de 15 à 20 minutes. Lorsque le tout est prêt, ouvrez avec soin. Battez les oeufs en neige ferme, ajoutez au mélange à la cuillère. N'essayez pas de mélanger à fond, seulement ce qui se fait aisément. Couvrez de nouveau, vérifiez la glace — et continuez de tourner et faites prendre jusqu'à ce qu'il devienne difficile de tourner et que le moteur ralentisse. Retirez la palette. (Il vous est même permis d'y passer la langue, c'est bon!) Remettez le couvercle, et bouchez le trou d'une façon quelconque. J'utilise un bouchon de bouteille de vin taillé pour s'adapter. Laissez reposer 1 à 2 heures. Enlevez et remplissez de 4 parties de glace concassée, et d'une partie de sel; ou mettez la glace dans un récipient au congélateur jusqu'au moment de servir. *Rendement : 4 à 6 tasses (1 à 1,5 L) de glace.*

Battue aux oeufs givrée

5 jaunes d'oeufs
1/2 tasse (125 mL) de sucre
2 tasses (500 mL) de sherry sec
2 tasses (500 mL) de crème à fouetter
muscade au goût

Battez les jaunes d'oeufs avec un batteur à manivelle jusqu'à ce qu'ils soient mousseux et jaune pâle. Ajoutez le sucre 1 c. à table (15 mL) à la fois, en battant bien à chaque addition. Ajoutez graduellement le vin, 2 à 3 c. à table (30 à 50 mL) à la fois, sans cesser de battre.

Fouettez la crème et incorporez-le au mélange du sherry avec soin. Versez dans les bacs à glaçons ou des moules, puis recouvrez de papier d'aluminium épais et faites congeler de 1 à 3 jours. Retirez du congélateur 30 minutes environ avant de servir. *Rendement : 6 à 8 portions.*

Soufflé froid au citron

L'été, je fais la même recette, mais je place mon soufflé 12 à 24 heures au congélateur pour le servir glacé — il est également bon.

> *1 c. à table (15 mL) de gélatine non aromatisée*
> *1/4 de tasse (60 mL) d'eau froide*
> *3 jaunes d'oeufs*
> *1 tasse (250 mL) de sucre*
> *1/3 de tasse (80 mL) de jus de citron frais*
> *zeste râpé d'un citron*
> *2 tasses (500 mL) de crème riche*
> *3 blancs d'oeufs*

Trempez la gélatine dans un bol d'eau froide durant 10 minutes. Mettez le bol dans une casserole d'eau chaude, et faites mijoter jusqu'à ce que la gélatine soit transparente. Battez les jaunes d'oeufs jusqu'à ce qu'ils soient jaune pâle; puis ajoutez le sucre petit à petit et battez jusqu'à ce que vous obteniez une couleur très pâle et une consistance quelque peu crémeuse.

Ajoutez le jus et le zeste de citron, et mélangez bien. Versez dans la gélatine fondue graduellement tout en battant, réfrigérez le mélange jusqu'à ce qu'il ait la texture de blancs d'œufs.

Fouettez la crème, battez les blancs d'oeufs en neige ferme, et incorporez chacun au mélange du citron. Versez dans des moules individuels ou dans un plat à soufflé de 3/4 de pinte (750 mL) sans collet. *Rendement : 4 portions.*

Mélange préparé maison pour crème et tarte

J'ai toujours sur les tablettes de mon garde-manger ces différents mélanges : caramel, vanille, chocolat, etc. Il ne me faut que quelques minutes pour cuire une crème ou un remplissage de tarte. Le coût en est moindre que le produit commercial et la saveur est beaucoup plus intéressante. Vous les conserverez des mois dans une boîte de plastique bien fermée.

> *2 1/2 tasses (625 mL) de lait instantané en poudre*
> *1 1/2 tasse (525 mL) de sucre (ou un peu moins)*

1 tasse (250 mL) de farine
1/4 de tasse (60 mL) de fécule de maïs
1 c. à thé (5 mL) de sel

Tamisez ensemble tous les ingrédients trois fois. Cela est important pour obtenir une crème lisse telle que celle du mélange commercial. Conservez dans un récipient de plastique couvert, dans un endroit frais. *Rendement : 5 tasses (1,5 L).*

Crème au caramel : la préparation est la même que ci-haut. Il suffit simplement de remplacer le sucre par de la cassonade. Elle est très bonne, parfumée à l'essence d'érable ou au rhum.

Crème au chocolat : la préparation est la même que pour la crème de base, mais ajoutez 3/4 de tasse (200 mL) de cacao au mélange sec avant de tamiser trois fois. Elle est délicieuse aromatisée de rhum ou de vanille, de zeste d'orange ou d'un peu de cannelle.

La créma

Malgré les ingrédients tout simples qui le composent, ce dessert est délicat, succulent et crémeux, toujours dégusté avec plaisir. La recette m'en fut remise en 1956 par Olympia Marketos, une épicurienne grecque.

1/2 tasse (125 mL) de sucre
4 c. à table (60 mL) de fécule de maïs
4 jaunes d'oeufs
3 tasses (750 mL) de lait chaud
le zeste râpé d'une orange
1 c. à thé (5 mL) de vanille
cannelle au goût

Mélangez le sucre et la fécule de maïs, et ajoutez les jaunes d'oeufs un à un, battant bien à chaque addition. Continuez de battre pour obtenir un mélange léger et lisse. J'utilise mon mélangeur ou mon batteur électrique.

Ajoutez le lait chaud petit à petit pour bien mélanger. Ajoutez le zeste d'orange râpé. Faites cuire à feu très doux, et remuez souvent jusqu'à ce que le mélange soit épais et crémeux. Ajoutez la vanille. Versez dans un plat de verre. Couvrez, réfrigérez pour refroidir, et saupoudrez au goût de cannelle, ou de sucre rose. L'été, je recouvre la crème froide de fraises ou de framboises sucrées. *Rendement: 6 portions.*

Crème pâtissière

Utilisez pour garnir des éclairs ou des choux à la crème ou un gâteau éponge ou un gâteau roulé. Elle se conserve deux semaines réfrigérée dans un pot de verre bien fermé.

1 1/2 tasse (400 mL) de lait
1/2 tasse (125 mL) de sucre
4 jaunes d'oeufs
1/4 de tasse (60 mL) de farine
1/2 c. à thé (2 mL) de vanille
2 c. à table (30 mL) de brandy ou de rhum

Chauffez le lait juste au point d'ébullition. Battez le sucre et les jaunes d'oeufs dans un bol jusqu'à ce que le mélange soit léger et pâle. Ajoutez la farine et brassez tout juste pour mélanger. Ajoutez petit à petit le lait chaud, en remuant pour mélanger.

Faites cuire à feu doux jusqu'au point d'ébullition, en brassant presque tout le temps. Remuez bien le mélange au fond et tout autour de la casserole. Retirez du feu, ajoutez la vanille, le brandy ou le rhum. S'il y a des grumeaux, passez au tamis, cette crème doit être tout à fait lisse. Versez dans un bocal, couvrez, faites tiédir et réfrigérez. *Rendement : 3 tasses (750 mL).*

Petits cœurs au géranium parfumé

Ma grand-mère utilisait les feuilles de géranium parfumé à la rose aussi souvent que nous utilisions la vanille. J'ai toujours une plante de géranium rose dans la maison. L'été, je la mets dehors, elle se ravigote, et continue pendant des années à me donner de ces belles feuilles parfumées pour cuisiner. La recette qui suit me vient de ma grand-mère maternelle; sa crème était beaucoup plus riche et elle faisait son fromage-crème, mais je la réussis bien, même si elle est moins riche.

Servie avec fraises, framboises ou mûres sauvages, c'est un superbe dessert d'été. L'hiver, je sers mes « petits cœurs » arrosés de brandy.

1 tasse (250 mL) de crème à fouetter
4 c. à table (60 mL) de sucre à fruits
2 feuilles de géranium parfumé
4 oz (1250 g) de fromage à la crème

Faites cuire à feu très doux la crème, le sucre et les feuilles de géranium, en remuant souvent jusqu'à ce que le sucre soit dissout. Ne laissez pas bouillir. Refroidissez complètement. Mettez le fromage en crème, ajoutez la crème refroidie petit à petit et retirez les feuilles. Battez le mélange pour qu'il soit léger et mousseux. Versez dans un bol de cristal. Couvrez et réfrigérez de 12 à 24 heures. Servez-le garni de feuilles de géranium fraîches. *Rendement : 6 portions.*

Petits pots de chocolat

Le dessert favori de mon mari. J'aime les servir de la manière classique, dans de jolis petits pots avec couvercle, accompagnés de macarons. Bien couverts, ils peuvent être conservés 5 à 6 jours au réfrigérateur.

4 oz (114 mL) de chocolat semi-sucré
1/2 tasse (125 mL) de sucre
1/4 de tasse (60 mL) d'eau
4 jaunes d'oeufs
2 c. à table (30 mL) de brandy
4 blancs d'oeufs battus en neige

Faites fondre le chocolat au-dessus de l'eau chaude, non bouillante. Faites bouillir le sucre et l'eau dans une petite casserole à découvert, en remuant quelques fois jusqu'à la consistance d'un sirop, 10 minutes environ; versez ensuite ce sirop chaud dans le chocolat fondu, tout en remuant vivement avec un fouet métallique. Ajoutez les jaunes d'oeufs, un à la fois, et battant fortement à chaque addition, au-dessus de l'eau chaude.

Retirez du feu et ajoutez le brandy en remuant. Incorporez les blancs d'oeufs battus. Versez dans de petits pots ou de petits plats à dessert, ou des demi-tasses à café, couvrez et réfrigérez au moins 12 heures. *Rendement : 6 à 8 portions.*

Crème bavaroise rhum-chocolat

Servez dans un plat de verre taillé, recouvert d'une couche de macarons écrasés, le tout accompagné d'une bouteille de liqueur au café; chacun s'en sert à son goût. C'est la manière classique de servir ce dessert victorien.

1/2 tasse (125 mL) de lait ou de crème chauffé
4 oz (110 g) de chocolat semi-sucré
1/2 tasse (125 mL) de sucre
1/8 c. à thé (0,5 mL) de sel
2 enveloppes de gélatine non aromatisée
1/4 de tasse (60 mL) de rhum

4 jaunes d'œufs battus
4 blancs d'œufs battus en neige
1/2 tasse (125 mL) de crème riche

Chauffez le lait ou la crème dans le haut d'un bain-marie. Ajoutez le chocolat et brassez souvent jusqu'à ce que le chocolat soit fondu et le mélange lisse. Ajoutez le sucre et le sel et remuez pour faire fondre le sucre.

Versez la gélatine sur le rhum et laissez reposer 5 minutes. Ajoutez aux jaunes d'œufs, mélangez et versez sur le chocolat en brassant. Faites cuire jusqu'à ce que le mélange soit crémeux, en remuant souvent. Refroidissez au réfrigérateur jusqu'à ce que le mélange commence à prendre. Incorporez les blancs d'œufs battus et la crème fouettée ferme. Versez dans un plat. Couvrez et réfrigérez pour faire prendre. *Rendement : 6 portions.*

Pouding pain-beurre

Un dessert qui sait plaire malgré sa simplicité. On le sert chaud ou tiède, tel quel, ou avec de la crème, ou du sirop d'érable, ou avec une égale quantité de sirop d'érable, de rhum ou de brandy, chauffés ensemble; c'est ma sauce préférée servie chaude. Au moment de la servir, ajoutez 1 à 2 c. à table (15 à 30 mL) de beurre.

6 tranches de pain beurrées copieusement
3 œufs
1 tasse (250 mL) de sucre
1 c. à thé (5 mL) de vanille
un soupçon de macis
3 tasses (750 mL) de lait ou de crème légère, chauffé
1/2 tasse (125 mL) de raisins secs épépinés ou de raisins de Corinthe

Battez les œufs avec le sucre, la vanille et le macis. Ajoutez à la crème ou au lait chaud et battez au batteur pour bien mélanger.

Dans un plat à pouding bien beurré, mettez en rangs alternés le pain beurré et les raisins secs ou les raisins de Corinthe. Versez le lait chaud dessus et mettez le plat dans une lèchefrite d'eau chaude. Faites cuire 50 à 60 minutes dans un four à 350° F (180° C), jusqu'à ce que le dessus soit gonflé et doré. *Rendement : 6 portions.*

Pouding au sucre du Québec

Au printemps, je fais ce traditionnel pouding avec du sucre d'érable mou, qui remplace la cassonade en égale quantité. C'est une sorte de pouding au pain, croustillant sur le dessus avec une sauce claire en dessous, que l'on verse sur le pouding en le servant.

4 tasses (1 L) de cubes de pain
1/2 tasse (125 mL) de beurre
1 c. à thé (5 mL) de cannelle
1/2 tasse (125 mL) de sucre
le zeste râpé d'1/2 orange ou citron
1 tasse (250 mL) de sucre d'érable ou de cassonade
3 c. à table (50 mL) de jus de pomme ou d'eau
2 œufs, légèrement battus
2 tasses (500 mL) de lait, chaud

Faites fondre le beurre dans une casserole jusqu'à ce qu'il soit de couleur noisette. Mettez le pain dans un bol, versez-y le beurre fondu, et ajoutez la cannelle, le sucre et le zeste d'orange ou de citron. Mélangez bien.

Recouvrez le fond d'un plat à pouding bien beurré du sucre d'érable ou de la cassonade et du jus de pomme ou de l'eau. Versez le mélange de pain sur le dessus. Battez ensemble les œufs et le lait chaud et versez sur le pain, ne mélangez pas. Mettez le plat dans une lèchefrite d'eau chaude et faites cuire 40 à 45 minutes au four à 350°F (180°C). Servez chaud ou tiède, tel quel ou avec crème ou crème glacée. *Rendement : 6 portions.*

Pouding au pain à l'érable

C'est un simple dessert maison, vite préparé. Ce qui fait son charme, c'est le goût délicat du sirop d'érable.

3 tranches de pain brun ou blanc
2 c. à table (30 mL) de margarine molle
3 œufs
1/2 tasse (125 mL) de sirop d'érable
1/4 c. à thé (1 mL) de cannelle
1/4 c. à thé (1 mL) de gingembre ou de muscade
1/8 c. à thé (0,5 mL) de sel
2 1/2 tasses (625 mL) de lait

Tartinez de margarine les deux côtés de chaque tranche de pain, sans enlever les croûtes. Coupez chacune en quatre et disposez dans un plat de cuisson d'1 1/2 pinte (1 1/2 L) copieusement beurré.

348

Battez les œufs jusqu'à ce qu'ils soient mousseux; battez le sirop, les épices et le sel dans les œufs, puis brassez pour ajouter le lait et versez sur le pain. Laissez reposer 20 minutes, et alors repoussez vers le fond avec une fourchette, le pain demeuré sur le dessus.

Mettez le plat dans une lèchefrite d'eau chaude, couvrez et faites cuire 1 heure à 325°F (160°C) ou jusqu'à parfaite cuisson. Servez tel quel, ou avec crème ou crème glacée. *Rendement : 4 portions.*

Pouding caramel au pain

Recette de ma mère qui lui fut donnée par notre marchand de fromage écossais. La recette n'avait aucune mesure ni directions, mais je l'ai si souvent faite et mangée qu'il me fut facile de la composer. La recette originale demandait du sucre d'érable, de préférence à la cassonade.

1 tasse (250 mL) de cassonade
1 c. à thé (5 mL) de cannelle ou de muscade
2 c. à table (30 mL) de beurre, en dés
2 œufs battus légèrement
2 tasses (500 mL) de lait
1 1/2 tasse (400 mL) de pain sec, en dés
un soupçon de sel
1 c. à thé (5 mL) de vanille ou
1 c. à table (15 mL) de rhum

Mettez la cassonade dans le fond d'un moule rond de 8 po (20 cm). Saupoudrez de cannelle ou de muscade. Parsemez de dés de beurre.

Chauffez le lait. Battez les œufs dans un bol. Ajoutez-y les dés de pain et le lait chaud. Remuez pour bien mélanger. Ajoutez le sel et la vanille, et versez le tout sur la cassonade, sans remuer.

Mettez le plat dans une lèchefrite d'eau. Faites cuire dans un four préchauffé à 350°F (180°C), 35 à 45 minutes environ, jusqu'à ce que le dessus soit doré. Servez chaud ou froid. Il tombera en refroidissant, mais c'est ce qui doit arriver. *Rendement : 4 portions.*

Délice de la reine

Un dessert victorien qui n'est autre qu'un pouding au pain, mais préparé comme suit il est délicieux et délicat. Couronné avec succès de sa sauce mousse au citron et à l'orange, c'est un dessert parfait.

2 jaunes d'œufs
3 c. à table (50 mL) de beurre mou

2/3 de tasse (160 mL) de sucre
1 tasse (250 mL) de mie de pain fraîche (2 tranches)
1/4 c. à thé (1 mL) de sel
1 3/4 (475 mL) de crème légère ou de lait
1 c. à thé (5 mL) de vanille
le jus et le zeste râpé d'1/2 citron
2 blancs d'oeufs battus en neige

Battez au batteur électrique, les jaunes d'œufs, le beurre mou et le sucre, jusqu'à ce que le mélange soit presque blanc et très léger. Ajoutez le pain, le sel et la crème ou le lait. Mélangez bien et faites mijoter à feu doux, en remuant presque continuellement, jusqu'à l'obtention de la texture d'une crème légère : là est le secret d'un pouding léger. Battez les blancs d'œufs en neige ferme, mais non dure. À ce moment, retirez le mélange du feu et ajoutez-y la vanille, le jus et le zeste de citron, et battez vivement durant une minute. Incorporez les blancs d'œufs avec soin. Versez délicatement dans un plat de cuisson attrayant. Ma mère utilisait toujours un plat ovale de porcelaine anglaise représentant des oiseaux et des fleurs par Minton. Comme j'aimais ce plat!

Mettez le plat dans une lèchefrite d'eau chaude. Faites cuire 35 minutes environ au four à 325°F (160°C), ou jusqu'à ce que la lame d'un couteau introduite au milieu en ressorte propre et que le dessus soit doré. Servez avec la sauce mousse au citron et à l'orange (ci-dessous). *Rendement : 4 à 6 portions.*

Sauce mousse au citron et à l'orange

2 c. à table (30 mL) de jus de citron frais
1/2 tasse (125 mL) de jus d'orange frais
1/4 de tasse (60 mL) de sucre
2 oeufs battus légèrement
3 c. à table (50 mL) de sherry sec
1/2 tasse (125 mL) de crème riche

Combinez dans le haut d'un bain-marie les jus de fruits, le sucre et les œufs. Puis battez avec un batteur au-dessus de l'eau chaude jusqu'à ce que la sauce adhère au dos d'une cuillère ou ait la consistance d'une crème légère. Versez dans un bol. Couvrez et faites refroidir au réfrigérateur. Fouettez la crème, ajoutez-y le sherry, et incorporez à la sauce. Conservez au réfrigérateur jusqu'au moment d'utiliser. *Rendement : 1 tasse (250 mL).*

Flan de carottes

Ce dessert prouve qu'il y a beaucoup plus de bonnes choses à faire avec les carottes qu'on se l'imagine. Au début du siècle, chacun avait sa cave froide pour y garder les légumes-racines d'hiver, carottes, navets, panais, betteraves, etc. Les femmes inventaient toutes sortes de recettes pour les utiliser et les varier. Ce flan délicat avec une couleur attrayante était un des desserts favoris.

4 œufs
1/2 tasse (125 mL) de miel
1/4 c. à thé (1 mL) de sel
3 tasses (750 mL) de lait chaud
3/4 de tasse (200 mL) de carottes hachées fin
2 c. à table (30 mL) de sherry sec
le zeste râpé d'une orange
muscade ou cannelle au goût

Battez ensemble les œufs, le miel et le sel pour obtenir un mélange mousseux et léger. Remuez tout en ajoutant le lait chaud, les carottes, le sherry et le zeste râpé de l'orange. Mélangez bien et versez dans des coupes individuelles. Saupoudrez de muscade fraîchement râpée ou de cannelle, au goût.

Mettez les coupes dans un plat de cuisson, ajoutez assez d'eau chaude pour atteindre le milieu des coupes. Faites cuire au four préchauffé à 325°F (160°C), 40 à 50 minutes, ou jusqu'à ce que la crème soit prise. *Rendement: 6 coupes de flan.*

Flan de carottes au miel

Ceux qui goûtent ce dessert pour la première fois se demandent souvent de quoi il est fait. Il a une très belle couleur et une saveur qui intrigue. Si vous désirez le servir avec une sauce, utilisez une sauce bien citronnée.

4 œufs
1/2 tasse (125 mL) de miel
1/4 c. à thé (1 mL) de sel
3 tasses (750 mL) de lait chaud
3/4 de tasse (200 mL) de carottes finement râpées
2 c. à table (30 mL) de sherry
le zeste râpé d'une orange
1/4 c. à thé (1 mL) de cannelle

Battez les œufs avec le miel et le sel jusqu'à ce que le mélange soit mousseux et léger, puis ajoutez-y le lait en remuant. Ajoutez les carottes, le sherry, le zeste d'orange. Mélangez bien.

Versez le mélange dans des coupes individuelles beurrées et saupoudrez chacune d'un peu de cannelle. Mettez les coupes dans un plat de cuisson, puis ajoutez assez d'eau pour atteindre le milieu des coupes. Faites cuire à 325°F (160°C), 45 à 60 minutes, jusqu'à ce que le flan soit pris. *Rendement: 6 portions.*

Flan à la citrouille

J'aime faire ce dessert dans un mélangeur électrique, ce qui le rend mousseux et léger, ou alors le battre vigoureusement avec un batteur à main électrique.

1 1/2 tasse (375 mL) de lait chaud
1/4 c. à thé (1 mL) de muscade
un soupçon de clous de girofle moulus
1/4 c. à thé (1 mL) de cannelle
2/3 de tasse (160 mL) de purée de citrouille
2 œufs
6 grosses guimauves

Mélangez tous les ingrédients sauf les œufs et les guimauves au batteur électrique ou au mélangeur. Ajoutez les œufs et battez juste ce qu'il faut pour mélanger. Versez dans 6 coupes de 4 oz (125 mL), et mettez une guimauve sur le dessus de chacune. Mettez les coupes dans un plat d'eau chaude, faites cuire au four à 350°F (180°C) 30 minutes, puis réfrigérez jusqu'au moment d'utiliser. *Rendement: 6 portions.*

Ara-strambouli

Un superbe dessert turc, que m'apprit à faire mon amie Simone qui venait d'Égypte. On le sert chaud ou tiède, mais jamais froid. Mangez-le tel quel ou avec de la crème, du yogourt ou de la crème glacée. Personne ne reconnaît la citrouille. Coupez vos morceaux de citrouille pelée en demi-lunes. Faites-les dorer à feu moyen dans la margarine. Il vous faudra à peu près 1/2 tasse (125 mL) de margarine pour 15 à 20 demi-lunes.

Mettez-en un rang dans un plat de service pas trop profond. Saupoudrez chaque rang généreusement du mélange qui suit :

1 tasse (250 mL) de noix hachées
1 tasse (250 mL) de sucre

1 tasse (250 mL) de raisins de Corinthe

Arrosez chaque rang avec assez de jus de citron pour mouiller un peu le sucre, le jus d'à peu près un demi-citron par rang. Au goût, versez sur le tout 1/4 de tasse (60 mL) de rhum.

Faites cuire au four à 350° F (180° C) jusqu'à ce que le dessus soit légèrement doré, à peu près 30 minutes. Servez chaud ou tiède. *Rendement : 4 à 6 portions.*

Sirop d'érable

Le sirop d'érable, c'est le printemps! Le sirop depuis toujours donne une délicate saveur spéciale aux aliments et est utilisé de maintes manières. Versez-en quelques filets dorés sur votre céréale du matin ou sur votre yogourt; appréciez-le sur un demi-pamplemousse, surtout lorsqu'il est servi chaud; avec les pommes de terre sucrées ou le jambon, ou tout simplement chauffez-en avec des noix de Grenoble et un petit morceau de beurre pour verser chaud sur une crème glacée bien froide, ou encore faites un spectaculaire soufflé à l'érable.

Pendant la si courte saison des fraises, sucrez-les avec du sirop d'érable et servez-les avec une crème riche. Ou faites une mousse ou une crème glacée à l'érable, et pour finir en beauté, faites au moins une fois un bon sucre à la crème à l'érable à l'ancienne. Un dessert à l'érable est toujours accueilli avec enthousiasme.

Le soufflé à l'érable de Mary

Ma chère amie Mary Baillie me donna cette recette, il y a des années. Chaque fois que je le sers, on me demande la recette. C'est aussi spectaculaire que bon pour finir un dîner. Comme ce soufflé prend une heure à cuire, il est facile de l'avoir juste à la minute requise.

1 tasse (250 mL) de sirop d'érable
4 blancs d'œufs
1/2 tasse (125 mL) de sucre à glacer
2 c. à thé (10 mL) de poudre à pâte

La sauce :

1/2 tasse (125 mL) de sirop d'érable
3 c. à table (50 mL) de brandy
1 c. à table (15 mL) de beurre

Faites bouillir la tasse de sirop d'érable pour la réduire à 3/4 de tasse (200 mL). Laissez tiédir. Battez les blancs d'œufs en neige, ajoutez-leur le sucre en poudre tamisé avec la poudre à pâte. Incorporez avec soin le sirop tiédi. Faites cuire au four préchauffé à 300°F (150°C) dans un plat à soufflé de 8 po (20 cm). Mettez le plat dans une lèchefrite d'eau chaude. Faites cuire une heure. Servez aussitôt prêt avec la sauce préparée en faisant chauffer ensemble les ingrédients de la sauce. Chaque convive verse lui-même la sauce à son goût. *Rendement : 4 à 5 portions.*

Mousse à l'érable

La qualité et l'épaisseur du sirop sont très importantes pour bien réussir ce dessert. Si vous n'êtes pas assuré de l'une ou de l'autre, mesurez 1 1/2 tasse (400 mL) de sirop et faites-le bouillir jusqu'à ce qu'il soit réduit à 1 tasse (250 mL). Refroidissez et utilisez. Cette mousse est très jolie servie dans des petits pots à crème couverts.

4 jaunes d'oeufs battus
1 tasse (250 mL) de sirop d'érable
1 c. à thé (5 mL) d'essence de vanille
2 tasses (500 mL) de crème riche
1/4 à 1/2 tasse (60 à 125 mL) de noix hachées

Mélangez les jaunes d'oeufs au sirop d'érable et battez au-dessus de l'eau chaude jusqu'à ce que le mélange adhère au dos d'une cuillère et ressemble au flan. Faites tiédir, puis ajoutez la vanille et incorporez-y la crème bien fouettée. Versez dans des moules individuels ou des petits pots. Saupoudrez de noix hachées. Couvrez et réfrigérez 24 heures avant de servir ou servez gelée, en mettant le plat au congélateur de 4 à 6 heures. La mousse peut être mise dans un moule lorsqu'elle est servie gelée, car elle se démoule alors facilement après 12 heures. *Rendement : 6 portions.*

Crème d'érable

2 tasses (500 mL) de lait chaud
3 c. à table (50 mL) de fécule de maïs
1/4 de tasse (60 mL) de lait froid
3/4 de tasse (200 mL) de sirop d'érable
2 c. à table (30 mL) de beurre

Faites chauffer le lait et délayez la fécule de maïs dans le 1/4 de tasse (60 mL) de lait froid, ajoutez au lait chaud. Faites cuire, en remuant jusqu'à ce que le mélange épaississe et soit lisse. Continuez la cuisson quelques minutes à feu doux, puis retirez du feu.

Mettez dans un poêlon lourd le sirop d'érable et le beurre et faites cuire jusqu'à ce que le sirop soit très épais et bouillonnant. Il doit «caraméliser» sans brûler. Ajoutez à la crème. Remuez à feu doux jusqu'à ce que le mélange soit très lisse. Versez dans un moule. Laissez tiédir. Démoulez pour servir et garnissez la crème fouettée. *Rendement : 4 portions.*

Crème brûlée hongroise

Cette crème est tout à fait différente de la crème caramélisée classique de la cuisine française, mais tout aussi délicieuse.

2 tasses (500 mL) de crème sure commerciale
1 à 1 1/2 tasse (250 à 375 mL) de cassonade pâle
fraises ou cerises fraîches

Mettez la crème sure froide dans un plat de cuisson peu profond. Saupoudrez de cassonade d'une épaisseur d'1/2 po (1 cm), en prenant soin de bien l'étendre pour que le tout soit très lisse. Mettez sous le grilleur à environ 2 po (5 cm) de la source de chaleur jusqu'à ce que le sucre fonde et forme un sirop mou opaque. Surveillez-le bien, car quelques secondes seulement sont requises pour griller, et tournez le plat au besoin pour faire griller également. Réfrigérez jusqu'à ce que la croûte soit durcie, soit de 20 à 40 minutes. Servez recouverte des fruits. *Rendement : 4 portions.*

Le petit déjeuner et les brunches

Les aliments et la cuisine n'ont pas échappé aux changements tumul-
tueux qui s'introduisent régulièrement dans notre vie quotidienne;
alors pourquoi ne pas apporter des modifications à votre petit déjeuner, le repas le plus susceptible d'être une habitude de toute la vie?
Pour une meilleure santé et une plus grande énergie, profitez du petit
déjeuner pour essayer le blé entier, le sarrasin, l'orge, les flocons
d'avoine à l'ancienne, la cassonade ou le sucre brut, le sel de mer, la
levure, la noix de coco ou le germe de blé. Apprenez à en faire usage, et
vous serez étonnée des délicieux petits déjeuners qui s'offrent à vous
avec un minimum d'effort.

Mon mari Bernard et moi déjeunons tôt — très tôt — parce que
nous aimons savourer cette quiétude matinale qui nous entoure et la
façon dont nos deux gros chiens et quatre chats, tout à leur aise, nous
observent et nous écoutent parler.

Mon déjeuner à moi consiste en une tasse de café noir, une tranche
croustillante de pain grillé garnie d'un peu de fromage — j'aime tant le
fromage — et d'un peu d'une de mes dernières confitures d'été. En
saison, je remplace la confiture par des fruits frais. Il m'arrive quelques
fois au cours de l'année de manger quelques tranches croustillantes de
bacon fumé à l'érable, et des œufs et des pommes de terre grillées crues
et pour terminer, je déguste une petite cuillerée de ma marmelade
préférée, appelée Clémentine.

Pour ce qui est de mon mari, c'est autre chose. Pour lui, c'est un
copieux petit déjeuner. Du bacon, des œufs, des tomates grillées ou
des rognons d'agneau ou des saucisses, et des pommes de terre réchauffées ou une céréale chaude avec du miel, et ainsi de suite. Tôt le
matin, à mon avis, rien n'égale l'arôme du bacon qui cuit et grésille,
tout particulièrement s'il est tranché très mince et présenté à table cuit
à la perfection, croustillant sans être sec.

Pour beaucoup de personnes, le petit déjeuner est moins un repas
qu'une habitude, une humeur, un café à la sauvette — les yeux rivés à
la page financière, la bouche qui avale un aliment quelconque. Il existe
des personnes qui ne peuvent commencer une journée sans leur jus
d'orange, d'autres ne peuvent se passer de leur pamplemousse. Pour
certains, les œufs doivent être brouillés, pour d'autres, au miroir.

Au sujet du petit déjeuner, lorsque j'en parle avec mes amis, la plupart prétendent qu'il leur est à peu près impossible de servir tous les matins un repas — et toujours à temps — sans que tout cela ne les déprime. Souvenez-vous que certains plats du petit déjeuner conviennent, on ne peut mieux, à une atmosphère idéale pour les matins sans hâte; tandis que d'autres conviennent aux jours où c'est une ruée de tous côtés pour l'école ou le travail.

Toute ma philosophie du petit déjeuner peut se résumer en quelques mots : modération, simplicité, élégance discrète et respect des goûts et de la personnalité matinale de chacun. Voici comment j'évite la confusion. La veille, au moment de me mettre au lit, je planifie ce que je servirai le lendemain, où je le servirai et quels vêtements je porterai. Alors, au lever, je suis fixée sur ces points. Croyez-moi, à peine éveillée c'est un soulagement de ne pas avoir à prendre de telles décisions!

La première chose, à mon entrée à la cuisine, est de faire couler l'eau — fraîche et froide — pour le café. Je mouds ensuite les grains de café, en réglant le moulin selon le genre de café que je me propose de faire (c'est généralement un café filtre). Et je me demande encore ce que j'aime le mieux, est-ce l'arôme alléchant du café frais moulu ou la saveur de cette première tasse.

Lorsque je sers des céréales froides, je remplis les bols pour commencer, puis je verse le lait et la crème dans des pichets. Ensuite, je réunis les fruits, les œufs, le beurre, le bacon ou tout autre aliment à servir.

Généralement, à ce moment-là, l'eau bout. Je fais le café et je réchauffe la théière pour mon mari qui boit son thé le matin. Je dresse le couvert, tel que décidé la veille. J'essaie toujours de rendre cette table aussi fraîche et attrayante que possible, car ce sentiment de fraîcheur nous est encore plus nécessaire le matin qu'à tout autre moment de la journée. Je prépare ensuite les œufs et le bacon ou ce que j'ai choisi de servir.

Voici quelques conseils pour un succulent petit déjeuner. Il vous suffit d'agrémenter d'un soupçon d'imagination quelques-uns de vos mets préférés. Pourvu que vous désiriez rendre quelqu'un heureux —ne serait-ce que vous-même — la journée commencera sur une note positive, qui pourrait bien persister toute la journée.

Le bacon

Le bacon peut être cuit au poêlon ou grillé.

Bacon au poêlon : placez les tranches de bacon dans un poêlon froid. Faites cuire très lentement à feu moyen, retournant une seule fois. Retirez la graisse avant de retourner les tranches.

Bacon grillé : placez les tranches de bacon sur une grille. Faites griller à 3 po (8 cm) de la source de chaleur, sans retourner. Faites cuire 3 à 4 minutes. C'est la meilleure méthode pour faire ressortir la pleine saveur de la viande.

Lorsque le bacon est cuit par l'une ou l'autre de ces méthodes, égouttez-le sur un essuie-tout et gardez-le chaud dans un réchaud ou au four à 250°F (120°C). Réchauffez les asssiettes en même temps. Un déjeuner peut être gâché s'il est servi dans une assiette froide.

Comment cuire les œufs

Les œufs sur le plat

Pour obtenir les meilleurs résultats, utilisez un petit poêlon, de métal lourd, de préférence de fonte émaillée.

Deux tempétatures sont utilisées pour frire un œuf. Un feu vif pour fondre le gras de votre choix : beurre, graisse de bacon, huile végétale ou huile d'olive — environ 1 c. à thé (5 mL) pour 2 œufs. Lorsque le gras atteint le point de fumer, sans toutefois être trop bruni, bien entendu, les œufs sont ajoutés et le feu est éteint. La chaleur dans le poêlon est suffisante pour faire cuire les œufs. Cela peut prendre de 2 à 3 minutes.

La façon la plus sûre d'ajouter les œufs au poêlon sans briser le jaune est de les casser, un à la fois, dans une soucoupe, de baisser la soucoupe juste au-dessus du gras chaud. Renversez la soucoupe de côté, le bord touchant le fond du poêlon, et faites glisser l'œuf lentement. Lorsque tous les œufs ont été ajoutés, faites cuire à feu doux, si vous avez plus de 2 œufs.

Pour faire cuire un œuf sans gras, cassez-le dans un poêlon de téflon froid et non graissé, couvrez-le et laissez cuire à feu doux de 3 à 5 minutes. Servez aussitôt cuit.

Si vous aimez vos œufs retournés, procédez comme pour les œufs sur le plat; mais juste avant qu'ils ne soient cuits à votre goût, retournez chaque œuf rapidement ave une spatule huilée; faites-les cuire de ce côté 30 secondes ou à votre goût.

Les œufs brouillés

Il faut beaucoup de pratique pour apprendre à faire des œufs brouillés à la perfection, qui seront mous et crémeux. C'est la méthode de cuisson des œufs la plus souvent mal réussie; il semble ne pas y avoir de juste milieu — ils sont soit cuits à la perfection ou alors, ils sont affreux.

Cassez les œufs, généralement deux par personne, dans un bol. Assaisonnez au goût et battez avec une fourchette ou un fouet métallique pour bien mélanger le jaune et le blanc. Avec un batteur, ils seraient trop battus, ce qui affecterait leur consistance crémeuse une fois cuits.

Mettez dans le poêlon 1 c. à table (15 mL) de beurre pour 2 à 3 œufs. C'est deux fois autant que pour une omelette. Pourquoi faut-il en mettre tant? Parce qu'ici le beurre ne sert pas uniquement à empêcher les œufs de prendre au fond du poêlon, mais il sert aussi de liquide indispensable, et doit être incorporé aux œufs à mesure qu'ils cuisent, ceci pour la richesse de la saveur et de la texture.

Les œufs brouillés doivent toujours cuire à feu doux; car à feu trop vif, les œufs perdent leurs jus naturels et deviennent alors secs et de saveur désagréable.

Voici comment effectuer la cuisson. Placez le poêlon à feu modéré, faites-y fondre le beurre et versez-y les œufs battus. Laissez-les prendre quelques secondes, remuez-les avec une fourchette, sans tenter de leur donner de forme. Le secret pour les rendre crémeux est de les remuer sans cesse. La façon la plus facile est de soulever les œufs du dessous pour permettre à la portion non cuite de glisser et de se répandre au fond du poêlon. Faites cuire, en brassant sans cesse, jusqu'à ce qu'ils soient presque coagulés, tout en conservant un peu de brillant et sans être complètement cuits. Retirez alors du feu. Ajoutez 1 c. à thé (5 mL) de crème froide légère ou de lait pour quatre œufs et remuez rapidement pour 1 seconde, pour arrêter la cuisson, qui se poursuivrait durant plusieurs minutes à cause de la chaleur interne dans les œufs. Sans cette opération, les œufs seraient trop cuits et secs. Pour les servir, retournez-les sur un plat chaud.

Les œufs pochés

Pour être réussis, les œufs pochés doivent être très frais. Utilisez une casserole profonde, remplissez-la d'eau salée, ajoutez 1/2 c. à thé (2 mL) de vinaigre, et amenez l'eau à frémir. Cassez les œufs dans une soucoupe, et ajoutez-les dans la casserole comme pour les œufs sur le plat. Couvrez la casserole et laissez cuire à feu très doux de 3 à 5 minutes. Lorsqu'ils sont cuits, retirez-les de l'eau avec une écumoire.

Pour des œufs plus mous, graissez un poêlon profond de beurre ou de margarine. Ajoutez 2 po (5 cm) d'eau salée, 1/2 c. à thé (2 mL) de vinaigre, et amenez l'eau au point d'ébullition, mais sans la laisser bouillir. Ajoutez les œufs, couvrez, et éteignez le feu, tout en laissant le poêlon sur le brûleur. Laissez reposer de 3 à 7 minutes, selon le degré de cuisson désiré. Retirez les œufs de l'eau avec une écumoire, et servez.

Les œufs peuvent être cuits ainsi tous à la fois, mais au début, pour apprendre, il vaut mieux les cuire un par un.

Le petit déjeuner du fermier

Dans bien des fermes du Québec, ce plat du matin demeure populaire. C'est un copieux petit déjeuner, mais je le recommande aussi pour le repas du midi ou un léger souper.

4 tranches de bacon
3 pommes de terre bouillies en cubes
1 petit oignon haché
1/2 c. à thé (2 mL) de sel
un soupçon de poivre
1/2 tasse (125 mL) de fromage cheddar doux ou fort, râpé
5 œufs

Coupez le bacon en petits morceaux. Faites-le frire à feu doux jusqu'à ce qu'il soit doré et croustillant. Ajoutez les pommes de terre, l'oignon, le sel et le poivre. Faites cuire, en remuant souvent, jusqu'à ce que les pommes de terre aient doré. Saupoudrez le fromage sur les pommes de terre. Cassez les œufs sur le fromage. Faites cuire à feu doux, en remuant sans cesse, jusqu'à ce que les œufs soient coagulés et brouillés. (Ne les battez pas auparavant.) Servez. *Rendement : 4 à 6 portions.*

Petit déjeuner d'un matin brumeux

C'était, dans mon enfance, le petit déjeuner par excellence des mois d'octobre et de novembre; voilà pourquoi on l'a appelé « d'un matin brumeux ». Avec la venue d'octobre, nous anticipions le plaisir de déguster ce petit déjeuner spécial, qui nous venait à l'origine des colons écossais établis dans les Cantons de l'Est. Je vous le recommande.

6 à 8 tranches de bacon
2 pommes de terre pelées
1 grosse pomme non pelée

Faites frire le bacon croustillant. Retirez-le du poêlon. Tranchez les pommes de terre aussi mince que possible, et la pomme en tranches moyennes. Ajoutez-les au gras de bacon. Faites cuire à feu modéré, en brassant jusqu'à ce que les tranches de pommes de terre et de pomme soient tendres, soit environ 15 minutes. Assaisonnez de sel et de poivre au goût. Servez-les dans une assiette chaude surmontée du bacon. *Rendement : 4 portions.*

Le brunch du dimanche

Le dimanche, j'aime le brunch, de préférence celui où l'on y mange longtemps, mais où le travail et le nettoyage sont au minimum. Vous me direz que c'est impossible. Et moi, je vous dis que cela est possible, à condition de préparer presque tout la veille.

Le petit déjeuner en semaine n'est trop souvent qu'une bouchée à la hâte, pour filer en vitesse. Le dimanche, c'est différent, on peut se permettre le luxe de manger à son goût, quant et où on le désire.

Que peut-on servir? Pour commencer, un bon grand verre d'un breuvage frais — même fort — si vous le désirez. Je crois cependant que les fruits sont meilleurs — de belles fraises fraîches arrosées de jus d'orange frais sucré d'un soupçon de liqueur à l'orange. Le choix de délicieuses combinaisons de fruits est si considérable. Une tranche de papaya garnie de lime fraîche pour la parfumer, de belles framboises juteuses nature pour grignoter une à une. Réfléchissez un peu et les idées surgiront.

Voici quelques suggestions pour entamer avec éclat le brunch du dimanche. Je laisse mes fruits toute la nuit à la température ambiante pour faire ressortir leur pleine saveur. Ils peuvent être conservés au réfrigérateur, si vous le préférez.

Des fraises fraîches, sucrées au goût et marinées dans le jus d'orange frais — un joli coup d'œil dans des coupes de cristal; des oranges pelées, en tranches ou en sections, surmontées de pacanes ou de noix de Grenoble hachées, et arrosées d'un peu de sherry.

Le bitter Angostura ne sert pas uniquement aux cocktails. Coupez un pamplemousse en deux, enlevez les noyaux, détachez délicatement les sections, saupoudrez chaque moitié d'1 c. à thé (5 mL) de sucre d'érable ou de cassonade et d'environ dix gouttes de bitter. Couvrez et laissez reposer jusqu'au lendemain; tout cela peut aussi se préparer dix minutes avant de servir.

Les oranges et les pommes sont une excellente combinaison pour laisser reposer jusqu'au lendemain. Pour 6 personnes, pelez 4 oranges et tranchez-les mince. Pelez 3 pommes, enlevez le cœur et tranchez-les mince. Mettez les fruits en rangs alternés dans un bol de verre, saupoudrez chaque rang de sucre. (J'emploie 1/2 tasse (125 mL) en tout, mais vous pouvez en mettre davantage.) Arrosez du jus d'1/2 lime ou citron, couvrez et laissez reposer.

Pour une touche exotique et spectaculaire, servez des agrumes chauds au cognac. Pour 4 personnes, pelez la veille et divisez en sections 1 gros pamplemousse et 2 oranges. Mettez en rangs alternés dans un plat beurré et arrosez du jus de 2 oranges. Mélangez 3 c. à table (50 mL) de cassonade avec 1/2 c. à thé (2 mL) de macis ou de muscade et saupoudrez sur le dessus. Parsemez de 2 c. à table (30 mL) de beurre en dés, arrosez de 2 à 4 c. à table (30 à 60 mL) de cognac.

Au moment de servir, faites cuire 25 minutes à 325° F (160° C), ou servez froid, et dans ce cas omettez le beurre, couvrez et laissez reposer toute la nuit à la température ambiante. Le sucre fondra et il se formera un sirop.

Il y a toujours les petites boules de melon, parfumées du jus d'1/2 lime. Sucrez-les à votre gré avec du sucre à fruits.

Et pour finir, une délicieuse combinaison consiste à faire dégeler un paquet de fraises surgelées, à les passer au tamis ou au mélangeur électrique, et à les verser comme garniture sur des framboises fraîches.

Voici maintenant le point important — le café. En faire une grande quantité; qu'il y en ait suffisamment pour une deuxième, et même une troisième tasse. Et, je vous prie, pas de café instantané. C'est le café qu'on boit d'un trait, à la hâte. Il faut servir un bon café filtre noir, frais moulu.

Les œufs demeurent les préférés à l'heure du brunch. Durant l'été, le brunch peut être servi autour de la piscine, sur le patio, au jardin. S'il y a une prise de courant dans les environs, votre poêlon électrique, votre barbecue, ou votre micro-ondes peuvent être utilisés.

Quiche aux asperges

Une délicieuse pièce culinaire d'apparat. C'est une délectable diversion de cette quiche que l'on sert à tout propos. Pour compléter le brunch, servez une salade verte, un panier de fruits frais et du café frais moulu — et même, pourquoi pas, une liqueur frappée à déguster avec les fruits.

un fond de tarte non cuit de 9 po (22,5 cm)
2 lb (1 kg) d'asperges fraîches

2 tasses (500 mL) de crème légère
1/3 de tasse (80 mL) de fromage parmesan râpé
1/3 de tasse (80 mL) de fromage suisse râpé
4 œufs
sel et poivre au goût

Faites cuire le fond de tarte exactement 8 minutes à 400° F (200° C). Faites bouillir les asperges et égouttez-les, selon les recommandations faites au chapitre des légumes, coupez ensuite les têtes en longueurs de 2 po (5 cm), et réservez le reste pour mettre en salade.

Incorporez bien la crème au reste des ingrédients et versez dans la pâte. Faites cuire à 350° F (180° C) 30 minutes, jusqu'à ce que la garniture commence à prendre. Retirez du four et disposez les têtes d'asperges debout dans la quiche. Faites cuire encore 5 à 8 minutes ou jusqu'à ce que la garniture soit ferme, servez aussitôt cuite. *Rendement : 6 portions.*

Œufs Lorraine

Un plat de la cuisine française classique, qui en plus d'être délectable pour le brunch, se prépare aisément. Cette recette est pour deux personnes, mais elle se fait aussi facilement pour dix.

beurre
2 tranches minces de fromage de Suisse ou de Hollande
2 tranches de bacon cuit émietté
2 œufs
sel et poivre au goût
2 c. à table (30 mL) de crème riche
2 c. à table (30 mL) de fromage râpé

Utilisez deux petits bols individuels de faïence, des petits ramequins ou des tasses à petit déjeuner. Préchauffez le four à 400° F (200° C). Beurrez les bols, mettez une tranche de fromage au fond de chacun. Recouvrez du bacon émietté, cassez un œuf par-dessus le bacon.

Assaisonnez au goût et versez 1 c. à table (15 mL) de crème sur chaque œuf, saupoudrez de fromage. Faites cuire 5 à 7 minutes, jusqu'à ce que les œufs soient à votre goût. *Rendement : 2 portions.*

Crêpes au babeurre

Une délicieuse finale à un brunch. D'habitude, je les fais cuire dans mon poêlon électrique ou je laisse chaque convive les cuire au fur et à mesure, et j'offre un choix de 2 ou 3 garnitures.

Du café en quantité et des crêpes avec une variété de garniture au choix font un excellent brunch, et à moins de frais que si on y sert de la viande.

1 tasse (250 mL) de farine tout-usage
1 c. à thé (5 mL) de sel
1 c. à thé (5 mL) de soda
1 œuf
1 tasse plus 2 c. à table (280 mL) de babeurre
2 c. à table (30 mL) de beurre

Mélangez dans un bol la farine, le sel et le soda. Cassez-y l'œuf, et ajoutez le babeurre et le beurre. Ne remuez que juste ce qu'il faut pour humecter la farine (la pâte ne sera pas lisse). Laissez reposer 5 minutes. La pâte aura une apparence épaisse, spongieuse et gonflée.

Laissez tomber par cuillerée à table (15 mL) dans un poêlon graissé chaud ; étendez la pâte avec le dos d'une cuillère. Faites cuire d'un côté jusqu'à l'apparition de bulles, retournant avant que les bulles ne crèvent et n'aient l'air sèches. Faites dorer l'autre côté quelques secondes. *Rendement : 16 à 18 crêpes de 3 po (7,5 cm).*

Garnitures de crêpes

Plus la variété est considérable, plus le brunch est élaboré. Vos convives prendront plaisir à choisir leur garniture préférée.

Beurre fouetté au miel : battez dans un mixer à grande vitesse 1/4 de tasse (60 mL) de miel, 2 c. à table (30 mL) de jus d'orange, 1 blanc d'œuf et un soupçon de sel. Lorsque le mélange a épaissi, ajoutez en remuant 2 c. à table (30 mL) de beurre fondu et 2 c. à thé (5 mL) de zeste d'orange râpé.

Beurre d'érable à l'orange : fouettez 1/2 tasse (125 mL) de beurre mou ou de margarine avec 2 c. à thé (10 mL) de zeste d'orange râpé et 1/4 de tasse (60 mL) de sucre d'érable râpé ou de cassonade.

Beurre au bacon et au chutney : faites frire 6 à 8 tranches de bacon et égouttez sur papier absorbant. Émiettez et mélangez à 1/4 de tasse (60 mL) de beurre mou et 2 c. à table (30 mL) de chutney haché.

Crêpes aux bleuets : nettoyez 1 panier de bleuets frais et ajoutez-y en remuant 3 c. à table (30 mL) de cassonade et 1/2 c. à thé (2 mL) de cannelle. Versez-en une grande cuillerée sur chaque crêpe aussitôt après l'avoir versée dans le poêlon chaud. Servez, les bleuets sur le dessus.

Saucisses à la sauce piquante : mettez dans un poêlon froid, 2 c. à thé (10 mL) de moutarde de Dijon, 1 c. à table (15 mL) de beurre et 1/2 lb (250 g) de saucisses tranchées. Remuez à feu moyen jusqu'à ce que les saucisses soient légèrement dorées et bien enrobées du beurre et de la moutarde. Mettez sur un plat et placez-en quelques morceaux sur chaque crêpe, comme pour la garniture aux bleuets.

Crêpes aux pommes de l'Ontario

Cette intéressante recette me vient du Conseil alimentaire de l'Ontario, je l'ai faite à plusieurs reprises et elle me plaît. Pour le brunch, servez ces crêpes avec bacon, saucisses ou d'épaisses tranches de jambon cuit au four. Comme dessert, garnissez de crème sure ou de crème glacée à la vanille.

2 c. à table (30 mL) de beurre
1 c. à thé (5 mL) de cannelle
4 c. à table (60 mL) de sucre
1 grosse pomme Mc Intosh
3 c. à table (50 mL) de farine tout-usage
1/4 c. à thé (1 mL) de poudre à pâte
un soupçon de sel
2 œufs séparés
3 c. à table (50 mL) de lait

Faites fondre le beurre dans un poêlon de 10 po (25 cm) qui peut aller au four à 400°F (200°C). Mélangez la cannelle, 2 c. à table (30 mL) de sucre, et saupoudrez également sur le beurre. Pelez, enlevez le cœur et tranchez la pomme, disposant les tranches sur le mélange cannelle-sucre. Mijotez à feu doux 5 minutes.

Mélangez la farine, la poudre à pâte et le sel avec les jaunes d'œufs et le lait. Battez les blancs d'œufs en mousse, ajoutez le reste du sucre petit à petit et battez jusqu'à ce qu'il monte en pointes molles. Incorporez la farine au mélange.

Versez la pâte sur les tranches de pomme, l'étendant également jusqu'au bord du poêlon. Faites cuire à 400°F (200°C) 10 minutes, ou jusqu'à dorée et gonflée, coupez en pointes. (Renversez sur une assiette avant de couper, si vous le désirez.) *Rendement : 6 portions.*

N.B. : Les pommes canadiennes, telles que McIntosh, Northern Spy et Délicieuses, sont disponibles toute l'année grâce à un entreposage spécial à atmosphère contrôlée. À la maison, les pommes doivent être conservées au réfrigérateur dans le bac à fruits.

Sandwich 1867 de Monique

Ma fille créa ce sandwich pour son programme de télévision à l'occasion du Centenaire du Canada. La combinaison peut vous surprendre, mais quand vous l'aurez essayée une fois, vous y reviendrez.

Il faut commencer par faire des crêpes de sarrasin. Elle achète le mélange. J'aime faire le mien au mélangeur électrique, c'est facile!

Crêpes de sarrasin au mélangeur

Faites les crêpes lorsque vous le désirez. Réchauffez-les en piles de six, couvertes; vous pouvez aussi en mettre trois sur une serviette de papier, recouvrir de papier, et réchauffer 40 secondes au four à micro-ondes.

Pour les congeler, empilez-les 12 à la fois, un papier ciré entre chacune. Enveloppez le paquet. Il est facile d'en retirer 1 ou 4 au besoin, il n'y a qu'à tirer le papier qui les sépare.

1 1/2 tasse (375 mL) de farine de sarrasin
3 c. à thé (15 mL) de poudre à pâte
1/2 c. à thé (2 mL) de soda
1/2 tasse (125 mL) de farine de blé entier
2 tasses (500 mL) de babeurre ou de lait sur ou 2 tasses d'eau
1/2 tasse (125 mL) de lait en poudre instantané
1 c. à thé (5 mL) de vinaigre
2 c. à table (30 mL) de mélasse
1 œuf
3 c. à table (50 mL) de beurre mou ou de gras de bacon
1 c. à table (15 mL) de cassonade

Mettez les quatre premiers ingrédients dans un bol. Mettez dans la jarre du mélangeur le reste des ingrédients. Couvrez et mélangez 1 minute à grande vitesse.

Versez sur les ingrédients secs. Mélangez bien et faites cuire comme vos autres crêpes. *Rendement : 10 à 15 crêpes.*

Pour faire le sandwich : mettez les saucisses sur la grille du grilleur à 3 po (7,5 cm) de la source de chaleur et faites griller environ 4 minutes, retournant une fois.

Tartinez au goût chaque crêpe de ketchup ou de sauce chili, mettez une saucisse chaude dessus et roulez la crêpe autour de la saucisse. Vous aimerez peut-être la crêpe froide et la saucisse chaude.

Steak vitesse

De minces steaks de côtes (club) à leur meilleur! Le secret, c'est d'avoir tous les ingrédients à la main, des assiettes chaudes et surtout un épais poêlon de fonte.

Placez le steak sur une grande tranche de pain croustillant pour en recueillir le jus. Accompagnez-le de tomates grillées, et si vous désirez aller jusqu'au bout, servez avec des pommes de terre réchauffées.

4 steaks de côtes (clubs) d'1/2 po (1,25 cm) d'épaisseur
2 c. à table (30 mL) de beurre
1 petite gousse d'ail hachée finement
le jus d'un citron ou d'une lime
1 c. à table (15 mL) de sauce Worcestershire

Les steaks doivent être à la température ambiante. Faites fondre le beurre et l'ail. Lorsque chauds, mettez le feu aussi haut que possible et trempez vivement les steaks des deux côtés dans le beurre. Faites cuire rapidement, 3 minutes de chaque côté, en baissant le feu au besoin.

La cuisson terminée, poussez les steaks sur le côté et mettez le reste des ingrédients dans le poêlon. Passez les steaks rapidement dans la sauce et servez aussitôt, en laissant les convives saler et poivrer à leur goût. *Rendement : 4 portions.*

Rognons d'agneau flambés

Le plat préféré de mon mari. Ils devraient être servis sur pain grillé, et vous pouvez choisir — soit faire un spectacle et flamber le tout au soleil, ou simplement ajouter le cognac, sans plus.

4 rognons d'agneau
2 c. à table (30 mL) de beurre
1 c. à thé (5 mL) de moutarde de Dijon
1/4 c. à thé (1 mL) de sel
1 jaune d'œuf
2 c. à table (30 mL) de crème
jus de citron
2 c. à table (30 mL) de cognac

Tranchez les rognons en travers. Faites fondre le beurre dans un poêlon de fonte pour obtenir un beurre noisette, ajoutez les rognons et faites sauter à feu moyen pour faire dorer légèrement. Ajoutez la moutarde et le sel, et mélangez.

Battez le jaune d'œuf avec la crème, ajoutez-y une cuillerée de la sauce du poêlon. Baissez le feu très bas, ajoutez le mélange de l'œuf et de la crème, retirez du feu et remuez pour mélanger, arrosez ensuite d'un peu de jus de citron.

Versez le cognac dans une grande cuillère, et mettez la cuillère directement au-dessus de la viande pour la réchauffer, flambez le cognac et versez sur les rognons, ou simplement, versez le cognac sur les rognons et remuez. *Rendement : 2 à 3 portions.*

Côtelettes aux fèves au lard de Monique

Très, très facile, dit-elle. Le plat par excellence lorsque la température est sous zéro ou que les hommes ont passé la nuit à l'agnelage — c'est un plat de consistance pour un homme. Monique a ses raccourcis, mais je vous assure que lorsque le plat est cuit, personne ne se doute qu'elle a utilisé des fèves en boîte.

2 boîtes de 19 onces (540 mL) de fèves au lard avec mélasse ou
*   sauce aux tomates*
5 à 8 côtelettes de porc tranchées mince
sel et poivre au goût
moutarde préparée
1 c. à thé (5 mL) de cassonade par côtelette
1 c. à thé (5 mL) de ketchup, par côtelette
des tranches épaisses d'oignon
des tranches de citron non pelé

Videz le contenu de la boîte dans une casserole ou un pot à fèves —le plus commode est un plat de 9 X 13 X 2 po (22,5 X 32,5 X 5 cm).

Salez et poivrez chaque côtelette. Mettez sur les fèves. Saupoudrez chaque côtelette de cassonade, recouvrez de ketchup. Mettez une tranche d'oignon sur chaque côtelette, puis une tranche de citron. Retenez avec un pic de bois.

Couvrez et faites cuire au four à 300°F (150°C) 1 1/2 heure. Découvrez 15 minutes avant la fin de la cuisson.

Servez avec des cornichons et du pain chaud croustillant. *Rendement : 6 portions.*

Le sandwich préféré de Bernard

Pour un déjeuner santé, peu coûteux, servez avec une salade de chou ou une salade verte.

6 tranches de bacon

1/2 lb (250 mL) de foies de poulet
1 c. à thé (5 mL) de jus de citron
1/4 c. à thé (1 mL) de marjolaine ou d'estragon
sel et poivre au goût
1/4 de tasse (60 mL) de beurre mou
8 tranches de pain

Faites frire le bacon jusqu'à ce qu'il soit croustillant, retirez-le du poêlon et ajoutez les foies de poulet au gras de bacon. Faites cuire 10 à 15 minutes à feu modéré, retournant souvent. Versez le contenu du poêlon sur le bacon et laissez refroidir.

Écrasez le foie avec une fourchette et émiettez le bacon. Ajoutez le jus de citron et les assaisonnements, mélangez bien. Ajoutez le beurre et mélangez, puis étendez sur 4 tranches de pain; couvrez avec les tranches qui restent. *Rendement : 4 portions.*

Quelques-uns de mes déjeuners éclair préférés

Quelques bonnes recettes pour le samedi de bricolage de papa, alors que toute la maisonnée est à sa pleine et entière disposition. Pas de temps pour cuisiner! Lorsqu'en 1954, je présentai à la télévision cet assortiment de mes déjeuners vite faits préférés, il me valut le plus volumineux courrier de l'année. Dans un sens, les choses ont peu changé depuis ce temps et l'on est toujours à la recherche de ce qui est « vite, facile et bon ».

Le préféré de Martha

Mettez dans une casserole 2 c. à table (30 mL) de beurre, 2 c. à thé (10 mL) de bonne moutarde préparée (du genre de la moutarde de Dijon de préférence). Coupez des saucisses de Frankfort en bouts d'un pouce. Ajoutez-les au mélange et remuez le tout. Couvrez. Faites cuire à feu doux de 10 à 15 minutes. Servez dans un nid de pommes de terre en purée.

Purée de pommes de terre crémeuse

Apprêtez des pommes de terre instantanées selon les indications données sur la boîte, en réduisant le liquide d'1/4 de tasse (75 mL). Aussitôt prêtes, ajoutez quelques cuillerées de crème sure, de ciboulette ou de persil émincé ou d'oignon frit, au goût. Battez le tout et disposez en forme de nid sur un plat chaud.

Une bonne salade de chou

Hachez le chou fin. Mettez dans un bol, hachez un petit oignon sur le dessus. Saupoudrez d'aneth frais ou de graines d'aneth, de poivre frais moulu et de sel, au goût.

Arrosez de jus de citron. Ajoutez de l'huile à salade au goût. Remuez et mettez une heure au réfrigérateur avant de servir.

Fondue au bacon et au maïs du samedi

Monique sert ce plat froid avec une salade ou une Ghivetch ou son relish d'été. Elle le sert chaud avec du jambon au four ou des côtelettes de porc.

8 minces tranches de pain beurrées
1 boîte de 19 oz (540 mL) de maïs en crème
3 oignons verts hachés
1/2 c. à thé (2 mL) de sauge ou d'origan
3 oeufs
1/2 c. à thé (2 mL) de moutarde sèche
sel et poivre au goût
2 1/2 tasses (525 mL) de lait
6 à 10 tranches de bacon

Faites des rangs alternés de pain et de maïs en crème dans une casserole beurrée. Saupoudrez chaque rang d'un peu de sauge ou d'origan et des oignons verts mélangés. Battez les oeufs avec la moutarde, le sel, le poivre et le lait, et versez sur le pain et le maïs. Étendez des tranches de bacon sur le dessus.

Faites cuire 1 heure au four préchauffé à 325° F (165° C) ou jusqu'à ce que le tout soit doré et gonflé. *Rendement. 4 à 6 portions.*

Sandwich champion de Monique

Un mélange surprenant mais exceptionnellement bon. Monique le fait souvent lorsqu'elle a un reste de rôti de bœuf, de porc ou de veau.

8 tranches de pain de seigle ou de blé entier
beurre ou margarine
1/2 tasse (125 mL) de crème sure commerciale
2 c. à thé (10 mL) de soupe à l'oignon déshydratée
2 c. à thé (10 mL) de raifort préparé et égoutté
poivre frais moulu au goût
tranches de viande cuites froides (pour 4 sandwiches)
laitue

Beurrez le pain. Mélangez la crème sure, la soupe à l'oignon, le raifort et le poivre. Étendez 1 c. à thé (5 mL) de ce mélange sur chaque tranche de pain. Mettez la viande et la laitue au goût sur 4 tranches. Couvrez des tranches de pain qui restent. *Rendement : 4 portions.*

Sauce raifort pour accompagner le bœuf salé

Pour un déjeuner à la course, achetez le bœuf salé (ou une autre viande fumée), réchauffez-le et servez-le avec cette sauce chaude — un délicieux déjeuner.

1 c. à table (15 mL) de fécule de maïs
2 c. à thé (10 mL) de sucre
1 c. à thé (5 mL) de moutarde sèche
1/2 c. à thé (2 mL) de sel
1 tasse (250 mL) d'eau
1 c. à table (15 mL) de beurre
1/4 de tasse (60 mL) de vinaigre de cidre
1/4 de tasse (60 mL) de raifort préparé égoutté ou
3 c. à table (50 mL) de raifort frais râpé

Mélangez les ingrédients secs dans le haut d'un bain-marie, ajoutez l'eau et mijotez à feu modéré 5 minutes. Remuez avec un fouet pour commencer, ou jusqu'à épaississement. Retirez du feu et incorporez-y le beurre, le vinaigre et le raifort. Fouettez-y les jaunes d'œufs, puis remuez au-dessus de l'eau chaude jusqu'à ce que la sauce soit crémeuse. Laissez mijoter au-dessus de l'eau pour 10 minutes. *Rendement : 1 1/3 tasse (350 mL).*

Tarte au fromage cottage

Cette tarte peut être cuite juste avant de servir et mangée chaude, ou cuite la veille pour être servie froide. D'une façon ou de l'autre, c'est un de mes déjeuners préférés, garnie d'un bouquet de cresson sur le dessus ou accompagnée d'un bol de ciboulette et de persil hachés, à saupoudrer dessus.

5 œufs
2 tasses (500 mL) de fromage cottage
1 c. à thé (5 mL) de sel
1/4 c. à thé (1 mL) de poivre
1/4 de tasse (60 mL) de persil finement haché

Battez les œufs, ajoutez le fromage cottage et remuez pour mélanger. Ajoutez le reste des ingrédients et brassez jusqu'à ce que le mélange prenne une teinte verte. Versez dans une assiette à tarte huilée de 8 po (20 cm), une cocotte d'une pinte (1 L) ou 6 ramequins, et faites cuire au four à 350°F (180°C), de 40 à 60 minutes pour une grande tarte, 30 minutes pour les ramequins, ou jusqu'à ce qu'elle soit légèrement gonflée, dorée et ferme au toucher. *Rendement : 6 portions.*

Un de mes menus préférés (pour six convives)

moitié de papaya avec lime fraîche
poulet grillé fines-herbes
pommes de terre nouvelles — sauce au concombre
dessert aux fruits au choix

Poulet grillé fines herbes

Depuis la découverte de ce plat, il y a longtemps, alors que j'étais élève au Cordon bleu de Paris, je l'ai toujours préparé avec plaisir. Il peut être apprêté d'avance et conservé au chaud, pour être réchauffé au moment de servir.

1/2 lb (250 g) d'ailes de poulet
1/2 tasse (125 mL) de beurre
3 poitrines de poulet coupées en deux
zeste mince d'1/2 citron
jus d'un citron
1 c. à table (15 mL) de persil haché
1/2 c. à thé (2 mL) de thym
1/2 c. à thé (2 mL) de menthe
3 c. à table (50 mL) de farine
1 c. à thé (5 mL) de sucre
1/4 c. à thé (1 mL) de paprika

Mettez les ailes de poulet dans une casserole avec un soupçon de sel et 1 1/2 tasse (400 mL) d'eau. Couvrez et mijotez 1 heure pour faire un bouillon, et coulez (conservez la viande des ailes pour un autre repas).

Faites fondre 4 c. à table (60 mL) du beurre dans un poêlon chaud. Lorsque le beurre est chaud, ajoutez les poitrines de poulet, la peau touchant le fond, le zeste et le jus de citron, et sel et poivre au goût. Couvrez immédiatement et laissez mijoter 30 minutes à feu doux, jusqu'à ce que la viande soit cuite (évitez de trop cuire). Coulez le jus de cuisson et laissez refroidir un peu le poulet.

Désossez et disposez les poitrines de poulet dans une attrayante cocotte peu profonde. Passez le poêlon sous l'eau pour le rincer, ajoutez-y 1 1/2 tasse (400 mL) du bouillon des ailes, plus le persil, le thym et la menthe; mettez en crème 3 c. à table (50 mL) du beurre avec la farine, ajoutez à la sauce et battez avec un fouet ou une cuillère à feu doux jusqu'à consistance lisse et crémeuse. Vérifiez l'assaisonnement et mettez de côté, couvert, pour éviter qu'une pellicule ne se forme sur le dessus.

Au moment de servir, saupoudrez le poulet de sucre, puis de paprika. Faites fondre le reste du beurre et versez-le sur le poulet, et mettez au four à 500°F (260°C) juste assez longtemps pour que le dessus soit doré et croustillant. Réchauffez la sauce et versez autour du poulet.

Pommes de terre nouvelles — Sauce au concombre

Pour apprêter ce plat d'avance, faites cuire les pommes de terre et pelez-les, faites la sauce, couvrez et conservez les deux à la température ambiante. Il suffit de quelques secondes pour combiner les deux avant de les réchauffer.

18 à 24 petites pommes de terre nouvelles
5 à 6 oignons verts finement hachés
1 concombre moyen non pelé
jus d'1 citron
1 c. à thé (5 mL) de sel
1/2 c. à thé (2 mL) de paprika
4 c. à table (60 mL) de mayonnaise

Faites cuire les petites pommes de terre entières avec la pelure, égouttez-les et asséchez-les quelques secondes sur le feu. Laissez tiédir et pelez, coupant les plus grosses en tranches épaisses. Mélangez-y les oignons et mettez de côté.

Râpez le concombre sur une râpe fine, enlevez les graines. Mettez-le dans le haut d'un bain-marie avec le reste des ingrédients et remuez au-dessus de l'eau bouillante jusqu'à ce que le mélange soit homogène. Ajoutez les pommes de terre et remuez délicatement au-dessus de l'eau qui frémit jusqu'à ce que le tout soit chaud.

Les grandes occasions

Brunch de Pâques de Monique

À Pâques, ma fille reçoit la famille pour le « brunch ». L'an dernier, elle servait une très bonne compote de rhubarbe et d'ananas frais, des œufs brouillés suprêmes, qu'elle réussit à la perfection, accompagnés de bacon et de saucisses Noirmouton grillés ; de délicieux « popovers » ; des fromages, des biscuits chauds à la crème sure et des pommes de terre Macaire. Et pour terminer, un thé chinois parfumé et un mélange de café d'Arabie noir et de java moka brun frais moulu et frais fait, servis très chauds.

Compote de Pâques

Ceci doit être préparé avec la rhubarbe d'hiver qui est sucrée et qui retient sa couleur rose à la cuisson. Elle se conserve de 4 à 5 jours au réfrigérateur, et peut donc être préparée d'avance.

4 tasses de rhubarbe rose d'hiver en gros cubes
1/2 tasse d'eau
1 petit ananas
1 tasse (250 mL) de sucre

Enlevez les feuilles et le bout des tiges de rhubarbe et taillez les tiges en gros cubes. Mettez dans une casserole avec l'eau et amenez à ébullition, en remuant. Faites bouillir 1 minute et retirez du feu.

Pelez et râpez l'ananas et mettez-le dans un bol avec le sucre. Remuez bien et ajoutez la rhubarbe chaude tout en remuant pour dissoudre le sucre. Couvrez et réfrigérez jusqu'au moment de servir. *Rendement : 6 personnes.*

Oeufs brouillés suprêmes

L'addition de crème légère et d'un soupçon de cari relève la saveur de ces œufs. Une heure avant le petit déjeuner, mettez tous les ingrédients dans un bol prêts à mélanger et mettez le beurre dans le poêlon sur la cuisinière. Le tout se prépare alors très vite.

6 œufs légèrement battus

2/3 de tasse (160 mL) de crème légère
1/4 c. à thé (1 mL) de poudre de cari
sel et poivre au goût
1 c. à table (15 mL) de beurre
3 c. à table (50 mL) de ciboulette ou de persil émincé fin

Battez les œufs à la fourchette dans un bol, n'utilisez jamais un batteur. Ajoutez la crème, le cari, le sel et le poivre. Remuez de nouveau. Faites fondre le beurre dans un grand poêlon de fonte; la fonte émaillée est ce qu'il y a de mieux.

Versez-y les œufs, et laissez reposer à feu moyen sans y toucher. Les œufs se coaguleront légèrement; alors avec une fourchette, soulevez les bords en laissant glisser le liquide dessous, et poussez la portion cuite vers le milieu (cela est moins long à faire qu'à écrire). Répétez le procédé jusqu'à ce que les œufs semblent cuits, retirez alors le poêlon du feu. La chaleur du poêlon finira la cuisson. Ils s'assèchent s'ils demeurent trop longtemps sur le feu.

Saupoudrez de persil ou de ciboulette. Servez aussitôt prêts. *Pour 6 personnes.*

Popovers gros matous

C'est le nom que leur a donné Monique. Faciles et vite faits, ils font sensation. Elle les fait dans des petits ramequins individuels, un par convive.

Les popovers sont à leur meilleur lorsque les ingrédients sont à la température ambiante. Lorsque tout est à la main, il suffit de deux minutes pour mélanger et verser dans les moules, et ils cuisent en 30 minutes sans surveillance requise. Voilà pour la préparation des « gros matous ».

1 tasse (250 mL) de lait
2 œufs
1/2 c. à thé (2 mL) de sel
1 tasse (250 mL) de farine

Versez le lait dans un bol, cassez-y les œufs. Ajoutez le sel et mesurez la farine. Recouvrez le bol d'une assiette et laissez reposer jusqu'au moment de faire cuire. Alors, versez la farine sur le lait, remuez à la cuillère jusqu'à ce que toute la farine soit humide. La pâte sera rugueuse.

Graissez 6 à 8 coupes à dessert (Monique emploie aussi des tasses à thé qui vont au four, ce qui est attrayant). Répartissez la pâte dans les tasses, les remplissant à moitié. Disposez sur une plaque à cuisson au four et mettez à four froid. Réglez le four à 400° F (200° C), pour 30 minutes. Le « minuteur » vous avertira. *Rendement : 7 à 8 popovers.* *Un petit conseil de Monique :* laissez cuire les « gros matous » sans y jeter un coup d'oeil.

Biscuits chauds à la crème sure

Préparez-les la veille. Ils se réchauffent en 5 minutes, au moment de retirer les popovers. Fermez le four ou placez-les dans un panier, tapissé d'une serviette qui recouvre tous les biscuits et réchauffez-les une minute au four à micro-ondes avant de servir.

2 tasses (500 mL) de farine
3 c. à thé (15 mL) de poudre à pâte
1 c. à thé (5 mL) de sel
1/2 c. à thé (2 mL) de soda à pâte
1 c. à thé (5 mL) de sucre
3 c. à table (50 mL) de graisse végétale ou de margarine
1 tasse (250 mL) de crème sure commerciale

Tamisez ensemble les 5 premiers ingrédients dans un bol. Coupez-y la graisse végétale ou la margarine. Ajoutez la crème sure d'une seule fois. Mélangez délicatement et pétrissez 5 à 6 fois. Abaissez à 1/2 po (1,25 cm) d'épaisseur. Taillez en rondelles et disposez sur une plaque à cuisson.

Faites cuire au four à 400° F (200° C) de 15 à 20 minutes pour qu'ils soient bien dorés. *Rendement : 8 à 12 biscuits chauds.*

Pommes de terre Macaire

Pour les Suisses, ce sont les pommes de terre *roesti.* Pour le « brunch », faites cuire les pommes de terre tôt le matin, ou la veille, mais ne pas réfrigérer. Commencez la cuisson avant de placer le bacon au grilleur et de faire les œufs brouillés.

6 à 8 pommes de terre moyennes
2 c. à table (30 mL) de gras de bacon ou d'huile végétale
sel et poivre au goût
oignons verts

Faites bouillir ou cuire à la vapeur les pommes de terre bien brossées, non pelées. Évitez de trop cuire. Les pommes de terre doivent demeurer quelque peu fermes. Égouttez et refroidissez. Pelez et râpez avec une râpe moyenne.

Faites fondre le gras dans un poêlon moyen (employez la fonte ou la fonte émaillée). Ajoutez les pommes de terre râpées et faites-en une galette plate. Faites dorer à feu moyen, baissez le feu, et faites dorer encore dix minutes. Passez un couteau tout autour des bords et renversez sur un plat rond. Saupoudrez d'oignons verts finement hachés. *Pour 6 personnes.*

Brunch de l'époque victorienne

Dans ce temps-là, c'était l'abondance ou la misère. Pour ceux qui avaient de l'argent, depuis les marchands de classe moyenne jusqu'aux riches, bien manger constituait presqu'un devoir. Ils étaient cependant pour la plupart, gourmands plutôt que gourmets, et les quantités d'aliments avalés dans un repas de l'époque sont impressionnantes.

Mme A.B Marshall fut une femme de grande renommée. Elle possédait et dirigeait une école de cuisine à Londres, située aux numéros 30 et 32 de la rue Mortimer ouest. Elle fut donc la première femme à diriger une école de cuisine pour non-professionnels, et pour dames, en Angleterre et en Europe. De nombreux produits portaient son nom, depuis la gélatine en feuilles jusqu'aux cuisinières et aux glacières. Son école fut fondée en 1888, et elle publia son second livre de recettes en 1891. Je suis fière du fait que j'ai en ma possession un exemplaire de l'édition de 1894, et signé par Mme Marshall.

Voici quelques commentaires sur son travail :

The Queen : « Allez à cette école et rendez-vous compte personnellement de ce qu'est une cuisine bien administrée, » et « Mme A.B. Marshall doit faire un travail remarquable, car des milliers d'élèves sortent de son école. »

The Daily Chronicle : « Un genre de révolution, ou tout au moins un grand changement pour le mieux est en voie de s'introduire, sans éclat mais peu à peu, chez les dames et leurs cuisinières à la suite du travail accompli par Madame A.B. Marshall. Le génie de Mme Marshall dans l'art de la cuisine est un fait notoire. »

Tout cela est pour moi des plus intéressants, et je regrette de n'avoir pas été de ce temps pour en profiter. Beaucoup de ses élèves venaient du Canada et des États-Unis. On a peine à y croire ; c'est pourtant vrai. C'était alors un des cours à la mode.

À l'époque victorienne, les plaisirs de la table étaient goûtés à leur maximum et il n'était pas considéré de mauvais goût de manifester ouvertement sa satisfaction d'un bon repas.

Les petits déjeuners-buffets étaient servis avec la plus grande élégance et munificence. Une si grande variété de mets étaient offerts que nous pouvons y puiser deux ou trois plats pour un de nos brunches.

J'ai déjà servi ce buffet, pour célébrer « Victoria Day » avec des amis et invités anglais du Surrey.

Omelette ragoût au bacon

Cette succulente omelette était roulée et disposée sur un réchaud d'argent, entourée d'une sauce crémeuse aux champignons.

6 à 8 tranches de bacon
1 tasse (250 mL) de champignons frais tranchés
2 c. à table (30 mL) de beurre
1/2 c. à thé (2 mL) de paprika
sel au goût
2 oignons verts, hachés fin
1 c. à table (15 mL) de persil haché
3 c. à table (45 mL) de sherry sec
1 c. à table (15 mL) de farine
une omelette de 6 oeufs

Taillez le bacon en cubes et faites cuire à feu vif, remuant souvent, jusqu'à ce qu'il soit croustillant et doré. Égouttez le gras et mettez le bacon de côté sur un papier absorbant.

Faites fondre le beurre dans la même casserole, ajoutez les champignons, le paprika, le sel et les oignons verts. Remuez 2 minutes, à feu vif. Ajoutez la farine, le persil, le sherry et les cubes de bacon. Remuez à feu moyen, pour bien mélanger, de 2 à 3 minutes.

Préparez l'omelette, remplissez-la du ragoût au bacon, repliez-la et mettez-la sur une assiette chaude. Garnissez de sauce aux champignons de votre choix ou de ciboulette ou de persil émincé. *Pour 6 à 8 personnes.*

Oeufs au cari à la poonah

Un excellent plat d'oeufs farcis d'une riche crème et recouverts d'une intéressante sauce au cari. Cette même sauce peut servir pour préparer du poisson ou des fruits de mer au cari.

6 à 8 oeufs durs
1/4 c. à thé (1 mL) de poudre de cari
1 oignon vert haché fin
1/2 tasse (125 mL) de crème à fouetter

sel et poivre au goût

La sauce :

2 c. à table (25 mL) de beurre
2 oignons tranchés mince
1 petite pomme tranchée mince
2 tomates fraîches pelées et en dés
une bonne pincée de thym
1 feuille de laurier
2 c. à table (25 mL) de tapioca minute
1 c. à table (15 mL) de poudre de cari
1 c. à table (15 mL) de chutney aux mangues
le jus d'un citron
2 tasses (500 mL) de bouillon de poulet ou de consommé
1 tasse (250 mL) de lait
1/4 de tasse (60 mL) de crème à fouetter

Tranchez les œufs en deux et retirez-en le jaune. Ajoutez au jaune le cari, les oignons verts et la crème fouettée ferme. Mélangez bien et farcissez-en les blancs. Disposez au centre d'une casserole ronde ou ovale de 8 pouces (20 cm).

Pour faire la sauce, mettez dans une casserole le beurre, les oignons, les tranches de pommes, les tomates, les champignons, le thym et la feuille de laurier. Remuez à feu vif jusqu'à ce que le tout commence à dorer légèrement au fond, ajoutez alors le tapioca, le cari, le chutney, le jus de citron, le bouillon de poulet ou le consommé et le lait. Amenez à ébullition, en remuant, et faites mijoter à feu doux, à découvert, de 30 à 40 minutes, jusqu'à ce que le liquide ait un peu réduit. Ajoutez la crème. Versez la sauce sur les œufs lorsqu'elle est chaude. *Pour 6 à 8 personnes.*

Rognons grillés à la Neslé, de Mme Marshall

Rognons d'agneau panés en brochette, grillés et servis avec une garniture inhabituelle et une sauce très intéressante.

4 à 6 rognons d'agneau
sel et paprika
2 oignons verts, hachés fins
4 à 5 tranches de bacon
1/3 de tasse (80 mL) de beurre fondu
1 tasse (250 mL) de chapelure fine
2 c. à table (30 mL) de vin blanc ou de vermouth
2 c. à table (30 mL) de sherry sec

1 c. à table (15 mL) de chutney
1 c. à thé (5 mL) de moutarde du type Dijon
1 citron non pelé et tranché mince
8 à 12 huîtres fraîches (facultatif)

Tranchez les rognons en deux. Enlevez la partie blanche du milieu (c'est facile avec des ciseaux). Mettez sur la table, le côté tranché sur le dessus, et saupoudrez de sel et de paprika au goût, puis des oignons verts. Enroulez chaque morceau de rognon d'une bande de bacon assez longue pour l'envelopper. Embrochez le demi-rognon et le bacon (Mme Marshall recommandait les brochettes de bambou). Continuez ainsi avec chacune des moitiés de rognon. Trempez-les ensuite dans le beurre fondu, passez dans la chapelure et mettez sur le gril. Faites griller à 2 po (5 cm) de la source de chaleur, jusqu'à ce que le bacon soit croustillant, 5 minutes environ; retournez et faites griller 2 minutes.

Dans l'intervalle, chauffez ensemble le vin blanc et le vermouth, le sherry, le chutney et la moutarde. Lorsque le liquide est chaud, ajoutez-y les huîtres. Couvrez et laissez mijoter à feu doux de 3 à 4 minutes. Mettez chaque huître sur une mince tranche de citron. Disposez autour d'un plat chaud, mettez les rognons au centre. Versez le jus de cuisson dans le mélange du sherry, faites chauffer et arrosez-en les rognons. *Pour 6 personnes.*

Capitaine à la campagne

La recette de Mme Marshall pour le Capitaine disait d'utiliser n'importe quelle pièce de gibier refroidie. Pour nous, ce n'est pas si facile, le gibier se fait rare, mais si vous en possédez, n'hésitez pas à l'utiliser.

un reste de poulet rôti (ou de gibier de votre choix), ou 1 ou 2 poitrines de poulet crues
2 c. à table (30 mL) de farine
3 c. à table (50 mL) de beurre
2 c. à thé (10 mL) de poudre de cari
une bonne pincée de sel et de poivre
1/2 c. à thé (2 mL) de paprika
3 tomates pelées, les graines enlevées et taillées en dés
1 tasse (250 mL) de sauce aux tomates de votre choix
4 oignons tranchés mince
1 tasse (250 mL) de croûtons
1/4 de tasse (60 mL) de persil émincé

Coupez le reste de poulet ou le gibier en morceaux aussi uniformes que possible. Lorsque des poitrines de poulet sont utilisées, désossez-les, retirez la peau et coupez en petits morceaux individuels. Passez chaque morceau de poulet cuit ou cru dans la farine. Faites fondre le beurre, ajoutez la poudre de cari, le sel, le poivre et le paprika. Remuez à feu moyen pour bien mélanger au beurre, ajoutez alors les morceaux de poulet cuit, de gibier ou de poitrines de poulet non cuits, et faites dorer des deux côtés à feu doux. Ajoutez les tomates et la sauce aux tomates. Amenez lentement à ébullition. Laissez mijoter 15 minutes lorsque le poulet non cuit ou les poitrines sont utilisées. Disposez sur un plat chaud. Faites frire les oignons dans la casserole dans quelques cuillerées d'huile végétale. Lorsque dorés, retirez avec une écumoire et mettez sur le poulet. Faites dorer les croûtons (petits cubes de pain) au four à 300°F (150°C), et mettre en bordure autour du plat. Saupoudrez le milieu de persil. *Pour 4 à 6 personnes.*

Petits pots de fromage

On les servait chauds ou froids; ils sont délicieux d'une façon ou de l'autre. Une entrée intéressante.

2 tasses (500 mL) de fromage suisse râpé (environ 1/2 lb ou 250 g)
6 oeufs
3 tasses (750 mL) de crème légère ou riche
1/4 c. à thé (1 mL) de cayenne ou de basilic
1/4 c. à thé (1 mL) de sel
1/4 c. à thé (1 mL) de muscade

Battez les oeufs avec un fouet, en ajoutant la crème petit à petit. Assaisonnez de cayenne ou de basilic, de sel et de muscade. Ajoutez 1 tasse (250 mL) de fromage râpé et versez dans 8 petits pots ou dans de petites coupes à dessert. Placez dans une lèchefrite peu profonde avec de l'eau chaude jusqu'au tiers des coupes. Faites cuire au four pré-chauffé à 350°F (180°C) environ 30 minutes, pour faire prendre le mélange. Au moment de servir, saupoudrez le reste du fromage sur chaque coupe. *Pour 8 personnes.*

Gâteaux chauds pour le petit déjeuner

Ils ressemblent beaucoup à nos biscuits chauds à la poudre à pâte. En Angleterre, à l'époque victorienne, ils étaient faits avec du gras de bacon ou du saindoux fondu, du lait sur et de la poudre à pâte.

2 tasses (500 mL) de farine tout-usage

1 c. à thé (5 mL) de sel
1 c. à thé (5 mL) de poudre à pâte
1/2 c. à thé (2 mL) de soda
4 c. à table (70 mL) de saindoux
3/4 de tasse (200 mL) de lait sur ou de babeurre

Tamisez ensemble la farine, le sel, la poudre à pâte et le soda. Coupez-y le saindoux pour obtenir une pâte granuleuse. Ajoutez suffisamment de lait sur ou de babeurre pour obtenir une pâte plutôt molle. Renversez sur une planche légèrement enfarinée et pétrissez délicatement 5 ou 6 fois. Évitez de trop mélanger et de trop pétrir. Roulez ou abaissez avec la main à 3/4 po (1,75 cm) d'épaisseur. Taillez en rondelles à l'emporte-pièce de 2 po (5 cm), et mettez sur une plaque à cuisson graissée. Faites cuire au four à 425°F (225°C) de 15 à 18 minutes, pour qu'ils soient bien dorés. *Rendement : 2 douzaines.*

Petits pains de marmelade de Brentford

Une autre variété de petits pains chauds, remplis de marmelade. C'était alors l'usage de les accompagner de petits morceaux croustillants de bacon. Je m'en régale depuis des années.

2 tasses (500 mL) de farine tout-usage
1 c. à table (15 mL) de poudre à pâte
1 c. à thé (5 mL) de sel
1/4 de tasse (60 mL) de beurre doux
1/2 à 3/4 de tasse (125 à 200 mL) de lait
marmelade aux oranges de Séville

Tamisez ensemble la farine, la poudre à pâte et le sel. Coupez le beurre dans le mélange de farine avec deux couteaux ou un couteau à pâtisserie pour obtenir une pâte granuleuse.

Brassez-y suffisamment de lait pour avoir une pâte molle. Renversez sur une planche légèrement enfarinée et pétrissez 5 à 6 fois. Roulez ou abaissez avec la main à 1/4 po (,625 cm) d'épaisseur. Taillez à l'emporte-pièce de 2 po (5 cm) et mettez sur une plaque à cuisson non graissée. Faites un léger creux au milieu avec un dé (je me sers de mon pouce). Remplissez de marmelade. Faites cuire au four à 450°F (230°C), de 10 à 12 minutes, ou jusqu'à ce qu'ils soient dorés. *Rendement : 2 douzaines.*

Marmelade de pommes à la française

Un véritable délice lorsqu'on la mange avec des biscuits chauds. À l'époque victorienne, Mme Marshall suggéra d'en faire une sauce pour accompagner le Capitaine ou les rognons. C'est aussi un intéressant dessert, lorsqu'elle est servie avec une tranche de gâteau éponge ou de « pound cake » anglais.

4 à 5 pommes (environ 1 lb ou 500 g)
1/2 tasse (125 mL) d'eau
2 c. à table (30 mL) de beurre
zeste râpé d'un demi-citron
un petit morceau d'écorce de cannelle
2 feuilles de laurier
1/2 tasse (125 mL) de sucre
1 c. à thé (5 mL) d'eau de fleur d'oranger
1 c. à table (5 mL) de confiture ou de gelée d'abricot

Pelez les pommes et taillez en minces tranches. Mettez dans une casserole avec l'eau, le beurre, le zeste de citron râpé, la cannelle, les feuilles de laurier et le sucre. Faites cuire à feu moyen, en remuant souvent, jusqu'à ce que les pommes soient tendres, ajoutez alors le reste des ingrédients. Retirez la cannelle et les feuilles de laurier et battez avec un fouet de métal ou une cuillère pour rendre crémeux et homogène. Conservez au réfrigérateur. Servez froide. *Rendement : 2/3 à 3/4 de tasse (160 à 180 mL)*

Notre festin de Noël

J'aime préparer et célébrer Noël en famille à notre ferme Noirmouton, car je conserve le souvenir très net de l'ancienne maison de campagne de mes grands-parents. La salle à manger était assez grande pour asseoir 40 membres de la famille à la table de Noël. L'immense « poêle » noir dans la basse cuisine pouvait cuire 10 à 12 pains à la fois, tandis qu'une douzaine de mets délicieux mijotaient sur le dessus.

L'excitation et l'anticipation se faisaient de plus en plus sentir dans la vieille maison à mesure que toutes sortes d'arômes délicieux se dégageaient de la cuisine. À l'extérieur, la campagne demeurait sereine déployant son magnifique manteau blanc parsemé de conifères vert foncé, sous son beau ciel bleu. Environ un mois avant Noël, l'agitation commençait à se manifester, du moment où l'on sortait les meilleures recettes secrètes passées de mère en fille. De longues listes étaient rédigées et les tâches partagées entre tous. Au grand jour, le plat principal du dîner était un carré d'agneau et un cuissot de chevreuil, marinés dans beaucoup de vin rouge avant la cuisson. Ces pièces étaient servies sur un lit de purée de marrons. De nombreux desserts

Fruits, fruits sur fruits, gâteau avec glaçage, savoureux biscuits au beurre, crème ▷ fouettée et chocolat. Oh! comme j'aime les desserts.

figuraient au menu et le repas se terminait par la traditionnelle pièce de résistance : le plum pudding.

Je revois si bien en pensée la porcelaine bleue Canton d'Angleterre, la plus fine, la plus grande nappe blanche damassée couvrant la longue table, le cristal et l'argenterie brillant de mille éclats. Jamais, je n'oublierai les Noëls d'autrefois. Cette année, à la ferme, nous aurons un festin de ce genre.

Pour demeurer fidèle à la tradition, je sers aussi de l'agneau à Noël. Comme le faisaient mes grands-parents, j'aime faire rôtir un baron d'agneau, une pièce vraiment spectaculaire, qui peut servir de 20 à 30 personnes, lorsqu'elle est bien dépecée.

Galantine de Noël

Ma grand-mère maternelle a appris à faire ce délicieux plat d'une indienne de Naspakis, et il est devenu une recette traditionnelle de famille. Les Indiens utilisaient du chevreuil au lieu du porc, qu'ils faisaient griller au-dessus de grandes épaisseurs de braise chaude; ils mettaient ensuite la viande cuite coupée dans de grands morceaux d'écorce, après avoir trempé la viande dans l'eau froide du ruisseau. Ils couvraient le tout et laissaient cuire toute la nuit lentement jusqu'à ce que le feu s'éteigne. Maintenant, nous utilisons une longe ou une épaule de porc désossée. Demandez la couenne de porc à votre boucher. Nous avions l'habitude de l'acheter à même la pièce de viande, mais aujourd'hui elle est enlevée. Je réussis facilement à me la procurer, si je la demande assez tôt.

1 longe de porc de 4 lb (2 kg) ou
1 épaule de porc désossée de 4 à 5 lb (2 à 2,5 kg)
1 à 2 lb (1 kg) de pattes de porc
un bon morceau de couenne de porc
2 gros oignons émincés
1 c. à table (15 mL) de gros sel
1/4 c. à thé (1 mL) de clous de girofle moulus
1 c. à thé (5 mL) de sarriette d'été
1 tasse (250 mL) d'eau chaude

Utilisez une grande casserole de fonte ou une rôtissoire de fonte émaillée. Placez-y d'abord la viande, le gras sur le dessus, puis les pattes de porc, coupées en trois, autour de la viande. Si vous avez une couenne de porc, placez-la sur la viande. Ajoutez le reste des ingrédients. Mettez au four préchauffé à 325°F (160°C). Faites rôtir 2 1/2 heures sans couvrir, ni badigeonner, ni remuer.

◁ Les théières et les cafetières me fascinent. Nous voyons ici mes préférés, mais je ne peux pas dire combien j'en possède. Servir le thé qui convient exactement à un repas donné est aussi important que le choix d'un vin. Je mouds mon café juste avant de l'utiliser...

Versez la tasse d'eau bouillante sur la viande. Couvrez, mais ne remuez pas, et faites cuire encore une heure. La viande sera alors bien cuite.

Retirez du jus, enlevez les os et déchiquetez la viande avec deux fourchettes. Coupez la couenne et les pattes de porc en tout petits morceaux.

Mettez toute la viande dans un moule de votre choix.

Placez la casserole sur le feu. Ajoutez 1/2 tasse (125 mL) de thé noir fort (grand-mère et maman utilisaient toujours du thé vert). Grattez le fond de la casserole pour en détacher tous les morceaux croquants. Versez le liquide sur la viande à travers une passoire fine. Laissez refroidir. Couvrez et réfrigérez.

Démoulez sur un plateau et servez très froide avec des oignons, betteraves et petits cornichons marinés. Et beaucoup de pain de ménage! *Pour 10 à 20 personnes.*

Carré d'agneau noirmouton

Un parfait carré d'agneau comprend les deux longes coupées sans être séparées avec quelques os enlevés et les flancs roulés. (Il serait peut-être sage de le commander d'avance chez votre boucher).

1 carré d'agneau de 8 à 12 lb (4 à 6 kg)
1/4 de tasse (60 mL) d'huile végétale ou d'huile d'olive
1 c. à thé (5 mL) de moutarde sèche
1 c. à thé (5 mL) de sel
1/2 c. à thé (2 mL) de poivre, fraîchement moulu
1/2 c. à thé (2 mL) de romarin
1/2 c. à thé (2 mL) de basilic
2 tasses (500 mL) de consommé d'os d'agneau
2 c. à table (30 mL) de beurre
1 c. à thé (5 mL) de poudre de cari
2 c. à table (30 mL) de farine tout-usage

Remuez ensemble l'huile, la moutarde, le sel, le poivre, le romarin et le basilic. Mettez le carré d'agneau dans une rôtissoire et badigeonnez-le du mélange. Faites rôtir au four à 400°F (200°C) de 10 à 15 minutes la livre (500 g).

Lorsque le rôti est bien doré et dégage un délicieux arôme, retirez-le de la rôtissoire, couvrez-le d'un papier ciré et mettez-le de côté dans un endroit chaud, ou sur un réchaud électrique (le carré est à son meilleur après 20 minutes). Ajoutez le consommé au jus de cuisson et dégagez tous les petits morceaux croustillants des parois et du fond de la rôtissoire dans le consommé. Mettez en boule le beurre, le cari et la farine. Ajoutez-le au consommé bouillant dans la rôtissoire et remuez vivement à feu doux jusqu'à ce que le tout soit crémeux et lisse.

En Écosse, le carré d'agneau est porté à table sur un grand plateau d'argent, entouré d'une flamme bleue. Du whisky ou du brandy chaud peuvent être versés sur le dessus et flambés au moment de servir le repas. Mon grand-père suivait cette coutume. *Pour 12 à 18 personnes.*

Consommé d'agneau :
Demandez à votre boucher de vous donner la parure qu'il retranche du carré. Faites bouillir avec 4 tasses (1 L) d'eau, une branche de céleri, 1 petit oignon coupé en deux, 1 feuille de laurier et sel et poivre au goût. Couvrez et mijotez trois heures, puis coulez. Lorsque ce consommé est préparé d'avance, comme il doit l'être, réfrigérez-le, enlevez le gras durci, et versez-le froid dans la sauce chaude.

Purée de navet petits pois

Même ceux qui ne mangent jamais de navet aimeront cette combinaison.

1 gros navet
1 c. à thé (5 mL) de sucre
3 à 4 c. à table (50 à 60 mL) de beurre
1/2 c. à thé (2 mL) de poivre frais moulu
le jus d'un citron
2 tasses (500 mL) de petits pois surgelés cuits
sel au goût

Ne pelez le navet qu'au moment de le faire cuire. Enlevez une pelure plus épaisse qu'il n'est d'usage pour un légume, jusqu'à la ligne de couleur que l'on distingue entre la pelure et le navet. Tranchez le navet et recouvrez-le complètement d'eau bouillante. Ajoutez ensuite le sucre.

Faites bouillir fortement, à découvert, durant 20 minutes. (Une cuisson prolongée rend le navet plus foncé et lui donne une saveur forte.) Égouttez et lavez, et ajoutez le beurre, le poivre et le jus de citron. Battez le tout et incorporez les petits pois, vous assurant qu'ils ont été bien égouttés. Salez au goût et servez. *Pour 8 à 10 personnes.*

Pommes de terre en éventail

La présentation des pommes de terre peut se faire avec un air de haute cuisine. Lorsque la quantité est limitée, placez-les autour du carré d'agneau pour les faire dorer. Pour une plus grande quantité, utilisez un grand poêlon comme suit :

12 pommes de terre moyennes pelées
1 récipient de cubes de glace
paprika
1/4 de tasse (60 mL) de beurre

Taillez verticalement chaque pomme de terre en tranches minces mais sans couper jusqu'au fond afin de retenir le tout ensemble. Mettez dans un bol d'eau froide, recouvrez de cubes de glace et laissez reposer une heure. Égouttez et asséchez dans un linge. Roulez dans le paprika pour leur donner une teinte rose.

Faites fondre le beurre dans un grand poêlon et faites-y cuire les pommes de terre, à découvert et à feu doux. Retournez-les souvent, jusqu'à ce qu'elles soient tendres et bien dorées, de 35 à 40 minutes environ. Le côté coupé des pommes de terre s'ouvrira comme un éventail. *Pour 8 à 10 personnes.*

Petites tourtières

Dans ma famille, elles sont traditionnelles, et elles sont vraiment canadiennes. Cuites et surgelées, elles se conservent six mois, il ne reste plus qu'à réchauffer et servir. Toute pâte à tarte peut être utilisée, mais celle-ci est la meilleure, elle est presque comme la pâte feuilletée.

La pâte

2 tasses (500 mL) de farine tout-usage
1 c. à thé (5 mL) de sel
1/2 c. à thé (2 mL) de soda
une pincée de curcuma
1/4 c. à thé (1 mL) de sarriette
1/2 tasse (125 mL) de saindoux
1/3 de tasse (80 mL) d'eau glacée
1/3 de tasse (80 mL) de beurre

Mélangez dans un bol la farine, le sel, le soda, le curcuma et la sarriette. Coupez-y le saindoux, ou mélangez avec un couteau à pâtisserie ou deux couteaux jusqu'à ce que les particules soient de la grosseur de petits pois. Ajoutez l'eau glacée une cuillerée à table (15 mL) à la fois, en remuant avec une fourchette ou le bout des doigts, jusqu'à ce que la pâte puisse être légèrement roulée en boule. La farine varie, il se peut que l'eau ne doive pas être ajoutée en entier. Maniez la pâte le moins possible à ce stage.

Abaissez la pâte, parsemez de beurre et roulez comme un gâteau roulé. Abaissez à plat de nouveau, roulez encore et répétez ce procédé 2 à 3 fois. Réfrigérez quelques heures avant d'utiliser.

La garniture

1 lb (500 g) de porc haché
2 pommes de terre pelées et râpées
1 petit oignon, haché
1 gousse d'ail, émincée
1 c. à thé (5 mL) de sel
1/2 c. à thé (2 mL) de sarriette
1/4 c. à thé (1 mL) de clous de girofle moulus
1/2 tasse (125 mL) d'eau

Mettez tous les ingrédients dans une casserole. Amenez à ébullition, en remuant pour séparer la viande en petits morceaux. Couvrez et laissez mijoter 30 minutes. Retirez du feu et laissez refroidir.

Abaissez la pâte refroidie, taillez-la en petits cercles, et mettez dans de petits moules à tartelettes, ou des assiettes à tarte individuelles. Remplissez copieusement de la garniture. Recouvrez d'un autre cercle de pâte et pincez les bords tout autour. Badigeonnez le dessus d'un œuf battu avec 2 c. à table (30 mL) d'eau. Faites cuire au four à 400° F (200° C) pour les faire bien dorer. Servez aussitôt prêtes. *Pour 6 à 8 personnes.*

Plum Pudding

Je n'ai jamais trouvé d'équivalent à ce plum pudding. Enfant, je prenais plaisir à aider maman à préparer les ingrédients. Et durant ce temps, elle me faisait chanter tout comme grand-mère lui avait toujours fait faire. Ce n'est que plus tard que j'ai constaté qu'elle me disait de chanter dans l'espoir de m'empêcher de grignoter; mais dans mon cas, ce fut sans succès.

Ma fille et moi avons un jour décidé de servir le pudding aussitôt cuit. Il était léger et délicieux, mais toutefois un peu plus pâle et moins riche que le pudding qui a un peu vieilli. Si vous préférez toujours faire votre pudding d'avance, celui-ci se conserve très bien six mois; et au congélateur, un an.

Le pudding

2 tasses (500 mL) de raisins de Corinthe
1 tasse (250 mL) de raisins muscats
1 tasse (250 mL) de raisins secs sans pépins
1 tasse (250 mL) de zeste de fruits confits, haché fin
3/4 de tasse (200 mL) de brandy
1 tasse (250 mL) d'amandes non blanchies, taillées en longueur
1 tasse (250 mL) de carottes râpées fin
1/4 de tasse (60 mL) de farine tout-usage non tamisée
1 c. à table (15 mL) de quatre-épices
2 1/3 tasses (580 mL) de suif de bœuf, haché fin
6 tasses (1,5 L) de mie de pain fine (sans croûte)
8 gros œufs séparés
1 1/4 tasse (315 mL) de cassonade bien tassée

Les moules

4 c. à table (60 mL) de beurre mou
1/2 tasse (125 mL) de cassonade bien tassée
10 à 12 cerises rouges glacées
cannelle
10 à 12 fines lamelles de cédrat confit

Mélangez les raisins et le zeste confit dans un grand bol. Ajoutez le brandy et remuez délicatement. Couvrez le bol et laissez reposer jusqu'au lendemain.

Le lendemain, préparez les moules avant de mélanger le reste des ingrédients. Étendez 2 c. à table de beurre mou sur le fond et les parois de deux moules de faïence de 7 à 8 tasses (1,25 à 2 L) ou de bols. Pressez également dans chaque moule 1/4 de tasse (60 mL) de la cassonade bien tassée sur le beurre ; garnissez le fond de chaque moule de 5 ou 6 cerises glacées. Saupoudrez légèrement de cannelle, puis disposez 5 à 6 lamelles de cédrat verticalement sur les côtés autour de chaque moule. (Pour les maintenir en position, pressez les lamelles de cédrat sur les côtés du moule.) Mettez les moules au réfrigérateur jusqu'au moment de les utiliser.

Ajoutez les amandes, les carottes, la farine et le quatre-épices au mélange des fruits ; remuez délicatement mais à fond. Ajoutez le suif et la mie de pain et remuez délicatement encore une fois.

Battez les blancs d'œufs à grande vitesse au batteur électrique jusqu'à ce qu'ils soient fermes mais non secs. Réduisez alors la vitesse et ajoutez les jaunes d'œufs, un par un. Dès que les jaunes sont mélangés aux blancs, ajoutez petit à petit 1 1/4 tasse (315 mL) de cassonade bien tassée. Cessez de battre dès que la cassonade et les œufs sont mélangés.

Incorporez le mélange des œufs dans les fruits; une spatule de caoutchouc fait très bien le travail. Versez la pâte dans les moules préparés, la divisant également entre les deux. Recouvrez chaque moule d'un grand carré de papier d'aluminium épais; le pressant tout autour du moule sur les côtés pour qu'il en épouse la forme. Fixez le papier en place avec une ficelle. Mettez les moules dans une marmite à la vapeur.

Faites cuire à la vapeur durant 3 heures, ajoutant de l'eau bouillante au besoin à la marmite. Retirez les moules et laissez-les reposer sur des grilles à gâteaux jusqu'à ce qu'ils aient refroidi, sans enlever le papier d'aluminium. Cela permet aux puddings de venir à maturité. *Chaque pudding donnera de 8 à 10 portions.*

Pour servir le pudding, réchauffez-le à la vapeur de 30 à 40 minutes, puis démoulez-le sur un plateau chaud qui a un bord. Versez à la cuillère 1/2 tasse (125 mL) de brandy en flamme sur le pudding et servez avec la « Hard Sauce » ou la sauce au caramel.

Manière de flamber un pudding

Il existe bien des façons de flamber un pudding. Ma préférée est facile et sûre et se prépare à table.

Disposez dans un petit plateau d'argent, des carrés de sucre, un assez gros morceau de beurre dans une petite assiette et un pichet à long manche contenant du rhum ou du brandy chaud. L'alcool bon marché flambe mieux que les fines. Disposez le pudding sur un plateau d'argent ou de verre incassable. Mettez sur le dessus un bon morceau de beurre et placez-y 6 à 8 carrés de sucre, puis arrosez le tout de brandy ou de rhum. Allumez, et aussitôt commencez à l'arroser de nouveau avec le rhum ou le brandy, en pressant délicatement le sucre avec le dos de la cuillère et en continuant d'arroser jusqu'à ce que la flamme s'éteigne d'elle-même. Plus vous l'arroserez, plus il flambera.

Il est important que le pudding soit chaud et disposé sur un plateau chaud, car la flamme durera plus longtemps si l'alcool est chaud.

La sauce au caramel de grand-mère

Au début de 1900, cette sauce était très en vogue pour accompagner tous les genres de poudings à la vapeur. Elle était aussi servie sur le gâteau éponge ou sur la crème glacée.

3 c. à table (50 mL) de farine tout-usage
1/2 tasse (125 mL) de cassonade
un soupçon de sel
1 tasse (250 mL) d'eau froide
2 à 3 c. à table (30 à 50 mL) de beurre
1 c. à thé (5 mL) de vanille
1/4 c. à thé (1 mL) d'essence d'amande

Mettez la farine, la cassonade et le sel dans une casserole. Mélangez bien et ajoutez l'eau. Faites cuire à feu moyen, en remuant sans cesse, jusqu'à ce que le sucre soit fondu; poursuivez la cuisson pour obtenir une sauce lisse et crémeuse. Retirez du feu, ajoutez le beurre et l'essence d'amande. Servez chaude. Elle se conserve au réfrigérateur de 10 à 12 jours. *Rendement : 1 1/2 tasse.*

La sauce au caramel de maman

Ma fille préfère la sauce au caramel. Alors à Noël, je fais trois sauces; chacun se régale du pudding à son goût.

1 1/2 tasse (400 mL) de cassonade
2/3 de tasse (160 mL) de sirop de maïs ou d'érable
4 c. à table (60 mL) d'eau bouillante
2 clous de girofle entiers
3/4 de tasse (200 mL) de crème légère

Mettez dans une casserole la cassonade, le sirop, l'eau bouillante et les clous de girofle entiers. Amenez à ébullition, en remuant sans cesse jusqu'à ce que le sucre soit fondu. Ajoutez la crème, et baissez le feu. Laissez mijoter à feu doux jusqu'à ce que la sauce épaississe et soit très lisse. Remuez souvent durant la cuisson.

On peut aussi omettre les clous de girofle, et ajoutez à la sauce 1/8 c. à thé (O,5 mL) de muscade ou 1 c. à thé (5 mL) de vanille.

Cette sauce peut être servie chaude. Conservez-la au réfrigérateur dans un récipient qui peut être placé dans une lèchefrite d'eau chaude, pour la réchauffer au besoin. *Rendement : 2 1/4 tasses (500 mL)*

La « Hard Sauce » de maman

1/3 de tasse (80 mL) de beurre à la température ambiante
1 tasse (250 mL) de sucre à glacer légèrement tassé
2 c. à thé (10 mL) de rhum
cannelle ou cardamome

Mélanger dans le petit bol du batteur électrique le beurre, le sucre et le rhum. Battez à vitesse moyenne pour bien mélanger tous les ingrédients et pour obtenir une sauce lisse et légère. Évitez de trop battre la sauce car elle tournerait.

Tassez la sauce dans un petit bol et saupoudrez de cannelle ou de cardamome. Refroidissez au réfrigérateur pour que la sauce soit ferme. *Rendement : 1 tasse (250 mL).*

« *Hard Sauce* » *au brandy :* supprimez le rhum et remplacez-le par 1 c. à table (15 mL) de brandy.

Ma « Hard Sauce » préférée

Peut être conservée de 6 à 8 mois au réfrigérateur, bien couverte. Pour moi, elle atteint la perfection lorsque parfumée au whisky irlandais.

1/2 tasse (125 mL) de beurre doux à la température ambiante
1 1/2 tasse (400 mL) de sucre à glacer tamisé
2 c. à table (30 mL) de rhum, brandy ou whisky irlandais
1 jaune d'oeuf

Mettez le beurre en crème à la main avec un fouet de métal, pour obtenir un mélange lisse et crémeux. Ajoutez le sucre à glacer, 3 c. à table (50 mL) à la fois, en battant fortement à chaque addition. Lorsque tout le sucre a été ajouté et que la sauce est lisse, ajoutez le jaune d'oeuf et l'alcool de votre choix. Battez le tout. Versez dans un plat de service ou un récipient bien couvert. Réfrigérez au moins 2 jours avant d'utiliser. Lorsque cette sauce est servie sur le pudding chaud, elle fond presque instantanément et a une texture de velours. *Rendement : 2 tasses (500 mL).*

Le gâteau aux fruits bouilli de madame Fleury

Nous avons acheté notre ferme en 1959. À Noël, cette année-là, nos voisins « les Fleury » comme on les désignait dans les environs, nous offrirent un gâteau aux fruits bouilli. Nous l'avons tant aimé qu'un jour Mme Fleury m'a gentiment donné sa recette, et depuis il fait partie de notre menu des Fêtes. Peter Fleury, le fils, est chez nous ; c'est lui qui nourrit, tond, aide les agneaux à mettre bas depuis que nous faisons l'élevage des moutons, et il aime toujours le gâteau aux fruits de sa mère. Je suis persuadée que vous l'aimerez également. Il est économique et de préparation facile et rapide.

2 1/2 tasses (550 mL) d'eau froide
2 tasses (500 mL) de raisins de Corinthe
2 tasses (500 mL) de sucre
1 c. à thé (5 mL) de sel
1 c. à thé (5 mL) de quatre-épices
2 pommes non pelées et taillées en petits cubes
2 tasses (500 mL) de raisins secs sans pépins
2 tasses (500 mL) de raisins secs blancs
2 tasses (500 mL) de dattes, grossièrement hachées
1 c. à thé chacune (5 mL) de clous de girofle et de cannelle
1/2 tasse (125 mL) de noix de Grenoble, hachées
1 lb (500 g) de pelures confites
4 tasses (1 lb) (500 g) de farine tout-usage
2 c. à thé (10 mL) de poudre à pâte

Mélangez tous les ingrédients, sauf les noix de Grenoble et les pelures confites. Amenez à ébullition, laissez bouillir à feu moyen 5 minutes. Laissez tiédir. Lorsque refroidi, ajoutez les noix et les pelures. Mélangez bien. Tamisez la farine et la poudre à pâte et ajoutez-les. Mélangez le tout.

Versez la pâte dans un moule à couronne de 10 pouces (25 cm) bien graissé ou dans deux moules carrés de 8 pouces (20 cm). Faites cuire au four à 250°F (120°C) de 2 1/2 à 3 heures ou jusqu'à cuisson complète. Refroidissez sur une grille à gâteau. *Rendement : un gâteau de 8 à 9 lb (4 à 4,5 kg) ou deux de 4 lb (2 kg).*

Pastilles de Noël

Celles-ci ressemblent beaucoup aux « florentines » vendues dans les bonnes pâtisseries. Dans ma jeunesse, on les faisait à la maison, ou alors on s'en passait, et elles font partie de la table de Noël.

Il fallait préparer soi-même les pelures d'orange confites, car il n'en existait pas d'assez tendres sur le marché. Elles étaient parfumées au grand marnier.

Pelures d'orange confites

1 tasse (250 mL) d'eau
2 tasses (500 mL) de sucre
pelures jaunes de 3 oranges
2 c. à thé (10 mL) de grand marnier

Amenez l'eau et le sucre à ébullition, en remuant souvent. Taillez les pelures d'oranges en minces languettes (c'est facile avec des ciseaux bien aiguisés). Ajoutez au sirop, remuez et ajoutez le grand marnier. Faites cuire à feu moyen-doux de 10 à 15 minutes ou jusqu'à ce que l'écorce soit tendre. Laissez refroidir. Égouttez et hachez la pelure en petits morceaux. Conservez le sirop dans un bocal couvert, au réfrigérateur. Un reste de pelure se conservera aussi dans un bocal couvert, au réfrigérateur.

Pastilles de Noël

1 1/2 tasse (125 mL) de sucre
1/3 de tasse (80 mL) de crème riche
1/3 de tasse (80 mL) de miel
4 c. à table (60 mL) de beurre
1/4 de tasse (60 mL) de pelure d'orange confite
3 c. à table (50 mL) de farine
1/2 tasse (125 mL) d'amandes blanchies finement moulues
8 onces (227 g) de chocolat semi-doux
1 c. à table (15 mL) de grand marnier
1 c. à table (15 mL) de beurre

Mettez dans un poêlon de fonte le sucre, la crème, le miel et le beurre. Remuez à feu doux, juste assez pour dissoudre le sucre. Élevez légèrement la température et laissez bouillir le sirop, sans remuer, jusqu'au stage de boule molle dans l'eau froide, soit 235° F (112° C) au thermomètre à bonbon.

Laissez tiédir, ajoutez-y la pelure d'orange confite en remuant avec soin, de même que les amandes.

Beurrez une ou deux plaques à biscuit. Laissez-y tomber le mélange par petites cuillerées, à intervalles d'environ 2 pouces (5 cm); le mélange s'étend à la cuisson. Faites cuire au four réchauffé à 400° F (200° C), de 6 à 10 minutes. Vérifiez la cuisson au bout de 6 minutes, car elles sont délicates et ont tendance à brûler. Les cuire à feu plus doux les durcit.

Retirez les pastilles de la plaque lorsqu'elles sont encore assez chaudes avec une spatule large et faites-les refroidir sur une grille à gâteau.

Mettez dans un bol le chocolat semi-doux, le grand marnier et le beurre, placez le bol dans une casserole d'eau. Faites mijoter jusqu'à ce que le chocolat soit fondu. Brassez bien. Recouvrez de chocolat la partie lisse (le fond) des pastilles, remettez-les sur la grille et réfrigérez-les pour laisser durcir le chocolat, de 10 à 15 minutes. C'est un assez long travail, mais elles en valent bien la peine. *Rendement : 1 lb (500 g) environ.*

Notre « eggnog » de Noël

Je crois bien que chaque famille a le sien propre. J'en ai essayé plusieurs, mais sans jamais réussir à surpasser celui qui suit. Ce n'est qu'à Noël que nous avions du grand marnier, et bien entendu, il était toujours servi au grand dîner de Noël.

6 jaunes d'oeufs
1 tasse (250 mL) de sirop d'érable ou de sucre granulé fin
1 tasse (250 mL) de rhum de votre choix
1 tasse (250 mL) de grand marnier
le zeste râpé d'1 orange
1/2 tasse (125 mL) de brandy
6 tasses (1 L 250 mL) de lait
1 gousse de vanille
3 tasses (750 mL) de crème épaisse
6 blancs d'oeufs, battus en neige

Battez les jaunes d'œufs avec le sirop d'érable ou le sucre avec un batteur électrique, jusqu'à ce qu'ils soient très crémeux et légers. Continuez de battre et ajoutez le grand marnier, le rhum et le brandy. Couvrez et faites refroidir 2 heures. Ajoutez la gousse de vanille au lait et laissez reposer pendant le même temps. Le temps écoulé, retirez la gousse de vanille du lait, et ajoutez lentement le lait au mélange des jaunes d'œufs en remuant. Fouettez la crème et ajoutez-la avec soin pour bien l'incorporer.

Incorporez également les blancs d'œufs battus. Le « eggnog » peut alors être couvert, il se conservera de 12 à 24 heures. Saupoudrez chaque portion d'un soupçon de muscade fraîchement râpée.

Tout reste peut être conservé au congélateur, couvert. Servez-le gelé ou comme boisson. *Cette recette est suffisante pour une vingtaine de portions.*

Soufflé glacé au café

Pour le faire glacer, la veille de Noël, le soufflé était enterré profondément dans la neige, à laquelle on ajoutait du gros sel.

4 jaunes d'oeufs
1/4 de tasse (60 mL) de sucre
3 c. à table (50 mL) de café espresso

2 carrés de chocolat non sucré (57 g)
2 c. à table (30 mL) d'eau
2 c. à table (30 mL) de rhum
1 1/2 tasse (400 mL) de crème fouettée
4 blancs d'oeufs
1/4 de tasse (60 mL) de sucre

Battez les jaunes avec le premier 1/4 de tasse (60 mL) de sucre et le café, pour obtenir un mélange épais et crémeux. Faites fondre le chocolat (de préférence, utilisez des carrés de chocolat semi-sucré suisse) avec l'eau, à feu doux. Ajoutez le rhum et remuez-le dans le mélange de jaunes d'oeufs.

Fouettez la crème ferme. Battez les blancs d'oeufs en meringue avec le reste du sucre. Incorporez la crème fouettée et la meringue aux jaunes d'oeufs. Versez dans de petits pots ou des petits bols à dessert individuels, ou dans un grand bol à soufflé. Couvrez et faites congeler de 4 à 6 heures ou jusqu'au moment de servir.

Pour démouler : saucez le bol ou les bols quelques secondes dans l'eau chaude, puis renversez sur un plat de service. Pour un dessert encore plus riche, arrosez le soufflé de sauce au chocolat chaude. *Pour 8 à 10 personnes.*

Le mariage de ma petite-fille

Susan, ma petite-fille, fut la première de mes petits-enfants à se marier. C'était l'an dernier, par une belle journée d'avril. Le mode de vie a beaucoup évolué depuis mon temps, et ce devait être un mariage à la maison. Pour des motifs de « grand-maman sentimentale », il m'a semblé que la noce devait avoir lieu chez moi. Susan et Kenneth préparèrent leur liste d'invités, me disant qu'il y aurait 125 personnes, et que le mariage au complet: messe, communion, et tout, se déroulerait dans la maison, ce qui est bien différent des coutumes du «mariage à l'église». Au tout début, j'éprouvais un certain malaise à l'idée que la cérémonie du mariage se célébrerait dans mon salon; mais le moment venu, à la vue de leur bonheur et de leur amour, tout m'a alors semblé très bien.

Je m'étais posé la question : « Que ferons-nous pour la musique? » Mon mari eut l'idée lumineuse de demander à trois de ses amis qui jouent du cor de chasse de s'en charger, et de venir vêtus de leurs habits rouges et de leurs longues bottes noires. Ils jouèrent à l'extérieur devant une longue fenêtre, où se tenaient les mariés en plein soleil. Les cors étincelants, le couple heureux, la grand-maman attendrie, les parents de Susan émus, les invités tout souriants... C'est un tableau qui restera gravé dans ma mémoire.

Puis, il fallut penser aux aliments... ce qui fut facile. Il en serait de même pour quiconque désirerait organiser un grand mariage à la maison, pourvu que tout puisse être apprêté d'avance, et c'est ce que j'ai fait. Voici ce que nous avons servi :

Crevettes Matane à la vodka
Triangles de pain arabique croustillants
Crêpes au poulet suprême
Asperges vinaigrette
Fraises fraîches - Sauce aux Framboises
Macarons maison
Champagne pour les mariés
Rosé portugais pétillant
Mouton-Cadet 73
Gâteau de noce

Crevettes Matane à la vodka

Si vous n'avez pas de crevettes Matane, qui sont de petites crevettes d'environ 1 pouce de long (2,5 cm), cuites et décortiquées, et qui proviennent du village de Matane, en Gaspésie, au Québec, d'autres crevettes feront tout aussi bien, à condition qu'elles soient petites. Accompagnez-les de paniers de triangles de pain arabique. J'utilise généralement des petites cuillères pour les mettre sur le pain. Ceci est facile à apprêter et à servir et peut être préparé de 3 à 4 jours d'avance, puis conservé dans un bol couvert au réfrigérateur.

10 lb (5 kg) de petites crevettes
2 tasses (500 mL) de vodka
zeste râpé de 3 citrons
1 tasse (250 mL) de persil frais haché
3 c. à table (50 mL) de poudre de cari
sel et poivre au goût

Mettez les crevettes dans une grande casserole, ajoutez le reste des ingrédients, et remuez le tout quelques minutes avec les mains. Vérifiez l'assaisonnement. Préparez de 12 à 24 heures d'avance. Couvrez légèrement, et réfrigérez.

Pour les servir, mettez-les sur un grand plateau avec de jolies petites cuillères ici et là dans les crevettes. Chacun se sert.

Triangles de pain arabique croustillants

Ils peuvent être préparés de 8 à 10 jours d'avance et conservés dans un récipient de métal ou de plastique hermétiquement fermé.

24 morceaux de pain arabique rond
1 lb (500 g) de beurre mou
1/2 tasse (125 mL) de graines de sésame
1 c. à table (15 mL) de coriandre moulue

Divisez avec soin les morceaux de pain en deux, puis coupez chaque moitié en 6 triangles. Battez le beurre pour qu'il soit très crémeux, ajoutez les graines de sésame et la coriandre moulue et brassez pour bien mélanger. Tartinez chaque triangle de ce beurre et mettez sur des plaques à cuisson. Faites dorer au four à 350°F (180°C) de 5 à 8 minutes, jusqu'à ce qu'ils soient croustillants. Refroidissez sur des grilles à gâteau avant de mettre dans les récipients.

Crêpes au poulet suprême

Une excellente recette à posséder, même si vous ne la faites pas pour 125 personnes, car elle est facile à diviser en portions que vous pouvez conserver au congélateur. Si vous avez aussi des crêpes au congélateur, vous aurez toujours un plat pour le déjeuner ou une entrée pour le dîner, facile à apprêter.

12 poulets de 4 à 5 lb (2 à 2,5 kg)
12 à 16 pintes (12 à 16 L) d'eau
6 oignons non pelés coupés en quatre
8 branches de céleri avec feuilles, coupées en quatre
10 carottes brossées et coupées en deux
4 poireaux entiers, nettoyés et tranchés épais
4 feuilles de laurier
1 c. à thé (5 mL) de grains de poivre
2 c. à table (30 mL) de gros sel
1 c. à thé (5 mL) de thym
1 c. à table (15 mL) d'estragon

Pour la soupe, j'utilise une marmite d'hôtel de 20 pintes (20 L). (Vous pourrez peut-être en emprunter une). Si vous n'avez pas de marmite assez grande, divisez la recette pour la grandeur du récipient que vous avez à la main.

Voici la cuisson de base: mettez tous les ingrédients dans la casserole, et amenez à forte ébullition, baissez le feu et laissez mijoter. Couvrez et laissez mijoter jusqu'à ce que le poulet soit tendre. Évitez de trop cuire, la viande du poulet ne doit pas se défaire, mais doit demeurer assez ferme. Le temps requis pour faire refroidir variera selon la quantité cuite à la fois.

Lorsque le poulet est prêt, retirez du feu, refroidissez et mettez la casserole dans un endroit frais de 6 à 12 heures. Enlevez ensuite le poulet du bouillon.

Si vous avez besoin de la marmite pour faire cuire un autre lot de poulet, transférez le poulet cuit, pendant qu'il est chaud, dans un autre récipient. Couvrez et laissez refroidir durant 6 à 12 heures. Le lendemain, retirez les poulets un à la fois du bouillon :

1) Enlevez la peau et mettez-la de côté; 2) désossez; 3) taillez la viande en cubes et mettez la viande blanche et la brune dans des bols séparés; 4) mettez les os dans le bouillon; 5) recouvrez le poulet en cubes d'un linge mouillé et d'un morceau de papier ciré et réfrigérez.

Amenez le bouillon à ébullition, et faites bouillir à feu vif jusqu'à ce qu'il ait réduit de moitié. Refroidissez et coulez dans une passoire fine. Mesurez et mettez dans un endroit frais, jusqu'à ce que le gras ait durci sur le dessus et enlevez-le. Vous êtes alors prête à faire la sauce.

Pour faire la sauce suprême : hachez finement 2 gros oignons et 4 gousses d'ail. Faites fondre 1/2 tasse (125 mL) de beurre, et ajoutez les oignons et l'ail; laissez mijoter à feu doux environ 20 minutes, en remuant souvent. Ne faites pas dorer.

Dans l'intervalle, lavez et tranchez mince 2 à 3 oignons. Lorsque les 20 minutes sont écoulées, remuez à feu vif 5 minutes, ajoutez le bouillon réduit dégraissé, et faites bouillir 5 minutes.

Mettez en crème (utilisez un mélangeur électrique lorsque disponible) 1 lb (500 g) de beurre et 3 tasses (750 mL) de farine tout-usage; le mélange doit être crémeux et bien homogène. Ajoutez au bouillon très chaud une pleine louche de ce mélange à la fois, et remuez pour bien mélanger. Répétez ainsi jusqu'à ce que la sauce ait la consistance désirée. Ne la faites pas trop épaisse car il faut y ajouter le poulet, et une texture légère et crémeuse est la meilleure pour les crêpes. La sauce peut être préparée 2 jours d'avance lorsqu'elle peut être réfrigérée ou simplement conservée dans un endroit froid.

Trois ou quatre heures avant le service, réchauffez la sauce et battez-la bien pour la rendre légère. Ajoutez tout le poulet et laissez mijoter à feu doux pour bien réchauffer. À ce moment, remuez avec soin afin de ne pas briser les morceaux de poulet. Vérifiez l'assaisonnement.

Pâte à crêpe de base

Pour obtenir des crêpes tendres, il est important que la pâte repose 2 à 3 heures avant la cuisson, à la température ambiante, pour permettre aux particules de farine de se dilater dans le liquide. Si le temps disponible est restreint, conservez la pâte dans un endroit frais de 30 à 60 minutes. Si le temps presse, il est évident que la pâte peut être cuite aussitôt prête. Pour une grande quantité, la pâte peut être préparée 12 à 24 heures d'avance, et n'a pas à être réfrigérée.

Pour 500 crêpes

51 oeufs
34 tasses de farine
17 tasses de lait
17 tasses de bouillon de poulet
4 1/4 tasses de beurre fondu
8 1/2 c. à thé d'estragon séché
17 c. à table de persil émincé
17 c. à table de ciboulette émincée

Pour 30 Crêpes

3 oeufs
2 tasses de farine
1 tasse de lait
1 tasse de bouillon de poulet
1/4 de tasse de beurre fondu
1/2 c. à thé d'estragon séché
1 c. à table de persil émincé
1 c. à table de ciboulette émincée

La cuisson des crêpes

Faites réchauffer le poêlon à feu moyen jusqu'à ce qu'il soit bien chaud, ajoutez-y alors quelques gouttes d'huile végétale ou de margarine. Lorsque le gras est bien étendu, versez-y 2 c. à table (30 mL) de la pâte, puis aussitôt penchez et tournez le poêlon dans tous les sens pour que la pâte se répande également dans le fond (cette quantité est pour un poêlon de 6 po (15 cm); ajoutez environ 1 c. à thé (5 mL) de plus pour chaque pouce (2,5 cm) supplémentaire. Faites cuire à feu moyen jusqu'à ce que le dessous de la crêpe soit doré. Vérifiez en relevant délicatement les bords avec une spatule. Pour retourner la crêpe, soulevez un coin avec une spatule, la prendre du bout des doigts, glissez la spatule dessous, et retournez. Faites cuire le dessous environ 10 secondes, et placez-la du premier côté cuit sur une grille à gâteau.

Poursuivez la cuisson, en utilisant de l'huile chaque fois et en les empilant à mesure qu'elles sont cuites jusqu'à ce que vous ayez la quantité désirée. Un reste de pâte se conserve au réfrigérateur dans un récipient de verre couvert de 3 à 4 jours.

La façon de conserver les crêpes

Si les crêpes ne doivent pas être servies immédiatement, recouvrez-les d'une serviette ou d'un bol renversé. Pour les conserver une journée ou plus, mettez-les au réfrigérateur enveloppées dans un papier d'aluminium ou dans un sac de polyéthylène, avec un carré de papier ciré entre chaque crêpe. Ainsi enveloppées, elles se conserveront au congélateur de 6 à 8 semaines.

Pour réchauffer des crêpes refroidies ou surgelées, développez-les et placez-les chevauchant sur une plaque à cuisson badigeonnée de beurre fondu. Badigeonnez bien les crêpes de beurre fondu pour éviter qu'elles ne s'assèchent au réchauffage. Mettez-les au four à 400°F (200°C) de 3 à 4 minutes. Elles seront alors prêtes à être garnies ou recouvertes de sauce, comme pour les crêpes au poulet suprême.

J'ai fait 3 crêpes suprêmes par invité. Sortez les crêpes du congélateur 12 heures avant d'utiliser. Pour les servir, empilez-les sur des plaques à cuisson et réchauffez-les au four à 350°F (180°C) environ 10 minutes (si chaque pile de crêpes est de 3 à 6). Prenez une crêpe chaude et mettez-la sur une assiette, versez 1/4 de tasse (60 mL) de la sauce dessus et roulez-la (c'est facile). Répétez pour 2 autres crêpes et servez.

J'avais préparé des plaques à cuisson d'avance avec les crêpes dégelées; je les avais couvertes de papier d'aluminium et laissées sur le comptoir de la cuisine. Préchauffez le four à 400°F (200°C) et placez-y 2 plaques; les crêpes seront très chaudes en 10 à 12 minutes. Mettez 2 autres plaques lorsque les premières ont été retirées. J'avais 6 plaques à cuisson prêtes avec les crêpes et 1 personne pour les remplir au fur et à mesure qu'elles se vidaient. Nous avons servi les crêpes toutes chaudes aux 125 personnes en 35 minutes.

Quelques remarques sur les crêpes

Les crêpes minces, légères comme un nuage, et tendres sont toujours attrayantes et il est facile d'en varier la présentation. Elles peuvent servir d'entrée, de plat principal, de dessert, elles peuvent être à la base d'une présentation de gourmet d'un reste, ou encore une façon aisée de servir 125 personnes à une noce à la maison, comme je l'ai fait. Bien qu'elles soient désignées sous divers noms, elles sont toutes essentiellement semblables.

Apprenez à bien faire la crêpe, et la porte vous est ouverte à l'univers de la haute cuisine. Mais n'allez surtout pas croire que c'est un art difficile. Toute crêpe est faite d'œufs, de lait et de farine, et la seule différence pour la crêpe de grande cuisine est qu'elle est cuite très mince. Elle est pourtant assez résistante pour retenir des garnitures de tous les genres; elle peut être servie en toute saison, en toute occasion.

Le poêlon ou la plaque à crêpes

De préférence, la plaque à crêpe idéale doit être petite avec les côtés inclinés pour retourner facilement la crêpe. Les plaques à crêpe sont généralement faciles à trouver dans les boutiques d'ustensiles de cuisine, elles s'achètent aussi comme accessoire d'un réchaud de table. Un poêlon peut aussi être utilisé, s'il est de métal lourd, fonte de fer, fonte d'aluminium, fonte émaillée ou acier inoxydable à fond de cuivre. Les dimensions peuvent varier de 5 à 10 po (12,5 à 25 cm), mais 6 à 7 po (15 à 17,5 cm) est la dimension la meilleure pour une manipulation aisée. Il est sage de consacrer un ustensile exclusivement à la cuisson des crêpes.

Avant de faire cuire les crêpes, essuyez la plaque avec un linge humide ou un essuie-tout et du gros sel. Badigeonnez-la ensuite avec quelques gouttes d'huile à salade pour empêcher de coller.

Asperges vinaigrette

Nettoyez et faites cuire 25 à 35 lb (12,5 à 17,5 kg) d'asperges fraîches. Évitez de trop les cuire, conservez-les un peu fermes. La veille du mariage, couvrez un grand plateau d'un linge de toile (n'utilisez pas de papier), et mettez-y les asperges. Préparez une bonne vinaigrette au choix (consultez le chapitre des salades). Deux heures avant de servir, disposez les asperges en belles rangées et versez la sauce dessus par cuillerées. Cela remplace une salade. Nous les avons distribuées, mais les convives peuvent se servir eux-mêmes.

Fraises fraîches - sauce aux framboises

Ce fut un succès, et une agréable diversion aux desserts à la crème glacée si souvent servis dans les noces.

Ma petite-fille choisit la sauce aux framboises, parce qu'elle est une recette de sa mère, et je choisis les fraises fraîches, les premières de la saison. Pas de crème fouettée.

Il vous faudra 24 à 30 paniers d'une pinte (1 L) de fraises pour 125 convives. Nettoyez les fraises, lavez-les avant de les équeuter et mettez-les dans de grands bols. Sucrez au goût (mais pas trop) avec le sucre à la vanille. Ajoutez 3 c. à table (50 mL) de liqueur d'orange pour chaque panier d'une pinte (1 L) de fruits. Mélangez avec les mains, en prenant soin de ne pas briser les fruits. Couvrez et mettez de côté dans un endroit frais. Elles peuvent être préparées et parfumées un jour d'avance. Pour les servir, mettez dans un petit bol 2/3 à 1 tasse de fraises, et versez-y quelques cuillerées de la sauce aux framboises de Monique. Il faudra augmenter 15 fois la recette originale.

Le gâteau de noce de ma petite-fille

C'est ce même gâteau que j'avais fait pour le mariage de sa mère, et la recette ne semblait guère avoir vieilli. C'est un gros travail, mais il en vaut la peine. J'avais placé sur le gâteau deux petits oiseaux (lovebirds) de marbre, et le gâteau reposait sur un grand plateau d'argent entouré de petits boutons de rose et de nœuds de velours bleu.

> *2 tasses (500 mL) de noix de Grenoble ou de pacanes, hachées*
> *grossièrement*
> *2/3 de tasse (160 mL) de cerises confites rouges ou vertes, coupées*
> *en deux*
> *2 tasses (500 mL) de raisins muscats foncés*
> *1/2 tasse (125 mL) de rhum ou de brandy*
> *4 tasses (1 L) de farine tout-usage*
> *1 1/2 c. à thé (7 mL) de poudre à pâte*
> *1/2 c. à thé (2 mL) de sel*
> *1 c. à thé (5 mL) de muscade*
> *1/2 c. à thé (2 mL) de cardamome moulue*
> *1 1/2 tasse (400 mL) de beurre doux*
> *2 tasses (500 mL) de sucre à fruits*
> *1 c. à thé (5 mL) d'essence de vanille*
> *1/2 c. à thé (2 mL) d'essence d'amande*
> *7 œufs*
> *3/4 de tasse (200 mL) de rhum ou de brandy*
> *garnitures et glaçage (consultez les directives suivantes)*

Mélangez les 4 premiers ingrédients dans un grand bol. Couvrez et laissez reposer à la température ambiante 12 heures (ou 4 minutes au four à micro-ondes). Le liquide sera alors absorbé.

Préparez les moules. J'utilise deux moules carrés à fond détachable : un de 7 X 7 X 3 1/2 po (17,5 X 17,5 X 8,75 cm), l'autre de 6 X 6 X 3 1/2 po (15 X 15 X 8,75 cm). Ils doivent être bien beurrés, puis saupoudrés de farine.

Tamisez ensemble les 5 ingrédients suivants, et mettez le beurre en crème jusqu'à ce qu'il mousse. Ajoutez le sucre, 3 c. à table (50 mL) à la fois, en battant 2 à 3 minutes entre les additions. Lorsque la moitié du sucre a été ajoutée, ajoutez les essences de vanille et d'amande. Préchauffez le four à 350°F (180°C).

Lorsque tout le sucre a été ajouté, commencez à ajouter les œufs un à la fois, et battez à chaque addition. Puis battez 4 minutes à vitesse moyenne. Ajoutez petit à petit le mélange de la farine tout en battant, jusqu'à l'obtention d'une pâte lisse et crémeuse; versez alors sur les fruits. Mélangez avec une grande cuillère.

Répartissez la pâte entre les deux moules et placez sur la grille du milieu du four. Faites cuire le plus petit gâteau 80 minutes environ. Faites cuire le plus gros de 2 à 2 1/4 heures environ. Dans les deux cas, vérifiez le degré de cuisson.

Faites refroidir les gâteaux dans les moules posés sur une grille, de 20 à 30 minutes, puis renversez les moules sur la grille. Trempez deux morceaux de coton à fromage dans le 1/4 de tasse (60 mL) de rhum ou de brandy. Déposez chaque gâteau au centre du coton et enveloppez-le. Enveloppez ensuite le gâteau de papier d'aluminium. Laissez-le mûrir une semaine à la température ambiante. Il se conservera 3 à 5 semaines au réfrigérateur.

Garniture à la marmelade : faites chauffer 1 tasse (250 mL) de marmelade d'orange avec 3 c. à table (50 mL) de brandy ou de cointreau. Amenez à ébullition, remuez 1 minute sur le feu et laissez refroidir. Badigeonnez le dessus et les côtés de chaque gâteau de ce mélange, qui fera adhérer le massepain et empêchera les miettes de se répandre sur le gâteau ou sur le glaçage.

Le massepain: pétrissez 1/2 lb (254 g) de massepain, généralement vendu en contenants d'une livre (448 g) (le massepain danois est le meilleur), jusqu'à ce que la pâte soit lisse et malléable. Ajoutez une petite cuillerée d'eau si elle est trop sèche. Roulez-la en un cylindre de 18 po (45 cm). Puis abaissez la pâte en morceaux aux dimensions de hauteur et de longueur des quatre côtés de chaque gâteau. Une règle et un couteau tranchant vous faciliteront la tâche. Appliquez au fur et à mesure les bandes de pâte sur le gâteau. La garniture à la marmelade les feront adhérer. Le même procédé s'appliquera pour le dessus des gâteaux, en abaissant des carrés de massepain aux dimensions désirées.

Pour glacer le gâteau : empilez les étages de gâteaux. Avec le mélangeur, mélanger une tasse (250 mL) de graisse végétale et 2 c. à table (30 mL) de rhum ou de cognac. Ajoutez petit à petit 2 lb (1 kg) de sucre à glacer tamisé, jusqu'à ce que le mélange soit homogène. Ajoutez alors 2 blancs d'œufs en battant à grande vitesse. Battez jusqu'à ce que le mélange soit épais et lisse. Ajoutez au besoin un peu plus de sucre. Laissez refroidir 1 heure au réfrigérateur, puis glacez le dessus et les côtés par-dessus le massepain avec une spatule de métal plate. Un pot d'eau chaude doit être à la portée de la main pour y rincer la spatule aussi souvent que nécessaire.

Maintenant, votre bon goût et votre imagination entrent en jeu. Remplissez du glaçage un tube à décorer. Choisissez la douille à votre gré, et faites des ondulations autour des bords de chaque étage.

Le gâteau peut être fait et glacé (sans les roses, bien entendu) un mois d'avance, et placé sur un plateau au congélateur pour faire durcir le glaçage. Enveloppez-le alors de papier de plastique, puis de papier d'aluminium épais, et remettez-le au congélateur.

Développez-le en le sortant du congélateur. Il prendra 24 heures à dégeler. *Rendement : 1 petit carré à chaque invité, soit 125 morceaux.*

Confitures et congélation

Vous vous rappelez du temps où il fallait attendre l'été pour manger des fraises fraîches et presque jusqu'à l'automne pour le maïs. Nous mangions de l'agneau à la fin du printemps, du porc en hiver, et ainsi de suite. Nous profitions de l'abondance au fur et à mesure des saisons. Puis, nous devions attendre l'année suivante.

Aujourd'hui, nous prenons presque comme chose établie le miracle de la science moderne de la congélation et les bénéfices que nous en retirons. Des milliers de gens savent en profiter. Il est important d'apprendre à tirer parti de l'abondance de chaque saison et de savoir utiliser avec avantage l'espace de congélation.

Voici quelques suggestions pour servir des délices de gourmet : par exemple, des fraises parfaites en janvier, ou pour avoir à la main la base d'une soupe vite faite ou d'une casserole, ou peut-être même d'un sandwich.

Je ne parlerai pas du point de vue technique, sauf pour dire quelques mots sur l'emballage. Les papiers et récipients propres à la congélation doivent être hermétiques et à l'épreuve de l'humidité et de la moisissure du froid ; ils préviendront la communication des saveurs entre les aliments et les empêcheront de prendre un goût désagréable ; ils empêcheront la perte d'humidité qui souvent durcit les légumes et fait foncer les fruits.

La congélation cause la dilatation. Laissez toujours 1/2 po (1,25 cm) d'espace libre dans le haut d'un récipient contenant un liquide, ou des aliments dans un liquide.

Ne congelez jamais plus d'aliments que vous ne comptez en utiliser en une fois. Cela est très important, surtout pour les aliments cuisinés.

Sachez qu'un congélateur n'est pas un magicien, il n'améliore pas la saveur des aliments ; il a pour fonction de conserver la qualité des aliments et de les empêcher de se gâter.

Le congélateur de votre réfrigérateur

Il n'est pas donné à tous de posséder un de ces beaux grands congélateurs détachés, mais peu d'entre nous profitons de ce dont presque toute cuisine est munie : le secteur de congélation du réfrigérateur.

Ceux qui ont une petite famille ou qui vivent seuls ont le problème des restes, et trop souvent le congélateur du réfrigérateur n'est utilisé que pour conserver les glaçons, le pain et les dîners congelés. Bien qu'il soit impossible d'y emmagasiner les aliments pour un mois, il peut être d'un usage beaucoup plus commode que la façon dont il est généralement utilisé.

Achetez un thermomètre à congélation (les équivalences de durée de congélation données ci-dessous vous en feront comprendre l'utilité), et suivez les directives générales de préparation et d'emballage données pour les grands congélateurs. Rappelez-vous aussi ce qu'il ne faut pas faire. N'essayez pas de congeler : laitue, céleri, concombres, tomates fraîches, mayonnaise, blancs d'œufs cuits, crème (sauf si elle est fouettée), crèmes anglaises, tartes à la crème, salades en gelée. Ne mettez pas de pommes de terre dans les ragoûts avant de les congeler. Évitez de trop cuire les aliments ; faites-les plutôt cuire un peu moins qu'à l'ordinaire. Ne remplissez pas les récipients de sauce, laissez toujours un espace libre d'1 po (2,5 cm). Si possible, évitez de faire dégeler la viande ou la volaille non cuite à la température ambiante, et ne la cuisez pas aussitôt sortie du congélateur. Faites-la dégeler au réfrigérateur pour éviter qu'elle ne devienne détrempée en dégelant.

Il y a quelques conseils supplémentaires pour les petits congélateurs. Économisez de l'espace en emballant avec soin et en enlevant d'abord le gras et les os de la viande, puis en la tranchant. Enveloppez les aliments en portions d'un repas ; plus le paquet est petit, plus vite dégèleront les aliments. Ne faites congeler qu'une petite portion à la fois pour ne pas élever la température du congélateur, et conservez la balance au réfrigérateur. Puisque la durée du temps de congélation est importante (consultez le tableau), conservez un inventaire des paquets marqués, de même que la date où ils sont mis au congélateur.

Vous constaterez que même avec son espace restreint, un petit congélateur est une aide précieuse.

Équivalence de durée de congélation

La durée du temps de congélation indiquée pour les aliments surgelés, à moins d'avis contraire, signifie généralement que ces aliments se conserveront à la température de 0°C des grands congélateurs. Il est impossible d'obtenir une aussi basse température dans la section de congélation du réfrigérateur, qui atteint normalement seulement 10 à 18°C. Utilisez un thermomètre à congélation pour déterminer la température de votre congélateur, puis calculez la durée de congélation permissible :

12 mois de conservation à 0°C (32°F)
sont équivalents à
5 mois à 5°C ou
2 mois à 10°C ou
1 mois à 15°C, ou
1 semaine à 25°C.

Les calculs peuvent être un peu compliqués, car les aliments varient quant à leur durée de conservation à 0°C (par exemple, la viande se conserve 8 mois, les mets cuisinés 3 mois), mais le temps mis à calculer vous épargnera les pertes d'aliments gâtés et vous y gagnerez.

Un dernier conseil, mais non de moindre importance ; étiquetez lisiblement vos paquets, car avec le temps les aliments surgelés viennent à se ressembler tous et votre mémoire peut vous jouer des tours.

L'imagination et les raccourcis

Le pain et les pâtisseries se conservent très bien au congélateur. On peut faire du pain grillé en plaçant directement les tranches de pain du congélateur dans le grille-pain. Je conserve dans mon congélateur du pain tranché de même que quelques pains français que je tranche et que j'enveloppe prêts à être utilisés pour faire du pain doré ou simplement du pain grillé. D'une façon ou de l'autre, le pain n'a pas à être dégelé.

Les beignes maison congelés, puis chauffés dans un four à 300°F (150°C) sont les meilleurs

Lorsque les petits oignons blancs et les gros oignons rouges doux sont en abondance sur les marchés et coûtent moins cher, c'est le temps de faire sa provision. Simplement, pelez-les et mettez-les dans des récipients de plastique. Congelez-les. Il est plus facile de les trancher et de les hacher alors qu'ils sont à demi-congelés. Pour les faire bouillir, ils n'ont pas à être dégelés.

C'est en Écosse que j'ai appris comment avoir toujours à portée de la main dans mon congélateur des crêpes congelées légères savoureuses. Voici comment procéder : faites cuire vos crêpes préférées. Laissez refroidir complètement sur une grille, les unes à côté des autres. Placez ensuite une double épaisseur de papier ciré entre chacune. Enveloppez de papier d'aluminium et congelez. Au moment de servir, chauffez le four à 425°F (220°C). Retirez le papier ciré de la quantité désirée de crêpes. Enveloppez de nouveau le reste. Placez les autres sur une plaque à cuisson. Faites cuire 15 à 18 minutes. On croirait qu'elles viennent d'être faites.

Lorsque les fruits sont en abondance, congelez votre remplissage de tarte aux fruits préféré selon la méthode suivante. Tapissez une assiette à tarte de 8 ou 9 po (20 à 22,5 cm) d'un papier d'aluminium épais ou d'une double épaisseur de papier d'aluminium mince, vous assurant que le papier dépasse le bord de l'assiette d'au moins 6 po (15 cm). Préparez votre remplissage. Versez dans l'assiette, ramenez le papier par dessus, pour le recouvrir légèrement. Congelez. Retirez alors de l'assiette le mélange enveloppé, étiquetez-le et remettez au congélateur jusqu'au moment de l'utiliser. Il se conservera de 6 à 8 mois. Pour l'utiliser, développez-le, mettez le mélange congelé dans une assiette à tarte recouverte de pâte, parsemez de dés de beurre et recouvrez d'après la recette. Mettez au four chauffé à 425°F (220°C), de 45 à 50 minutes, jusqu'à ce que la croûte soit dorée.

Si vous cultivez vos propres herbes — cueillez-les au meilleur moment. C'est après une pluie légère, alors qu'elles sont propres. Placez-en de petites portions dans des sacs de plastique, entières ou hachées, à votre choix. Étiquetez et congelez. Lorsqu'elles sont entières, coupez-les avec des ciseaux de cuisine alors qu'elles sont congelées. Elles conservent leur saveur d'herbes fraîches et leur couleur. Si vous ne cultivez pas d'herbes, pourquoi ne pas congeler du beau persil frais.

La congélation des sandwiches

Si vous apportez un sandwich pour le déjeuner, faites la provision d'une semaine à la fois. Enveloppez-les en paquets individuels et mettez dans un sac à congélation. Le matin, quelques minutes suffisent à faire votre choix. Apporté congelé, votre sandwich sera complètement dégelé à l'heure du repas et de plus il sera aussi frais que s'il venait d'être fait. Rappelez-vous que certains aliments doivent être évités, la laitue, les tomates, les concombres et le céleri.

Il vaut mieux pour la congélation utiliser du pain de la veille plutôt que du pain frais pour faire les sandwiches. Variez le pain. Tartinez généreusement les tranches de pain de beurre, margarine, crème sure ou fromage à la crème ramolli pour empêcher la garniture d'imbiber le pain. N'utilisez pas de mayonnaise ni de vinaigrette pour tartiner le pain, ce qui mouillerait le sandwich. Mais l'une ou l'autre peut être mélangée au remplissage en petites quantités.

Voici quelques suggestions de remplissages — vous ne tarderez pas à créer les vôtres propres.

Rôti de porc et moutarde ; beurre d'arachide, marmelade et bacon croustillant ; poulet haché, noix et olives ; jambon, cornichons hachés et moutarde ; dattes hachées, noix, zeste d'orange et fromage à la crème ; fromage sucré ou cheddar doux et relish ; saumon en boîte, jus de citron et fromage à la crème ; agneau et gelée de menthe ; minces tranches de rôti de bœuf et du raifort préparé bien égoutté.

Purée de concombres

Les concombres comme les tomates ont tendance à envahir tout d'un coup les jardins et les marchés. Ils ne se congèlent pas entiers comme légume, mais congelés en purée. On peut en ajouter à une vinaigrette ou à une crème de pommes de terre ou à une sauce pour viande froide, en y ajoutant un peu de jus de citron et de clou de girofle ou d'aneth. On fait également un bel aspic avec cette purée.

12 concombres
2 c. à thé (10 mL) de sel
1/2 tasse (125 mL) d'eau bouillante

Pelez les concombres aussi mince que possible. Coupez en longueur, enlevez les graines et tranchez mince. Saupoudrez de sel. Mettez dans une casserole de métal épais, ajoutez l'eau bouillante. Amenez à ébullition. Faites cuire, à découvert, 10 minutes. Passez au moulinet ou à travers une passoire. Mettez dans des récipients d'un demiard. Congelez. *Rendement : 1 chopine (500 mL).*

Base aux poireaux pour vichyssoise

Préparez-la l'automne alors que les poireaux sont en abondance et bon marché. Une soupe de gourmet peut ensuite être apprêtée en 20 minutes, à n'importe quel moment.

12 poireaux moyens
4 gros oignons doux
1 1/2 tasse (400 mL) de beurre

Retirez les feuilles de dessus des poireaux. Faites une incision de la partie blanche tout le long de la partie verte. Lavez bien à l'eau courante froide. Secouez pour enlever le surplus d'eau. Tranchez en partant de la base blanche. Pelez et tranchez les oignons aussi mince que possible. Faites fondre le beurre dans une casserole, ajoutez les poireaux et les oignons, brassez quelques secondes. Couvrez et laissez cuire à feu très doux durant 25 minutes, en remuant quelques fois. Le mélange ne doit pas brunir, mais ramollir complètement. Il réduira sensiblement. Répartissez dans des récipients d'une tasse. Congelez.

La préparation de la soupe : amenez à ébullition 3 à 4 tasses (750 à 1000 mL) de bouillon de poulet, ajoutez 1 tasse (250 mL) de la base de poireaux congelée. Faites mijoter 20 minutes. Ajoutez en battant 1 tasse (250 mL) de purée de pommes de terre instantanée mélangée au préalable avec 1/2 tasse (125 mL) de lait froid. Laissez mijoter quelques minutes. Ajoutez 1 tasse (250 mL) de crème. Lorsque la soupe est crémeuse, vérifiez l'assaisonnement et servez. Elle peut, à votre gré, être passée, lorsqu'elle est prête, et refroidie au réfrigérateur.

Carottes glacées

Lorsqu'au jardin, j'éclaircis mes premières petites carottes, j'en glace une certaine quantité pour servir au dîner du Jour de l'An, mais on peut également utiliser des carottes fraîches.

1 1/2 lb (675 g) de petites carottes ou
1 1/2 lb (675 g) de carottes, coupées en minces lanières
2 c. à soupe (30 mL) de farine tout-usage
1/4 de tasse (60 mL) de cassonade pâle ou de sucre d'érable
1/2 c. à thé (2 mL) de sel
1/4 c. à thé (1 mL) de thym
1 c. à soupe (15 mL) de vinaigre de cidre
1 c. à soupe (15 mL) de jus de citron frais
1/2 tasse (125 mL) de jus d'orange
zeste râpé d'1 orange
2 c. à soupe (30 mL) de beurre

Mettez les carottes dans une casserole. Ébouillantez et laissez bouillir exactement 5 minutes. Égouttez bien.

Mélangez la farine, le sucre, le sel et le thym. Ajoutez le vinaigre, les jus et le zeste râpé. Amenez à ébullition, tout en remuant, jusqu'à ce que le mélange soit crémeux. Ajoutez le beurre et faites cuire 5 minutes à feu très doux. Tapissez une casserole d'un papier d'aluminium, mettez-y les carottes et recouvrez de la sauce. Congelez.

Une fois congelées, recouvrez complètement du papier d'aluminium, retirez le paquet de la casserole et remettez au congélateur. Pour les servir, développez les carottes et remettez-les dans la même casserole. Faites cuire, couvertes, dans un four à 350° F (180° C) environ 40 minutes. Découvrez 15 minutes avant la fin de la cuisson. *Rendement : 1 pinte (1 L).*

Garnitures de sandwiches pour les impromptus

Je garde toujours au congélateur quelques-unes de ces garnitures, en plus de quelques variétés de pains tranchés, prêts à utiliser en un rien de temps pour la boîte à lunch, un pique-nique ou alors que des invités surviennent à l'improviste.

Mon préféré, au beurre d'arachide : mettez en crème 1 tasse (250 mL) de beurre d'arachide avec 1/2 tasse (125 mL) chacun de marmelade à l'orange et de miel. Ajoutez le zeste râpé d'une orange. Congelez.

Le préféré de mon mari : mettez en crème 1 tasse (250 mL) de beurre d'arachide avec 1/2 lb (250 g) de bacon cuit croustillant émietté. Mélangez-y 1/2 tasse (125 mL) de relish. Congelez.

Sardines de Bretagne : videz dans un bol 1 boîte de petites sardines fumées avec leur huile, ajoutez 2 à 3 oeufs durs, hachés fin, le jus d'1 1/2 citron et 1/2 c à thé (2 mL) de poudre de cari. Mélangez bien le tout. Congelez.

Un spécial de Colombie-Britannique : videz dans un bol une boîte d'1 lb (500 g) de saumon (de préférence, le saumon sockeye), enlevez la peau, mais non les os ni le jus. Écrasez le poisson et les os avec une fourchette. Ajoutez ensuite le jus et le zeste râpé d'un citron, 1/2 tasse (125 mL) de chutney, 1 c. à thé (5 mL) de poudre de cari, 3 oignons verts, hachés fin, et 1/4 de tasse (60 mL) de persil frais, émincé. Congelez.

La congélation des asperges

Achetez et congelez les asperges au moment ou elles se vendent au meilleur prix et vous en aurez tout au long de l'année. De même que pour tous les légumes, les meilleurs résultats sont obtenus lorsqu'elles sont congelées le plus tôt possible après la récolte.

Lavez bien les asperges pour enlever tout le sable. Remuez-les dans beaucoup d'eau froide, en les soulevant pour laisser tomber le sable au fond du récipient, et répétez le procédé jusqu'à ce que l'eau soit claire.

Cassez et enlevez la partie non comestible, et séparez les tiges minces des grosses. Taillez-les toutes égales. La meilleure longueur est 3 po (7,5 cm) pour la congélation. Congelez les petits morceaux qui restent pour les utiliser en cubes dans les soupes et les sauces en crème.

Remplissez une grande marmite de 5 tasses (1,25 L) d'eau et amenez à forte ébullition. Mettez les asperges, une sorte à la fois, dans un panier ou un tamis et plongez dans l'eau bouillante. Mettez le couvercle, et laissez à feu vif, en calculant le temps dès ce moment : 2 minutes par lb (500 g) d'asperges en cubes, 3 minutes par lb (500 g) de tiges moyennes, 4 minutes pour les grosses tiges. Il se peut que l'eau ne bouille pas durant le blanchiment, mais il faut la faire bouillir fortement avant de commencer un deuxième lot.

Et voici ce qui est important : il faut plonger les asperges, alors qu'elles sont encore dans le panier ou tamis, dans de l'eau glacée. J'emploie deux récipients de glaçons par 2 lb (1 kg) d'asperges ou je les place sous l'eau froide que je laisse couler sans arrêt. Plongez-les pour le même temps que pour le blanchiment ; égouttez à fond, mettez en paquets et congelez. Pour les utiliser, plongez simplement les asperges surgelées dans de l'eau qui bout à gros bouillons, et faites bouillir 2 minutes ; puis égouttez. *Rendement : 1 demiard (250 mL) par livre (500 g) d'asperges.*

La congélation de pommes cuites au four

Pour les apprêter ainsi, j'utilise toujours les grosses pommes Rome Beauty ou Baldwin. Elles font un dessert élégant facile à préparer.

Pelez le nombre désiré de pommes et enlevez le cœur (8 à 14 environ, suivant la grosseur). Faites un sirop en amenant à ébullition à feu moyen 1 1/2 tasse (400 mL) de sucre, 1 tasse (250 mL) d'eau, 3 clous de girofle entiers, un bout de 2 po (5 cm) d'un bâton de cannelle et 8 à 10 grains de coriandre. Plongez chaque pomme dans le sirop bouillant durant 3 minutes, puis déposez-la avec soin sur une plaque à cuisson. Mettez quelques raisins, 1 c. à thé (5 mL) de cassonade et 1 c. à soupe (15 mL) de beurre dans la cavité de chaque pomme.

Faites cuire 35 minutes au four à 350° F (180° C), jusqu'à ce que les pommes soient tendres mais non détrempées, puis mettez au grilleur pour faire dorer le dessus pendant quelques minutes. Laissez refroidir ; mettez la casserole de pommes non couverte dans le congélateur jusqu'à ce que les pommes soient vraiment gelées. Mettez-les dans des récipients ou enveloppez-les individuellement dans du papier d'aluminium ; étiquetez-les et remettez-les au congélateur.

Pour les servir, retirez la quantité désirée de pommes du contenant ou repliez le papier d'aluminium en découvrant le dessus. Laissez les pommes dégeler environ 1 heure à la température ambiante et servez-les. Si vous les préférez chaudes, mettez les pommes surgelées dans une casserole et faites-les chauffer environ 30 minutes au four à 425° F (220° C), jusqu'à ce qu'elles soient chaudes. *Rendement: 8 à 14 pommes.*

La congélation des pêches

Elles sont un fruit d'été délicieux, mais la saison en est si courte. Alors qu'elles sont à leur meilleur, choisissez la variété idéale, de préférence celle dont la chair n'adhère pas au noyau. Je préfère d'abord la Madison, ensuite la Veteran de l'Ontario. Il est parfois difficile au Canada d'acheter des fruits en les désignant par leurs propres noms; on demande plutôt, sans préciser, des pêches ou des poires ou des pommes. Et pourtant, nous avons d'intéressantes variétés de pêches; les Madison sont en générale mûres à la fin d'août.

Je préfère congeler les pêches par la méthode au « sucre sec ».

4 tasses (1 L) de pêches tranchées, pelées
1/4 c. à thé (1 mL) d'acide ascorbique en poudre
2/3 de tasse (160 mL) de sucre

Mesurez dans un bol 4 tasses (1 L) de pêches tranchées pelées. Ajoutez-y en remuant 1/4 c. à thé (1 mL) d'acide ascorbique en poudre acheté à la pharmacie, délayé dans 1/4 de tasse (60 mL) d'eau. Ajoutez 2/3 de tasse (160 mL) de sucre et remuez délicatement jusqu'à ce que le tout soit mélangé. Je me sers de mes mains ou d'une spatule de caoutchouc. Laissez dissoudre le sucre 3 à 4 minutes. Emballez au goût, laissant 1 po (2,5 cm) d'espace libre dans le haut du contenant. Froissez un morceau de papier ciré, mettez-le sur le dessus des pêches pour qu'elles demeurent dans l'humidité. Scellez, étiquetez et congelez immédiatement. *Rendement : 1 pinte (1 L).*

Il y a quarante ans et plus, la femme tirait une certaine fierté lorsqu'elle parcourait des yeux les tablettes bien garnies de sa chambre froide; où s'enlignaient rangée sur rangée de verres de gelée étincelants, de conserves aux riches couleurs entourées de sirop de vinaigre d'un beau rouge, de cornichons et de marinades variés, tout cela était le résultat de longues heures de travail attentif et soigné.

Aujourd'hui, la chambre froide n'est plus. Les longues heures consacrées à un tel travail ne sont plus disponibles et les grandes cuisines avec la domesticité qui s'y rattachait ont depuis longtemps disparu.

Mais nous avons bien quand même conservé le goût de toutes ces bonnes choses. De nos jours, même le citadin dans le gratte-ciel peut rapidement faire de petites quantités de confitures, marinades et cornichons délicieux. Et lorsque vous vous serez renseignée sur les cornichons et les marinades, vous aurez tôt fait de constater qu'en cuisine, plus que nulle part ailleurs l'imagination a une grande liberté d'expression.

Le chutney

Le mot chutney vient de l'hindi « catni » qui veut dire lécher ou goûter. Le plus célèbre de nos chutneys fut développé vers 1860 par le Major Grey, officier de l'armée britannique, qui désirait relever un peu la saveur des repas offerts à ses troupes. S'inspirant du chutney indien, frais et cuit, il créa sa recette avec les ingrédients disponibles, tels que mangues, piments rouges, et épices. Ce chutney était préparé au baril, et la recette du major acquit bientôt une renommée mondiale. Son nom sert maintenant à désigner certains des chutneys et des sauces qui accompagnent généralement les plats cuisinés au cari.

Les meilleurs chutneys commerciaux coûtent toujours cher, mais plusieurs d'entre eux peuvent être faits à peu de frais à la maison. Ils sont excellents pour accompagner non seulement les mets au cari, mais aussi les viandes froides, l'agneau ou tout plat de viande à saveur douce, et même les plats de macaroni au fromage. Puissent ces chutneys fournir au moins une alternative à ce bon vieux ketchup.

Chutney indien

En Inde, le chutney est de rigueur; la liste en est interminable. Le chutney est excellent avec les viandes grillées et le rôti de porc, de même que les plats cuisinés au cari. La cardamome et le cumin peuvent être remplacés par 1 c. à thé (5 mL) de poudre de cari.

2 grosses tomates non pelées
1 c. à table (15 mL) de cassonade
1 gros piment vert doux en dés
1 gros piment rouge doux en dés
1 oignon haché fin
1 tasse (250 mL) de jus de citron frais
zeste râpé d'un citron
1/2 c. à thé (2 mL) de cardamome moulue
1/2 c. à thé (2 mL) de graines de cumin
1/2 tasse (125 mL) de persil, émincé

Taillez les tomates en dés et saupoudrez-les de cassonade. Ajoutez les piments doux (on pourrait n'utiliser que des piments verts ou que des piments rouges) et les oignons. Remuez délicatement pour mélanger. Ajoutez le zeste de citron, la cardamome, les graines de cumin et le persil au jus de citron. Remuez le tout ensemble durant quelques secondes et incorporez au mélange des légumes.

Couvrez et laissez à la température ambiante durant 1 heure, en remuant quelques fois. Réfrigérez pour bien refroidir. On le sert froid avec des aliments chauds. *Rendement : 4 bocaux de 6 oz (180 mL).*

Chutney pêches-tomates

Une bonne recette pour utiliser les derniers fruits de la récolte d'automne.

24 tomates mûres pelées et tranchées
12 pêches pelées et tranchées
4 piments doux en dés
4 oignons tranchés
1/2 lb (250 mL) de raisins secs
1 tasse (250 mL) de gingembre dans le sirop, haché
4 tasses (1 L) de cassonade
1 c. à table (15 mL) de gros sel

Mélangez tous les ingrédients dans une casserole lourde, amenez à ébullition et mijotez à découvert, en remuant souvent, durant 3 heures environ ou jusqu'à ce que le chutney épaississe. Versez dans des bocaux stérilisés et couvrez. *Rendement : 5 chopines (2,25 L).*

Chutney à l'ananas

Attrayant et doux, ce chutney est délicieux avec le jambon cuit au four.

3 lb (1,5 kg) d'ananas
3 tasses (750 mL) de vinaigre de cidre
3 tasses (750 mL) de sucre
1 c. à thé (5 mL) de piments forts, écrasés
3 gousses d'ail émincées
2 c. à table (30 mL) de gingembre frais râpé
1 c. à table (15 mL) de gros sel
1/2 lb (250 lb) de raisins secs
1/2 lb (250 mL) d'amandes blanchies, entières ou hachées

Pelez l'ananas et taillez-le en petits dés. Faites un sirop avec le vinaigre et le sucre. Ajoutez l'ananas et le reste des ingrédients. Mélangez bien. Faites mijoter pendant 2 heures, en remuant souvent, ou jusqu'à ce que l'ensemble soit assez épais. Versez dans des bocaux stérilisés. Scellez. *Rendement : 4 chopines (2 L).*

Cerises au cognac

Ce délice de renommée universelle est facile à préparer. Il peut être conservé en parfait état de 8 à 9 mois dans un endroit frais et sombre.

2 lb de cerises douces (1 kg)
2 tasses (500 mL) de sucre
cognac

Ne dénoyautez pas les cerises. Mettez-les dans un grand bol, recouvrez-les d'eau glacée et laissez-les reposer de 30 à 40 minutes. Égouttez-les et enlevez les queues (elles peuvent être laissées, mais les cerises se placent moins bien dans les bocaux).

Faites dissoudre le sucre dans 2 tasses (500 mL) d'eau. Amenez à ébullition et faites bouillir à gros bouillons durant 5 minutes, en remuant délicatement quelques fois avec une cuillère de bois. Ajoutez les cerises et ramenez à ébullition. Retirez du feu, attendez que l'ébullition cesse et répétez deux fois le procédé : faire bouillir 5 minutes et ainsi de suite. Remplissez des bocaux stérilisés aux trois quarts, couvrez sans serrer le couvercle, et laissez refroidir.

Remplissez chaque bocal de cognac, en remuant avec une cuillère d'argent ou d'acier inoxydable, et scellez. Renversez les bocaux et laissez-les ainsi jusqu'au lendemain, puis retournez-les et entreposez-les dans un endroit frais et sombre pour au moins 3 mois avant de les utiliser. *Rendement : 4 chopines (2 L) environ.*

Pelures de citron confites

Le travail en vaut bien la peine; elle ne se compare pas au type commercial. La méthode est la même pour la pelure d'orange et de pamplemousse.

la pelure de 2 gros citrons
eau froide
1 tasse (250 mL) de sucre
sucre

Enlevez la pelure des citrons en quatre ou en huit sections, mettez-la dans une petite casserole et recouvrez d'eau. Mettez le couvercle et laissez mijoter jusqu'à ce qu'elle soit tendre, 10 minutes environ. Égouttez et réservez 1 tasse (250 mL) de l'eau de cuisson.

Étalez la pelure de citron sur la table, le côté jaune dessous. Grattez avec un couteau tranchant pour enlever toute la partie blanche de la pelure et jetez-la. Coupez la partie jaune en lamelles d'1/8 po (0,32 cm) de large.

Mélangez 1 tasse du jus de cuisson avec 1 tasse de sucre. Remuez à feu doux pour dissoudre le sucre. Faites bouillir fortement sans remuer jusqu'à ce que le sirop atteigne la consistance d'une boule molle dans l'eau froide (234 à 240°F) (112 à 115°C) au thermomètre à bonbon. Ajoutez la pelure de citron et faites mijoter 10 minutes.

Retirez la pelure de citron du sirop avec une écumoire et faites égoutter les lamelles sur une grille à gâteau.

Mettez 1/4 de tasse (60 mL) de sucre environ dans un petit sac, ajoutez-y quelques lamelles de pelure à la fois, secouez le sac pour les enrober de sucre. Remettez-les sur la grille pour refroidir et sécher. Agitez-les encore une fois dans le sucre et conservez-les dans un endroit frais et sec.

Sucre à la vanille

Un sucre tout-usage délicatement parfumé. La vanille est la gousse séchée d'une orchidée. Longue, mince et brun foncé, elle transmet son arôme à tout ce qu'elle touche. Choisissez un récipient avec un couvercle hermétique et assez joli pour l'utiliser à table.

2 gousses de vanille
1 lb (500 g) de sucre granulé très fin

Passez la pointe d'un couteau le long de la gousse, mais sans la séparer en deux. Choisissez un bocal assez profond pour y mettre les gousses verticalement. Recouvrez-les complètement de sucre. Couvrez le bocal et conservez un mois avant d'utiliser. Lorsque le bocal est à moitié vide, remplissez-le de nouveau et agitez-le bien. Ce procédé peut être répété tant que la vanille transmet son parfum.

Saupoudrez de ce sucre: gâteau éponge, petits fruits frais, pamplemousses, salade de fruits, pain aux raisins grillé, pâtisseries danoises ou crème anglaise; sucrez-en le cacao chaud, le grog au rhum chaud, les pommes au four, les oranges, les pêches ou poires pochées. Ou utilisez pour remplacer le sucre ordinaire dans les gâteaux au chocolat, le « pound cake » anglais ou le gâteau chiffon.

Variations : ajoutez 6 feuilles de laurier émiettées et le zeste râpé de 2 oranges. Mélangez et versez dans un verre à gelée. J'utilise ce sucre sur les poires crues, en salade ou pochées.

Ajoutez au sucre 6 à 8 feuilles de géranium rose hachées fin. Mélangez bien. Versez dans un bocal de verre. Couvrez. Ce sucre est formidable. Essayez-le pour commencer sur les oranges et les melons.

Maintenant, c'est à vous de créer votre propre spécialité. C'est amusant.

Navets dans le vinaigre

Une de mes amies qui s'y connaît en cuisine arabe m'a appris à mettre dans le vinaigre les petits navets blancs ou jaune pâle. Ils sont d'apparence attrayante et de saveur délicieuse. Ils accompagnent avec succès surtout les mets assez fortement épicés, les plats au riz et à l'orge, et ne manquent jamais d'être un sujet de conversation.

6 à 8 navets moyens ou petits
1 betterave crue mais pelée
2 tasses (500 mL) d'eau
1 tasse (250 mL) de vinaigre de cidre ou de vin rouge
2 à 3 gousses d'ail entières
2 c. à thé (10 mL) de sel
1 à 3 gousses de petits piments rouges piquants

Pelez les navets et taillez-les comme suit : enlevez une tranche sur le dessus et sur le dessous pour les rendre égaux. Tranchez-les ensuite verticalement en bâtonnets d'1/4 po (0,625 cm) jusqu'à 1/2 po (1,25 cm) de la base. Il s'agit de ne pas séparer les bâtonnets, ils doivent demeurer réunis à la base.

Mettez les navets dans un bol, recouvrez-les complètement d'eau froide et laissez-les reposer toute la nuit. Le lendemain, rincez-les 5 à 6 fois. Tranchez la betterave et mettez la moitié des tranches dans un bocal à large ouverture. Recouvrez des navets rincés et mettez le reste de la betterave par-dessus.

Remuez ensemble le reste des ingrédients et versez sur les tranches de betteraves. Couvrez et conservez dans un endroit frais. Laissez reposer au moins 3 jours, 6 si possible. Agitez le bocal 5 à 6 fois pour bien répartir la couleur du jus de betterave parmi les navets. *Rendement : 1 chopine (500 mL).*

Carottes et céleri à l'aneth dans le vinaigre

Ces bâtonnets de carotte et de céleri non cuits, savoureux et croquants, peuvent accompagner les cocktails, la salade de fruits de mer ou de poulet. Ils font un élégant légume de pique-nique.

4 tasses (1 L) de bâtonnets de carotte, longs et minces

4 tasses (1 L) de bâtonnets de céleri, longs et minces
2 tasses (500 mL) de vinaigre de cidre
4 tasses (1 L) d'eau
1 tasse (250 mL) de sucre
1/2 tasse (125 mL) d'aneth haché ou
2 c. à table (30 mL) de graines d'aneth
2 c. à table (30 mL) de graines de moutarde
1 c. à table (15 mL) de sel
1/4 c. à thé (1 mL) de sauce Tabasco

Taillez les carottes et le céleri en bâtonnets au-dessus d'un bol d'eau glacée. Égouttez-les ensuite dans une passoire et mettez-les dans des bocaux de verre.

Mélangez le reste des ingrédients dans une casserole, remuez pour dissoudre le sucre et amenez à forte ébullition. Versez le mélange chaud sur les carottes et le céleri. Couvrez et conservez au réfrigérateur 2 à 3 jours avant d'utiliser. *Rendement : 3 pintes (3 L).*

Champignons marinés

Je prépare chaque année deux à trois douzaines de bocaux de champignons dans le vinaigre. Je les conserve dans un endroit frais jusqu'à une année. C'est un plaisir de les servir pour remplacer les cornichons.

1 lb (500 mL) de petits champignons très frais
1 oignon moyen tranché mince
1 c. à thé (5 mL) de sel
1/2 tasse (125 mL) d'eau
3/4 de tasse (200 mL) de vinaigre de cidre ou de vin blanc
10 grains de poivre
8 grains de quatre-épices entiers
2 feuilles de laurier

Dans une casserole d'acier inoxydable (non pas d'aluminium) ou de fonte émaillée, faites mijoter les champignons entiers à feu moyen-doux de 15 à 20 minutes environ, avec l'oignon, le sel et l'eau. Ajoutez le reste des ingrédients, mijotez 3 minutes, puis laissez refroidir légèrement. Répartissez également les champignons dans de petits bocaux, recouvrez du liquide tiédi et scellez hermétiquement. Conservez dans un endroit frais et sombre ou au réfrigérateur. *Rendement :   4 tasses (1 L).*

421

Cornichons au citron épicés

Un cadeau attrayant qui est idéal avec tout plat au cari ou avec du fromage fort et du porto. Joignez-y un fromage cheddar préféré, c'est un excellent cadeau à donner à un homme; ajoutez une bouteille de porto vieilli, et c'est un cadeau très spécial. Pour une personne qui aime cuisiner, donnez aussi un bocal de poudre de cari.

9 gros citrons
2 1/4 tasses (575 mL) de sucre
1/8 c. à thé (0,5 mL) de sel
1 tasse (250 mL) de vinaigre de cidre
1 bâton de cannelle
1/2 c. à thé (2 mL) de grains entiers de quatre-épices
1 petite racine de gingembre frais
4 à 5 clous de girofle entiers

Lavez et asséchez les citrons; coupez en tranches d'1/4 po (0,625 cm). Mettez dans une casserole le sucre, le sel, le vinaigre et 1/4 de tasse (60 mL) d'eau, amenez à forte ébullition. Ajoutez les épices mises dans un petit sac de coton et les tranches de citron. Faites bouillir une minute.

Disposez des épices et mettez les tranches de citron dans des bocaux stérilisés chauds. Recouvrez du sirop et scellez aussitôt. *Rendement: 6 demiards (250 mL).*

Antipasto de piments doux dans l'huile

Un des meilleurs hors-d'œuvre italiens à avoir sous la main. Il se conserve facilement. Toujours agréable avec viandes froides ou grillées.

3 gros piments doux rouges ou verts ou
2 piments rouges, 2 verts
2 gousses d'ail, pelées et écrasées
sel au goût
huile d'olive
le jus d'1 citron

Mettez les piments sur une plaque à cuisson au four préchauffé à 400°F (200°C), 15 à 20 minutes, ou jusqu'à ce que la peau noircisse. Retournez-les une fois avec les doigts (une fourchette percerait la peau) durant la cuisson. Laissez refroidir un peu, pelez-les. Un travail quelque peu salissant, mais facile.

Coupez les piments en deux, enlevez le cœur et les graines, et taillez-les en lamelles d'égale grosseur. Mettez dans un bocal de verre avec de l'ail, du sel, du jus de citron et assez d'huile pour en recouvrir les piments. Tournez 3 à 4 fois durant les premières heures. Scellez et conservez dans un endroit frais. *Rendement : 1 chop. (500 mL).*

La citrouille marinée d'Yvette

En 1967, quatre jeunes femmes, mariées depuis moins de deux ans, furent invitées à mon programme de télévision. Elles avaient été priées d'apporter chacune un bocal de ses cornichons maison, dont les meilleurs remporteraient le prix : une journée à Terres des Hommes.

Yvette McKeow (de mère française, de père écossais ; elle avait fait ses études au Québec et avait vécu en Nouvelle-Écosse) fut la charmante gagnante. Elle m'avoua que son mari lui avait inculqué le goût d'une cuisine d'où se dégageait un parfum d'épices à l'époque des marinades.

La citrouille marinée d'Yvette saura vous plaire. J'en fais chaque année.

1 chopine (500 mL) de vinaigre blanc ou de vinaigre de cidre
4 lb (2 kg) de sucre
1 c. à thé (5 mL) de clous de girofle entiers
1 c. à table (15 mL) de bâtons de cannelle
5 lb (2,5 kg) de citrouille pelée, en morceaux de 1 po (2,5 cm)

Mettez le vinaigre et le sucre dans une casserole. Attachez dans un petit sac de coton les clous de girofle et les morceaux de cannelle, ajoutez le vinaigre.

Amenez lentement le mélange à ébullition, en remuant sans cesse, et faites bouillir 5 minutes. Ajoutez la citrouille et faites cuire encore 10 à 15 minutes, ou jusqu'à ce que la citrouille soit tendre. Mettez le mélange dans des bocaux chauds, recouvrez du sirop et scellez. *Rendement : 5 chopines (2,5 L).*

Marmelade de pêche et de melon

Un bocal de cette succulente marmelade en même temps que la recette me furent remis par une femme de Galt, Ontario, qui cultivait de magnifiques melons.

3 oranges coupées en deux, les noyaux enlevés
2 citrons coupés en deux, les noyaux enlevés

4 tasses (1 L) de melon pelé et taillé en petits cubes
4 tasses (1 L) de pêches pelées et taillées en petits cubes
6 tasses (1,5 L) de sucre
6 à 8 cerises marasques coupées en deux (facultatif)

Passez les oranges et les citrons au hachoir. Mettez le melon et les pêches dans une grande marmite et mijotez à feu moyen 2 minutes. Ajoutez les oranges et les citrons puis le sucre en remuant. Faites mijoter à feu doux, en remuant souvent, jusqu'à ce que le sucre soit dissous. Élevez la chaleur, en remuant souvent afin d'empêcher le mélange de prendre au fond, jusqu'à ce qu'il forme une nappe au dos d'une cuillère et se réunisse en une seule goutte pour en tomber. Évitez de trop cuire. (Cette confiture doit demeurer légère et sirupeuse, non pas épaisse et solide.) Versez dans des bocaux stérilisés chauds ; laissez tomber une cerise dans chaque bocal et scellez. *Rendement : 6 bocaux de 8 oz (250 mL).*

Confiture de tomates et de citrons

Une conserve ancienne toujours appréciée. Ma grand-mère utilisait des tomates rouges ou jaunes.

5 lb (2,5 kg) de tomates fermes, pelées
5 lb (2,5 kg) de sucre
3 citrons non pelés, tranchés mince
1 c. à table (15 mL) de racine de gingembre frais, râpée

Hachez grossièrement les tomates pelées et mettez dans une casserole en rangs alternés avec le sucre et les tranches de citron. Ajoutez le gingembre, laissez mijoter doucement à feu moyen-doux, en remuant souvent, jusqu'à épaississement, de 45 à 50 minutes environ (la consistance doit être celle d'une confiture). Versez dans des bocaux stérilisés chauds, scellez aussitôt et conservez dans un endroit frais et sombre. *Rendement : 4 à 5 verres de 6 oz (180 mL).*

Compote de prunes

Pour préparer ce dessert, utilisez la variété de prunes fraîches qui vous plaît, faites-les cuire entières ou dénoyautées et coupées en deux. Il est très facile de retirer le noyau une fois les prunes cuites.

1 tasse (250 mL) de sucre
1 tasse (250 mL) de jus de pomme, d'eau ou de vin rouge
2 po (5 cm) d'un bâton de cannelle
2 lb (1 kg) de prunes dénoyautées

Faites un sirop en faisant bouillir ensemble le sucre et le jus de pomme ou l'eau ou le vin rouge durant 10 minutes. Ajoutez le bâton de cannelle. Mettez les prunes les unes à côté des autres dans le sirop, puis couvrez et faites mijoter à feu très doux 20 à 25 minutes.

La cuisson terminée, disposez les fruits délicatement dans un plat de verre et versez le sirop dessus. Refroidissez puis réfrigérez jusqu'au moment de servir. *Rendement : 4 à 5 portions.*

Confiture de dernière heure

Une bonne confiture maison qui se fait en tout temps.

4 tasses (1 L) de prunes rouges en boîte, non égouttées
1/2 tasse (125 mL) de raisins secs sans pépins
1 tasse (250 mL) de sucre
1 orange pelée et tranchée mince
1 c. à table (15 mL) de jus de citron frais

Mettez les prunes dans une lourde casserole de fonte émaillée; défaites-les et enlevez les noyaux. Ajoutez les raisins, le sucre et les tranches d'orange. Amenez à ébullition à feu moyen; puis faites mijoter à feu doux jusqu'à épaississement, 35 à 45 minutes. Ajoutez le jus de citron et faites cuire encore 2 minutes. Versez le mélange chaud dans 2 bocaux stérilisés d'une chopine (500 mL) et scellez. Conservez au réfrigérateur. *Rendement : 2 bocaux d'une chopine (500 mL).*

La confiture de framboises de maman

Cette confiture de framboises parfaite, je la fais sans échec depuis 40 ans. Dès l'apparition sur le marché des framboises rouges mûres, je prépare quelques bocaux de cette confiture rouge vif, comme le faisait maman.

4 tasses (1 L) de framboises fraîches
1 c. à table (15 mL) de vinaigre
4 tasses (1 L) de sucre

Mettez les framboises dans une passoire et passez-les rapidement à l'eau froide. (Les framboises absorbent facilement l'eau, alors trop d'eau gâterait la confiture.) Enlevez les queues et mesurez les framboises.

Répartissez le sucre également dans 3 assiettes à tarte et faites-le chauffer au four à 275°F (130°C) durant 20 minutes.

Mettez les fruits dans une grande marmite avec le vinaigre. Amenez à ébullition sans remuer, à feu moyen, puis faites bouillir 5 minutes.

Ajoutez le sucre chaud, une assiettée à la fois. En ajoutant le sucre chaud, l'ébullition ne s'arrête pas. Faites bouillir à feu vif durant précisément 2 minutes. Versez dans des verres stérilisés chauds; paraffinez et scellez. *Rendement : 4 à 5 verres de 6 oz (180 mL).*

Confiture de carottes épicée

Celle-ci est très différente d'une marmelade en fait de texture et de saveur, elle est excellente avec les viandes, en particulier le jambon et le gibier.

> *4 tasses (1 L) de carottes crues, hachées fin*
> *3 tasses (750 mL) de sucre*
> *le jus et le zeste râpé de 2 citrons*
> *1/2 c. à thé (2 mL) chacune de clous de girofle, de quatre-épices et de cannelle moulues*

Mettez tous les ingrédients dans une casserole. Amenez lentement à ébullition à feu moyen-doux, en remuant sans cesse. Laissez cuire ensuite à feu doux, en remuant fréquemment, de 30 à 40 minutes, ou jusqu'à ce que le mélange ait la consistance épaisse d'une confiture. Versez dans des bocaux stérilisés chauds et scellez. *Rendement : 4 verres à gelée de 6 oz (180 mL).*

Confiture de citrouille

La confiture de citrouille est inhabituelle et assez savoureuse pour justifier l'emploi de 2 tasses (250 mL) de gin. Autrefois, on la faisait avec le gin hollandais doux. Je le considère toujours le meilleur. La racine de gingembre frais est essentielle.

> *4 lb (2 kg) de citrouille, en dés*
> *4 lb (2 kg) de sucre*
> *gingembre frais râpé*
> *1/2 c. à thé (2 mL) de quatre-épices*
> *zeste de 3 citrons, râpé*
> *jus de 3 citrons*
> *1 tasse (250 mL) de gin hollandais doux*

Pelez et nettoyez la citrouille, enlevez les graines, taillez-la en dés, et pesez. Mettez dans un grand bol en rangs alternés avec le sucre. Recouvrez d'un linge et laissez reposer deux jours dans un endroit frais.

Mettez dans une grande casserole avec le gingembre, le quatre-épices, le zeste de citron et le jus. Faites mijoter à feu moyen, en remuant souvent, jusqu'à ce que la citrouille soit tendre et transparente. Retirez du feu, refroidissez un peu et ajoutez le gin. Brassez bien. Versez dans des bocaux stérilisés et scellez. *Rendement : 6 à 8 pintes (6 à 8 L).*

Gelée de prunes à la menthe

Elle est parfaite pour accompagner l'agneau ou le poulet rôti; elle est bonne sur une salade de fruits, un délice avec du fromage cottage ou arrosée de crème. En un mot, elle est indispensable dans votre garde-manger. Les noyaux de prunes remontent à la surface, ils sont donc faciles à retirer après la cuisson, si vous le désirez.

3 lb (2,5 kg) de prunes de n'importe quelle variété
2 lb (1 kg) de pommes sures
sucre
1 tasse (250 mL) de feuilles de menthe fraîches

Faites bouillir les prunes jusqu'à ce qu'elles soient tendres dans 4 tasses (1 L) d'eau. Coupez les pommes sans les peler ni enlever les cœurs et faites-les bouillir dans un autre 4 tasses (1 L) d'eau jusqu'à ce qu'elles soient tendres. Mélangez à fond les fruits et les liquides; versez ensuite dans un sac à gelée au-dessus d'un bol et laissez couler le jus.

Mesurez le jus, amenez à forte ébullition et ajoutez une quantité égale de sucre. Lorsque le sucre est dissous, ajoutez la menthe dans un sac de coton à fromage attaché au manche de la casserole. Faites bouillir et assurez-vous qu'elle est cuite à point, retirez la menthe, en pressant le long des parois de la casserole pour en extraire le jus. Écumez, enlevez les noyaux au goût, versez dans des verres stérilisés et scellez. *Rendement : 6 verres à gelée de 6 oz (180 mL).*

Gelée de cassis à la menthe

Celle-ci est une gelée-minute.

2 c. à thé (10 mL) de feuilles de menthe fraîches, émincées
1/2 c. à thé (5 mL) de zeste d'orange râpé
1 verre de 6 oz (180 mL) de gelée de cassis

Enlevez la gelée de cassis du bocal et mettez tous les ingrédients dans le haut d'un bain-marie, remuez délicatement pour bien mélanger. Versez de nouveau la gelée dans le verre et couvrez. Réfrigérez 24 heures. La même méthode s'applique à toutes les herbes mélangées avec confiture, gelée ou miel. *Rendement : 1 verre de 6 oz (180 mL).*

Gelée de miel

Une délicieuse gelée de couleur ambre qui peut être faite à l'année longue. J'aime cette gelée avec des muffins au son.

2 1/2 tasses (650 mL) de miel liquide
3/4 de tasse (200 mL) de jus de citron frais coulé
1/2 tasse (125 mL) de pectine liquide

Mélangez le miel et le jus de citron dans une grande casserole (il mousse beaucoup à la cuisson) et amenez-le à forte ébullition à feu moyen, en remuant sans cesse. Ajoutez la pectine en remuant, ramenez de nouveau à forte ébullition et laissez bouillir 1 minute. Retirez du feu, écumez, et versez dans 5 verres à gelée stérilisés. Recouvrez de paraffine alors qu'ils sont encore chauds. *Rendement : 5 verres de 6 oz (180 mL).*

Gelée de pamplemousse au vin

Formidable avec la dinde rôtie ou le jambon cuit au four, très bonne avec des muffins ou des « crumpets » grillés ; et il ne suffit que de dix minutes de préparation.

1 tasse (250 mL) de jus de pamplemousse frais
3 1/2 tasses (875 mL) de sucre
1 tasse (250 mL) de vin de porto
1/2 bouteille de pectine liquide de pamplemousse

Mélangez dans une casserole le jus de pamplemousse frais et coulé et 3 tasses de sucre (750 mL). Remuez pour bien mélanger le sucre ; ajoutez le vin et la 1/2 tasse (125 mL) de sucre qui reste. Brassez de nouveau. Laissez à feu doux, en remuant souvent, jusqu'à ce que le sucre soit dissous, soit 8 minutes environ. Amenez à forte ébullition. Retirez du feu, ajoutez la pectine en remuant. Mélangez bien, versez dans des verres stérilisés et scellez. *Rendement : 5 verres à gelée de 6 oz (180 mL).*

Poires d'été en conserve

Voici une façon de conserver les bonnes poires d'été qui les rend très attrayantes. Elles sont également bonnes servies telles quelles comme dessert, pour garnir la crème glacée ou le gâteau éponge, ou pour accompagner la dinde rôtie ou le jambon au four. Si possible, utilisez du jus d'ananas frais fait au mélangeur électrique.

1 lb (500 mL) de poires
1 tasse (250 mL) de jus d'ananas
1/2 tasse (125 mL) d'eau
1 1/2 tasse (400 mL) de sucre
1 citron non pelé, tranché très mince
8 minces tranches de gingembre frais

Lavez et pelez les poires. Séparez-les en deux, enlevez le cœur et conservez les moitiés dans l'eau froide jusqu'au moment d'utiliser.

Faites un sirop avec le jus d'ananas, l'eau et le sucre, et amenez-le à forte ébullition. Ajoutez les poires, un morceau à la fois afin de ne pas interrompre l'ébullition. Faites cuire jusqu'à ce que les poires soient tendres et transparentes. (Le thermomètre à bonbons devrait alors enregistrer 230°F (110°C). Retirez du feu et laissez les poires reposer toute la nuit dans le sirop à la température ambiante.

Le lendemain, ramenez le mélange des poires à forte ébullition, puis mettez les fruits seulement dans 4 bocaux chauds stérilisés. Continuez l'ébullition du sirop jusqu'à ce qu'il atteigne 230°F (110°C) au thermomètre à bonbons. Remplissez ensuite les bocaux du sirop chaud les faisant déborder (pour éliminer les bulles d'air). Ajoutez 2 tranches de citron et 2 tranches de gingembre dans chaque bocal et scellez. Recouvrez de paraffine à votre gré, mais laissez alors un espace libre d'1/2 po (1,25 cm) au haut du bocal. *Rendement: 2 pintes (2 L).*

Table des matières

— NOTES —

— NOTES —

— NOTES —

— NOTES —